Discours et communication

Principes et procédés

Simone Robaire
Raymond Légaré

avec la collaboration spéciale de Robert Quesnel

Données de catalogage avant publication (Canada)

Robaire, Simone
Discours et communication : principes et procédés
(Français au collégial)
Comprend des références bibliographiques et un index.
ISBN 2-89428-171-4

1. Communication écrite. 2. Communication orale. 3. Français (Langue) — Français écrit. 4. Français (Langue) — Français parlé. 5. Lecture — Compréhension. I. Légaré, Raymond, 1938- II. Titre. III. Collection.

PN176.R59 1997 808 C97-940317-0

L'Éditeur tient à remercier Annie Tilleul, du Collège de Saint-Jérôme, de ses précieux conseils.

Consultation linguistique selon le protocole établi par l'Éditeur: Suzanne Teasdale
Responsable des demandes de droits: Karine Leblanc
Composition: Nicole Roy
Photographies de la page couverture: Mathieu Chartrand
Illustrations originales: Sophie Lapointe
Infographie: Édition électronique Niche, Montréal

Éditrice pédagogique: Miléna Stojanac

Éditions Hurtubise HMH ltée
1815, avenue De Lorimier
Montréal (Québec)
H2K 3W6 Canada

Téléphone: (514) 523-1523
Télécopieur: (514) 523-9969

ISBN 978-2-89428-158-1
Dépôt légal — 3e trimestre 1997
Bibliothèque nationale du Québec
Bibliothèque nationale du Canada

Imprimé au Canada

À nos élèves du Collège Lionel-Groulx, 1995-1997.

Les auteurs

SIMONE ROBAIRE est titulaire d'une maîtrise de la Sorbonne et d'un doctorat de l'Université McGill en lettres françaises. D'abord professeur à UCLA et à Eastern Washington State University, et directrice des études françaises au secondaire, à Montréal, elle travaille à la Fondation Charles-Bronfman dans le cadre d'un projet éducatif, et devient conseillère pédagogique dans le réseau des écoles primaires et secondaires privées. Depuis 1991, elle enseigne le français, langue et littérature, au Collège Lionel-Groulx.

Titulaire d'une maîtrise en lettres françaises de l'Université McGill, RAYMOND LÉGARÉ enseigne le français, langue et littérature, au Collège Lionel-Groulx depuis une trentaine d'années. Rédacteur à la revue *Médium — sciences humaines* de 1982 à 1989, il était responsable de l'implantation de la politique de la langue dans son collège.

Au cours de l'année 1994-1995, les auteurs ont été libérés dans le cadre du programme de perfectionnement «Adaptation aux nouvelles technologies et aux programmes d'études» (ATPE), pour faire une recherche sur les enjeux d'un nouveau cours de français au collégial, le cours de **formation générale propre**. L'équipe multidisciplinaire dont ils faisaient partie a identifié les familles de programmes correspondant aux besoins des élèves de leur collège. C'est lors de cette recherche que le besoin de créer un manuel spécifique au nouveau cours a surgi, un manuel qui permettrait aux élèves, quel que soit leur secteur, de développer leurs connaissances et leurs habiletés en communication orale et écrite.

...

Titulaire d'une maîtrise en psychologie, conseiller pédagogique au développement des programmes au Collège Lionel-Groulx, ROBERT QUESNEL œuvre en éducation depuis 27 ans. À titre de conseiller pédagogique, il a assuré la coordination de l'implantation de la réforme de l'enseignement collégial, et supervisé les travaux préparatoires à l'application de la composante de la **formation générale propre**. Il coordonne l'implantation des nouveaux programmes (l'enseignement par compétences) ainsi que l'évaluation des programmes dans leurs différentes composantes.

Robert Quesnel participe depuis 20 ans à des recherches portant sur l'apprentissage. Il a participé à l'élaboration, à la mise en place et à l'évaluation de différents modèles pédagogiques dans le cadre de projets internationaux.

Avant-propos

Aborder la communication orale et écrite comme objet d'apprentissage pour l'ordre secondaire, collégial ou universitaire, c'est reconnaître qu'il y a encore des choses à apprendre sur le sujet.

À ceux et celles qui veulent perfectionner ces deux types de communication, il faut suggérer, selon un objectif précis, des étapes, des apprentissages significatifs.

Cet objectif, celui que le ministère de l'Éducation propose sous la forme d'une compétence à acquérir au collégial, est ainsi formulé:

> « *Utiliser les principes et les procédés de la communication pour la compréhension et la production des différents types de discours oraux et écrits.*[1] »

Discours et communication vise à parfaire cette compétence en insistant sur la diversité des discours oraux et écrits et sur leur application dans différents contextes. Dans un tel cadre, les auteurs se sont fixé comme but d'affiner la communication orale et écrite au collégial et, en même temps, de faire apprécier des textes relatifs à différents domaines ou champs de savoir, dont la littérature.

Ce défi peut être relevé par ceux et celles d'entre vous qui voudront transférer leurs apprentissages dans l'exercice de leur future fonction de travail. Tout doit être mis en œuvre pour que, les exercices étant complétés, se construise mentalement une structure propre à la façon de faire un résumé, de préparer un débat, d'écrire un article ou d'élaborer une argumentation écrite, etc. Cette structure sera ensuite appliquée à différentes situations professionnelles. **Le transfert ne sera réussi que s'il y a reconnaissance de la structure déjà maîtrisée.**

Les auteurs de ce livre cherchent donc à vous placer en situation d'apprentissage. Une série d'exercices vous amènent à découvrir l'importance d'acquérir les éléments et techniques du discours, d'en comprendre l'utilité et la pertinence, de savoir dans quel contexte les utiliser et surtout de pouvoir les appliquer, en les maîtrisant toujours davantage, à différents types de discours.

Pour vous, triple préoccupation: celle de comprendre, de produire, et d'effectuer un retour critique sur l'acquisition et la justesse de vos apprentissages. Pour cela, il ne suffit pas d'enchaîner les exercices les uns après les autres; il faut proposer un questionnement qui, progressivement, vous fera prendre conscience des apprentissages clés à réaliser.

Cette démarche est supportée par des textes que les auteurs ont voulu intéressants, pertinents, accessibles. Ils sont tous abordés par un questionnement qui respecte la démarche et la progression des apprentissages: aller du simple au complexe, du connu vers l'inconnu, sans perdre de vue l'objet principal de chaque chapitre. Les auteurs proposent des questions appropriées, des consignes claires et bien orientées, l'expression simple et précise des notions à

1. Direction générale de l'enseignement collégial, *Des collèges pour le Québec du XXIe siècle,* Québec, Ministère de l'Éducation, 1994, p. 53.

maîtriser et des exercices adaptés aux habiletés à développer, bref ce qu'il est essentiel de comprendre et d'apprendre. Nous retrouvons cette approche dans tous les chapitres, à l'exception des deux premiers et des deux derniers.

Le premier chapitre présente la communication comme une démarche bilatérale sous la forme d'un contrat entre un émetteur et un récepteur. Le deuxième chapitre est consacré aux caractéristiques de la langue parlée et de la langue écrite. Chacune a son code et ses objectifs: la langue écrite favorise l'analyse et stimule la réflexion, alors que la langue parlée suppose chez le récepteur une compréhension immédiate du message.

Pour les autres chapitres regroupés en deux pôles, les éléments et les techniques du discours, les auteurs proposent des textes d'amorce et des exercices dont le but est de faire comprendre de manière inductive les éléments nécessaires à la leçon: **ce qu'il faut savoir**. La leçon est ensuite présentée dans un **tableau synthèse** qui fixe les repères essentiels. Pour vous assurer que vos apprentissages soient bien intégrés, vous êtes invités à réaliser des **exercices bilans**, applications plus complexes dénotant une maîtrise des notions et des habiletés développées, qui permettent un retour critique. Fait important à mentionner, la plupart des exercices proposés dans ce livre ont été expérimentés en classe.

Les derniers chapitres ont une fonction de transfert par rapport aux différents champs de savoir et aux domaines d'activité professionnelle. Voici l'occasion de montrer que les principes et les procédés de la communication écrite et orale sont des références et des outils de compréhension partout indispensables. Les textes proposés dans ces chapitres vous permettent de prendre conscience du fait que les apprentissages réalisés jusqu'à maintenant s'appliquent bien aux différents types d'interventions que vous aurez à effectuer dans votre future fonction de travail ou à l'université, et plus globalement comme citoyennes et citoyens.

La toile de fond qui vous permet de vous situer tout au long du livre repose sur deux éléments primordiaux: l'intention de l'émetteur et la connaissance du destinataire. Ces deux fils conducteurs servent de référence pour déterminer, dans le premier cas, le plan du texte et ce qui le caractérise en termes de discours, et dans le second cas, le niveau de langage qui s'y rattache.

Les deux auteurs ont investi temps et énergie pour faire de leur livre *Discours et communication* l'expression, le témoin de nombreuses années d'expérience en enseignement. Nous espérons que vous comprendrez mieux, après avoir lu les textes et fait les exercices des différents chapitres, à quel point la communication orale et la communication écrite méritent qu'on consacre le temps nécessaire à mieux les maîtriser. C'est là une marque de respect pour une langue qu'on veut garder vivante comme l'expression d'un savoir et d'une culture.

Robert Quesnel, conseiller pédagogique
Collège Lionel-Groulx

Sommaire

TROISIÈME PARTIE LES DISCOURS

QUATRIÈME PARTIE LE TRANSFERT DES CONNAISSANCES: TEXTES CHOISIS

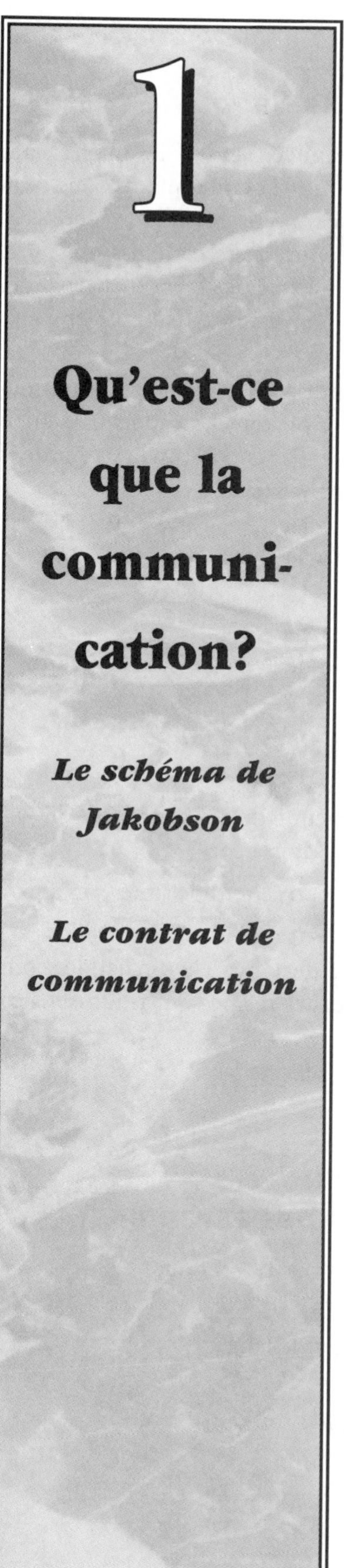

1

Qu'est-ce que la communication?

Le schéma de Jakobson

Le contrat de communication

Communiquer signifie

transmettre de l'information à l'aide d'une langue-code indépendante du locuteur et de l'auditeur (Roman Jakobson);

faire connaître une intention qui n'est pas toujours portée par l'énoncé;

poser un geste qui engage tout l'être aux plans psychologique et social.

Communiquer, c'est donc **faire une démarche vers un lecteur, un auditeur:**

- c'est **recevoir, comprendre** un message (en tant que **récepteur**);
- c'est **émettre** un message, **se faire comprendre** (en tant qu'**émetteur**).

Afin de définir la communication, certains auteurs se réfèrent à la **linguistique** dans son acception la plus stricte, comme **science du langage**. Abordée de cette façon, la linguistique n'a que peu à voir avec la communication. Une telle conception exclut en effet les éléments de la communication à présent retenus par les chercheurs: les facteurs culturels, psychologiques et sociologiques.

Bien que le langage articulé constitue le moyen primordial dont dispose l'être humain pour communiquer, il faut savoir qu'en réalité les langues ne sont pas des codes parfaits. Ceci explique l'intérêt des nouvelles sciences du langage pour l'usage que nous en faisons. Outre le code formel, certains éléments interviennent dans le processus de la communication et y jouent un rôle déterminant: **la situation** de la communication, **l'intention** que l'on veut exprimer et le rôle du paraverbal ou non verbal (la gestuelle, la voix).

À l'aide des textes qui suivent, essentiellement conformes aux usages du français, observons dans ses multiples nuances l'emploi des éléments de la communication.

Voyons d'abord quel usage de la langue peuvent faire différents émetteurs et récepteurs.

Texte 1

L'autoportrait d'une Acadienne: *La Sagouine*

J'ai peut-être ben la face nouère pis la peau craquée, ben j'ai les mains blanches, Monsieur! J'ai les mains blanches parce que j'ai eu les mains dans l'eau toute ma vie. J'ai passé ma vie à forbir. Je suis pas moins guénillouse pour ça... j'ai forbi sus les autres. Je pouvons ben passer pour crasseux: je passons notre vie à décrasser les autres. Frotte, pis gratte, pis décolle des tchas d'encens... ils pouvont ben aouère leux maisons propres. Nous autres, parsoune s'en vient frotter chus nous.

Parsoune s'en vient non plus laver nos hardes. Ni coudre, ni raccommoder. Ils pouvont ben nous trouver guénilloux: je portons les capots usés qu'ils nous avont baillés pour l'amour de Jésus-Christ. Par chance qu'ils avont de la religion: ils pensont des fois à nous douner par charité leux vieilles affaires.

MAILLET, Antonine, *La Sagouine*, © 1971 Leméac, Montréal, Bibliothèque québécoise, 1990, p. 13.

Questions

Dans cet extrait d'un monologue, on distingue deux causes à la difficulté de compréhension:

a) l'une d'ordre **phonétique** (prononciation),

b) l'autre d'ordre **lexical** (vocabulaire).

1. Relevez dans le texte deux exemples de chacune de ces catégories. Si vous la connaissez, donnez la signification de ces mots.
2. Quels éléments de la langue de la Sagouine permettent de situer son appartenance culturelle?
3. La Sagouine exprime les conditions de vie de son milieu social, les comparant à celles de ses employeurs. Relevez les termes qui traduisent ces différences.
4. Qu'est-ce que les «erreurs» grammaticales révèlent ici?

Texte 2

Dialogue du XVIIe siècle: *Les Femmes savantes*

MARTINE. — Tout ce que vous prêchez est, je crois, bel et bon;
Mais je ne saurais, moi, parler votre jargon.
PHILAMINTE. — L'impudente! Appeler un jargon le langage
Fondé sur la raison et sur le bel usage!
MARTINE. — Quand on se fait entendre, on parle toujours bien,
Et tous vos biaux dictons ne servent pas de rien.
PHILAMINTE. — Hé bien, ne voilà pas encore de son style!
«Ne servent pas de rien!»
BÉLISE. — Ô cervelle indocile!
Faut-il qu'avec les soins qu'on prend incessamment

On ne te puisse apprendre à parler congrûment.
De *pas* mis avec *rien* tu fais la récidive,
Et c'est, comme on t'a dit, trop d'une négative.
MARTINE. — Mon Dieu! je n'avons pas étugué comme vous,
Et je parlons tout droit comme on parle cheux nous.
PHILAMINTE. — Ah! peut-on y tenir?
BÉLISE. — Quel solécisme horrible!
PHILAMINTE. — En voilà pour tuer une oreille sensible!
BÉLISE. — Ton esprit, je l'avoue, est bien matériel.
Je n'est qu'un singulier, *avons* est pluriel.
Veux-tu toute ta vie offenser la grammaire?
MARTINE. — Qui parle d'offenser grand'mère ni grand-père?
PHILAMINTE. — Ô ciel!
BÉLISE. — Grammaire est prise à contresens par toi,
Et je t'ai déjà dit d'où vient ce mot.
MARTINE. — Qu'il vienne de Chaillot, d'Auteuil ou de Pontoise[1],
Cela ne me fait rien.
BÉLISE. — Quelle âme villageoise!
La grammaire, du verbe et du nominatif
Comme de l'adjectif avec le substantif,
Nous enseigne les lois.
MARTINE. — J'ai, madame, à vous dire
Que je ne connais point ces gens-là.
PHILAMINTE. — Quel martyre!

1. Au XVIIe siècle, noms de villages autour de Paris. Aujourd'hui, banlieues parisiennes.

MOLIÈRE, *Les Femmes savantes* (1672), acte II, scène 6.

Questions

1. Deux personnages présents dans cette scène appartiennent à la classe bourgeoise; l'autre, à celle du peuple. Trouvez dans le texte
   a) les éléments de nature *grammaticale* qui trahissent cette différence sociale.
   b) les éléments de nature *lexicale* qui révèlent l'identité sociale des personnages.
2. Molière a écrit cette pièce au XVIIe siècle. Son texte présente-t-il plus ou moins de difficultés de compréhension que celui d'Antonine Maillet, écrit en 1971? Expliquez votre réponse.

Texte 3

Fait divers

Deux femmes et trois petites filles turques brûlées vives dans un incendie criminel à Solingen, en Allemagne. Auteur du meurtre: un môme de 17 ans et probablement trois ou quatre jeunes complices. Ivres. La population réagit vigoureusement, la communauté turque, qui est considérable, plus vigoureusement encore. Chacun ses immigrés. Chez nous, les racistes ne les font pas encore griller. Mais un tel fait divers, pour horrible qu'il soit, peut aujourd'hui avoir lieu partout. Pourquoi plaquer dessus l'éternel procès de l'Allemagne? Elle n'est ni plus ni moins démocratique que la France.

GIROUD, Françoise, *Journal d'une Parisienne (1993)*,
Paris, © Éditions du Seuil, 1993, p. 204.

Question

Dans ce bref communiqué, l'auteure emploie deux tons différents. Trouvez les éléments grammaticaux et lexicaux qui permettent de les reconnaître.

Texte 4

Une recette autrichienne

Gâteau de Sacher: Préparation: 25 min
Cuisson: 25 min

150 g	de chocolat
150 g	de beurre
150 g	de sucre
100 g	de farine
6	œufs
1	paquet de sucre vanillé
6 cuillerées	de gelée d'abricot

Mélanger dans une terrine le beurre avec la moitié du sucre en poudre, travailler pour obtenir un mélange mousseux. Ajouter le chocolat ramolli, les jaunes d'œufs l'un après l'autre, puis le reste du sucre. Battre les blancs en neige très ferme, les incorporer avec soin et mettre en dernier lieu la farine.

Verser la pâte dans un moule à biscuits beurré. Cuire à feu vif, laisser refroidir dans le moule. Démouler le gâteau quand il est froid et garnir la surface avec une gelée d'abricot chaude.

Se sert, sur table, en gâteau entier ou en portions.

MATHIOT, Ginette, *La Cuisine de tous les pays*, © 1965 Albin Michel,
Paris, Le Livre de poche, 1980, p. 24-25.

Questions

1. L'infinitif pourrait être remplacé ici par un autre mode. Lequel?
2. Les phrases de ce texte n'ont pas de sujets. Pourquoi?
3. En quoi le deuxième verbe de la dernière phrase est-il différent des autres verbes du texte? Qu'est-ce que cela indique?

Les questions précédentes portaient uniquement sur des éléments linguistiques, qui ont permis d'identifier l'origine géographique ou sociale de l'émetteur, le ton et la nature du discours. Celles qui suivent nous permettront d'apprécier l'importance des éléments qui viennent compléter la compréhension, soit la situation de la communication et l'intention de l'émetteur.

A. La situation de communication

Pour chacun des quatre textes précédents,

1. identifiez l'émetteur (la personne qui parle);
2. identifiez le récepteur (la ou les personnes à qui l'émetteur s'adresse);
3. dites de quoi l'émetteur parle et à propos de quoi il écrit (le message);
4. dites dans quelle situation il se trouve (le cadre).

B. L'intention de l'émetteur

Texte 1

La Sagouine

Pourquoi la femme tient-elle ce discours? Que veut-elle faire comprendre à son auditoire?

Texte 2

Les Femmes savantes

Tandis que l'intention de Philaminte rejoint celle de Bélise, celle de Martine lui est fondamentalement opposée.

1. Quelle est l'intention de Bélise et de Philaminte
   a) envers Martine?
   b) envers les spectateurs?
2. Est-ce que l'intention de Martine diffère selon ses différents récepteurs? Justifiez votre réponse.

Texte 3

Fait divers

Les deux tons employés dans le texte impliquent des intentions distinctes de la part de la journaliste. Quelles sont ces intentions?

Texte 4

Une recette autrichienne

Quelle est l'intention de l'auteure de cette recette?

Nous découvrons, en répondant à ces questions, que des facteurs autres que grammaticaux, lexicaux ou de prononciation interviennent dans l'émission et qu'ils contribuent à la compréhension du message.

Ainsi, l'énoncé:

Je vais vous faire une offre que vous ne pourrez refuser.

peut s'entendre de diverses façons, si l'on tient compte de la *situation de la communication* ou de *l'intention de l'émetteur.*

- Dite par un ami, cette affirmation pourra signifier:
  Je serais offusqué que tu refuses.
- Prononcée par un commerçant, elle insistera sur le caractère avantageux de la proposition:
  C'est très bon marché, c'est donné!
- Dans la bouche du célèbre «parrain» (dans le film du même nom), le ton se fera nettement plus menaçant:
  Si vous tenez à la vie...

Le fait de communiquer implique, bien sûr, la connaissance et la maîtrise d'un code formel. Mais, pris isolément, le code formel ne peut à lui seul garantir **l'efficacité** de la communication, c'est-à-dire assurer que le message du locuteur (ou de l'auteur) soit reçu et compris par l'auditeur (ou le lecteur) *en conformité avec l'intention de l'émetteur.*

L'emploi d'un code commun au locuteur (ou auteur) et à l'auditeur (ou lecteur), tel que le décrit Jakobson, doit être accompagné d'autres conditions pour que s'établisse la communication entre l'émetteur et le récepteur.

I. Le schéma de Jakobson

En 1963, le linguiste russe Roman Jakobson a élaboré un **schéma de la communication** repris depuis dans la plupart des manuels qui traitent de la communication écrite et orale. Jakobson a le premier introduit la notion de fonctions du langage et l'étude du discours ordinaire. Son initiative a entraîné le développement de différents courants en sciences du langage.

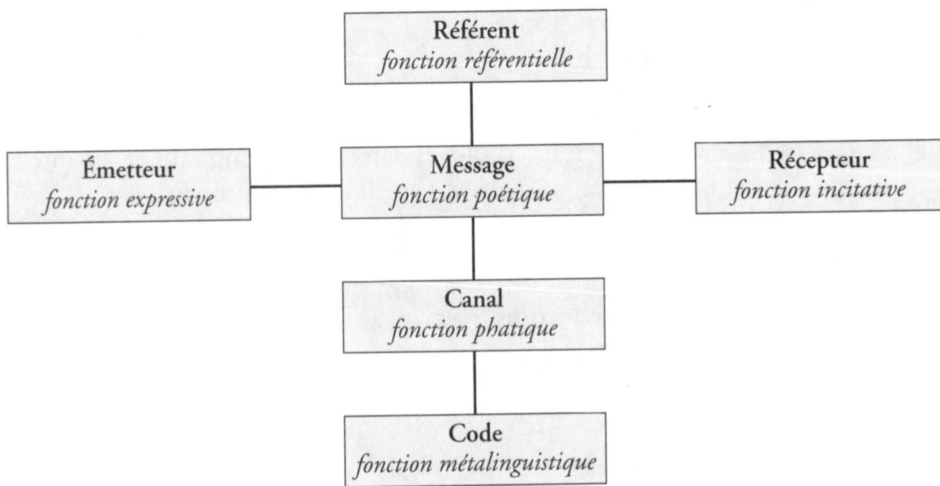

D'une part, le schéma de Jakobson présente les six **facteurs** de la communication.

1. L'**émetteur**: celui qui s'adresse à autrui.
2. Le **récepteur**: celui ou ceux auxquels l'émetteur s'adresse.
3. Le **message**: ce que le locuteur, auteur ou personnage, cherche à communiquer à l'interlocuteur, lecteur ou spectateur.
4. Le **code**: le système de signes (la langue) commun à l'émetteur et au récepteur.
5. Le **canal**: la voie de communication, le lien physique entre l'émetteur et le récepteur. À l'écrit c'est le papier, l'écriture (livres ou journaux); à l'oral c'est la voix, les ondes sonores (téléphone).
6. Le **référent** ou **contexte:** la situation établie entre l'émetteur et le récepteur et qui permet d'éviter les malentendus.

D'autre part, on y trouve les fonctions qui correspondent chacune à un facteur de l'acte de communication.

1. La fonction **expressive** ou **émotive**: l'accent est mis sur la première personne (je, nous). Cette fonction permet à l'émetteur d'exprimer ses sentiments, de s'impliquer dans le message: *Je ne puis demeurer loin de toi plus longtemps.* (Hugo.)
2. La fonction **incitative:** l'accent est mis sur la deuxième personne (tu, vous). Le langage constitue alors un moyen d'agir sur autrui. Associée au pouvoir, à l'ordre, cette fonction est d'usage courant en publicité. Elle implique avant tout le récepteur: *Va, cours, vole et nous venge.* (Corneille.)
3. La fonction **poétique**: l'accent est mis sur la forme du message et sur son contenu. Chez les humoristes, les jeux de mots et les associations fantaisistes en témoignent, tandis que le langage des poètes en exploite les inépuisables ressources.

   Avec ta robe sur le rocher comme une
   aile blanche
   Des gouttes au creux de ta main comme
   une blessure fraîche
   Et toi riant la tête renversée comme un
   enfant seul.

   GRANDBOIS, Alain, *Poèmes*,
   Montréal, L'Hexagone, 1963, p. 48.

   Je voulais faire un quatrain sur un mouton à cinq pattes...
   Mais j'avais toujours un pied de trop...

   Le xénophobe [...] *Il déteste à tel point les étrangers que*
   lorsqu'il va dans leur pays, il ne peut pas se supporter!

   [...] *chaque chose a eu son «anti». Exemple:*
   Un muet, c'est un antiparlementaire.
   [...]

Un croyant, c'est un antiseptique.
Les Arabes du Caire sont antisémites, et les sémites sont anti-Caire.

D'après DEVOS, Raymond, *Sens dessus dessous*, Paris, Stock, 1976, p. 127, 115, 109.

4. La fonction **métalinguistique**: l'accent est mis sur l'outil de communication comme objet de réflexion, c'est-à-dire la langue. *Pourquoi ne pas dire **magasiner** et **peinturer**? Ces termes sont très explicites.* L'intérêt est déplacé vers le code.
5. La fonction **phatique** (relationnelle): le message peut servir à établir et à préserver la communication. *Allô! Vous êtes en ligne?* L'attention est ici dirigée vers le canal lui-même.
6. La fonction **référentielle**: l'accent est mis sur la troisième personne (il, elles). Cette fonction correspond au besoin premier du langage: informer, expliquer, préciser: *Le siècle commence par la Belle Époque qui sera suivie par la Grande Guerre de 1914 à 1918.* ex. journal

On peut donc déduire, à l'aide de ce schéma, que communiquer implique, outre un code formel, d'autres facteurs et fonctions. Mais ces éléments ne suffisent pas encore, à eux seuls, à établir la communication. Pour qu'une véritable communication ait lieu, il faut aussi que la situation et l'intention en soient bien définies.

II. Le contrat de communication[2]

2. D'après *Sciences Humaines*, nº 51, juin 1995, p. 25.

À une soirée, lors d'un souper, vous êtes à table et votre voisine vous demande:

— Pouvez-vous déboucher le champagne?

Normalement, vous ne répondez pas: *Oui, je peux.* Vous débouchez la bouteille et vous la servez. Vous avez compris que cette formule n'avait rien d'une question destinée à vérifier votre capacité d'ouvrir une bouteille. Cela équivalait plutôt à une demande de l'ouvrir, à la forme atténuée d'un ordre.

Au cours du dîner, la même voisine vous dit:

— Le lapin manque de sel.

Vous ne répondez pas: *Ah bon! c'est dommage!* Vous lui passez la salière. L'observation est ici une requête.

À la fin de la soirée, vous partez en même temps que votre voisine. Sur le pas de la porte, vous lui demandez:

— Vous êtes en voiture?

Elle vous répond: *Oui, merci! c'est très gentil.* Pourquoi vous trouve-t-elle gentil? Parce qu'elle a compris que, derrière votre question, il y avait une proposition de la raccompagner.

Cette anecdote met en lumière un aspect essentiel de la communication, ce qui constitue l'**intention** profonde d'un énoncé, c'est l'*acte de langage*. Trois caractéristiques doivent s'y retrouver:

a) tout énoncé peut en receler un second;

b) la compréhension de l'énoncé par le destinataire est dépendante de la situation vécue; le sens de tout énoncé doit être *reconstruit* par le destinataire;

c) dans le processus de communication, non seulement l'émetteur mais également le récepteur interviennent: d'où l'importance du point de vue interactif dans le langage.

Ces trois caractéristiques définissent le **contrat de communication.**

La même anecdote nous permet également de remarquer que la *situation* crée *l'intention* de la communication. Il suffirait en effet de changer un des éléments de la situation pour que l'intention ne soit plus la même:

À la question: *Vous êtes en voiture?*, on pourrait répondre, par une chaude soirée d'été: *Pas quand il fait si beau! Je suis à bicyclette.*

La situation étant différente, le même énoncé dévoilera une tout autre *intention.*

A. Pour identifier la *situation* de communication, il faut pouvoir répondre aux questions suivantes.

Questions	Notions	Outils verbaux
Qui parle? qui écrit? À qui s'adresse cette personne?	**L'énonciation**	La personne employée Je - il; tu - vous
De quoi s'agit-il?	**Le propos**	Le champ lexical
Dans quel contexte? (géographique, historique, social, psychologique)	**Le cadre**	À l'écrit: Date de publication Origine de l'auteur Connaissances sociohistoriques À l'oral: Le lieu, le degré de connaissance de l'interlocuteur, le rôle à jouer.

B. Les réponses à ces interrogations permettront en deuxième lieu de poser la question qui identifiera *l'intention* de la communication.

Pourquoi ce message? dans quel but?

L'auteur (ou locuteur) cherche à influencer son lecteur (ou interlocuteur). Ses intentions sont variées:

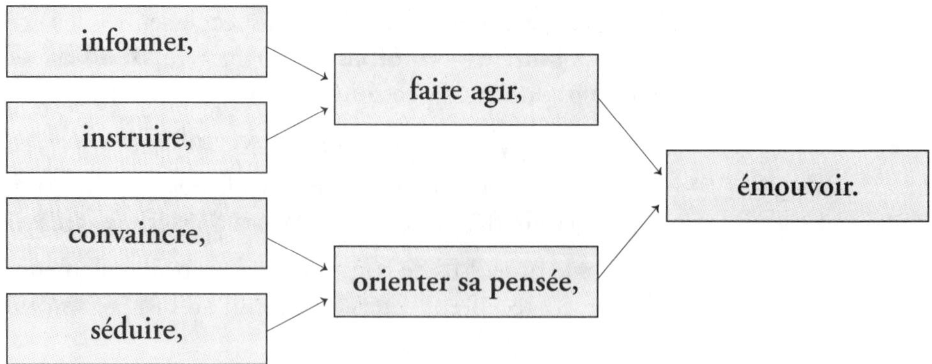

C'est donc *l'intention* de l'émetteur qui lui dictera la nature de son discours. Sa *connaissance de l'interlocuteur* lui fera adapter son discours à ce dernier.

Tableau synthèse

Communiquer, c'est comprendre et se faire comprendre en faisant une démarche réciproque.

récepteur ⟷ **émetteur**
(auditeur, lecteur) (orateur, auteur)

Le schéma de Jakobson nous permet d'identifier les six *facteurs* de la communication ainsi que les *fonctions* qui leur correspondent.

Les facteurs:	Les fonctions:
émetteur	*expressive*
récepteur	*incitative*
message	*poétique*
code	*métalinguistique*
canal	*phatique*
référent	*référentielle*

Le contrat de communication

Il ne peut y avoir de communication que s'il existe un contrat entre l'émetteur et le récepteur. Ce contrat comprend la définition de la *situation* de la communication ainsi que son *intention,* en réponse aux questions suivantes:

Situation

Qui parle? à qui?	L'énonciation
De quoi cette personne parle-t-elle?	Le propos
Dans quelle situation?	Le cadre

Intention

Dans quel but?

Exercices bilans

Les indications sur la source des extraits suivants vous permettront de répondre à certaines questions.

Exercice 1

Aux États-Unis, l'action de Clinton est paralysée par le Congrès, où les républicains font du *filibustering.* Ils prennent la parole et ne la lâchent pas, pour empêcher les projets auxquels ils sont hostiles de venir en discussion. Certaines réformes passeront. Pas les plus importantes. Je demande: «Mais qu'est-ce qu'ils veulent?» Réponse: «Le pouvoir. Kennedy les gênait. Ils l'ont tué. Ils essayent, d'une autre manière, de tuer Clinton.»

GIROUD, Françoise, *op. cit.*, p. 168.

Questions

1. Dans ce texte, identifiez selon le schéma de Jakobson
   a) le canal,
   b) la fonction.
2. Quel est le but de la communication de la journaliste jusqu'au mot «discussion»?
3. Son but est-il le même dans la deuxième partie du texte?

Exercice 2

Si on parlait maintenant d'*Agaguk.* Le roman se passe dans une région du Nord du Québec, la région au-dessus de la ligne des arbres. Est-ce que vous connaissez vraiment bien cette région-là?

D'abord parce que j'y ai fait de la trappe, avant la guerre, à la limite des arbres presque. J'ai été pilote, j'ai travaillé avec les entreprises aériennes. Je suis allé dans l'Arctique, comme pilote, juste avant la guerre. Et c'est comme ça que j'ai connu et les Esquimaux et la région.

Et comment vous est apparue l'idée d'écrire *Agaguk*?

C'est en causant avec M. Privat, à Paris. J'étais en train de déjeuner avec lui, il me dit: «Monsieur Thiriault — on ne m'a jamais appelé Monsieur Thériault là-bas, ils m'appellent Monsieur Thiriault — Monsieur Thiriault, vos Indiens, au Canada, vous avez encore des ennuis avec eux? Je veux dire, dans les plaines de l'Ouest, vous devez encore envoyer l'armée pour les mater?» Dans ma tête, je me disais: «Toi, Monsieur Privat, il est temps qu'on te donne un petit cours en ethnologie canadienne.» Là, je lui ai expliqué que non, l'armée, non, on n'avait plus besoin de ça. Puis que s'il y avait des difficultés avec les Indiens, etc. Mais je me disais, en revenant: «Le roman que je dois écrire, ce sera un roman sur nos autochtones.»

Et effectivement je reçois un câblogramme me rappelant assez fortement qu'il y avait eu des à-valoir de payés et que je devais écrire un roman. Or, j'avais écrit un récit qui se passait dans les Everglades, en Floride, et qui n'était pas mauvais. J'ai perdu le maudit manuscrit; je donnerais gros pour le retrouver, mais il est perdu. Je me suis dit que je pourrais peut-être transposer cette histoire dans l'Arctique.

La blague là-dedans, c'est justement que le récit original se passait dans des marécages en Floride, et que le roman *Agaguk* se passe dans les plaines de l'Arctique, comprends-tu, dans le froid boréal!

CARPENTIER, André, *Yves Thériault se raconte*, Montréal, © VLB Éditeur, 1985, p. 121-122.

Questions

1. Dans ce texte, l'émetteur et le récepteur changent de rôle étant donné qu'il s'agit d'une communication bilatérale (entre deux personnes).

   Qu'est-ce qui, dans la langue écrite, permet d'identifier chacun des interlocuteurs?
2. Ce texte est la transcription d'une communication orale. Lequel des deux interlocuteurs nous le révèle le mieux? Comment?
3. À quelle fonction du schéma de Jakobson Thériault fait-il appel à la fin de sa dernière réplique? Expliquez votre réponse.
4. Quelle était l'intention d'Yves Thériault quand il entreprit d'écrire *Agaguk*? En citant l'auteur, donnez sa façon d'exprimer cette intention.

Exercice 3

Pour convertir un document dans un autre format de fichier, vous devez installer le *convertisseur* approprié. De même, avant d'importer ou d'exporter les graphismes contenus dans vos documents, il est nécessaire d'installer les *filtres graphiques* leur correspondant. Si, lors de l'installation de Word, vous avez opté pour une installation complète, les convertisseurs et filtres graphiques sont déjà installés. Sinon, il vous faut exécuter à nouveau le programme d'installation de Microsoft® Word pour les installer. Pour plus de renseignements, cliquez deux fois sur le bouton «Aide» de la barre d'outils Standard, puis tapez **installation**.

Les convertisseurs modifient le format de fichier d'un document. Ils utilisent les filtres graphiques pour importer et exporter les graphismes contenus dans un document ou liés à ce document. Pour plus d'informations sur la conversion des graphismes dans des formats tels que TIFF et PICT et pour voir la liste des filtres graphiques fournis, voir le chapitre 16, «Création et importation de graphismes».

MICROSOFT® OFFICE. *Guide de l'utilisateur de Microsoft® Word*, 1993-1994, p. 671.

Questions

1. Quelle est ici la fonction de communication? Qu'est-ce qui vous permet de la reconnaître?

2. Identifiez
   a) l'émetteur,
   b) le récepteur.
3. À l'aide du champ lexical, dites quel est le propos du texte.
4. Ce texte aurait-il été compréhensible par un lecteur de 1950? Pourquoi? Quel aspect du contrat de communication nous permet de répondre à cette question?

Exercice 4

«*California crazy!* écrivit-il tout en haut de la première page de son journal. Je ne suis pas fou, et je ne plaiderai pas le coup de bambou. Les délires californiens, l'assassinat à la mitraillette des clients innocents et affamés d'un MacDonald, les lames de rasoir introduites dans les fruits frais d'un supermarché, les bonbons à la strychnine, le goût du sang, l'envie de devenir millionnaire et tout-puissant ne s'attrapent pas en arrivant à l'aéroport comme se respirent des virus, que je sache!

«Je suis né à Montréal, Canada, il y a quarante-huit ans, onze mois et deux jours. Je sais être précis. Mon père, Georges-Henri Francœur, fut toute sa vie représentant de la maison Larousse, célèbre pour ses pissenlits semés à tout vent. Ma mère, irlandaise, me donna le prénom de son premier amant. Elle fut championne de tennis de l'Est de l'Amérique du Nord en 1935, avant d'être enceinte. J'ai étudié, couru, appris mes mots et la vie dans les encyclopédies que papa traînait sur les courts où maman entraînait les espoirs de la classe athlétique.

«Très jeune je devins célèbre dans le monde des communications. À trente ans je naquis une seconde fois, grâce à la télévision. Je gagnai quelques coqs d'or pour mes campagnes de publicité et de relations publiques. J'adorais Voltaire. Je m'inspirais de La Bruyère pour mes personnages, j'empruntais au dialecte des tavernes mes slogans. C'était au temps où les lettres étaient respectées et le langage un art.»

GODBOUT, Jacques, *Une histoire américaine*, coll. «Points», Paris, © Éditions du Seuil, 1986, p. 14.

Questions

1. Selon le schéma de Jakobson, de quelle fonction ce texte relève-t-il?
2. Identifiez la situation de communication en précisant
   a) le système d'énonciation (expliquez votre réponse),
   b) le propos du texte (deux mondes s'opposent ici: lesquels?),
   c) le lieu où se situe le narrateur et son pays d'origine.
3. Quelle est l'intention de la communication?

Exercice 5

Le soleil avait réveillé Bernard. Il s'était levé de son banc avec un violent mal de tête. Sa belle vaillance du matin l'avait quitté. Il se sentait abominablement seul et le cœur tout gonflé de je ne sais quoi de saumâtre qu'il se refusait à appeler de la tristesse, mais qui remplissait de larmes ses yeux. Que faire? et où aller?... S'il s'achemina vers la gare Saint-Lazare, à l'heure où il savait que devait s'y rendre Olivier, ce fut sans intention précise, et sans autre désir que de retrouver son ami. Il se reprochait son brusque départ au matin: Olivier pouvait en avoir été peiné. N'était-il pas l'être que Bernard préférait sur terre?... Quand il le vit au bras d'Édouard, un sentiment bizarre tout à la fois lui fit suivre le couple, et le retint de se montrer. Péniblement il se sentait de trop, et pourtant eût voulu se glisser entre eux. Édouard lui paraissait charmant; à peine un peu plus grand qu'Olivier, l'allure à peine un peu moins jeune. C'est lui qu'il résolut d'aborder; il attendait pour cela qu'Olivier l'eût quitté. Mais l'aborder sous quel prétexte?

C'est à ce moment qu'il vit le petit bout de papier froissé s'échapper de la main distraite d'Édouard. Quand il l'eut ramassé, qu'il eut vu que c'était un bulletin de consigne... parbleu, le voilà bien le prétexte cherché!

Il vit entrer les deux amis dans le café; demeura perplexe un instant; puis, reprenant son monologue:

«Un adipeux normal n'aurait rien de plus pressé que de lui rapporter ce papier», se dit-il.

How weary, stale, flat and unprofitable
Seem to me all the uses of this world! [3]

ai-je entendu dire à Hamlet. Bernard, Bernard, quelle pensée t'effleure? Hier déjà tu fouillais un tiroir. Sur quel chemin t'engages-tu? Fais bien attention, mon garçon... Fais bien attention qu'à midi l'employé de la consigne à qui Édouard a eu affaire, va déjeuner, et qu'il est remplacé par un autre. Et n'as-tu pas promis à ton ami de tout oser?

GIDE, André, *Les Faux-Monnayeurs* (1925), coll. «Folio», Paris, © Gallimard, 1994, p. 85-86.

3. « Combien me semble abject, plat, fatigant, improfitable tout l'ordinaire de cette vie.» (William Shakespeare, *Hamlet* (1601), acte I, scène 1, trad. A. Gide)

Questions

1. Repérez et expliquez le système d'énonciation du texte.
2. À qui le narrateur s'adresse-t-il?
3. Quelles fonctions de la communication retrouve-t-on dans ce texte? Précisez à quel moment chacune d'entre elles est employée.
4. Quelle intention domine dans l'ensemble du texte?

Exercice 6

En observant les figures ci-dessous, nommez l'intention de la communication. Expliquez votre réponse.

Exercice 7

Utilisez les phrases suivantes dans différents contextes.

1. Établissez la situation et l'intention de communication.
2. Précisez les facteurs et la fonction selon le schéma de Jakobson.
   a) Êtes-vous libre jeudi?
   b) J'aime beaucoup ce tableau.
   c) Il faut changer de bureau.

Exercice 8

Béatrice et ses deux filles

BÉATRICE. — Y'est peut-être dans ma sacoche... Si tu te dépêches pas, tu vas être encore en retard à l'école ...

RITA. — Ben, chus toujours ben pas pour y aller sans Devil's Kiss!

BÉATRICE. — Y'a donc personne qui va à l'école sans rouge à lèvres?

RITA. — Non, personne! À part de Mathilde, naturellement! Pis si a se mettait un peu de rouge à lèvres, y'auraient peut-être pas tant ri d'elle, hier!

BÉATRICE. — Pourquoi c'qu'y riaient, donc?

RITA. — C'était à l'assemblée ... A t'a pas conté c'qu'y s'est passé à l'assemblée?

BÉATRICE. — Rita, tu m'as même pas dit qu'y'avait eu une assemblée!

RITA. — Ben, j'viens d'y penser! J'peux quand même pas dire les affaires avant d'y penser! C'était une de leurs espèces d'assemblées stupides...

BÉATRICE, *à Mathilde.* — De quoi a parle, donc? c'tait quoi c't'assemblée-là?

RITA. — Ça me surprend qu'a soye pas allée conter ça à tout le monde! A s'imagine peut-être encore qu'est-tait en vedette! Imagine, en avant de l'assemblée... avec tout le monde qui riait d'elle!

BÉATRICE. — Veux-tu te fermer, Rita! *(À Mathilde)* Pourquoi c'qu'y riaient de toé?

MATHILDE. — J'le sais pas ...

RITA. — Tu le sais pas! Niaiseuse! T'aurais dû la voir! A l'avait son jumper bleu, t'sais celui qu'a l'avait lavé à l'eau de javelle, une fois... pis une vieille slip qui dépassait tout le tour... pis ses cheveux étaient tellement raides qu'on aurait juré qu'a l'avait été frappée par un éclair en s'en venant!

BÉATRICE. — T'exagère, encore...

RITA. — Pis a crinquait un modèle de j'sais pas trop quoi...

MATHILDE. — C'était un atome...

RITA. — Okay, un modèle d'atome, c'est correct... En tout cas, c'était quequ'chose à voir! A l'avait une espèce de grande tour pleine de bâtons avec toutes sortes de boules de couleurs au boute, pis y' avait une affaire pour crinquer... Là, y'avait ma Mathilde avec son vieux jumper, sa slip sale pis ses cheveux électriques, qui crinquait comme une enragée! Les boules atomiques tournaient dans tous les sens pendant qu'un espèce de nono à lunettes lisait un discours de fou... Les élèves riaient d'eux autres en pleine face, tellement que les professeurs ont été obligés de s'en mêler pis de leur faire fermer la boîte! Pendant le reste d'la journée, tout le monde venait me voir en me disant: «C'est-tu ta sœur pour vrai? Comment tu fais pour l'endurer!» Même Bernard Jobin m'a dit: «A l'air d'une fille qui fréquente un «docteur Spécialisé» régulièrement, ta sœur! ...» J't'y aurais maudit ma main dans'face!

TREMBLAY, Michel, *L'Effet des rayons gamma sur les vieux-garçons*, d'après *The Effect of Gamma Rays on Man-in-the-Moon Marigolds*, © Copyright Paul Zindel, traduit et adapté par Michel Tremblay, Montréal, Leméac, 1970, p. 21-22.

Questions

1. Relevez les écarts de prononciation dans le langage des personnages.
2. Corrigez les anomalies dans les structures de phrases.
3. Remplacez les mots employés de façon erronée par les mots appropriés.
4. Relisez votre texte ainsi réécrit. La communication est-elle restée la même? Dites ce qui a changé, comment et pourquoi.
   - Un ou plusieurs des facteurs de communication?
   - La fonction de communication?
   - La situation? l'intention?

L'emploi de la langue

La langue écrite et la langue parlée

Les caractéristiques de l'oral

Les niveaux de langue

> *[...] Il y a loin, on le sait, des propos recueillis par un magnétophone à un texte correctement rédigé. Mais je n'ai pas tenté de les écrire au sens littéraire du mot: j'ai voulu en garder la spontanéité. On y trouvera des passages décousus, des piétinements, des redites, et même des contradictions: c'est que je craignais de déformer les paroles de Sartre ou d'en sacrifier des nuances. [...]*
>
> BEAUVOIR, Simone de, *La Cérémonie des adieux* suivi de *Entretiens avec Jean-Paul Sartre*, Paris, © Gallimard, 1981, p. 163.

Ce qui ressort de la distinction que fait Simone de Beauvoir entre des propos dits et un texte rédigé est que la «traduction» de l'oral à l'écrit risque souvent de nuire aux dires originaux. De Beauvoir est consciente des différences entre ces deux voies d'expression et de leur importance. Il arrive qu'un érudit ne sache pas communiquer oralement et doive rédiger ce qu'il veut dire; par ailleurs, une personne peu instruite peut convaincre, enthousiasmer ses interlocuteurs sans difficulté.

Nous verrons à l'aide de dialogues tirés de romans, d'extraits de pièces de théâtre, d'entretiens et de discours transcrits comment et pourquoi la langue orale et la langue écrite, deux modes distincts de communication, exigent, autant de l'émetteur que du récepteur, des aptitudes différentes.

Texte 1

Extrait d'un roman: *Une mission difficile*

— Assieds-toi, assieds-toi, fit Pintal, le geste brusque. Je suis content de te voir ce matin, car il faut faire vite avec cette église grecque. Héritage Montréal commence à s'énerver et j'ai des problèmes avec la commission Viger. Au début, ils n'avaient pas l'air de trop tenir à ces ruines qui embêtent la ville depuis dix ans. Mais le petit Bumbaru a fait passer un papier dans *La Presse* il y a trois jours et les commissaires se sont mis à faire les difficiles et à prendre des airs de pape... Ce qu'il me faut, c'est un bon rapport d'architecte pour clouer le bec à tout ce beau monde. Il faut leur prouver que restaurer ce restant d'église, c'est comme remettre les pyramides à neuf et que ce genre d'entreprise, en pleine récession, risque de coûter la peau des fesses à notre maire aux prochaines élections.

— Et vous avez trouvé un architecte qui...

— Je l'ai trouvé. Bernard Castonguay. Il vient de gagner un prix pour la rénovation du marché Atwater. Il sera sur place à dix heures. Ne le fais pas poireauter.

— Et vous pensez qu'il va vous pondre un rapport qui vous permettra...

— Écoute, la ville l'a fait niaiser pendant trois ans avec un projet de restauration de cette fameuse église, pour finalement se retirer, faute d'argent. J'ai l'impression qu'il en a gros sur le cœur et qu'il n'en faudrait pas beaucoup pour le faire changer d'idée sur ce tas de pierres branlantes. C'est ta mission.

BEAUCHEMIN, Yves, *Le Second Violon*, Montréal,
© Éditions Québec/Amérique, 1996, p. 122-123.

Que dit l'auteur? (transcription de ce dialogue en un récit)

Lors de sa rencontre avec son oncle Télésphore Pintal, dans le bureau de celui-ci, Nicolas Rivard est informé de l'emploi que l'homme d'affaires désire lui offrir. En effet, à la suite d'un article publié dans *La Presse* par Bumbaru, les commissaires d'Héritage Montréal semblent à nouveau intéressés par la restauration de l'église grecque. Mais Pintal désire l'acheter pour d'autres fins. Afin de pouvoir s'approprier ces lieux, Pintal a besoin d'un rapport d'architecte prouvant que le coût de la restauration nuirait à la réélection du maire, étant donné la situation économique difficile.

Nicolas demande à son oncle s'il pourra trouver un architecte qui puisse satisfaire ses objectifs. Pintal l'informe qu'il a déjà engagé nul autre que Bernard Castonguay. Récipiendaire d'un prix pour la rénovation du marché Atwater, Castonguay fut employé par la ville pour la restauration de cette fameuse église. Mais après trois ans d'attente, la ville annula son projet. Pintal compte donc sur la rancœur de l'architecte pour obtenir un rapport où il serait démontré qu'une telle restauration représenterait un risque et un coût démesurés. Nicolas a donc pour mission de convaincre l'architecte de rédiger un tel rapport.

Questions

Les deux textes précédents relatent les mêmes faits. Mais le second est la transcription du premier en un récit. Observons les différences qui permettent d'identifier les caractéristiques de chaque texte.

1. Identifiez dans chacun des textes:
   a) les types de phrases (simples, composées, complexes);
   b) la voix de narration (à quelle personne le texte est écrit);
   c) le niveau de langue auquel appartient le vocabulaire qui exprime la même idée (familier, courant, soutenu).

   Notez des exemples dans le tableau ci-après.

Texte	Niveau de langue du vocabulaire	Types de phrases	Voix de narration
Dialogue de Beauchemin			
Texte narratif			

2. Lequel des deux textes révèle davantage la nature des liens entre les deux hommes? Pourquoi?
3. Dans le récit, il manque certaines nuances présentes dans le dialogue. Lesquelles? Qu'est-ce qui les exprime dans la transcription du dialogue? Rédigez les phrases qu'il faudrait ajouter au texte narratif pour le rendre plus fidèle à l'intention de l'auteur. Que remarquez-vous?

Texte 2

Extrait d'une pièce de théâtre: *La mort d'un voisin*

Dans cet extrait, tiré d'une pièce écrite en 1968, l'auteur cherche à recréer dans ses dialogues le naturel de la langue parlée. Il y parvient par la transcription de la prononciation ainsi que par la reproduction des erreurs linguistiques typiques de la classe sociale à laquelle les personnages appartiennent.

RHÉAUNA BIBEAU. — Moé, c'est ben simple, ça m'a donné un coup...

ANGÉLINE SAUVÉ. — Tu le connaissais pas tellement, pourtant!

RHÉAUNA BIBEAU. — J'ai ben connu sa mère! Toé aussi, tu t'en rappelles, on allait à l'école ensemble! J'l'ai vu grandir, c't'homme-là...

ANGÉLINE SAUVÉ. — Et! oui. Pis tu vois, y'est parti. Pis nous autres, on est encore là...

RHÉAUNA BIBEAU. — Ah! mais ça s'ra pas long, par exemple...

ANGÉLINE SAUVÉ. — Voyons, donc, Rhéauna...

RHÉAUNA BIBEAU. — J'sais c'que j'dis! Ça se sent quand la fin vient! Après tout c'que j'ai enduré!

ANGÉLINE SAUVÉ. — Ah! pour ça, on pourra dire qu'on a souffert, toutes les deux...

RHÉAUNA BIBEAU. — J'ai souffert ben plus que toé, Angéline! Dix-sept s'opérations! J'ai pus rien qu'un poumon, un rein, un sein... Ah! j'en ai-tu arraché, rien qu'un peu...

ANGÉLINE SAUVÉ. — Moé, j'ai mon arthrite qui me lâche pas! Mais madame... comment c'est qu'à s'appelle, donc... entéka. La femme du mort, a m'a donné une recette... y paraît que c'est merveilleux!

RHÉAUNA BIBEAU. — Tu sais ben que t'as tout essayé! Les docteurs t'ont dit qu'y'avait rien pour ça! Ça se guérit pas, l'arthrite!

ANGÉLINE SAUVÉ. — Les docteurs, les docteurs, j'te dis que j'les ai loin astheur! Ça pense rien qu'à la piasse, les docteurs! Ça égorge le pauvre monde, pis ça va passer l'hiver en Califournie! T'sais, Rhéauna, le docteur, y y'avait dit qu'y guérirait, à monsieur... c'est quoi, donc, son nom, au mort?

RHÉAUNA BIBEAU. — Monsieur Baril...

ANGÉLINE SAUVÉ. — Ah! oui, j'm'en rappelle jamais! C'est pourtant pas compliqué! Bon, ben son docteur y'avait dit qu'y 'avait pas besoin d'avoir peur, à monsieur Baril.. Pis tu vois... à peine quarante ans...

RHÉAUNA BIBEAU. — Quarante ans! C'est jeune, pour mourir!

ANGÉLINE SAUVÉ. — Y'est parti ben vite...

RHÉAUNA BIBEAU. — A m'a toute conté comment ça s'était passé. C'est assez triste!

ANGÉLINE SAUVÉ. — Oui? J'étais pas là quand a t'a conté ça... Comment c'est arrivé donc?

RHÉAUNA BIBEAU. — Quand y'est rentré de travailler, lundi soir, a l'a trouvé ben changé. A y'a demandé si y se sentait pas ben, y'était blanc comme un linge. Y'a dit que non. Y'ont commencé à souper... Les enfants se disputaient à table, ça fait que monsieur Baril s'est fâché pis y'a été obligé de punir sa Rolande... Y'était pas mal caduc après, tu comprends... Elle, a le regardait sans arrêter. A l'observait. A m'a dit que ça s'était passé tellement vite qu'a l'a pas eu le temps de rien faire. Y'a dit tout d'un coup qu'y se sentait drôle, pis y'est tombé le nez dans sa soupe. C'tait fini!

TREMBLAY, Michel, *Les Belles-Sœurs*,
Montréal, Leméac, 1972, p. 63-65.

Questions

1. Le dialogue reconstitué contient des **éléments de phonétique**, des **éléments syntaxiques** et des **éléments lexicaux**, qui relèvent strictement de la langue parlée. Trouvez trois exemples de chaque catégorie et apportez-y les corrections nécessaires.
2. Quel type de phrase est employé ici? Pourquoi?
3. Selon vous, reste-t-il dans le texte de Tremblay des éléments qui démontrent que ce dialogue est «fabriqué»? Justifiez votre réponse à l'aide d'exemples.

Texte 3

Extrait d'un exposé: *La littérature avec un grand «L» et la littérature avec un petit «l»*

L'exposé suivant a été présenté par Henriette Major à l'occasion du 60e congrès de l'Association Canadienne-Française pour l'Avancement des Sciences (ACFAS) à l'Université de Montréal, en mai 1992. Il fait partie des Actes du colloque colligés par l'Union des écrivaines et écrivains québécois.

Le propos de ce débat m'a laissée perplexe: «La littérature jeunesse et son impact sur la littérature en général.» J'ai hésité entre trois titres pour mon exposé:

1. La littérature avec un grand «L» *vs* la littérature avec un petit «l»;
2. *La* littérature *vs* *les* littératures;
3. *La* littérature *vs* les genres littéraires.

Les sous-questions sont encore plus troublantes: «La littérature jeunesse développe-t-elle le goût pour la *littérature en général*?»; «Est-elle trop *spécifique* pour remplir ce rôle?»

Supposons qu'on en arrive à la conclusion que la littérature jeunesse ne développe pas le goût pour la littérature en général, par quoi faudrait-il la remplacer? Faudrait-il faire lire du Proust et du Balzac à l'école primaire? Bien sûr, tout le monde admet que ce serait irréaliste, voire absurde.

Est-ce à dire que la littérature pour la jeunesse est un pis-aller? Un mal nécessaire?

Au fond, la question est la suivante: la littérature jeunesse est-elle une vraie littérature?

Je ramène ici une anecdote que plusieurs d'entre vous connaissent déjà: lors d'un salon du livre régional, l'animateur présente les auteurs invités bien rangés sur le podium. «De ce côté, vous voyez les auteurs pour les jeunes, dit l'animateur, de l'autre côté, les vrais auteurs.» Cela se passait il y a quelques années, mais la situation n'a pas tellement changé. On oppose encore aujourd'hui la littérature pour les jeunes à la Littérature avec un grand «L». On se demande si la première n'est pas trop *spécifique* pour déboucher sur l'autre, la vraie.

Que veut dire le mot *spécifique*? D'après *Le Petit Robert*, spécifique veut dire «propre à une espèce». Est-ce que les enfants seraient une espèce à part, comme les reptiles ou les coléoptères? Est-ce qu'ils ne feraient pas partie de l'espèce humaine au même titre que ceux auxquels on destine la *vraie* littérature? *Le Petit Robert* offre aussi comme définition du mot *spécifique*: «Qui a son caractère en ses lois propres», et qui «ne peut se rattacher à autre chose ou en dépendre.» Est-ce que la littérature pour les jeunes a des liens avec la littérature en général? Est-ce qu'elle en dépend? Cela semble si évident qu'il ne vaut pas la peine de s'attarder sur cet aspect.

Est-ce qu'elle a son «caractère en ses lois propres»? Tous ceux qui en ont tâté savent qu'écrire pour les enfants, ce n'est pas aussi simple que cela le paraît et que ce genre littéraire a des exigences auxquelles beaucoup d'auteurs pour adultes ne veulent pas ou ne peuvent pas se soumettre. Ces exigences regardent surtout la forme: longueur des textes, des phrases, des paragraphes, choix du vocabulaire, choix des références culturelles.

Pour ce qui est du fond, je crois qu'aujourd'hui on peut aborder n'importe quel sujet avec les enfants: tout est dans la manière. D'après la théorie de l'auteur américain, Neil Postman, dans son livre *The Disappearance of Childhood*, la notion d'enfance est une idée relativement récente. Pendant des siècles, les enfants étaient considérés comme des petits adultes; ils assumaient d'importantes responsabilités au sein des communautés humaines. Ils étaient les témoins sinon les acteurs de toutes les activités et de toutes les déchéances adultes. La notion d'enfance s'est bâtie autour des tabous concernant la maladie, la mort et le sexe.

Mais avec l'avènement des médias de masse, les enfants voient la mort, la maladie et le sexe en direct. Il n'y a plus de secret qui tienne. Tout cela pour dire qu'il n'y a plus tellement de domaines réservés exclusivement à la littérature pour adultes (si l'on exclut la pornographie, mais c'est une autre histoire).

Je prétends que la littérature pour les jeunes, malgré son caractère particulier, fait partie de la littérature en général, ou de la Littérature avec un grand «L». C'est un genre littéraire parmi d'autres. Quand mes enfants étaient bébés, je leur servais de la purée de carottes. Plus tard, j'ai pu leur servir des carottes en morceaux, mais c'était toujours des carottes.

Vous me direz que certaines carottes s'avèrent être des «navets». Eh oui! Mais des «navets», on en retrouve dans les autres types de produits littéraires. Il y a aussi des choux qui sont des «navets». On ne juge pas de la qualité d'un produit en fonction du public auquel il est destiné. Si la littérature pour enfants est une sous-littérature, cela veut dire que les enfants sont des sous-hommes....

Les livres pour enfants, ce sont des adultes qui les écrivent, qui les publient, qui les vendent, qui les achètent et qui les critiquent. Heureusement, ce sont les enfants qui les lisent (ou qui ne les lisent pas...).

MAJOR, Henriette, «La Littérature avec un grand "L" vs la littérature avec un petit "l", dans *Développement et rayonnement de la littérature québécoise*, Québec, Nuit Blanche Éditeur, 1994, p. 395-397.

Questions

1. L'exposé commence par une série de questions. Cela aide-t-il le public à mieux cerner l'intention de l'auteure? Expliquez votre réponse.
2. L'anecdote favorise un meilleur contact entre l'émetteur et le public. Quel rôle joue l'anecdote rapportée par Henriette Major?
3. Le recours aux définitions du dictionnaire permet, en général, de rendre le message plus clair. Est-ce le cas ici? Expliquez votre réponse.
4. L'auteure compare la forme d'écriture employée par les auteurs de littérature jeunesse à celle utilisée dans la littérature pour adultes. Elle énumère alors certains éléments qui distinguent la langue écrite de la langue parlée. Quels sont ces éléments?
5. Afin d'expliquer sa perception de la différence entre la littérature jeunesse et la littérature pour adultes, l'auteure utilise une comparaison. Laquelle? Une telle comparaison pourrait-elle figurer dans un texte écrit? Expliquez votre réponse.
6. Dans cet exposé, certains termes et expressions sont souvent répétés. Relevez-les. Cette particularité de la langue parlée ne serait pas admissible à l'écrit. Selon vous, pourquoi cela ne constitue-t-il pas une faiblesse à l'oral?

7. Bien que l'exposé s'adresse à un public instruit, Henriette Major semble vouloir rejoindre un plus grand auditoire. Qu'est-ce qui permet de faire une telle affirmation?

Texte 4

Extrait d'un entretien: *Le devenir d'un philosophe*

Pour faciliter la lecture, nous utiliserons les abréviations S. de B. pour Simone de Beauvoir et J.-P. S. pour Jean-Paul Sartre.

S. de B. — Mais quand vous étiez à Paris, vous avez lu les mêmes livres que Nizan, vous avez été ami avec Nizan; c'est resté superficiel, ça ne vous a pas influencé?

J.-P. S. — Si, ça a fait une crise au contraire. Une crise intérieure. Oh! Pas bien grave, mais enfin...

S. de B. — Ça a compté quand même.

J.-P. S. — Oui. Pour un type qui lisait Claude Farrère, c'était compliqué de lire Proust, par exemple. Il fallait que je change mes perspectives, que je change mes rapports avec les gens.

S. de B. — Avec les gens ou avec les mots?

J.-P. S. — Avec les mots et les gens; il fallait que je voie qu'on avait des rapports plus ou moins distanciés avec les gens, que de temps en temps on était actif par rapport à eux, tantôt passif. Ça a été important, ça; j'ai essayé de me rendre compte de ce qu'était un vrai milieu, avec les vrais rapports qu'ont les gens entre eux, c'est-à-dire réagissant ou subissant: ça je ne connaissais pas.

S. de B. — Expliquez un peu mieux: des vrais rapports avec les gens, subissant, agissant...

J.-P. S. — C'est comme ça que sont les gens, ils agissent et ils subissent. Mais il y en a qui subissent et il y en a qui agissent.

S. de B. — Mais comment est-ce Paris qui vous a découvert ça?

J.-P. S. — Parce que j'étais à ce moment-là pensionnaire, ça a beaucoup compté. Nizan aussi était pensionnaire. Alors on avait des rapports avec les gens, on avait des rapports avec les élèves, des rapports de pensionnaires. C'était drôlement éprouvant, les rapports de pensionnaires.

S. de B. — Pourquoi, au juste?

J.-P. S. — Parce qu'il y a le dortoir, qui est tout un monde. Vous vous rappelez quand Flaubert était au dortoir et qu'il ne pensait qu'à la littérature romantique? Il la lisait là. C'est un monde, le dortoir.

S. de B. — Ce que je ne vois pas bien, c'est que, quand vous étiez à La Rochelle, vous avez su tout de même que les gens agissaient, subissaient, non? Et dans vos rapports avec vos camarades? Expliquez un peu mieux la passage que ça a fait, de La Rochelle à Paris.

J.-P. S. — Eh bien! Le fait d'être interne, je ne connaissais pas. Et on m'avait dit grand mal de l'internat. Même mon grand-père et mes parents: non tu ne vas pas être interne, parce que tu seras loin de la famille, tu peux être persécuté par un professeur, par le proviseur; mais je ne pouvais pas coucher toutes les nuits chez mon grand-père; j'y couchais une fois par semaine, le dimanche, et le reste du temps, il fallait bien me mettre quelque part, donc, j'étais pensionnaire, c'était normal. J'étais pensionnaire à Henri IV, mon grand-père s'était arrangé pour que je sois admis là. Et là mes rapports avec les gens ont été changés. Pensez que le dimanche j'allais chanter à la messe.

S. de B. — Ah bon! Ça, je n'ai jamais su. Pourquoi alliez-vous chanter à la messe?

J.-P. S. — Parce que ça m'amusait de chanter, et on avait demandé des gens pour faire un chœur de chanteurs à la messe. On jouait de l'orgue dans la chapelle d'Henri IV.

S. de B. — C'est très amusant. Mais en quoi le fait que vous chantiez à la messe et que vous étiez en dortoir explique-t-il le changement qu'il y a eu dans votre littérature?

J.-P. S. — Je n'ai pas dit que ça l'expliquait. Je dis que c'était un autre milieu qui m'entourait; [...]

S. de B. — Est-ce que vous travailliez bien à ce moment-là?

J.-P. S. — J'ai eu le prix d'excellence en première et peut-être en philo, je ne me rappelle plus.

S. de B. — Et pourquoi est-ce la philo que vous avez choisie finalement? Puisque vous aimiez beaucoup les lettres aussi.

J.-P. S. — Parce que quand j'ai suivi la philo de Cucuphilo, qui était mon professeur, – il s'appelait Chabrier, mais on le surnommait Cucuphilo – elle m'est apparue comme la connaissance du monde. Il y avait toutes les sciences qui appartenaient à la philo; en méthodologie, on apprenait comment se constitue une science. Et pour moi, du moment qu'on savait comment on faisait les mathématiques ou les sciences naturelles, ça voulait dire qu'on connaissait toutes les sciences naturelles ou les mathématiques; donc, je pensais que si je me spécialisais dans la philosophie, j'apprendrais le monde entier dont je devais parler dans la littérature. Ça me donnait, si vous voulez, la matière.

BEAUVOIR, Simone de, *La Cérémonie des adieux* suivi de *Entretiens avec Jean-Paul Sartre*, Paris, © Gallimard, 1981, p. 174-177.

Questions

1. Simone de Beauvoir utilise ici diverses formes interrogatives. Relevez dans le texte:
   - une question en *Est-ce que*;
   - une question introduite par un mot interrogatif;
   - une question avec une inversion;
   - une question sous forme de phrase nominale;
   - une question qui résulte de l'intonation.

   Quelle forme interrogative relève plus spécifiquement de la langue parlée? Expliquez votre réponse.
2. Jean-Paul Sartre emploie souvent les mêmes mots. Relevez-en deux exemples.
3. Le mot *ça* relève du niveau de langue familier. Ce mot est-il employé fréquemment dans le texte? Expliquez votre réponse.

4. L'une des caractéristiques de la langue parlée est l'emploi de phrases nominales; J.-P. Sartre et S. de Beauvoir s'en servent ici. Relevez-en trois exemples.
5. En restant aussi fidèle que possible au contenu de l'entretien, rédigez deux paragraphes sur ce que J.-P. Sartre nous révèle en réponse aux questions de S. de Beauvoir.

Texte 5

Extrait d'une pièce de théâtre: *Faisons connaissance...*

Au début de la pièce Huis clos, *Garcin arrive en un lieu dont il prétend ignorer l'identité. Il est suivi d'Inès et d'Estelle. Tous les trois sont morts et se retrouvent dans ce lieu clos, qui symbolise «l'enfer».*

ESTELLE. — [...] Faisons connaissance puisque nous devons habiter ensemble. Je suis Estelle Rigault.

Garcin s'incline et va se nommer, mais Inès passe devant lui.

INÈS. — Inès Serrano. Je suis très heureuse.

Garcin s'incline à nouveau.

GARCIN. — Joseph Garcin. [...]

INÈS. — Vous êtes très belle. Je voudrais avoir des fleurs pour vous souhaiter la bienvenue.

ESTELLE. — Des fleurs? Oui. J'aimais beaucoup les fleurs. Elles se faneraient ici: il fait trop chaud. Bah! L'essentiel, n'est-ce pas, c'est de conserver la bonne humeur. Vous êtes...

INÈS. — Oui, la semaine dernière. Et vous?

ESTELLE. — Moi? Hier. La cérémonie n'est pas achevée. (*Elle parle avec beaucoup de naturel, mais comme si elle voyait ce qu'elle décrit.*) Le vent dérange le voile de ma sœur. Elle fait ce qu'elle peut pour pleurer. Allons! allons! Encore un effort. Voilà! Deux larmes, deux petites larmes qui brillent sous le crêpe. Olga Jardet est très laide ce matin. Elle soutient ma sœur par le bras. Elle ne pleure pas à cause du rimmel et je dois dire qu'à sa place... C'était ma meilleure amie.

INÈS. — Vous avez beaucoup souffert?

ESTELLE. — Non. J'étais plutôt abrutie.

INÈS. — Qu'est-ce que...?

ESTELLE. — Une pneumonie. (*Même jeu que précédemment.*) Eh bien, ça y est, ils s'en vont. Bonjour! Bonjour! Que de poignées de main. Mon mari est malade de chagrin, il est resté à la maison. (*À Inès.*) Et vous?

INÈS. — Le gaz.

ESTELLE. — Et vous, monsieur?

GARCIN. — Douze balles dans la peau. (*Geste d'Estelle.*) Excusez-moi, je ne suis pas un mort de bonne compagnie.

ESTELLE. — Oh! cher monsieur, si seulement vous vouliez bien ne pas user de mots si crus. C'est... c'est choquant. Et finalement, qu'est-ce que ça veut dire? Peut-être n'avons-nous jamais été si vivants. S'il faut absolument nommer cet... état de choses, je propose qu'on nous appelle des absents, ce sera plus correct. Vous êtes absent depuis longtemps?

GARCIN. — Depuis un mois, environ.

ESTELLE. — D'où êtes-vous?

GARCIN. — De Rio.

ESTELLE. — Moi, de Paris. Vous avez encore quelqu'un là-bas? [...]

(*Inès, lesbienne, et Estelle, qui veut séduire Garcin, ne cessent de bavarder pendant que Garcin semble vouloir le silence pour «méditer».*)

ESTELLE. — Monsieur! Monsieur nous ne vous ennuyons pas trop avec notre bavardage?

Garcin ne répond pas.

INÈS. — Laisse-le, il ne compte plus; nous sommes seules. Interroge-moi.

ESTELLE. — Est-ce que j'ai bien mis mon rouge à lèvres?

INÈS. — Fais voir. Pas trop bien.

ESTELLE. — Je m'en doutais. Heureusement que (*elle jette un coup d'œil à Garcin*) personne ne m'a vue. Je recommence.

INÈS. — C'est mieux. Non. Suis le dessein des lèvres; je vais te guider. Là, là. C'est bien.

ESTELLE. — Aussi bien que tout à l'heure, quand je suis rentrée?

INÈS. — C'est mieux; plus lourd, plus cruel. Ta bouche d'enfer.

ESTELLE. — Hum! Eh c'est mieux? Que c'est agaçant, je ne peux plus juger par moi-même. Vous me jurez que c'est bien?

INÈS. — Tu ne veux pas qu'on se tutoie?

ESTELLE. — Tu me jures que c'est bien?

INÈS. — Tu es belle. [...]

ESTELLE. — J'ai de la peine à tutoyer les femmes.

INÈS. — Et particulièrement les employées des postes, je suppose? Qu'est-ce que tu as là, au bas de la joue? Une plaque rouge?

ESTELLE. — Une plaque rouge, quelle horreur! Où ça?

INÈS. — Là! là! Je suis le miroir aux alouettes; ma petite alouette, je te tiens! Il n'y a pas de rougeur. Pas la moindre. Hein? Si le miroir se mettait à mentir? Ou si je fermais les yeux, si je refusais de te regarder, que ferais-tu de toute cette beauté? N'aie pas peur: il faut que je te regarde, mes yeux resteront grands ouverts. Et je serais gentille, tout à fait gentille. Mais tu me diras: tu.

SARTRE, Jean-Paul, *Huis Clos*, coll. «Folio», Paris, © Gallimard, 1947, p. 29-31 et 46-48.

Questions

1. Quels éléments de cet extrait relèvent spécifiquement de la langue parlée?
2. Identifiez le niveau de langue des personnages (familier, courant, soutenu). S'agit-il du même pour chacun d'entre eux? Justifiez votre réponse en donnant des exemples de vocabulaire et de syntaxe.
3. La deuxième partie de l'extrait est un dialogue entre les deux femmes, Estelle et Inès. Est-ce vraiment un dialogue? Dites pourquoi en montrant que le milieu socioculturel influence ce dialogue.
4. Comparez ce dialogue avec celui des entretiens entre J.-P. Sartre et S. de Beauvoir. Remarquez-vous des différences quant aux éléments suivants?

   La spontanéité.
   Les répétitions.
   La syntaxe.
   Le niveau de langue.

   Quelle conclusion tirez-vous par rapport à la création de dialogue?

Ce qu'il faut savoir

Dans tous les pays où l'école est obligatoire, les enfants apprennent à lire, à écrire et à compter. Si l'art oratoire faisait partie de la formation des jeunes Grecs de l'Antiquité, on n'enseigne plus l'art de bien parler dans les écoles depuis des siècles. L'une des causes de ce changement est que l'on croit, trop souvent, à une acquisition naturelle de l'art oratoire; on ne ressent plus le besoin de le perfectionner.

En fait, s'il n'est pas vrai que l'art oratoire s'acquière sans formation, la communication orale de base, elle, est l'atout de toute personne pourvue du sens de l'ouïe et vivant au sein d'une communauté humaine. Par contre, l'enseignement de la langue écrite est réservé à l'école; lorsqu'un enfant sait déjà lire et écrire à son arrivée en première année, on s'empresse de dire aux parents: *«Vous n'avez pas rendu service à votre enfant, il risque de s'ennuyer pendant une partie de l'année, donc de se désintéresser de l'apprentissage scolaire.»*

La langue écrite a permis de transmettre et de laisser des traces stables de l'histoire des peuples. Mais, selon les dernières statistiques publiées par l'UNESCO, plus de 90 % des langues et dialectes à travers le monde n'ont qu'un code oral de communication. Dans le domaine littéraire, *Les Contes des mille et une nuits* témoignent de la richesse de la littérature orale. La langue parlée est donc une voie de communication distincte: elle a son code, ses nuances, ses caractéristiques, tout autant que la langue écrite.

I. La langue écrite et la langue parlée

La langue parlée se distingue de la langue écrite par un ensemble de traits liés à la situation de la communication[1].

- **À l'écrit:** le récepteur (lecteur) étant éloigné de l'émetteur, le message doit être complet, achevé et obéir aux règles de lisibilité de l'écrit — grammaire, syntaxe, orthographe, ponctuation, vocabulaire riche et précis, cohérence et clarté des idées.

1. D'après ETERSTEIN, Claude et Adeline LESOT, *Les Techniques littéraires au lycée*, Paris, Hatier, 1995, p. 12.

*On retient donc **qu'à l'écrit** un texte doit être bien rédigé pour être compris; il doit **susciter la réflexion et l'intérêt du récepteur**, même si cela oblige ce dernier à en relire une partie.*

- **À l'oral:** l'émetteur et le récepteur sont en présence l'un de l'autre.

  L'émetteur communique par le langage, mais aussi par sa gestuelle et sa voix, sa maîtrise de la matière qu'il présente, sa confiance, son enthousiasme. Quand le message n'est pas clair, le récepteur l'indique sur-le-champ à l'émetteur, soit en l'interrompant pour lui poser des questions ou lui demander de clarifier son message, soit en exprimant, par le regard, l'expression du visage, le manque de compréhension ou l'ennui.

  *Il en ressort qu'à **l'oral la compréhension du message doit être immédiate. Le message doit être précis et clair**. Le récepteur ne peut pas ici revenir sur une idée, un mot, une phrase, un paragraphe qu'il aurait mal saisi, auquel il voudrait réfléchir.*

Les caractéristiques de l'oral[2]

Dans toute communication orale, outre la contribution majeure du paraverbal (voir les chapitres 4 et 5, p. 57-102), la phrase et la pensée se construisent spontanément. La langue orale manifeste donc un **caractère d'improvisation** et un **dynamisme** que soulignent les éléments linguistiques suivants.

a) **Le vocabulaire**

La tolérance est beaucoup plus grande à l'oral qu'à l'écrit. On y trouve:

- la répétition de termes:
  Le premier problème, c'est le problème...
- l'emploi de superlatifs, de mots excessifs:
  C'est super! Il roule à un train d'enfer... C'est hyperimportant!
- l'emploi de mots étrangers:
  «Loader» son disque dur... C'est «cool, man»!
- le bricolage lexical:
  Extensionner son permis de séjour; autonomiser la région; réénergiser le moral.
- l'hétérogénéité des niveaux de langue; les mots savants peuvent côtoyer les expressions populaires dans une phrase:
  Une vision de l'univers quelque peu pépère...
- la fréquence des abréviations (apocopes):
  prof, psycho, un écolo...
- des interjections, des mots-phrases:
  Ma foi! Allons! Ben voyons!
- des néologismes:
  punkette, débugger, faxer

b) **La syntaxe**

On remarquera une surabondance des formes suivantes.

- Des périphrases:
  les experts en économie; le type qui conduisait
- Des mots-contacts:
  n'est-ce pas? vous comprenez? remarquez...

2. D'après FRANKLAND, Michel, *La Communication orale efficace*, Laval, Mondia, 1988, p. 35-38.

- Des locutions passe-partout:
  il va sans dire; à vrai dire; bien entendu
- Des introducteurs:
  C'est l'homme qui... *Il y a...*
  Ce qui se passe c'est... *Eh bien voici*
- Des redondances:
  faire partie comme membre *ajouter en plus*
  C'est trop exagéré! *prévoir à l'avance*
- Des préciseurs (chevilles):
  sans doute, ainsi, ici, maintenant, effectivement

Le mot et non la phrase sert de pivot de la pensée. Le récepteur réagit davantage aux mots qu'à la structure syntaxique, ce qui amène l'emploi de la juxtaposition plutôt que de la subordination:

Il n'y a plus de centre du monde, on ne sait plus ce qui se passe. (E. Morin)
Pas dire, faire, c'est mieux!
Silence! on tourne.

- Des phrases syncopées:
  Mais attention! la solution...
- Des phrases nominales:
  Les nombreux exercices, les régimes alimentaires, tout cela!
- L'interrogative créée par l'intonation:
  La lettre, tu l'as reçue?
- La suppression du *ne* de négation:
  T'es pas ma mère! Tu seras jamais une mère pour moi.
- La redondance pronominale:
  Moi, pour ma part, je suis d'accord...
  Nous autres, on pense que...

c) **Les temps des verbes**

À l'oral, la concordance des temps est rarement respectée. On emploie tous les temps de l'indicatif, à l'exception du passé simple. Quant au mode subjonctif, seuls le présent et le passé sont employés dans la langue parlée. Le passé simple de l'indicatif, l'imparfait et le plus-que-parfait du subjonctif sont réservés à l'écrit, surtout dans les registres soutenus ou littéraires.

II. Les niveaux de langue

Les niveaux de langue peuvent permettre d'identifier des différences socioculturelles. D'après Jacques Leclerc,[3] le degré d'habileté à communiquer par écrit, ou oralement, structure et confirme dans la plupart des sociétés des rapports hiérarchiques. Selon lui, les différenciations sont liées à des stratifications sociales. Pour Hélène Cajolet-Laganière et Pierre Martel,[4] la *norme* québécoise se ramène à deux éléments:

- à l'oral, il s'agit du modèle de prononciation présenté par les annonceurs de Radio-Canada;
- à l'écrit, il n'existe pas encore de modèle lexical d'établi; par contre, le modèle français de la morphologie et de la syntaxe n'a jamais été remis en question.[5]

La plupart des dictionnaires attribuent une valeur d'emploi à des mots ou expressions présentant un écart par rapport à un usage socialement reconnu comme de niveau correct. Ainsi, on voit deux attitudes se dégager par rapport au niveau de langue:

3. *Qu'est-ce que la langue ?*, Laval, Mondia, 1979, p. 44.
4. *La Qualité de la langue au Québec*, Québec, IQRC, 1995, p. 13.
5. En France, bien parler et bien écrire équivalent à se conformer au bon usage, tel que défini par les grammairiens, l'Académie française et les grands écrivains.

- une attitude esthétisante et savante, et même élitiste, que l'on trouve davantage à l'écrit;
- une attitude utilitariste, sans recherche, plus propre à l'oral.

Niveaux de langue	Exemples de mots	Exemples de phrases
Soutenu	véhicule	*Approchez, je vous prie.*
Courant	voiture, automobile	*Venez, s'il vous plaît!*
Familier	bagnole	*Alors, t'arrives!*
Populaire	char	*Hé! Tu t'grouilles!*

D'après ETERSTEIN, Claude et Adeline LESOT, *Pratique du français*, Paris, Hatier, 1986, p. 91.

Il existe deux autres niveaux de langue.

- Le *niveau littéraire* se distingue par une syntaxe plus élaborée et la recherche d'images; il caractérise le style des grands écrivains.

  Ce défilé,... de véhicules de toutes sortes, fiacres, tapissières, carrioles, cabriolets,... rigoureusement rivés les uns aux autres par des règlements de police. (Victor Hugo)
- Le *niveau vulgaire* ne se trouve que très rarement dans la langue écrite, mais peut être, lui aussi, enrichi d'images.

En littérature, il arrive parfois que la distinction entre l'oral et l'écrit s'estompe. Chez certains romanciers ou dramaturges, nous pouvons observer le désir de «faire vrai». Par exemple, lorsqu'ils prêtent à leurs personnages un langage et une forme de dialogue caractéristiques de la classe sociale dont ils sont les représentants. L'écrivain a donc toute licence d'utiliser les niveaux de langue qu'il désire, selon le public visé et l'effet recherché.

En langue écrite, mis à part les textes littéraires, on trouve essentiellement deux niveaux de langue: *la langue courante* dans les quotidiens, les revues d'ordre général; *la langue soutenue* dans des textes adressés à un public plus restreint. Dans les revues spécialisées, on peut identifier l'un ou l'autre de ces niveaux de langue, enrichi du vocabulaire approprié.

À l'oral comme à l'écrit, il est crucial d'être conscient aux différents niveaux de langue pour bien se faire comprendre et éviter d'offenser son interlocuteur. En effet, un étudiant, par exemple, ne s'exprime pas de la même manière quand il parle à ses camarades, quand il présente un exposé à un groupe ou lorsqu'il s'adresse à un futur employeur. Plus grande sera sa connaissance de la langue et plus précis sera l'emploi des niveaux de langue, tous utiles à connaître et à reconnaître. Le meilleur niveau de langue est celui qui correspond aux besoins de la situation de communication.

Comment reconnaître le niveau de langue?

- *Par la prononciation*: dans les niveaux familier et populaire, les voyelles ne sont pas toutes prononcées, on note une plus grande paresse dans la prononciation.

  T'es pas v'nue v'là trois jours.
- *Par le vocabulaire*: le tableau de la page précédente donne des exemples de mots associés à différents niveaux de langue.
- *Par le temps des verbes*: le présent, le passé composé et le futur immédiat employés dans tous les niveaux, sauf dans le langage soutenu qui comporte plus de nuances.
- *Par la syntaxe*: plus s'ajoutent des caractéristiques associées à la langue parlée, plus la langue s'éloigne du niveau soutenu.

Il n'est pas nécessaire que tous les aspects de la langue appartiennent au même niveau pour identifier le niveau utilisé par un locuteur. Par exemple, la syntaxe et la prononciation d'un locuteur peuvent appartenir au niveau populaire, alors que le vocabulaire peut relever du niveau courant.

Tableau synthèse

I. La langue parlée et la langue écrite

La langue écrite et la langue parlée ont chacune leur code propre.

La langue écrite doit être bien rédigée et susciter la réflexion.

La langue parlée suppose la compréhension immédiate du message.

Les caractéristiques de l'oral
- Le mot est le pivot de la pensée.
- Le vocabulaire est moins recherché.
- Les règles grammaticales sont moins respectées.
- Le nombre de temps des verbes employés est plus restreint.

II. Les niveaux de langue

On retient quatre niveaux de langue principaux:

les niveaux *soutenu*, *courant*, *familier* et *populaire*.

Plus l'émetteur s'éloigne de la norme grammaticale, plus il s'éloigne du niveau soutenu.

L'analyse de la prononciation, du vocabulaire, des temps des verbes et de la syntaxe permet d'identifier le niveau de langue.

Exercice 1

Dans les phrases suivantes, identifiez les niveaux de langue. Dites quels éléments linguistiques vous ont permis d'identifier le niveau employé.

1. Madame a tout ce que Madame a besoin? (Colette)
2. Il vêtit alors, chaussa, nourrit la pauvre fille, lui donna des gages, et l'employa sans trop la rudoyer. (Balzac)
3. Comment c'qui s'appelle le petit? que je dis. (Louis Fréchette)
4. Je serais très heureuse de pouvoir travailler cet été, j'ai un grand besoin d'argent.
5. Jacques, lui, tardait à grandir, ce qui lui valait les gracieux surnoms de «Rase-mottes» et de «Bas du cul», mais il n'en avait cure et, courant éperdument la balle au pied, pour éviter l'un après l'autre un arbre et un adversaire, il se sentait le roi de la cour et de la vie. (Camus)
6. Il voulut la retenir, mais presque malgré lui, son poing heurta la frêle épaule de la petite qui tomba.

7. Âgée vous-même! Petite gredine! Petite salope! C'est vous qui me ferez crever avec vos sales menteries! (Céline)
8. Quand tout cela était fini, composé expressément pour nous, mais dédiée plus spécifiquement à mon père qui était amateur, une crème au chocolat, inspiration, attention personnelle de Françoise, nous était offerte, fugitive et légère comme une œuvre de circonstance où elle avait mis tout son talent. (Proust)

Exercice 2

Extrait d'un roman

Dans son roman Aaron, *écrit en 1954, Yves Thériault raconte l'histoire d'un jeune juif qui emménage à Montréal avec son père David et son grand-père Moishe, symbole de l'orthodoxie juive. Peu après leur arrivée à Montréal, David meurt. Aaron vit donc seul avec Moishe, qui enseigne à l'enfant que rien ne serait plus grave que l'abandon de toutes les traditions qui ont permis au peuple juif de survivre. Mais Aaron rencontre Jack Goldberg, un garçon de son âge dont les parents se sont intégrés à leur nouveau monde. Ils ne respectent plus certaines règles fondamentales du judaïsme, dont celles qui concernent les habitudes alimentaires.*

— Toi, tu es orthodoxe?

— Oui, répondit Aaron.

— Tu n'as pas fini dans la vie...

— Pourquoi? Quelle différence y a-t-il?

L'autre eut un sourire suffisant.

— Les plats en double, les serviettes en double, toutes ces histoires... Vous n'en finissez plus. Dans la maison, ça peut toujours aller... Mais on ne s'enrichit pas dans la maison. Quand tu voudras voyager pour tes affaires, ou manger au restaurant, ou... je ne sais pas, mon vieux, mais vivre? Quand ça t'arrivera tout ça, tu verras comment il devient pesant d'être orthodoxe...

Il y avait là tous les éléments du danger dont avait mille fois parlé Moishe. La perte de la foi, l'infidélité au Père, la désobéissance aux édits. Mais Aaron ne répliqua pas.

— Et puis, continua le jeune Goldberg, tu ne passeras pas ta vie à l'école. Quand tu travailleras, quand tu seras dans le monde... Par exemple, le vendredi soir, si tu es quelque part et que vienne le coucher du soleil, tu devras rentrer à pied à la maison, si loin que tu sois... Pas de tramway pour toi, pas d'autobus, rien. Tu es orthodoxe, les véhicules te sont interdits le temps du Shabbat. Je ne te dis que ça, mais tout le reste, hein?

THÉRIAULT, Yves, *Aaron*, Montréal, TYPO, 1995, p. 60.

Questions

1. Nommez les procédés que l'auteur emploie dans cet extrait pour donner l'impression de l'oral. Relevez quelques exemples.
2. Quel niveau de langue est employé dans ce texte? Justifiez votre réponse par des exemples.

Exercice 3

Extrait d'une pièce de théâtre

Dans Un simple soldat, *pièce écrite en 1957, l'auteur illustre la langue du peuple sans transcrire pour autant toutes les caractéristiques de la prononciation.*

JOSEPH, *enfin debout.* — B'soir p'pa... B'soir p'pa.

Son père le regarde et ne répond pas.

JOSEPH. — Tu pourrais me dire bonsoir le père! C'est vrai! Je suis poli, moi! Tu pourrais être poli, toi aussi!... Penses-tu que je suis surpris de te voir? Je suis pas surpris une miette!... Je savais que tu serais debout, je savais que tu m'attendrais... Je l'ai dit à Émile, tu peux lui demander; j'ai dit: Émile je te gage cent piastres que le père va m'attendre.

Éveillé par les voix, Armand paraît dans sa porte de chambre. Il fait de la lumière.

JOSEPH. — Armand aussi, je le savais! Je savais que vous seriez pas capables de vous endormir avant que j'arrive. Je me suis pas trompé, je me suis pas trompé, le père. On aurait dit que c'était tout arrangé d'avance. Ouais! Parce que vous deviez avoir hâte de savoir si j'allais apporter mes quarante piastres... Parlez! parlez, maudit!... Dites quelque chose! Restez pas là, la bouche ouverte comme des poissons morts. Vous m'attendiez ou vous m'attendiez pas?

BERTHA, *qui paraît à son tour dans sa porte de chambre.*— Qu'est-ce que t'as à crier comme ça, toi? As-tu perdu la boule? Veux-tu réveiller toute la rue?

JOSEPH. — Toi, je t'ai pas adressé la parole, Bertha. Rentre dans ta chambre et dis pas un mot. Là, je suis en conférence avec le père et Armand.

ARMAND. — On parlera de tes affaires demain, Joseph. Il est trop tard pour discuter de ça, ce soir.

JOSEPH. — Trouves-tu qu'il est trop tard, le père? T'étais là, debout comme un brave, quand je suis rentré! Trouves-tu qu'il est trop tard?

BERTHA. — Armand a raison, va te coucher, espèce d'ivrogne!

JOSEPH. — Certain qu'Armand a raison. Il a toujours eu raison le p'tit gars à sa mère! (*Il fonce en direction de Bertha.*) Certain que je suis rien qu'un ivrogne! Mais j'ai pas d'ordres à recevoir de toi, la grosse Bertha. T'es pas ma mère! tu seras jamais une mère pour moi.

BERTHA. — Je voudrais pas avoir traîné un voyou comme toi dans mon ventre!

JOSEPH. — J'aime autant être un voyou, Bertha, et pouvoir me dire que ta fille Marguerite est pas ma vraie sœur.

BERTHA. — Touche pas à Marguerite!

JOSEPH. — Si c'était une bonne fille comme Fleurette, j'y toucherais pas, mais c'est pas une bonne fille... Je sais ce qu'elle est devenue Marguerite, tout le monde de la paroisse le sait, et si tu le sais pas toi, je peux te l'apprendre.

ARMAND. — Marguerite est secrétaire dans une grosse compagnie, laisse-la tranquille.

JOSEPH. — Si Marguerite est secrétaire, moi je suis premier ministre! La vérité va sortir de la bouche d'un ivrogne, de la bouche d'un voyou, Bertha. En quatre ans, ta fille Marguerite a fait du chemin, Bertha. Ça lui a pris quatre ans mais elle a réussi. Elle a jamais été secrétaire de sa maudite vie par exemple!

Mais fille de vestiaire, ah! oui! Racoleuse dans un club ensuite, ah! oui! certain! et puis maintenant, elle gagne sa vie comme putain dans un bordel.

BERTHA, *crie*. — Mets-le à la porte, Édouard, mets-le à la porte!

JOSEPH. — Pas dans un bordel de grand luxe! Mais dans tout ce qu'on trouve de plus «cheap» rue De Bullion.

ARMAND. — Répète plus ça, Joseph, répète plus jamais ça!

Armand lève la main mais Joseph le repousse violemment.

JOSEPH. — Essayez de me prouver que c'est pas vrai si vous êtes capables, essayez!

Bertha s'enferme dans sa chambre avec furie.

ARMAND. — Il est devenu dangereux, le père, reste pas avec lui, écoute le plus.

DUBÉ, Marcel, *Un simple soldat*, Montréal, © TYPO, 1996, p. 124-126.

Questions

Dans cet extrait, certaines expressions et tournures de phrases proviennent de la langue parlée. Cependant, le langage attribué aux personnages de cette scène ne reflète pas entièrement la langue employée par ceux qu'ils représentent.

1. Relevez les caractéristiques qui démontrent que l'auteur cherche à recréer l'authenticité de l'expression orale.
2. Quelles élisions (omissions d'une voyelle) auraient pu être faites?
3. Quels éléments linguistiques révèlent le niveau de langue employé? Donnez-en des exemples.
4. Qu'est-ce que cet extrait indique quant à la composition d'un dialogue de théâtre à cette époque? Répondez à cette même question pour l'extrait «La mort d'un voisin» des *Belles-Sœurs* de Michel Tremblay. Comparez vos réponses.

Exercice 4

Extraits d'un roman

Premier dialogue

— Vous m'excuserez, je voulais vous donner des huîtres... Le lundi, vous savez qu'il y a un arrivage d'ostendes à Marchiennes, et j'avais projeté d'envoyer la cuisinière avec la voiture... Mais elle a eu peur de recevoir des pierres...

Tous l'interrompirent d'un grand éclat de gaieté. On trouvait l'histoire drôle.

— Chut! dit M. Hennebeau contrarié, en regardant les fenêtres, d'où l'on voyait la route. [...]

— Voici toujours un rond de saucisson qu'ils n'auront pas, déclara M. Grégoire. [...]

— Si l'on fermait les rideaux? proposa Négrel, que l'idée de terrifier les Grégoire amusait. [...]

Après les œufs brouillés aux truffes, parurent des truites de rivière. La conversation était tombée sur la crise industrielle, qui s'aggravait depuis dix-huit mois.

— C'était fatal, dit Deneulin, la prospérité trop grande des dernières années devait nous amener là... Songez donc aux énormes capitaux immobilisés, aux chemins de fer, aux ports et aux canaux, à tout l'argent enfoui dans les spéculations les plus folles. [...]

— Monsieur Grégoire, interrompit Mme Hennnebeau, je vous en prie, encore un peu de ces truites... Elles sont délicates, n'est-ce pas? [...]

— Mais, en vérité, est-ce notre faute? Nous sommes atteints cruellement, nous aussi... Depuis que les usines ferment une à une, nous avons un mal du diable à nous débarrasser de notre stock; et, devant la réduction croissante des demandes, nous nous trouvons bien forcés d'abaisser le prix de revient... [...]

Il [*Deneulin*] attaqua son aile de perdreau. Puis, haussant la voix:

— Le pis est que, pour abaisser le prix de revient, il faudrait logiquement produire davantage: autrement, la baisse se porte sur les salaires, et l'ouvrier a raison de dire qu'il paie les pots cassés.

ZOLA, Émile, *Germinal* (1885), Paris, GF-Flammarion, 1968, p. 215-217.

Deuxième dialogue

— Sacré nom! il est l'heure... C'est toi qui allumes, Catherine?

— Oui, père... Ça vient de sonner, en bas.

— Dépêche-toi donc, fainéante! Si tu avais moins dansé hier dimanche, tu nous aurais réveillés plus tôt... En voilà une vie de paresse! [...]

— Dis donc, Zacharie! Et toi, Jeanlin, dis donc! [...]

Elle dut saisir le grand par l'épaule et le secouer; [...]

— C'est bête, lâche-moi! grogna Zacharie de méchante humeur, quand il se fut assis. Je n'aime pas les farces... Dire, nom de Dieu! qu'il faut se lever!

— C'est sonné en bas, répétait Catherine. Allons, houp! le père se fâche.

Jeanlin, qui s'était pelotonné, referma les yeux, en disant:

— Va te faire fiche, je dors! [...]

[*Catherine le prit à pleins bras. Il la mordit au sein droit.*]

— Méchant bougre! Murmura-t-elle en retenant un cri et en le posant par terre. [...]

— Catherine, donne-moi la chandelle! cria Maheu. [...]

— Te tairas-tu, vermine! Reprit Maheu, exaspéré des cris d'Estelle, qui continuaient. [...]

Il ne restait plus de café, elle dut se contenter de passer l'eau sur le marc de la veille; puis, elle sucra dans la cafetière, avec de la cassonade. Justement, son père et ses deux frères descendaient.

— Fichtre! déclara Zacharie, quand il eut mis le nez dans son bol, en voilà un qui ne nous cassera pas la tête!

Maheu haussa les épaules d'un air résigné.

— Bah! C'est chaud, c'est bon tout de même.

Jeanlin avait ramassé les miettes des tartines et trempait une soupe. Après avoir bu, Catherine acheva de vider la cafetière dans les gourdes de fer blanc. [...]

ZOLA, Émile, *op. cit.*, p. 41-42, 44 et 47.

Questions

1. Comparez les deux dialogues précédents, tirés du roman *Germinal* d'Émile Zola. Identifiez, en justifiant leur emploi par des exemples,
   a) les caractéristiques de la langue parlée;
   b) les niveaux de langue des personnages;
   c) le niveau de langue du narrateur.
2. Relevez les éléments culturels qui correspondent au niveau de langue des personnages.

Exercice 5

Extrait d'une interview

Pour un exercice scolaire, une élève a interviewé l'un de ses professeurs dont elle admirait l'expression orale en classe. Cet exercice lui a permis de découvrir les caractéristiques de la langue parlée dans une situation de conversation spontanée.

L'ÉLÈVE. — C'est quoi que tu crois être le plus important dans l'enseignement musical?

LE PROF. — Les professeurs qui m'ont le plus marqué sont ceux qui ont réussi à transmettre un peu d'leur passion, pis ça pour moi, c'est la chose la plus importante parce que, si on présente les choses de façon «drabe», ben y'a immédiatement une espèce de distance qui s'crée dans la classe. C'est pour ça, en fait, que j'préconise mon style d'enseignement. J'suis toujours là avec le moins de notes possible, pis j'essaie vraiment de parler, d'improviser d'impliquer les gens... parce que justement j'crois que euh... l'espèce de bougie d'allumage de processus pédagogique, si on peut dire, c'est vraiment au départ que le prof soit intéressé par c'qu'y fait t'sais.

L'ÉLÈVE. — Aussi, c'est quoi ton style musical préféré, pis pourquoi?

LE PROF. — J'en ai pas vraiment en fait. J'ai grandi dans une maison où y avait beaucoup d'choses qui jouaient tout l'temps. Quand j'étais p'tit, j'avais une grande fascination pour les Beatles. J'ai écouté presque just' ça pendant plusieurs années, ça m'a laissé un goût et un intérêt très marqué pour la musique populaire. Mais mon apprentissage musical en tant qu'tel s'est surtout fait en classique, au piano. [...] J'suis p't'être plus conscient des styles avec lesquels j'ai plus de difficulté que ceux pour lesquels j'ai plus d'affinité; y'aurait la musique Western pour laquelle j'ai toujours eu une espèce de réticence un peu viscérale.

L'ÉLÈVE. — Qui t'a le plus influencé en musique, pis en quoi qu'y t'a influencé?

LE PROF. — La musique est tellement vaste, euh... que sous différents aspects, y'a différentes personnes qui ont eu des influences sur moi euh...

presqu'incomparables. C't'à dire que si j'prends par exemple en piano, peut-être que la bougie d'allumage que j'ai eue, c'est quand j'ai entendu jouer Glenn Gould. J'avais quatorze, quinze ans à peu près et ça a déclenché en moi quequ'chose que j'pourrais pas vraiment expliquer... une espèce de processus d'identification.

Question

Relevez les caractéristiques de la langue parlée et identifiez leur nature. Démontrez à l'aide d'exemples l'hétérogénéité des niveaux de langue employés.

Exercices bilans

Exercice 1

Voici un extrait du journal intime de Louis Fréchette (1837-1908), suivi d'un extrait de son conte *Coq Pomerleau.*

Journal intime

C'était un type très remarquable [...]. Il était populaire d'un bout à l'autre du pays. Dans son état civil, il s'appelait Joseph Lemieux; dans la paroisse il se nommait José Caron; et dans les chantiers, il était universellement connu sous le nom de Jos Violon. D'où lui venait ce curieux sobriquet? c'est ainsi que je ne saurais dire. Il se faisait déjà vieux quand je l'ai connu [...]. C'était un grand individu dégingandé, qui se balançait sur les hanches en marchant, hâbleur, ricaneur, goguenard, mais assez bonne nature au fond pour se faire pardonner ses faiblesses. Et, au nombre de celles-ci — bien que le mot faiblesse ne soit peut-être pas parfaitement en situation — il fallait compter au premier rang une disposition, assez forte au contraire, à lever le coude un peu plus souvent qu'à son tour. Il avait passé sa jeunesse dans les chantiers de l'Ottawa, de la Gatineau et du Saint-Maurice; et si vous vouliez avoir une belle chanson de cage ou une bonne histoire de cambuse, vous pouviez lui servir deux doigts de Jamaïque, sans crainte d'avoir à discuter sur la qualité de la marchandise qu'il vous donnait en échange.

FRÉCHETTE, Louis, *La Maison hantée et autres contes fantastiques*, Montréal, Éditions du CEC, 1996, p. 166.

Coq Pomerleau

Inutile de vous présenter Jos Violon, n'est-ce pas? Mes lecteurs connaissent le type.

Je ne dirai pas qu'il était en verve, ce soir-là; il l'était toujours; mais il paraissait tout particulièrement gai; et ce fut par des acclamations joyeuses que nous l'applaudîmes, quand il nous annonça le récit des aventures de Coq Pomerleau.

Nous fîmes silence; et, après s'être humecté la luette d'un petit verre de rhum, s'être fait claquer la langue avec satisfaction, et avoir allumé sa pipe à la chandelle, en disant: «Excusez la mèche!» il commença par sa formule ordinaire:

«Cric, crac, les enfants! Parli, parlo, parlons! Pour en savoir le court et le long, passez le crachoir à Jos violon! Sacatabi, sac à tabac, à la porte les ceuses qu'écouteront pas!...»

Puis, s'essuyant les lèvres du revers de sa manche, il aborda carrément son sujet:

— Vous avez p'tête ben entendu dire, les enfants, que dans les pays d'En Haut, y avait des rivières qui coulaient en remontant. Ça l'air pas mal extrédinaire, c'pas; et ben faut pas rire des ceuses qui vous racontent ça. Ces rivières-là sont ensorcelées. Écoutez ben ce que je m'en vas vous raconter.

C'était donc pour vous dire, les enfants, que c't automne-là j'étais, m'a dire comme on dit, en décis de savoir si j'irais en hivernement. Y avait quatorze ans que je faisais chanquier, je connaissais les hauts sus le bout de mon doigt, le méquier commençait à me fatiguer le gabareau, et j'avais quasiment une idée de me reposer avec la bonne femme, en attendant le printemps.

J'avais même déjà refusé deux bons engagements, quand je vis ressoudre un de mes grands oncles de la Beauce, le bom, Gustin Pomerleau, que j'avais pas vu depuis l'année du grand choléra.

Y m'emmenait son garçon pour y faire faire sa cléricature de voyageur et son apprentissage dans l'administration de la grand'hache et du bois carré.

Ça prenait Jos Violon pour ça, vous comprenez.

Le bonhomme aimait à faire des rimettes:

— Mon neveu, qu'y me dit, v'là mon fils, j'te le confie, pour son profit.

Fallait ben répondre sur la même air, c'pas? J'y dis:

— Père Pomerleau, j'suis pas un gorlot, laissez-moi le matelot, *sed libera nos a malo!*

FRÉCHETTE, Louis, *op. cit.*, p. 75-76.

Question

Identifiez, pour chacun des extraits, le ou les niveaux de langue qui le caractérise. Expliquez les critères qui vous ont amenés à faire ces choix.

Exercice 2

Relisez le texte d'Henriette Major (p. 21-23) et un livre destiné aux moins de 12 ans. Dites si l'on peut tracer un parallèle entre la langue employée par les auteurs de littérature jeunesse et la langue parlée. Expliquez votre réponse.

Exercice 3

Création

Vous faites partie du comité qui organise la soirée de remise des prix de votre collège. Vous êtes responsable de la rédaction des lettres d'invitation décrivant la soirée (le spectacle qui précédera la remise des prix et l'événement lui-même).

Comme vous vous adressez à différents interlocuteurs, vous vous assurez d'employer le niveau de langue approprié. Rédigez des lettres aux personnes suivantes.

a) La députée de votre région que vous n'avez jamais rencontrée.

b) Le directeur de votre école secondaire.

c) Un ancien élève que vous connaissiez plus ou moins bien.

d) Une amie qui fréquente maintenant un autre collège.

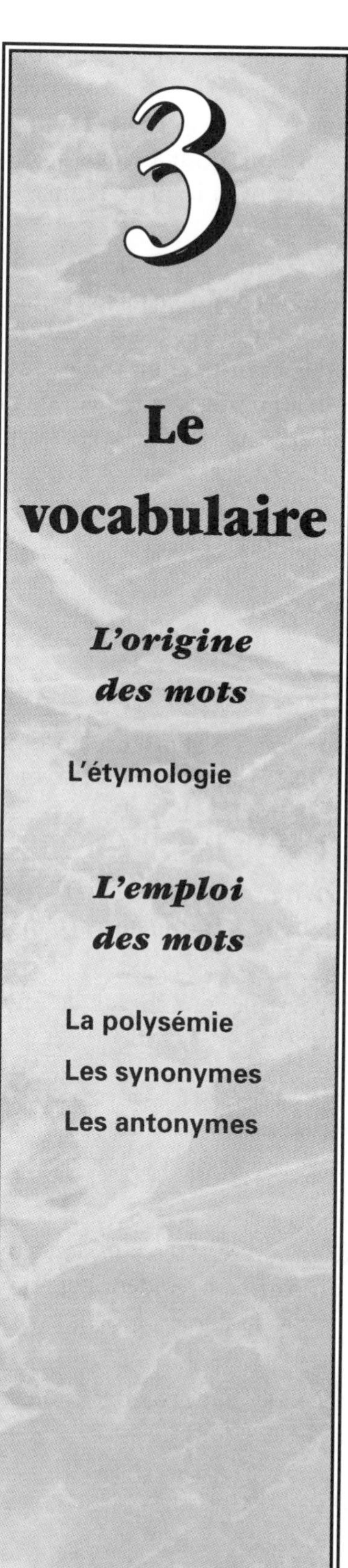

3

Le vocabulaire

L'origine des mots

L'étymologie

L'emploi des mots

La polysémie

Les synonymes

Les antonymes

Texte 1

Le paysage de mes jours semble se composer, comme les régions de montagne, de matériaux divers entassés pêle-mêle. J'y rencontre ma nature, déjà composite, formée en parties égales d'instinct et de culture. Ça et là, affleurent les granits de l'inévitable; partout, les éboulements du hasard. Je m'efforce de reparcourir ma vie pour y trouver un plan, y suivre une veine de plomb ou d'or, ou l'écoulement d'une rivière souterraine, mais ce plan tout factice n'est qu'un trompe-l'œil du souvenir. De temps en temps, dans une rencontre, un présage, une suite définie d'événements, je crois reconnaître une fatalité, mais trop de routes ne mènent nulle part, trop de sommes ne s'additionnent pas. Je perçois bien dans cette diversité, dans ce désordre, la présence d'une personne, mais sa forme semble presque toujours tracée par la pression des circonstances; ses traits se brouillent comme une image réflétée sur l'eau. Je ne suis pas de ceux qui disent que leurs actions ne leur ressemblent pas [...] Mais il y a entre moi et ces actes dont je suis fait un hiatus indéfinissable. Et la preuve, c'est que j'éprouve sans cesse le besoin de les peser, de les expliquer, d'en rendre compte à moi-même. Certains travaux qui durèrent peu sont assurément négligeables, mais des occupations qui s'étendirent sur toute la vie ne signifient pas davantage. Par exemple, il me semble à peine essentiel, au moment où j'écris ceci, d'avoir été empereur.

YOURCENAR, Marguerite, *Mémoires d'Hadrien*, coll. «Folio», Paris, © Gallimard, 1974, p. 33-34.

Texte 2

Les jeux sont innombrables et de multiples espèces: jeux de société, d'adresse, de hasard, jeux de plein air, de patience, de construction, etc. Malgré cette diversité presque infinie et avec une remarquable constance, le mot jeu appelle les mêmes idées d'aisance, de risque ou d'habileté. Surtout, il entraîne immanquablement une atmosphère de délassement ou de divertissement. Il repose et amuse. Il évoque une activité sans contrainte, mais aussi sans conséquence pour la vie réelle. Il s'oppose au sérieux de celle-ci et se voit ainsi qualifié de frivole. Il s'oppose d'autre part au travail comme le temps perdu au temps bien employé. En effet, le jeu ne produit rien: ni bien ni œuvres. Il est essentiellement stérile. À chaque nouvelle partie, et joueraient-ils toute leur vie, les joueurs se retrouvent à zéro et dans les mêmes conditions qu'au premier début. Les jeux d'argent, paris, ou loteries, ne font pas exception: ils ne créent pas de richesses, ils les déplacent seulement.

Cette gratuité fondamentale du jeu est bien le caractère qui le discrédite le plus. C'est elle aussi qui permet qu'on s'y livre avec insouciance et qui le maintient isolé des activités fécondes. Chacun, dès l'abord, se persuade de cette manière que le jeu n'est rien que fantaisie agréable et distraction vaine, quels que soient le soin qu'on y apporte, les facultés qu'il mobilise, la rigueur qu'on exige. On le sent bien dans la phrase suivante de Chateaubriand: «La géométrie spéculative a ses jeux, ses inutilités, comme les autres sciences.»

CAILLOIS, Roger, *Les Jeux et les Hommes*,
Paris, © Gallimard, 1967, p. 7-8.

Questions

Texte 1

1. La majeure partie du vocabulaire français provient d'abord du latin; des emprunts à d'autres langues se sont ajoutés par la suite. Quant aux mots abstraits, leur étymologie révèle souvent qu'à l'origine ils ont servi à désigner les réalités ordinaires de la vie.

   À l'aide du dictionnaire[1], précisez l'origine des mots soulignés dans ce texte. Sont-ils issus du latin, d'une autre langue, ou sont-ils carrément français?

2. Le sens des mots varie selon le contexte (polysémie). Pour chacun des mots suivants,

   culture (l. 4) veine (l. 7) peser (l. 21)

   rédigez deux phrases où ils seront employés dans deux sens différents.

Texte 2

1. Ce texte ne comporte aucun mot concret (c'est-à-dire se référant non à une idée mais à une chose, un être ou une action particulière, identifiables par le contexte). Retrouvez, pour chacun des mots soulignés, le sens étymologique dont est dérivé son sens abstrait.
2. Trouvez des synonymes (mots de sens presque identiques dans le contexte) aux mots suivants.
   innombrables; espèces (l. 1).
   contrainte (l. 9).
   frivole (l. 12).
   discrédite (l. 18).
   fécondes (l. 20).

1. On fera référence pour l'ensemble des exercices au dictionnaire *Le Nouveau Petit Robert.* La raison en est que cet ouvrage se présente comme un dictionnaire de langue, se démarquant ainsi de dictionnaires de nature encyclopédique comme *Le Petit Larousse.*

Exercice 1

Devant mes yeux ébahis d'internaute blasé, le logo tourne incessamment sur lui-même, comme s'il était sous l'influence d'une quelconque force occulte. Ça y est, je rêve, j'hallucine d'avoir trop erré sur Internet à la recherche de sensations virtuelles! Pas du tout. Mes yeux, mon cerveau peuvent encore en prendre, je viens simplement de découvrir les premières manifestations des technologies dernier cri qui, dit-on, vont faire passer la navigation sur W3 dans une autre dimension. [...] Au Québec, la meilleure source d'information en la matière nous vient de **Technopolis**, un site W3 sur les nouvelles technologies créé il y a un mois à peine par Étienne Delagrave, étudiant de deuxième année en informatique de gestion à l'Université Laval. [...] Bien construit, bourré d'informations et de liens hypertextes menant aux sources de ces nouvelles technologies, **Technopolis** est un incontournable...

MUNGER, Benoît, «Le logo bouge, j'hallucine!»,
Montréal, *Le Devoir*, 18 mars 1996, p. B4.

Question

Dans certains domaines, la langue est en constante évolution. Trouvez dans ce texte des mots récents (néologismes de **forme**) absents du dictionnaire, ou dont le sens, selon le contexte présent, n'y apparaît pas encore (néologismes de **sens**). Si possible, donnez leur signification.

Exercice 2

Le fonds latin du lexique français (12 000 mots environ) provient du latin populaire; il subira entre le IVe et le IXe siècle une lente transformation phonétique. Par la suite, pour répondre à des besoins d'enrichissement, le français puisera à nouveau dans la langue latine, mais cette fois-ci dans sa forme classique. C'est là l'origine du vocabulaire savant et des **doublets**, c'est-à-dire de mots formés à partir d'une seule racine latine. Par exemple, les mots *hôtel* (formation populaire) et *hôpital* (formation savante) viennent tous deux du latin *hospitalis*.

Trouvez dans la liste ci-dessous les doublets et leur origine latine.

cailler	frêle	meuble	âcre	peser	écouter
loyal	métier	livrer	sacrement	captif	étroit
sieur	poison	orteil	coaguler	article	fragile
potion	mobile	penser	aigre	ausculter	seigneur
légal	strict	ministère	libérer	chétif	serment

Exercice 3

Le vocabulaire savant s'est formé à partir de mots d'origine grecque et latine. Une ou plusieurs racines servent ainsi à créer un mot, selon un procédé, appelé la **dérivation**, qui a toujours cours aujourd'hui.

Exemples:	géosynchrone	polytraumatisé
	naviplane	géostationnaire

Sans recourir au dictionnaire, trouvez au moins trois mots formés à partir des racines grecques ou latines suivantes. Donnez le sens des mots et employez chacun d'eux dans une phrase de votre composition.

-fuge	*socio-*	*-cide*	*para-*	*-algie*
-pathe	*-crate*	*-pare*	*xén(o)-*	*-fère*

Exercice 4

Trouvez le sens des éléments qui ont contribué à la formation des mots suivants.

Note: *Le Petit Robert* distingue ces éléments par un tiret qui les suit ou les précède, et en donne le sens.

Exemple: *para- : à côté* ou *protection contre*

monogamie	démographie	anarchie	dystrophie	pathologie
autonomie	bibliothèque	misanthrope	mégapole	paradoxe

Exercice 5

Ah! pour être dévot, je n'en suis pas moins homme;
Et lorsqu'on vient à voir vos célestes appas,
Un cœur se laisse prendre, et ne raisonne pas.
Je sais qu'un tel discours de moi paraît étrange;
Mais, madame, après tout, je ne suis pas un ange;
Et si vous condamnez l'aveu que je vous fais,
Vous devez vous en prendre à vos charmants attraits.
Dès que j'en vis briller la splendeur plus qu'humaine,
De mon intérieur vous fûtes souveraine;
De vos regards divins l'ineffable douceur
Força la résistance où s'obstinait mon cœur;
Elle surmonta tout, jeûnes, prières, larmes
Et tourna tous mes vœux du côté de vos charmes.
Mes yeux et mes soupirs vous l'ont dit mille fois,
Et pour mieux m'expliquer j'emploie ici la voix.
Que si contemplez d'une âme un peu bénigne
Les tribulations de votre esclave indigne,
S'il faut que vos bontés veuillent me consoler
Et jusqu'à mon néant daignent se ravaler,
J'aurai toujours pour vous, ô suave merveille,
Une dévotion à nulle autre pareille.

MOLIÈRE, *Tartuffe* (1669), acte III, scène 3.

Questions

1. Choisissez dans cet extrait 10 mots dont le sens a vieilli et remplacez-les par une expression plus courante aujourd'hui.
2. Relevez les mots qui appartiennent au vocabulaire religieux et donnez-en le sens.

Exercice 6

Et quand personne ne me lira, ai-je perdu mon temps de m'être entretenu tant d'heures oisives à pensements si utiles et agréables? Moulant sur moi cette figure il m'a fallu si souvent dresser et composer pour m'extraire que le patron s'en est fermi et aucunement formé soi-même. Me peignant pour autrui, je me suis peint en moi de couleurs plus nettes que n'étaient les miennes premières. Je n'ai pas plus fait mon livre que mon livre m'a fait, livre consubstantiel à son auteur, d'une occupation propre, membre de ma vie; non d'une occupation et fin tierce et étrangère comme tous autres livres.

Ai-je perdu mon temps de m'être rendu compte de moi si continuellement, si curieusement? Car ceux qui se repassent par fantaisie seulement et par langue quelque heure, ne s'examinent pas si primement ni ne se pénètrent, comme celui qui en fait son étude, son ouvrage et son métier, qui s'engage à un registre de durée, de toute sa foi, de toute sa force.

MONTAIGNE, *Essais* (1580-1592), II, 18.

Question

Bien que l'orthographe de ce texte, écrit au XVIe siècle, ait été modernisée, son vocabulaire pose des difficultés de compréhension aux lecteurs actuels. En vous aidant du contexte et des racines des mots (puisque les dictionnaires ne donnent pas tous leurs sens anciens), essayez de trouver le sens des mots soulignés. Remplacez-les par des termes équivalents en français d'aujourd'hui.

Exercice 7

Certains Québécois pensent que leur .... de langage doit se rapprocher le plus possible d'un français ...., partagé par tous les francophones. Ils ne veulent pas, disent-ils, être «..................». C'est oublier que tout usage du français est le .... d'un réglage, mais aussi d'un écart par rapport au passé.

Cette langue vit de sa variété: pour chaque nation qui la pratique, il existe des normes régionales, parfois assez distinctes (celle de Bretagne et celle d'Alsace, celle de Picardie et celle d'Occitanie, en France); pour des nations différentes, s'ajoutent à des divergences des institutions, des coutumes, des symboliques sociales nettement ....

Le français d'Amérique du Nord existe. Il doit survivre. Il ne le pourra qu'en se *défendant* et en .... — c'est-à-dire, d'abord, en se *reconnaissant*. Ce fut le cas du français de France aux XVe et XVIe siècles. Les dictionnaires .... du latin purent alors apparaître. Il était temps, en cette fin du XXe siècle que le français du Québec ait *son* dictionnaire, à la fois commun et distinct, et qui ne fait qu'enregistrer un usage ...., vivant — et beau.

Dictionnaire québécois d'aujourd'hui,
Paris, *Le Robert*, 1993, p. X.

Questions

1. Remettez les termes suivants à leur place dans le texte ci-dessus en effectuant les accords grammaticaux appropriés.

   Trancher, s'illustrer, marginaliser, affranchir, norme, effectif, fruit, idéal.

2. Donnez la liste des mots (noms, verbes, adjectifs) employés pour marquer le caractère *commun* de l'usage du français. Dressez une seconde liste des mots pour indiquer son caractère *distinct*.
3. Si vous deviez faire dire à l'auteur le contraire de sa pensée sans recourir à la tournure négative, comment reformuleriez-vous les idées essentielles du premier paragraphe?

Exercice 8

Des mots peuvent être formés par l'adjonction de préfixes ou de suffixes au radical français.

Exemples:	juste – injuste	sage – sagesse	secteur – sectoriser
	capital – capitalisme	social – socialiste	propre – propreté

Précisez l'élément de sens ajouté au radical des mots en caractères italiques par l'emploi des suffixes. (Voir le tableau ci-contre.)

L'observation la plus simple des échanges linguistiques fait prendre conscience des changements qui touchent le *lexique,* surtout aujourd'hui: les techniques se transforment rapidement, les métiers et *l'outillage* évoluent, des produits nouveaux apparaissent sur le marché; autant de conditions qui *modifient* les vocabulaires. Plus vivement peut-être, la lecture d'une œuvre du XVIIe s. permet de constater des écarts avec l'usage *contemporain;* des mots ont disparu, pour d'autres, les emplois ne sont plus les mêmes.

Dictionnaire historique de la langue française,
article «La néologie», Paris, *Le Robert*, 1994, p. 1316.

Tableau des suffixes

Suffixes	Sens	Exemples	Suffixes	Sens	Exemples
-ade	action, collectif	glissade, colonnade	*-ise*	défaut, qualité	maîtrise, franchise
-age	action, collectif	tournage, lignage	*-isme*	doctrine, école	capitalisme, modernisme
-ain, -aine	origine	américain	*-iste*	qui exerce un métier, adepte d'une doctrine	spécialiste, féministe, socialiste
-aire	agent,	incendiaire,	*-ite*	état maladif,	appendicite,
	relatif à	bancaire		appartenance	jésuite
-aison,	action	crevaison,	*-able,*	possibilité	habitable
-ion, -tion,		production,	*-ible,*		lisible
-ation,		cessation,	*-uble*		soluble
-sion, -ison		occlusion, trahison			
-ance	résultat de l'action	espérance, dépendance	*-al*	qualité	mondial
-ée	contenu, action, fait de	poignée, pincée traversée	*-é*	état	ensoleillé
-ement	action	assortiment	*-el*	qui cause	sensationnel
-er, -ier, -ière	agent	postier, usager	*-ier*	qualité	dépensier
-erie	local, qualité	épicerie, ânerie	*-if*	qualité	sportif
-eté, -té, -ité	qualité	lâcheté, acidité	*-ile*	capable d'être	fissile, ductile
-eur, -ateur	agent, qualité	animateur, pâleur	*-in*	diminutif, péjoratif	rondin, enfantin
-ie	état	courtoisie, folie	*-ique*	qui a rapport à	physique, ludique
-is	résultat, état	gâchis, acquis	*-ifier, -iser*	qui rend	pétrifier, ridiculiser

D'après *Le Petit Larousse* et *Le Petit Robert.*

Tableau des préfixes

Préfixes	Sens	Exemples	Préfixes	Sens	Exemples
ab-, abs-	loin de, séparation	abstinence	*multi*	nombreux	multiethnique
ad-	vers, ajouté à	adhérence	*pén(é)*	presque	pénombre
bi-, bis-	deux	bipède, biplace	*pro*	en avant	projeter
circon-	autour	circonstance	*sub*	sous	subconscient, subdiviser
co-, col-	avec	coauteur,	*super-,*	au-dessus	supergrand,
com-, con-		collection,	*supra-*		supraterrestre
cor-		corrélation, complainte			
dé-	cessation	dépolitiser	*sus-*	au-dessus	susmentionné
dis-	séparé de	dissymétrie	*trans-*	au-delà, à travers	transfrontalier
ex-	hors de, qui a cessé d'être	expatrier, ex-président	*ultra-*	au-delà de, très	ultrason, ultra-léger
in-, im-	dans	infiltrer, immerger	*uni-*	un	unifamilial
il-, im-	privé de	illettré, imprévu,	*vice-*	à la place de	vice-président
in-, ir-		inexact, irréel			

D'après *Le Petit Larousse* et *Le Petit Robert.*

Exercice 9

Le sens des mots évolue à travers le temps. Les mots peuvent connaître un affaiblissement ou un renforcement de sens.

Exemples:
- Le mot *travailler* a d'abord signifié *torturer* avant de connaître un affaiblissement de sens.
- Le mot *génie* a d'abord signifié *aptitude, talent* avant de désigner, par renforcement, une personne d'esprit supérieur.

Les mots peuvent également connaître une **extension** ou une **restriction** de sens.

Exemples:
- Le mot *succès* s'employait autrefois pour parler de tout résultat, bon ou mauvais, alors qu'aujourd'hui il veut dire heureux résultat seulement.
- Le mot *arriver* signifiait autrefois «atteindre le rivage»; aujourd'hui, son emploi s'est élargi à «parvenir au lieu voulu».

Précisez la nature de l'évolution des mots suivants à l'aide du dictionnaire.

trottoir   accident   étonner   amant   gêne
mélancolie   charme   débile   police   imbécile

Exercice 10

Des mots de même nature grammaticale mais qui s'opposent par le sens sont des **antonymes**.

fort – faible   monter – descendre   uniformité – diversité

Des mots de même catégorie grammaticale et qui ont *à peu près* le même sens dans le contexte sont des **synonymes**.

heureux – content   exploit – performance   signaler – indiquer

Trouvez un synonyme et un antonyme pour chacun des mots en caractères italiques dans le texte suivant.

Les véritables poètes n'ont jamais *cru* que la poésie leur appartînt en propre. Sur les lèvres des hommes, la parole n'a jamais tari; les mots, les chants, les cris se succèdent sans fin, se croisent, se *heurtent*, se confondent. *L'impulsion* de la fonction-langage a été portée jusqu'à l'exagération, jusqu'à l'exubérance, jusqu'à *l'incohérence*. Les mots disent le monde et les mots disent l'homme, ce que l'homme voit et ressent, ce qui existe, ce qui a existé, ce qui existera, l'antiquité du temps, le passé, le futur de l'âge et du moment, la volonté, l'involontaire, le crainte et le désir de ce qui n'existe pas, de ce qui va exister. Les mots *détruisent*, les mots prédisent; enchaînés ou sans suite, rien ne sert de les nier. Ils participent tous à *l'élaboration* de la Vérité. Les objets, les faits, les idées qu'ils décrivent peuvent s'éteindre faute de *vigueur*, on est sûr qu'ils seront aussitôt remplacés par d'autres qu'ils auront accidentellement suscités et qui, eux, *accompliront* leur entière évolution.

ÉLUARD, Paul, *Poésie involontaire et poésie intentionnelle*, © 1942 Seghers, dans *Œuvres complètes*, tome 1, Paris, Gallimard, 1968, p. 1132.

Exercice 11

Bien qu'en principe interchangeables, les synonymes n'ont pas tout à fait la même signification. Écrivez trois phrases avec les synonymes qui suivent:

– dans la première, les synonymes seront interchangeables;

– dans les deux autres phrases, vous expliquerez la différence de sens.

Exemple: ouvert — expansif

- Ce garçon est très *ouvert* (ou *expansif*).
- La puissance *expansive* de la glace a été mal évaluée *(qui tend à distendre).*
- Il possède un esprit *ouvert* à tous les changements *(qui comprend ou admet sans préjugé).*

a) Observer – surveiller

b) Scruter – épier

c) Ablation – enlèvement

d) Changement – mutation

Exercice 12

Les synonymes ont parfois des degrés d'intensité différents. Dans l'exercice qui suit, regroupez les synonymes selon leur force expressive.

Exemple: Ce cours est ....

Synonymes	Sens
1. Obligatoire, exigé, de rigueur, imposé	très fort
2. Indispensable, nécessaire, essentiel	fort
3. Indiqué, utile, recommandé	moins fort

1. Il a [...................................] qu'il ignorait tout.

   [*affirmé, certifié, soutenu, attesté, déclaré, juré, redit, assuré, proclamé, avoué*]

2. J'ai [..............................] Pierre de notre point de vue.

   [*informé, avisé, prévenu, averti, mis au courant, instruit, fait part à, communiqué à... notre..., présenté à... notre..., dit à... notre...*]

3. Cela ne (n') [.............................] en rien sa responsabilité.

   [*prouve, démontre, révèle, annonce, indique, établit, marque, dénote, signale, manifeste, montre, souligne*]

4. Il m'a fallu deux heures pour [................................] ce texte.

   [*examiner, lire, analyser, décortiquer, étudier, parcourir, survoler, approfondir, disséquer, feuilleter, consulter, explorer*]

5. Ce qu'elle affirme est [..].

   [*incontestable, vrai, probable, vraisemblable, crédible, irréfutable, inattaquable, exact, assez, juste, peu douteux*]

6. Il manifeste beaucoup [..................................] quant à la procédure de vérification avant l'envolée.

   [*d'insouciance, d'indifférence, de négligence, de détachement, de désinvolture, de liberté, de désintérêt, de nonchalance*]

7. Son exposé était [..].

   [*banal, insignifiant, ordinaire, médiocre, commun, plat, nul, terne, inintéressant, négligeable, peu intéressant, quelconque*]

8. C'est un élève [..................................].

   [*appliqué, diligent, sérieux, studieux, assez travailleur, laborieux, bûcheur*]

9. Cette étape est [......................................].

   [*préalable, première, préliminaire, prioritaire, préparatoire, un premier pas, primordiale, antérieure*]

Exercice 13

Lisez le texte 15 du chapitre 11 intitulé «Sport et haute performance». Dégagez les réseaux de synonymes et d'antonymes dont les thèmes sont les suivants.

a) L'exploit sportif.
b) L'analogie sport/travail.
c) Le processus d'aliénation.

Exercice 14

Entre les mots de sens unique et les lexiques spécialisés se situe le lexique relié à la culture au sens large: arts, lettres, philosophie, sciences, sciences humaines, techniques. Ce vocabulaire, souvent renouvelé, enrichit la langue; il témoigne de nos références culturelles et de l'évolution de la connaissance et de l'esprit humain. Il importe de repérer ces mots et d'en connaître la signification précise.

Vérifier dans le dictionnaire l'emploi des mots suivants.

aléatoire cours calcul inconscient code

Exercice 15

1. À quelle discipline ou activité correspond chacune des listes de mots suivantes?
   a) Aseptiser, coaguler, ausculter, bovin, équin, curatif, stérile, endocrine, œdème, pedigree, progéniture, dose, gestation.
   b) Disque, numérique, périphérique, mémoire, compact, base, cartes, copie, fichier, organigramme, paramètre, processeur, traitement.
2. En vous servant du dictionnaire, regroupez les termes suivants selon les disciplines correspondantes (psychiatrie, physique, linguistique, droit civil et international, statistique, mathématique, architecture, peinture, musique, théâtre, danse, cinéma, sculpture).

Autisme, aliénation, totem, capitulation, échantillonnage, quantique, cylindre, monolithe, lexème, quark, sondage, schizoïde, algorithme, matriclan, phonème, colonne, clair-obscur, harmonique, scène, entrechat, documentariste, statuaire, cimaise, pictural, intermezzo, première, chorégraphe, studio, ronde-bosse, arcade, aplat, mélodiste, figurant, chassé-croisé, générique, bas-relief, figurine, arc-boutant.

Ce qu'il faut savoir

I. L'origine des mots

L'étymologie retrace l'origine et la filiation des mots de la langue d'aujourd'hui. Le français est issu d'un latin populaire oral, parlé dans l'ensemble des pays romanisés entre le Ve et le IXe siècle. Ce parler roman a doté le français d'un fonds latin d'environ 12 000 mots. On y trouve également des termes d'origine celtique (gauloise) et germanique (franque) déjà assimilés par le latin. En voici quelques exemples.

Emprunts gaulois		Emprunts germaniques	
alouette	charrue	bâtiment	flèche
arpent	charpente	blanc	garçon
balai	chêne	bleu	gauche
ban	cloche	blond	guérir
barde	galet	bois	guerre
benne	lieue	comte	hache
bouc	mouton	convoi	harpe
boue	quai	danser	long
briser	sapin	équipe	rang
char	talus	fauteuil	riche

Le IXe siècle constitue un **tournant**: l'ancien français s'affirme, mais emprunte au latin les mots qui lui manquent. Au Moyen Âge, ces emprunts seront le fait des lettrés et des gens d'Église et, dès la Renaissance, des humanistes, des juristes et des hommes de science.

D'autres mots seront formés par des procédés différents.

1. Le procédé de la **dérivation**:
   - à l'aide de **préfixes** (qui ne changent pas la nature des mots)
     Exemples:
     incertain (de *in-*, négation et de *certus,* assuré).
     ressentir (de *re-*, idée de renforcement et de *sentire,* éprouver)
   - ou à l'aide de **suffixes** (qui peuvent changer la nature des mots)
     Exemples:
     défaillance (de *défaillir* et de *-antian*, élément marquant l'action ou son résultat)
     maladie (de *malade* et de *-ie*, indiquant l'état).

2. Le procédé de la **composition** au moyen de racines latines et grecques:

Exemples:

orthographe (de *ortho-*, droit, correct et de *graphein*, écrire)
manuscrit (de *manu scriptus*, écrit à la main)
équinoxe (de *aequus*, égal et de *nox*: nuit).

Par la suite, au hasard des relations politiques ou commerciales, le français s'enrichira de milliers d'**emprunts** venus de diverses langues. En voici quelques exemples.

Arabe Moyen Âge 270 mots environ	**Allemand** XVIe au XIXe siècle 170 mots environ	**Espagnol** XVIe au XVIIIe siècle 300 mots environ	**Italien** XVIe au XXe siècle 1 000 mots et plus	**Anglais** avant le XXe siècle emprunts limités	**Amérindien** depuis le XVIe siècle par l'espagnol, l'anglais
alchimie	aspirine	bizarre	banque	chèque	atoca
alcool	bivouac	cacahuète	calibre	corporation	carcajou
algèbre	brèche	caracoler	corridor	émission	caribou
algorithme	bretelle	cédille	galerie	humour	hamac
assassin	cible	mandarine	infanterie	minorité	manitou
chiffre	foudre	mayonnaise	piédestal	punch	maskinongé
douane	halte	pépite	plage	revolver	mocassin
gilet	obus	romance	police	snob	ouananiche
sofa	potasse	sieste	révolte	tennis	ouragan
zénith	trinquer	tabac	sérénade	test	patate
zéro	zinc	toréador	trafic	touriste	totem

D'après LECLERC, Jacques, *Qu'est-ce que la langue?*, Laval, Mondia, 1989, chap. 24, nos 1-3.

II. L'emploi des mots

Il est parfois nécessaire de définir le **sens contextuel** des termes principaux d'un texte pour cerner leur signification précise et les nuances qu'elle comporte. Cela s'avère particulièrement utile dans le domaine de la littérature, de la critique, du droit, de la philosophie et des sciences humaines.

Un ensemble de mots reliés à une même notion, à un domaine particulier forme un **champ lexical**: *éclairer, brillant, lampe, luminosité, soleil.* **Déterminer un champ lexical permet de trouver le thème et les orientations d'un texte.**

Nous pouvons analyser l'emploi des mots selon les points de vue suivants.

1. L'évolution sémantique

Les mots évoluent, leurs sens changent. Ils peuvent connaître

a) un **affaiblissement** de sens: *tourmenter* qui veut dire «inquiéter», signifiait autrefois «torturer»;

b) un **renforcement** de sens: *immonde* qui signifiait «impur selon la loi religieuse», veut dire aujourd'hui «dégoûtant, hideux, ignoble»;

c) une **extension** de sens: *bureau* a d'abord désigné un tapis de table;

d) une **restriction** de sens: *viande* s'appliquait avant le XVIe siècle à tout aliment dont se nourrit l'homme.

2. Le contexte

La **polysémie** (le fait pour un mot d'avoir plusieurs sens) affecte la plupart des mots. Seul le contexte indique le sens qu'il faut retenir.

Exemple: Une bonne *table* peut aussi bien désigner le *meuble* que la *nourriture* qu'on y sert.

3. La connaissance des mots

a) Les préfixes et les suffixes

Les **préfixes** sont des éléments de formation lexicale placés avant le mot (le radical). Ils ne changent pas la nature grammaticale des mots.

Exemple:

anti-	+	*corps*	=	*anticorps*
(préfixe)		(nom)		(nom)

Les **suffixes** sont des éléments de formation lexicale placés après le mot (le radical). L'ajout d'un suffixe peut changer la nature grammaticale d'un mot.

Exemples:

ridicule	+	*(-iser)*	=	*ridiculiser*
(adjectif)		(suffixe)		(verbe)
fille	+	*(-ette)*	=	*fillette*
(nom)		(suffixe)		(nom)

b) Les synonymes et les antonymes

Des mots de même nature grammaticale et qui ont un rapport de sens au point d'être interchangeables dans une phrase sont des **synonymes**.

Exemple:

Ce bonhomme est plaisant *(amusant, drôle)*.

Les synonymes permettent d'apporter des nuances souvent utiles dans une phrase.

Note: Certains mots ne possèdent pas de synonymes, leur emploi étant spécialisé ou relevant de la désignation d'outils, d'objets.

Exemples: alcane; une décapeuse; une motoneige.

Ou encore ils n'auront pas de synonymes parce qu'il s'agit de concepts fondamentaux.

Exemples: temps, espace, animisme.

L'emploi de synonymes n'est donc possible qu'avec des termes polysémiques, les plus nombreux en français.

Des mots de même nature grammaticale et qui s'opposent par le sens sont des **antonymes**.

Exemples:

La chute *simultanée* du dollar et des valeurs mobilières a affecté le marché.

Les dépréciations *successives* de la monnaie accroissent la dette nationale.

Les antonymes sont souvent formés à l'aide de préfixes.

Exemples:

démocratique / antidémocratique (*anti-*, qui s'oppose à)

social / asocial (*a-*, pas ou sans)

activer/ désactiver (*dés-*, cessation).

Les antonymes permettent d'alléger le style en évitant les tournures de phrases négatives.

Exemples:

Il n'est pas patient. / Il est impatient.

Cette démarche ne me semble pas démocratique. / Cette démarche me semble antidémocratique.

Tableau synthèse

I. L'origine des mots

Connaître l'origine, ou l'étymologie, des mots du français (issus du latin à 80 %, du grec et de diverses langues) est indispensable pour mieux comprendre l'usage actuel et la structure du lexique français.

L'étymologie permet de connaître l'origine d'un mot dans sa forme et son sens les plus anciens et la filiation de ses divers sens au cours de l'histoire.

Exemple: *ausculter* a signifié
«*écouter*» à la fin du IXe siècle,
«*examiner*» au XVIe siècle,
«*ausculter*» (sens médical) à partir de 1819.

Note: Les mots vivent et évoluent avec le peuple qui les emploie. Empruntés à une autre langue, ils garderont le même sens ou désigneront une réalité nouvelle.

II. L'emploi des mots

La signification des mots du vocabulaire peut, au cours de l'histoire, subir:

un **affaiblissement** ou un **renforcement,**

une **extension** ou une **restriction.**

Les mots ont plusieurs sens; ils sont polysémiques. **Seul le contexte en détermine la signification précise.**

On peut aisément enrichir son vocabulaire par l'emploi:

des **préfixes** (éléments de formation lexicale précédant le mot lui-même appelé radical, ils n'en changent pas la nature grammaticale);

des **suffixes** (éléments de formation lexicale placés après un mot ou radical, ils peuvent en changer la nature grammaticale);

des **synonymes** (mots de même nature grammaticale qui ont à peu près le même sens), ils fournissent un éventail de nuances souvent nécessaires dans une phrase;

des **antonymes** (mots de même nature grammaticale qui ont un sens directement opposé), ils permettent d'alléger le style en éliminant des formules négatives.

Exercices bilans

Exercice 1

Dans le texte qui suit, l'auteur critique une situation sociale et suggère une solution.

Il se peut que l'institution du multiculturalisme soit seulement une manière déguisée d'exprimer notre désir de nous démarquer des États-Unis. Les Américains ont leur *melting-pot*, nous avons notre mosaïque. Les Américains demandent aux immigrants de laisser leur passé derrière eux et de changer d'identité, nous leur demandons de conserver leur passé et d'en faire leur seule identité.

Les deux approches sont essentiellement illusoires et, il me semble, chacune est une tactique de falsification du moi. Prétendre simplement continuer à être ce qu'on a été dans le passé, ou ce que nos parents ont été, c'est se trahir, tout comme prétendre, dans le modèle d'assimilation à l'américaine, qu'on n'est plus ce qu'on a été, qu'on s'est complètement refait. La personnalité humaine n'est pas fixe; les circonstances et l'expérience la transforment de manière fondamentale, mais pas totalement. Alors que l'approche américaine trahit l'individu, l'approche canadienne trahit l'individu et l'État. Car si de nombreux immigrants, après s'être installés aux États-Unis, arrivent à se penser eux-mêmes simplement comme des Américains et, de ce fait, renforcent le tissu social, il y en a trop peu qui, au Canada, finissent par s'accepter — eux-mêmes ou les uns les autres — comme de simples Canadiens, ce qui affaiblit le tissu social.

Il faut chercher un moyen terme, trouver un parcours qui fixe, comme tente de le faire le Québec, certains paramètres sociaux fondamentaux auxquels tout le monde serait tenu d'adhérer, mais à l'intérieur desquels chacun serait libre de vivre comme bon lui semble.

BISSOONDATH, Neil, *Le Marché aux illusions*, Montréal, Éditions du Boréal, 1994, p. 228-229.

Questions

1. Précisez le sens contextuel des mots soulignés.
2. Remplacez ces mots par des synonymes ou des expressions équivalentes.
3. Dans les éléments de solution suggérés au dernier paragraphe, identifiez les termes contradictoires.

Exercice 2

Corps et sport

Alors que la morale bourgeoise du XIXe siècle, imprégnée de puritanisme, avait fait du corps, soigneusement dissimulé, un sujet tabou et, par réaction, un objet de fantasmes, le XXe siècle est caractérisé par une (re)découverte et une valorisation du corps. Ce phénomène naît de deux origines. D'une part, la préoccupation de l'hygiène du corps se développe au cours du XIXe siècle, lorsque l'urbanisation rapide, faisant s'entasser dans des espaces étroits des populations nombreuses, fait craindre aux classes aisées les risques d'épidémie, souvent fantasmés; ainsi se développe une «idéologie» de la santé et de la propreté qu'illustrent les recherches de Pasteur sur l'asepsie. D'autre part, des préoccupations patriotiques (former de futurs soldats aguerris) et morales (reprise du vieil adage «un esprit sain dans un corps sain») conduisent certains pédagogues, Jahn en Allemagne, Lind en Suède, Arnold en Angleterre, à prôner une éducation physique pour les jeunes des collèges. C'est ainsi que, d'abord dans les pays anglo-saxons et scandinaves, naît le sport moderne, phénomène «aristocratique» par son recrutement et par les valeurs qui l'accompagnent, maîtrise de soi, gratuité de l'effort physique, «fair play» corrigeant l'esprit de compétition; c'est dans cette perspective que Pierre de Coubertin crée les Jeux Olympiques, pour retrouver l'idéal humaniste de la Grèce antique. Ainsi le souci de l'harmonie et de la vigueur du corps, «cultivé» par le sport, est d'abord le fait de jeunes des classes aisées de la société, mondains oisifs, étudiants, jeunes artistes [...]; il est durablement lié à une idéologie élitaire que le fascisme et le nazisme poussent à son extrême: le sport, systématiquement encouragé et magnifié, doit servir à fortifier la «race des seigneurs», dont les autres races (surtout les Juifs) sont censées se distinguer d'abord par la disgrâce physique et l'absence d'hygiène.

La Culture du XXe siècle, article «Corps et sport», coll. «Les Actuels», Paris, © Bordas 1995, © Larousse-Bordas 1996, p. 112-114.

Question

Donnez le sens contextuel des mots soulignés. Suggérez des synonymes ou des expressions pouvant former leur champ lexical.

Exemple: **imprégnée**

Sens contextuel: ce terme se rapporte à la morale bourgeoise. Cette morale serait profondément pénétrée par la rigueur morale qui caractérise le puritanisme. Plus que d'une influence, il s'agit d'une assimilation complète des principes correspondants.

Champ lexical:
marquée, baignée, influencée, faire partie intégrante, principalement constituée de, saturée.

La phrase et le paraverbal

À l'écrit
La phrase

L'emploi de la phrase

Les transformations de la phrase

À l'oral
Le paraverbal: la gestuelle

Le regard

Les gestes

L'expression du visage

L'expression corporelle

La phrase

Texte 1

Venaient ensuite les Zéphir Authier avec, comme voisin, toujours en descendant vers le hameau, une famille au nom bizarre: les «Six». Ce n'était pourtant pas là un surnom, mais bien leur propre nom transmis de père en fils et qui n'était que la corruption de leur véritable patronyme. Ils descendaient d'un de ces soudards allemands qui traversèrent la mer avec le général Riedesel et dont quelques-uns se fixèrent au pays de Québec, retenus par leur mariage avec des filles du cru. De Schiltz, trop difficile à prononcer, on avait fait «Six». Dans quelques générations qui se souviendrait qu'un peu de sang différent coulait dans leurs veines? Ils étaient aussi canadiens que quiconque, puisque comme les autres ils peinaient sur la terre laurentienne et vivaient d'elle. La patrie c'est la terre, et non le sang.

RINGUET, *Trente arpents*, Paris, Flammarion, 1938, p. 59.

Texte 2

Jusqu'à un certain point, beaucoup de jeunes ont vécu l'expérience d'Obélix par rapport aux NTIC (nouvelles technologies de l'information et de la communication): ils sont tombés dans la «potion magique» dès leur naissance. Ils sont habitués à recevoir quotidiennement de l'information enfermée dans de très brèves capsules télévisées et ils ont naturellement accès à de l'information largement stockée dans des banques de données informatisées, disponibles instantanément sur demande malgré la distance de la source documentaire. Ils ont l'habitude de traiter l'écrit d'une manière fonctionnelle. Leur rapport à l'écrit n'est pas le même que celui des adultes, rompus aux belles-lettres, sensibles à la forme littéraire de l'écrit, à sa structure organique et linéaire autant qu'à son contenu. C'est pourquoi, même si cela est pédagogiquement justifiable, le pur recours aux grands textes comme véhicule d'une culture littéraire risque de demeurer inopérant. Au mieux, il risque d'apparaître comme parachuté auprès de la jeune génération pour laquelle le texte est moins souvent regardé pour lui-même, mais utilisé, parcellisé et disséminé par des techniques qui en favorisent un usage partiel et accéléré.

LORIMIER, Jacques de, «Techniques modernes et défis à l'humanisme»,
Montréal, *Possibles*, vol. 19, nº 4, automne 1995, p. 20-21.

Texte 3

On tire depuis une minute. Et là-bas en avant des balles, des hommes, des hommes courent.
Des hommes courent, cent verges en avant des mitrailleuses.
Ils courent comme pris de panique, comme hors de leur monde. Comme sur un monde où la terre est en caoutchouc.
Ils courent çà et là. De gauche à droite. En avant. À reculons. Ils courent, puis ils vacillent. Ils chancellent. Ils tombent.

RICHARD, Jean-Jules, *Neuf jours de haine*,
Montréal, Éditions de l'Arbre, 1948, p. 57-58.

Questions

Texte 1

Les phrases **simples** (organisées autour d'*un verbe*, de son *sujet* et d'éventuels *compléments*) permettent généralement un style sobre et rapide, tandis que les phrases **complexes** (constituées d'une proposition *principale* et d'une ou plusieurs propositions *subordonnées*) servent à exprimer un fait ou une idée avec plus de précision.
Ces observations s'appliquent-elles ici? Expliquez votre réponse.

Texte 2

À l'exception des deux dernières, ce texte est composé de phrases simples. Relevez les groupes-compléments, identifiez leur nature et leur fonction. Qu'est-ce que ce style de phrases apporte au sujet traité?

Texte 3

Ce texte propose en alternance deux types de phrases; dites lesquels. Expliquez ensuite l'effet produit par cette alternance.

Exercice 1

(1) D'après l'idée communément admise, la population mondiale (forte aujourd'hui de 5,7 milliards d'hommes et augmentant chaque année de 90 millions de têtes nouvelles) devrait doubler au cours des prochaines décennies. (2) La perspective fait naître des inquiétudes et un sentiment d'urgence, liés au risque d'explosion démographique généralisée.

(3) Et si ce scénario catastrophe n'était que fiction? (4) La courbe démographique pourrait-elle continuer sur sa lancée pour plafonner à huit milliards avant de fléchir lentement? (5) L'hypothèse, encore incongrue voilà cinq ans, gagne progressivement en vraisemblance. (6) C'est qu'en Europe du Sud, dans l'ancien bloc soviétique ou en Asie orientale, la fécondité est tombée si bas qu'aucun mouvement ne semble en mesure de la redresser. (7) Dans cette partie du monde, elle paraît devoir se stabiliser bien en deçà du seuil de remplacement des générations. (8) Aujourd'hui, la baisse séculaire de la fécondité se généralise à l'échelle planétaire avec une rapidité tout à fait inattendue. (9) Évolution qui relève d'un faisceau de profonds bouleversements structurels dont les effets n'ont pas fini de se manifester. (10) Preuve par dix facteurs, plus ou moins interdépendants, que le risque global d'explosion est circonscrit.

CHESNAY, Jean-Claude, «La bombe démographique, un pétard mouillé?», Paris, *La Recherche*, vol. 26, nº 279, septembre 1995.

Questions

1. Ce texte comporte quelques phrases non verbales (propositions construites *sans verbe principal conjugué).* Quel effet provoque l'emploi de ce type de phrases dans le contexte?
   a) Un effet de raccourci.
   b) Un effet d'accélération.
   c) Le renforcement expressif d'une idée.

   Expliquez votre réponse.
2. Les phrases numérotées 6, 7 et 8 s'ouvrent sur un groupe nominal qui n'est pas le sujet. Après avoir relevé les groupes nominaux, dites quelle est la fonction de chacun d'entre eux.
3. Les phrases 3 et 4 sont-elles des interrogatives réelles, c'est-à-dire des formules de demande d'informations? Qu'est-ce que de telles tournures expriment dans le contexte?

Exercice 2

L'ordre normal de la phrase (sujet - verbe - complément) peut être modifié à des fins expressives.

a) La mise en relief par l'emploi d'introducteurs (présentatifs): *c'est ... que (qui) ...; il y a ... que ....*

b) Le déplacement de compléments ou de sujets avant ou après le verbe.

c) L'inversion des groupes sujets et compléments.

d) La phrase désorganisée, traduisant le désordre des pensées et des sentiments.

Repérez les modifications qui affectent l'ordre normal de la phrase dans les textes suivants.

A. Tous les hommes et toutes les gaffes se figèrent, immobiles... Ainsi les longues quenouilles sèches avant les frissons glacés de l'automne.

Joson, sur la queue de l'embâcle, était emporté, là-bas...

Il n'avait pu sauter à temps.

Menaud se leva. Devant lui, hurlait la rivière en bête qui veut tuer.

Mais il ne put qu'étreindre du regard l'enfant qui s'en allait, contre lequel tout se dressait haineusement, comme des loups quand ils cernent le chevreuil enneigé.

Cela s'agriffait, plongeait, remontait dans le culbutis meurtrier...

Puis tout disparut dans les gueules du torrent engloutisseur.

SAVARD, Félix-Antoine, *Menaud, maître-draveur*, © 1944 Fides, Montréal, Bibliothèque québécoise, 1992, p. 60-61.

B. Sur le trottoir, la cohue, elle va dans tous les sens, lente ou vive, elle se fraye des passages, elle est galeuse comme les chiens abandonnés, elle est aveugle comme les mendiants, c'est une foule de la Chine, je la revois encore dans les images de la prospérité de maintenant, dans la façon qu'ils ont de marcher ensemble sans jamais d'impatience, de se trouver dans les cohues comme seul, sans bonheur dirait-on, sans tristesse, sans curiosité, en marchant sans avoir l'air d'aller, sans intention d'aller, mais seulement d'avancer ici plutôt que là, seuls et dans la foule, jamais seuls encore par eux-mêmes, toujours seuls dans la foule.

DURAS, Marguerite, *L'Amant*, Paris, Les Éditions de Minuit, 1984, p. 59-60.

C. Dans l'immense théâtre qu'est le monde, où chacun met en scène son sourire faux, ses larmes fausses et ses faux bijoux, la vérité se dissimule dans les coulisses et ne paraît jamais d'elle-même. Et ceux qui, charmés du spectacle de la rampe, ont voulu en voir le stratagème, en ont toujours été déçus. C'est que la vérité n'a qu'un charme, celui d'être vraie; c'est l'antithèse du bonheur.

BERNIER, Jovette-Alice, *On vend le bonheur*, Montréal, Librairie d'Action canadienne-française, 1931.

Exercice 3

Le Survenant buvait autrement. Lentement. Attentif à ne pas laisser une goutte s'égarer. Bernadette? Il se souciait bien d'elle. Bernadette n'existait pas. Il buvait lentement et amoureusement. Il buvait avidement et il buvait pieusement. Tantôt triste, tantôt comme exalté. Son verre et lui ne faisaient plus qu'un. Tout dans la chambre, dans la maison, dans le monde qui n'était pas son verre s'abolissait. On eût dit que les traits de l'homme se voilaient. Une brume se levait entre Bernadette et lui. Ils étaient à la fois ensemble et séparés. «Quel safre!» pensa-t-elle, indignée de le voir emplir son verre une quatrième fois. Mais en même temps elle éprouvait de la gêne et de la honte et aussi l'ombre d'un regret inavoué: le sentiment pénible d'être témoin d'une extase à laquelle elle ne participait point.

GUÈVREMONT, Germaine, *Le Survenant*,

Montréal, Bibliothèque québécoise, 1990, p. 109.

Question

Dans ce texte, la phrase simple, brève, de structure régulière, prédomine, jumelée à la phrase non verbale. Ces types de phrases sont-ils bien adaptés à la scène décrite par l'auteure? Expliquez votre réponse.

Exercice 4

Le français nous est difficile, ne nous gêne aux entournures que dans l'exacte mesure où nous négligeons de l'apprendre. N'est-ce pas pourtant le moins que l'on puisse exiger de qui se dit écrivain?

Quel noble idéal pour un intellectuel, le fût-il d'occasion, de suivre le vulgaire! Et sous quels prétextes cette abdication? J'allais écrire: cette mutilation, ce masochisme? Le mieux qu'on ait trouvé à répondre est que nous ne pensons pas, ne sentons pas, ne vivons pas comme les Français. Que Dieu en soit loué si c'est vrai! Loin que ce soit un inconvénient, c'est un avantage. Tant mieux si nous ne voyons pas du même œil, si nous ne vibrons pas au même rythme que nos «cousins». Tout cela nous confère une précieuse originalité. Pensez-y: pouvoir écrire en français (dût le style être retouché comme celui de nos poulains étrillés dans les écuries parisiennes), pouvoir écrire des romans, des pièces d'une vision fraîche, d'une sensibilité neuve! Voilà pour le coup qui placerait nos écrivains dans la presse française au niveau de leurs confrères malgaches ou abyssins. Rousseau ne sentait ni ne pensait comme les Français et cela ne lui a pas, que je sache, trop mal réussi tout autodidacte qu'il était.

BARBEAU, Victor, *La Danse autour de l'érable*, Montréal,
Cahiers de l'Académie canadienne-française, 1958, p. 33-34.

Questions

La phrase simple peut subir des transformations, habituellement signalées par des signes de ponctuation, qui révèlent également l'intention de communication.

1. Relevez les mots et expressions par lesquels l'auteur communique cette intention.
2. Précisez ce que l'emploi des tournures interrogatives et exclamatives ajoutent au texte:
   a) plus de variété dans le style;
   b) du naturel;
   c) l'expression d'un point de vue.

   Expliquez votre réponse.

Exercice 5

C'est une étrange chose que l'écriture. Il semblerait que son apparition n'eût pu manquer de déterminer des changements profonds dans les conditions d'existence de l'humanité; et que ces transformations dussent être surtout de nature intellectuelle. La possession de l'écriture multiplie prodigieusement l'aptitude des hommes à préserver les connaissances. On la concevrait volontiers comme une mémoire artificielle, dont le développement devrait s'accompagner d'une meilleure conscience du passé, donc d'une plus grande capacité à organiser le présent et l'avenir. Après avoir éliminé tous les critères proposés pour distinguer la barbarie de la civilisation, on aimerait au moins retenir celui-là: peuples avec ou sans écriture, les uns capables de cumuler les acquisitions anciennes et progressant de plus en plus vite vers le but qu'ils se sont assigné, tandis que les autres, impuissants à retenir le passé au-delà de cette frange que la mémoire individuelle suffit à fixer, resteraient prisonniers d'une histoire fluctuante à laquelle manqueraient toujours une origine et la conscience durable du projet.

LÉVI-STRAUSS, Claude, *Tristes Tropiques*, coll. «Terre humaine», Paris, Plon, 1955, p. 342.

Questions

Des phrases longues, éloquentes, permettent de donner plus de précision à une idée et de densité au discours.

1. Transformez toutes les phrases de ce texte en phrases simples. Faites appel au besoin à des formes expressives: phrases interrogatives, phrases exclamatives...
2. Comparez votre texte à celui de l'auteur et appréciez les propriétés de chaque type de phrases au plan de la logique, de la clarté et de l'expressivité.

Exercice 6

En descendant dans la mine partiellement effondrée, l'ingénieur Négrel, soutenu par un câble, constate qu'il y a eu sabotage.

Il descendit encore, perdu au centre de ces vides qui augmentaient sans cesse, battu et tournoyant sous la trombe des sources, si mal éclairé par l'étoile rouge de la lampe, filant en bas, qu'il croyait distinguer des rues, des carrefours de ville détruite, très loin, dans le jeu des grandes ombres mouvantes. Aucun travail humain n'était plus possible. Il ne gardait qu'un espoir, celui de tenter le sauvetage des hommes en péril. À mesure qu'il s'enfonçait, il entendait grandir le hurlement; et il lui fallut s'arrêter, un obstacle infranchissable barrait le puits, un amas de charpentes, les madriers rompus des guides, les cloisons fendues des goyots, s'enchevêtrant avec les guidonnages arrachés de la pompe. Comme il regardait longuement, le cœur serré, le hurlement cessa tout d'un coup. Sans doute, devant la crue rapide, les misérables venaient de fuir dans les galeries, si le flot ne leur avait pas déjà empli la bouche.

Négrel dut se résigner à tirer la corde du signal, pour qu'on le remontât. Puis, il se fit arrêter de nouveau. Une stupeur lui restait, celle de cet accident, si brusque, dont il ne comprenait pas la cause. Il désirait se rendre compte, il examina les quelques pièces du cuvelage qui tenaient bon. À distance, des déchirures, des entailles dans le bois, l'avaient surpris. Sa lampe agonisait, noyée d'humidité, et il toucha de ses doigts, il reconnut très nettement des coups de scie, des coups de vilebrequin, tout un travail abominable de destruction… Évidemment, on avait voulu cette catastrophe.

ZOLA, Émile, *Germinal* (1885), Paris, GF-Flammarion, 1968, p. 453-454.

Questions

1. La cohérence de cet extrait est assurée par l'enchaînement logique des phrases. Relevez les mots qui se rapportent au personnage principal, Négrel. Précisez leur nature et leur fonction.
2. Le sujet de la dernière phrase n'est plus le même que celui de l'ensemble du texte. Quel effet crée l'emploi de ce pronom? Expliquez votre réponse.

Exercice 7

Tout le carreau de la mine y avait suivi les bâtiments, les tréteaux gigantesques, les passerelles avec leurs rails, un train complet de berlines, trois wagons; sans compter la provision des bois, une futaie de perches coupées, avalées comme des pailles. Au fond, on ne distinguait plus qu'un gâchis de poutres, de briques, de fer, de plâtre, d'affreux restes pilés, enchevêtrés, salis, dans cet enragement de la catastrophe. Et le trou s'arrondissait, des gerçures partaient des bords, gagnaient au loin, à travers les champs. Une fente montait jusqu'au débit de Rasseneur, dont la façade avait craqué. Est-ce que le coron lui-même y passerait? jusqu'où devait-on fuir, pour être à l'abri, dans cette fin de jour abominable, sous cette nuée de plomb, qui elle aussi semblait vouloir écraser le monde?

ZOLA, Émile, *op. cit.*, p. 459.

Questions

1. Dans les deux premières phrases, l'auteur insiste sur le sujet initial: «*Tout le carreau de la mine...*». Relevez les éléments de ces phrases qui permettent de créer cet effet d'insistance.
2. L'accumulation de groupes nominaux dans les deux premières phrases évoque une image. Laquelle?

Exercice 8

Après les déstructurations des années 70-85, les années 85-95 semblent préférer les logiques d'alliance, la dialectique, la négociation, l'échange. On y parle de «cohabitation», de «métissage», de «dialogue» et surtout de «communication». Les jeunes, loin de s'opposer à la société de consommation, cherchent à s'y intégrer et à en profiter. Le spectre du chômage comme les menaces d'exclusion font de l'intégration leur souci premier. On valorise aussi les approches multisensorielles, on allie la rigueur et la créativité, le cerveau gauche et le cerveau droit, les lettres et les sciences... Les entreprises ne jurent plus que par le «partenariat» et les syndicats sont sollicités par un management «participatif». L'écologie négocie avec l'économie un «contrat» naturel; le gouvernement conduit sa politique sous les auspices du «contrat social».

La mode est à l'économie «mixte»!...

Et la tendance semble encore plus nette dans la consommation.

WEIL, Pascale, *À quoi rêvent les années 90? Les nouveaux imaginaires: consommation et communication*, Paris, © Éditions du Seuil, 1993, p. 13-14.

Questions

1. Dans la première phrase de ce texte, l'auteure énonce le thème du paragraphe par l'emploi des termes *alliance, dialectique, négociation, échange*. Dites si les phrases qui suivent s'enchaînent:
   a) par des éléments grammaticaux;
   b) par des éléments lexicaux.
2. Relevez, dans l'ensemble du texte, tous les termes justifiant votre réponse.

Ce qu'il faut savoir

La langue est un mécanisme qui fonctionne par assemblage de mots dans des phrases. Une meilleure maîtrise de ce mécanisme favorisera une meilleure communication orale ou écrite. Le fait de connaître les types de phrases, leur emploi et les transformations qu'elles peuvent subir, permettra de mieux formuler ou de mieux comprendre un message, c'est-à-dire de mieux communiquer.

Rappel: les types de phrases

La phrase simple est organisée autour d'*un verbe,* de son *sujet* et d'éventuels *compléments.*

Pierre → est finissant en Technologies du génie électrique (TGE).

L'immense rumeur de juillet → s'élève de partout à la fois.

groupe nominal — **groupe verbal**

La phrase complexe est constituée d'une proposition *principale* (l'information principale) et d'une ou plusieurs propositions *subordonnées* (l'information secondaire ou explicative) entre lesquelles s'établissent des rapports logiques.

- *Sans bruit, loin au-dessus de nous, planent des oiseaux dont le blanc éclate et se dore dans la lumière brutale du jour.*

  ZUMTHOR, Paul, *La Traversée*, Montréal, © L'Hexagone, 1991, p. 343.

- *Les étoiles palpitent à hauteur de mâts, fourmillent au bas du ciel, où la traînée laiteuse du Chemin de saint Jacques s'abîme dans la mer.*

  ZUMTHOR, Paul, *op. cit.*, p. 353.

Des faits ou des idées, reliés les uns aux autres de manière logique, forment un sens complet, voire un **raisonnement**:

Le lecteur, qui cherche uniquement dans un livre la tendance nouvelle de son esprit, demande à l'écrivain de répondre à son goût prédominant, et il qualifie invariablement de remarquable ou de «bien écrit» l'ouvrage ou le passage qui plaît à son imagination idéaliste, gaie, grivoise, rêveuse ou positive.

MAUPASSANT, Guy de, préface de *Pierre et Jean*, 1888.

La phrase composée est formée de *deux* ou *plusieurs* propositions; celles-ci peuvent être coordonnées ou juxtaposées.

Propositions *coordonnées*

- *Une longue file d'oiseaux bruns, le bec tendu, fonce du couchant au-devant de nous,* ***et*** *se disperse vers le sud-est.*

  ZUMTHOR, Paul, *op. cit.*, p. 340.

- *L'argent manquait,* ***mais*** *les gouvernements n'osaient pas modifier leurs politiques socio-économiques.*

Propositions *juxtaposées*

On hisse les voiles. ***Les coques frémissent, les mâts craquent entre les haubans.***

ZUMTHOR, Paul, *op. cit.*, p. 359.

La phrase non verbale est construite *sans verbe principal conjugué.*

À chacun son métier!

I. L'emploi de la phrase

- Le choix d'une structure de phrase, de sa longueur, est fonction de la *quantité d'informations à transmettre.*
- Les procédés de style (ordre des mots, rythme, ponctuation, progression) sont liés à la *situation de communication.*

1. **La phrase simple** est présente dans tous les types de textes. D'usage courant dans les écrits de vulgarisation, elle permet de mieux condenser sa pensée.

   Relayant le proverbe ancien et l'expression poétique, le slogan et les jeux verbaux de la publicité alimentent une phraséologie très vivante. La créativité du français s'exerce beaucoup plus sur le groupe de mots, la locution semi-figée ou le terme complexe, que sur le mot lui-même; là réside aujourd'hui son génie propre. Le français contemporain tient au classicisme par la volonté d'unité et parfois de fixité.

   REY, Alain, article «Le français: évolution d'une langue», *Dictionnaire historique de la langue française*, Paris, *Le Robert*, 1994, p. 836.

2. **La phrase complexe**, bien qu'on la retrouve dans tous les types de textes, est une des constantes du style littéraire.

   Mon enfance je décrirai pour le plaisir de me la rappeler, tel un conte devenu réalité, encore incertaine entre les deux. Je le ferai aussi pour mon orientation, étant donné que je dois vivre, que je suis déjà en dérive et que dans la vie comme dans le monde, on ne dispose que d'une étoile fixe, c'est le point d'origine, seul repère du voyageur.

   FERRON, Jacques, *L'Amélanchier*, Montréal, © VLB Éditeur, 1986, p. 27.

La phrase complexe confère précision et logique à un fait ou à une idée.

Si cette terre était ce qu'elle semble devoir être, c'est-à-dire si l'homme y trouvait partout une subsistance facile et assurée et un climat convenable à sa nature, il est clair qu'il eût été impossible à un homme d'en asservir un autre.

VOLTAIRE, article «Égalité», *Dictionnaire philosophique* (1764).

3. **La phrase composée** s'emploie pour créer un lien de rapprochement entre deux idées.

Oui, un soir, le peuple lâché, débridé, galoperait ainsi sur les chemins; et il ruissellerait du sang des bourgeois.

ZOLA, Émile, *op. cit.*, p. 345.

4. **La phrase non verbale**

a) Elle est fréquemment employée pour créer un effet d'accélération dans le déroulement d'un récit.

Départ demain dès l'aube

ZUMTHOR, Paul, *op. cit.*, p. 164.

b) Elle permet également de créer un effet de raccourci.

Combien de fois, Ernest, devrai-je répéter ces choses-là? Parfois tu me donnes l'impression pénible qu'entre tes deux oreilles, l'air est pur, la route est large. Et voilà le couronnement d'un million d'années de labeur évolutionnaire! Pfouh!

LEWIS, Roy, *Pourquoi j'ai mangé mon père*,
Paris, Actes Sud, 1991, p. 71.

c) On l'utilise de façon privilégiée dans les slogans, les titres et de nombreux proverbes.

Le choix des connaisseurs!
Victoire facile du Canadien.
Loin des yeux, loin du cœur.

d) Elle sert encore à suggérer des impressions ou des idées sans faire intervenir l'auteur.

Volets clos, grand vide tout autour, parfum de mort. Silence de l'attente. De ces silences où se faufile l'ombre des tireurs d'élite, ici planqués derrière une voiture, là sur un vieux toit de tuiles, ailleurs derrière la bâche d'un camion, tous reliés au chef par walkie-talkie, le doigt sur la détente de leurs fusils à lunette, pas exactement des hommes, rien d'autre que des regards et des balles.

PENNAC, Daniel, *Au bonheur des ogres*, coll. «Folio»,
Paris, © Gallimard, 1985, p. 187.

II. Les transformations de la phrase

1. Les transformations grammaticales

On distingue quatre formes grammaticales de phrases correspondant à des intentions différentes de la part de l'émetteur.

Formes	Intentions
a) **La phrase déclarative** *L'histoire est une dimension de la littérature, un genre de la langue écrite.* (Jacques Godbout)	Expression d'un fait ou d'une idée
b) **La phrase interrogative réelle** *Quelle est la signification de ce mot?*	Demande d'information

c) **La phrase interrogative rhétorique**

Dira-t-on qu'ils sont «utiles»? Mais à qui et à quoi? — Affirmation déguisée

d) **La phrase exclamative**

Quelle chance! — Sentiment d'admiration

Je sais de quoi je parle! — Sentiment d'indignation

Une heure d'attente! — Sentiment d'impatience

e) **La phrase impérative**

Guérissez au plus tôt! — Souhait

Faites attention! — Recommandation

Entrez! — Ordre

Venez nous voir! — Invitation

2. Les transformations stylistiques

La phrase peut également subir des modifications stylistiques en affectant la longueur, l'ordre des mots ou la progression.

Transformations stylistiques	**Intentions**

a) **La longueur**

- **L'expansion des groupes nominaux:** l'auteur accumule informations et précisions. — Foisonnement

  Devenu langue institutionnelle et écrite, langue de tradition mais aussi langue de modernité, répandu sur les quatre continents, appris dans le monde entier, menacé par l'indifférence et des idées fausses plus que par l'anglais, défendu par tous ceux qui le font vivre, fût-ce par transgression, le français n'est pas en train de disparaître.

  REY, Alain, *op. cit.*, p. 836-837.

- **L'effacement**: l'ellipse permet de retrancher des termes ou des expressions non essentiels à la clarté du message. — Allègement

  Bernat... a compris l'avantage des voiles carrées sur cette mer aux vents réguliers et puissants, et [il a compris] *pourquoi la Niña aura bientôt les siennes. Depuis qu'il le sait, le navire lui paraît moins sûr; son allure,* [lui paraît] *plus louvoyante.*

  ZUMTHOR, Paul, *op. cit.*, p. 171.

b) **L'ordre des mots**

- **Le déplacement**: ce procédé peut toucher le groupe sujet ou le groupe complément. — Mise en relief

  Dans la fournaise mauve du ciel pétillent les premières étoiles, toutes pâles...

  Non, il ne gémit pas, lui!

  ZUMTHOR, Paul, *op. cit.*, p. 351.

  Dans cent ans on sera tous chauves, dit le proverbe.

  ZUMTHOR, Paul, *op. cit.*, p. 56.

c) **La progression**

La cohérence d'un texte repose sur l'enchaînement logique des phrases. Aussi la reprise des pronoms, déterminants ou termes entre les phrases en assure-t-elle la progression. Il existe deux types de progression dans la phrase.

Cohérence

- **La progression à thème constant**

  L'enchaînement d'une suite de phrases peut se faire par la *reprise du sujet* (ou thème) de la première phrase.

__Un étranger__, entrant dans cette chambre, eût éprouvé une impression de chaos. __Il__ n'eût rien découvert d'agréable à un œil ami de la symétrie. __Il__ se serait demandé comment le propriétaire de ce capharnaüm pouvait s'y reconnaître.

DESMARCHAIS, Rex, *La Chesnaie*, Montréal, Leméac, 1971.

- **La progression à thème dérivé**

  Les phrases s'enchaînent au moyen de *sous-thèmes* reliés au thème général énoncé dans la première phrase, établissant ainsi une liaison lexicale.

Étrange __métier__ que celui d'écrivain, que je n'arriverai jamais à comprendre tout à fait. La société, cette machine à fabriquer des __rôles__, m'en a donné un, merveilleux mais redoutable. Je sens mes __vêtements__ trop grands qui flottent sur mon corps. Mon __masque__ cherche à glisser. J'avance sur la __scène__, devant la salle silencieuse, en attente. On ne m'a pas donné de __texte__ à réciter. On m'a seulement dit que la __pièce__ doit continuer.

BEAUCHEMIN, Yves, *Du sommet d'un arbre*, Montréal, © Éditions Québec/Amérique, 1986, p. 92.

Tableau synthèse

La phrase est un groupe de mots qui permet d'émettre un énoncé complet.

On distingue quatre types de phrases:

- la phrase simple,
- la phrase composée,
- la phrase complexe,
- la phrase non verbale.

I. L'emploi des phrases

On utilisera...

la phrase simple	pour mieux condenser sa pensée;
la phrase complexe	pour donner précision et logique à une idée;
la phrase composée	pour créer un lien de rapprochement entre deux idées;
la phrase non verbale	pour créer un effet d'accélération, de raccourci;
	pour suggérer au lieu d'exprimer des idées;
	dans les titres, les proverbes, les slogans.

II. Les transformations de la phrase

Elles permettent d'exprimer l'intention de l'émetteur.

Les transformations grammaticales

On emploiera...

la phrase déclarative	pour exprimer un fait ou une idée;
la phrase interrogative réelle	pour demander de l'information;
la phrase interrogative rhétorique	pour faire une affirmation déguisée;
la phrase exclamative	pour montrer une réaction émotive;
la phrase impérative	pour exprimer un ordre, un souhait, une invitation.

Les transformations stylistiques

On exploitera...

la longueur	
• l'expansion des groupes nominaux	pour créer un effet de foisonnement;
• l'effacement (ellipse)	pour alléger le style;
l'ordre des mots	
• l'inversion ou déplacement	pour mettre en relief des groupes sujets ou des groupes compléments;
la progression	pour assurer la cohérence du texte.
• à thème constant:	enchaînement par reprise du sujet de la première phrase
• à thème dérivé:	enchaînement par sous-thèmes

Exercices bilans

Exercice 1

Identifiez les différents types de phrases présents dans le texte et justifiez leur emploi.

Comme ces fanatiques religieux, hostiles à toute intervention médicale parce qu'ils la supposent contraire aux intentions divines, les écologistes profonds occultent allégrement tout ce qui dans la nature est haïssable. Ils ne retiennent que l'harmonie, la paix et la beauté. [...] Qu'en est-il alors des virus, des épidémies, des tremblements de terre et de tout ce qu'on nomme à juste titre «catastrophe naturelle»? Dira-t-on qu'ils sont «utiles»? Mais à qui et à quoi? Jugera-t-on qu'ils possèdent les mêmes légitimités que nous à persévérer dans leur être? Pourquoi pas, dès lors, un droit du cyclone à dévaster, des secousses sismiques à engloutir, des microbes à inoculer la maladie?

FERRY, Luc, *Le Nouvel Ordre écologique*,
Paris, Grasset & Fasquelle, 1992, p. 198-199.

Exercice 2

Nommez le type de progression employé dans les deux textes suivants.

A. J'ai d'abord vu dans les livres des instruments de connaissance: connaissance du monde, et connaissance de moi-même. Comme tout un chacun, j'ai cru que l'écriture, que l'expérience littéraire en général dispensait une sorte de savoir supérieur et donnait à mieux voir, à vraiment voir la Réalité. La belle métaphore du «voile des apparences» me comblait; sans doute y avait-il là l'expression détournée de quelque désir adolescent auquel je ne pouvais rien, mais percer, dévoiler, pénétrer, tel me semblait bien le rôle de la littérature. Substituer à l'ignorance, à l'impuissance et à la relativité désespérantes de notre vie une connaissance, un pouvoir, un rapport quelconque à l'absolu, telle me semblait la promesse que nous faisaient les livres. Le poète était voyant. L'écriture était dispensatrice de sens et de lumière. La vraie vie n'était peut-être pas dans les livres, mais ceux-ci en étaient la voie d'accès privilégiée. En somme, je ne doutais pas que la littérature me rendrait plus puissant, plus savant, qu'elle me permettrait d'«atteindre la dure réalité», bref, qu'elle me sauverait.

RICARD, François, *La Littérature contre elle-même*,
Montréal, Éditions du Boréal, 1985, p. 17.

B. L'école (je l'entends ici à tous les niveaux) prend distance envers la socialisation diffuse des personnes dans leur vie quotidienne. Elle est le lieu d'un savoir programmé, conscient de ses démarches. Elle réunit des individus qui ont par ailleurs des appartenances disparates, des conceptions de la vie parfois contradictoires. Elle prétend les rassembler non seulement dans l'accès à des savoirs mais en relation à des valeurs: par rapport à la vérité, de même qu'à des idéaux qui se rattachent à la qualité de citoyen.

L'école n'est pas un simple lieu de transit, recueillant d'un côté la production du savoir pour, d'un autre côté, la transvaser dans les esprits. Il est vrai qu'on lui a accordé ou qu'elle s'est attribué toutes sortes de fonctions qu'elle partage avec d'autres institutions; lui reviennent pourtant en propre, malgré cette dispersion et ces excroissances chaotiques, le maintien et l'entretien d'un héritage. L'idée plus ou moins floue d'une tradition de culture perdure à l'école, ne serait-ce que par la présence, à côté des connaissances les plus utilitaires, de disciplines dont la gratuité est évidente.

DUMONT, Fernand, *L'Avenir de la mémoire*, Québec, Nuit Blanche Éditeur, 1995, p. 79-84.

Exercice 3

Identifiez les différents types de phrases dans l'extrait ci-dessous. Expliquez leurs caractéristiques quant à leur emploi et aux transformations observées.

Il faut lire, il faut lire...

Et si, au lieu *d'exiger la lecture* le professeur décidait soudain de *partager* son propre bonheur de lire?

Le bonheur de lire? Qu'est-ce que c'est que ça, le bonheur de lire?

Questions qui supposent un fameux retour sur soi, en effet!

Et pour commencer, l'aveu de cette vérité qui va radicalement à l'encontre du dogme: la plupart des lectures qui nous ont façonnés, nous ne les avons pas faites *pour*, mais *contre*. Nous avons lu (et nous lisons) comme on se retranche, comme on refuse, ou comme on s'oppose. Si cela nous donne des allures de fuyards, si la réalité désespère de nous atteindre derrière le «charme» de notre lecture, nous sommes des fuyards occupés à nous construire, des évadés en train de naître.

PENNAC, Daniel, *Comme un roman*, Paris, © Gallimard, 1992, p. 81.

Exercice 4

Rédigez un paragraphe à thème constant à partir de la phrase suivante, en donnant plus d'expansion à l'un ou l'autre terme du groupe-sujet.

La maîtrise du français est la clé du savoir.

Exercice 5

Rédigez un paragraphe à thème dérivé à partir de la phrase suivante, en employant chacun des quatre types de phrases.

L'homme ne cesse de progresser dans la connaissance scientifique et technique.

Le paraverbal: la gestuelle

Si le message écrit passe par un canal matériel, soit l'encre et le papier, le message oral est transmis par un plus grand nombre de canaux. Toute communication orale fait appel à tout l'être, de l'émetteur comme du récepteur, lesquels cherchent à communiquer non seulement par les mots, mais aussi par la voix et par la gestuelle.

Des recherches récentes[1] ont montré que dans le processus de compréhension d'un message oral,

- les mots comptent pour 7 %,
- les éléments de la voix pour 38 %,
- et la gestuelle pour 55 %.

Nous allons donc nous arrêter sur ce dernier élément, parce qu'il est crucial dans la communication.

La **gestuelle** est l'ensemble des gestes expressifs (le *regard*, les *gestes*, l'*expression du visage*, l'*expression corporelle*) exécutés par l'émetteur. Cet ensemble gestuel constitue un autre langage qui, au-delà des mots, contribue à renforcer le sens du message.

Tout ce qui peut créer un effet de surprise dans l'allure générale de l'émetteur affectera, tout au moins initialement, la capacité de concentration requise pour que le récepteur comprenne le message. Par exemple,

- une tenue vestimentaire originale;
- une teinte de cheveux ou une coupe excentriques;
- une taille inusitée (une personne très grande, petite, grosse, maigre);
- le fait d'appartenir à une minorité visible exceptionnelle dans une région.

1. CHARLES, R. et C. WILLIAME, *La Communication orale*, coll. «Repères pratiques», Paris, Nathan, 1988, p. 8.

Exercice 1

Regroupez-vous par équipes de trois ou quatre personnes. À chaque membre de l'équipe, donnez deux qualités que vous croyez pouvoir lui attribuer.

a) Observez ses réactions non verbales (regard, gestes, expression du visage, expression corporelle) et notez-les.

b) Faites le même exercice en mentionnant cette fois deux défauts et notez aussi les réactions.

c) Comparez l'ensemble des réactions provoquées par l'une et l'autre situation.

Exercice 2

Recherchez dans des revues, journaux ou livres une photo correspondant à chacun des adjectifs suivants: *élégant, joyeux, ouvert, réservé, triste*. Expliquez vos choix.

Exercice 3

Choisissez un des sentiments suivants et exprimez-le par votre regard, vos gestes, votre visage et votre corps: peur, joie, timidité, colère, indifférence, agressivité. Demandez à vos camarades d'interpréter votre gestuelle.

Ce qu'il faut savoir

Le regard

Que la communication soit bilatérale (un émetteur, un récepteur) ou multilatérale, le contact initial entre émetteur et récepteur se fait par le regard. L'*échange* visuel entre le locuteur et son auditoire est donc essentiel.

S'il n'y a qu'un seul récepteur, il faut le regarder sans pour autant fixer son regard sur lui. Un regard trop évasif peut être par contre mal interprété.

En présence d'un groupe de taille moyenne ou petite, il faut créer un contact visuel avec plusieurs auditeurs afin que personne ne se sente ignoré de l'émetteur.

- On doit se soucier de regarder l'*auditoire* et non le plafond, le plancher ou ses notes.
- Il faut avoir un regard direct et franc.

L'absence de contact visuel de l'émetteur est toujours interprété négativement par le récepteur.

Les gestes

On distingue au moins deux sortes de gestes liés à la communication:

- les gestes des mains;
- les contacts mains-visage.

1. Les mains peuvent à elles seules révéler une personnalité, un état d'âme.
   — Une poignée de main molle, donnée du bout des doigts, traduit de la gêne, de la timidité, un manque de confiance en soi.
   — Une poignée de main ferme révèle franchise, confiance en soi et disponibilité.
   — Un geste peut transmettre un message même lorsqu'on le pose sans recourir à la parole.

Question: *Que lui est-il arrivé?*

Réponse: Un doigt pointé sur la tempe signifie qu'il s'est suicidé.

— Un geste peut confirmer une information verbale.

Dehors! (le bras tendu vers la porte).

On évitera de jouer avec un objet: cela démontre gêne et nervosité.

2. Le contact des mains et du visage peut renforcer un discours et traduire des émotions.

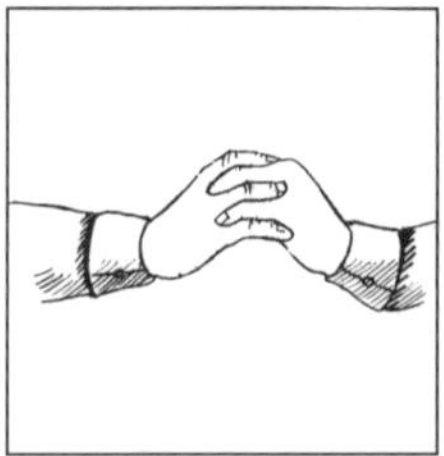

Les mains croisées expriment parfois une attitude «pare-chocs»: on se sent exposé, vulnérable.

Le geste de réajustement d'un vêtement est un geste barrière. Il traduit le malaise, la peur d'être agressé.

Les gestes expriment et accompagnent des états intérieurs.

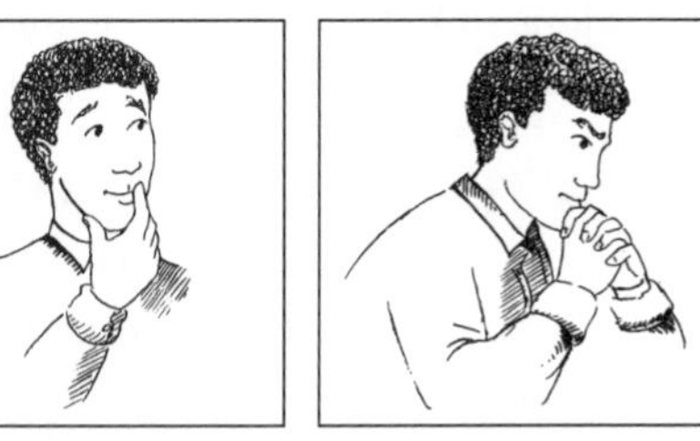

L'inquiétude, la perplexité, par exemple.

La bouche vient s'appuyer contre les mains jointes. C'est la réflexion.

La main semble isoler la personne du monde extérieur. C'est la concentration.

L'expression du visage

- Le visage *souriant* prédispose les récepteurs à un échange agréable, positif.
- Le front, les sourcils *froncés* expriment le mécontentement, la colère.
- Le visage *neutre* refroidit l'atmosphère, crée un certain ennui chez l'auditeur.

L'expression corporelle

- La tenue droite, des déplacements limités, manifestent la confiance en soi, l'assurance.
- Une attitude décontractée à l'excès ou, au contraire, la rigidité ou l'absence de tout mouvement annulent l'expressivité.
- On évitera de croiser les bras et d'arrondir le dos.

Tableau synthèse

Pour que la communication soit efficace et complète, la gestuelle doit porter le même message que l'énoncé oral.

Le regard, l'expression du visage, les gestes et l'expression corporelle sont aussi porteurs du message et ils dévoilent une composante plus profonde de la communication, l'**intention.**

L'absence de contact visuel,
le fait de jouer avec un objet en parlant,
de se mordre les lèvres,
de toucher son visage ou de rajuster ses vêtements
trahissent gêne et nervosité.

Un regard direct et franc,
une poignée de main ferme,
une expression souriante,
une tenue détendue
révèlent confiance en soi et franchise.

Exercices bilans

Exercice 1

Regroupez-vous par équipes de trois ou quatre personnes.

1. Étudiez les 20 gestes qui suivent et identifiez le message que chacun traduit. Confrontez ensuite vos réponses et discutez-en.

   Ces représentations sont adaptées d'un manuel français[2]; comparez vos réponses aux significations données ci-dessous.

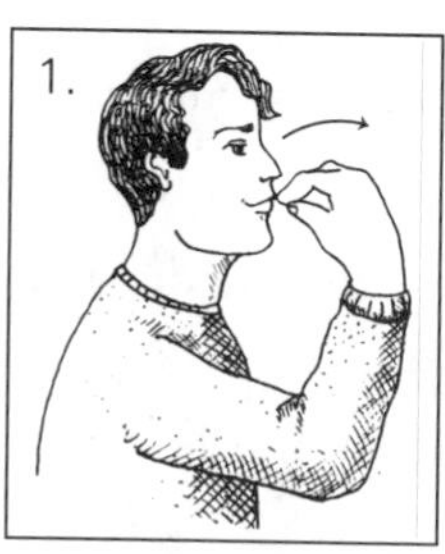

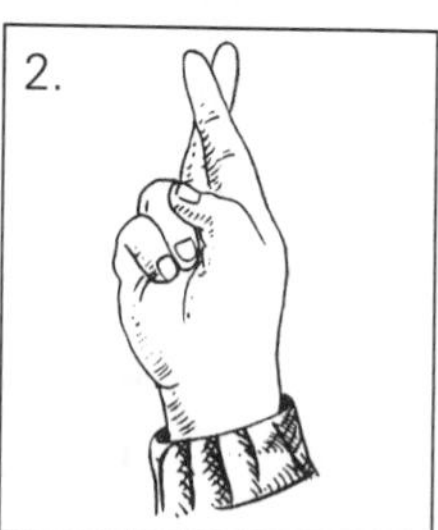

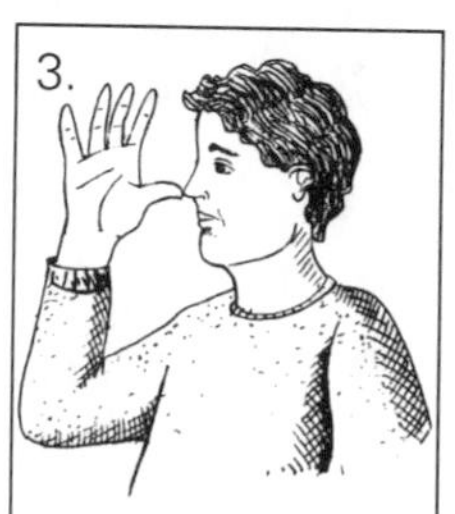

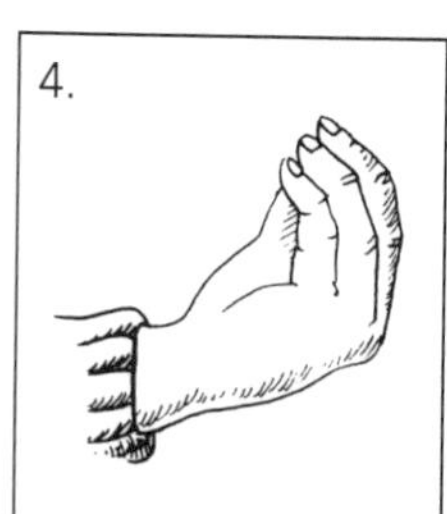

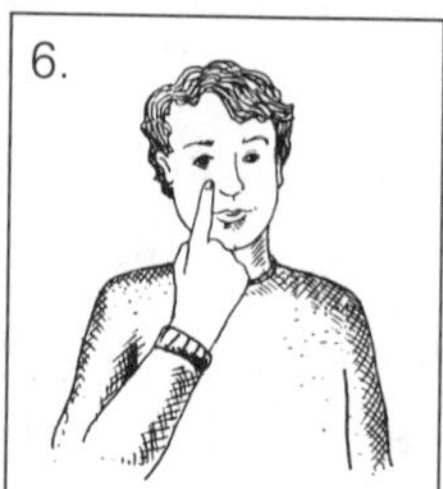

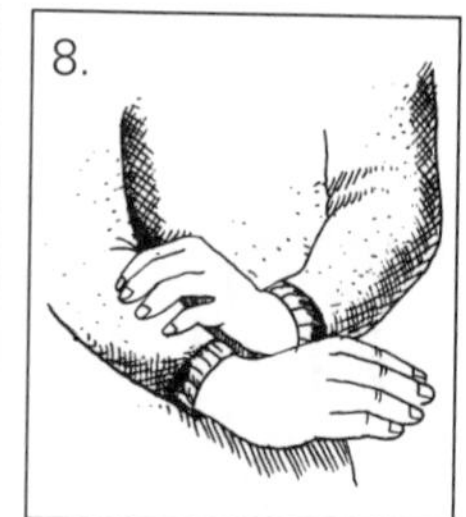

2. D'après GIOVACCHINI, Dominique et Bernard VALETTE, d'après MORRIS, Desmond (*Gestures*, New York, Stein and Day, 1979), *Français, formation fondamentale*, Paris, Hatier, 1993, p. 178-179.

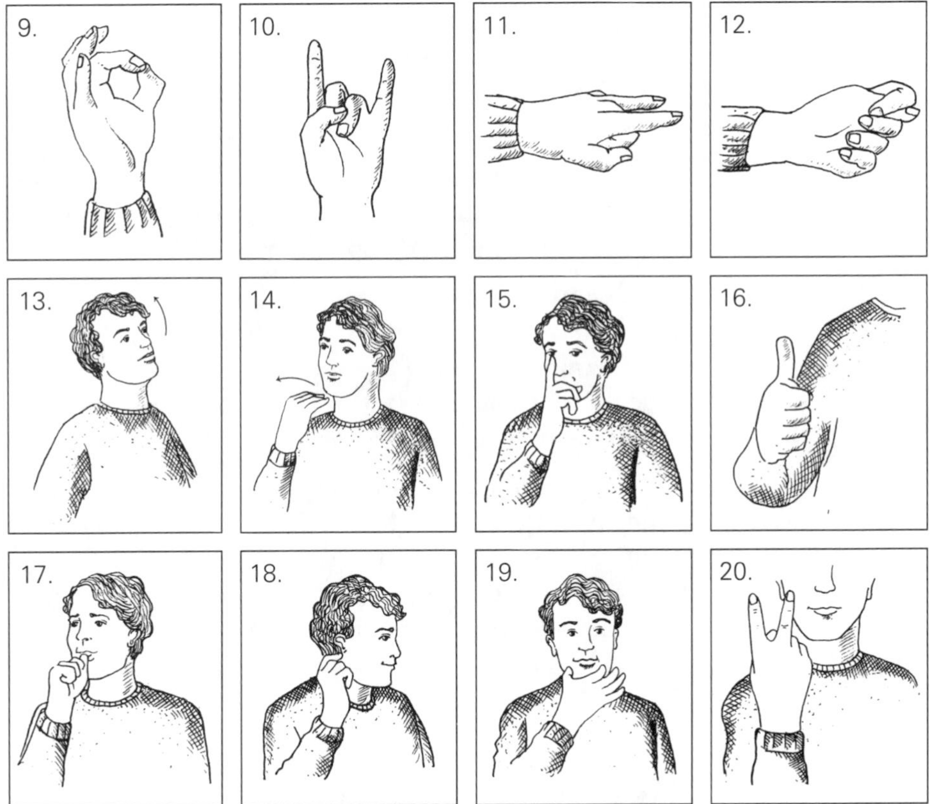

Les 20 gestes clés

1. Le baiser du bout des doigts; signification: bravo.
2. Les doigts entrecroisés: signe de protection (en Angleterre; équivalent au fait de toucher du bois en France).
3. Le pied de nez: moquerie.
4. Les doigts repliés: la peur (en France; en Italie, la querelle).
5. L'index pointé sur la joue: signe de désintérêt.
6. «Mon œil»: signifie «Je ne suis pas dupe» ou au contraire: «faites attention.»
7. Le mouvement de l'avant-bras: insulte (à connotations sexuelles).
8. Le mouvement du plat de la main: signal de départ.
9. L'anneau: parfait ou au contraire zéro, nul.
10. Les cornes (verticales): insulte, cocu.
11. Les cornes (horizontales): *idem* ou au contraire signe de protection dans certains pays latins.
12. Le pouce prisonnier: insulte, protection ou farce du nez mutilé.
13. Haussement de tête: négation (Italie), salutation, dégoût ou supériorité.
14. Le contact du menton: désintérêt.
15. La main passée sur les joues ou le menton: l'ennui.

16. Le pouce en l'air: O.K., un auto-stop (en France) ou au contraire insulte (Sardaigne, Sicile).
17. Le contact des dents: rien.
18. Le contact de l'oreille: punition ou avertissement (en France), efféminé (Italie).
19. Le contact du nez: complicité (accompagnant la transmission d'un secret, par exemple).
20. Les doigts en V: signe de victoire ou au contraire insulte suivant que la paume de la main fait face ou non à celui à qui le signe s'adresse.

Exercice 2

La parole sans le geste

En vous plaçant devant eux, demandez aux membres de votre équipe de vous poser toutes sortes de questions de manière à provoquer vos réactions. Vous ne pouvez répondre que verbalement. Votre visage ne doit laisser paraître aucune émotion. Par la suite, exprimez ce que cette expérience vous a révélé.

Le paragraphe et le paraverbal

À l'écrit

Le paragraphe

La nature du paragraphe

L'orientation du paragraphe

La structure du paragraphe

À l'oral

Le paraverbal: la voix

L'intonation

Le débit

L'énonciation

Le paragraphe

Paragraphe 1

Tokyo, c'est 12 millions de personnes... la nuit. Vers 8 h du matin, en semaine, la banlieue déferle et la population grimpe d'un coup à 15 millions. La horde humaine qui transite matin et soir dans la seule gare de Shinjuku, un des endroits les plus frénétiques de cette frénétique agglomération, équivaut à la population de Montréal et de sa banlieue! En incluant des villes-satellites comme Yokohama, qui a «seulement» quatre millions d'habitants mais paraît n'être qu'une banlieue de plus, ou comme Chiba, de l'autre côté de la baie, l'agglomération de Tokyo compte 32 millions de personnes — un Canada sur un territoire à peine quatre fois celui de Montréal et sa région.

VILLEDIEU, Yanick, «Tokyo, le village de la démesure», Montréal, *L'actualité*, 15 septembre 1995, p. 22.

Paragraphe 2

Tout est démesure ici. Le prix des terrains et des appartements. Le nombre de fonctionnaires municipaux et les deux luxueux gratte-ciel de paperasse qui les abritent. Le produit *régional* brut (deux fois et demie le produit *national* brut du Canada). Le tirage des grands quotidiens (Le *Yomiuri Shimbun* vend plus de 14 millions d'exemplaires et son concurrent, l'*Asahi Shimbun*, près de 13 millions). Démesure aussi, le plan des rues de Tokyo, dont les chauffeurs de taxi feuillettent les 400 pages grand format sans enlever leurs gants blancs. Démesure encore, les rêves urbanistico-financiers des promoteurs immobiliers.

VILLEDIEU, Yanick, *op. cit.*, p. 22.

Paragraphe 3

Certes, les scientifiques sont seuls à pouvoir manipuler leurs objets, leurs cornues, leurs appareils, leurs mesures, et ils ont seuls l'intelligibilité directe des formules et des équations qu'ils mettent au point. Seulement, derrière ces équations, ces formules ou ces théories formalisées, il y a quand même, finalement, des idées. Or, les idées sont partageables, communicables, dans la «langue naturelle». Les problèmes scientifiques sont aussi les grands problèmes philosophiques: ceux de la nature, de l'esprit, du déterminisme, du hasard, de la réalité, de l'inconnu. Et moi, ce que je crois, c'est que ces problèmes d'idées sont les problèmes classiques de la philosophie qui sont renouvelés et posés en termes tout à fait nouveaux.

MORIN, Edgar, *Science avec conscience*, coll. «Points-Essais», Paris, © Éditions du Seuil, 1990, p. 88.

Questions

Tout paragraphe ne développe qu'une idée (l'idée principale), et ce à l'aide d'idées secondaires ou d'exemples.

1. Quelle est l'idée principale développée dans chacun de ces extraits? À quel endroit du paragraphe est-elle le mieux formulée?
2. Pour chaque paragraphe, précisez l'intention de l'auteur. Veut-il...
   - décrire un fait?
   - émettre une idée?
   - répondre à une question sous-entendue?
3. Au plan de leur construction, qu'est-ce qui distingue ces trois paragraphes les uns des autres? Les idées secondaires ou exemples qui s'y trouvent
   - expliquent-ils l'idée directrice?
   - sont-ils reliés à l'idée directrice par des relations logiques?
   - sont-ils présentés comme un ensemble d'informations sur le sujet?

Paragraphe 1

4. Deux expressions encadrent ici les données sur la population de Tokyo. Précisez lesquelles.
5. Les exemples employés par l'auteur sont-ils d'égale importance?

Paragraphe 2

6. Quel mot souligne la structure de ce paragraphe?
7. Les exemples ont-ils pour fonction d'illustrer ou de prouver l'idée principale?
8. À part la première, les phrases de ce paragraphe sont du même type. Précisez l'effet ainsi produit.

Paragraphe 3

9. Quelle est l'affirmation qui résume le mieux la pensée de l'auteur?
10. Précisez la fonction des connecteurs logiques utilisés dans ce paragraphe.
11. À quelle question ce paragraphe pourrait-il répondre?

Les connecteurs logiques relient les unités de sens dans un texte.

Relation logique	Connecteurs logiques	Fonction	Exemples
Addition ou gradation	*Et, de plus, en outre, par ailleurs, surtout, d'abord, ensuite, enfin, d'une part, d'autre part, non seulement, mais encore...*	Ajoute un argument ou un exemple nouveau aux précédents.	*La lecture de romans nous permet de voyager dans le temps et dans l'espace; de plus, elle nous fait découvrir à travers les personnages divers aspects de notre personnalité.*
Parallèle ou comparaison	*De même, de la même manière, ainsi que, comme...*	Établit un rapprochement entre deux faits.	*Le domaine des arts visuels, de même que celui des sciences, exige des connaissances approfondies en informatique.*
Concession	*Malgré, sans doute, en dépit de, bien que, quoique...*	Permet de constater des faits ou d'exposer des arguments opposés à la thèse tout en maintenant l'opinion émise.	*Bien qu'elles ne suffisent plus toujours pour trouver un emploi, les études secondaires doivent continuer à préparer les élèves à l'exercice d'un métier ou à la poursuite d'études supérieures.*
Opposition	*Mais, au contraire, cependant, pourtant, en revanche, tandis que, alors que, néanmoins, toutefois, or...*	Marque l'opposition, avec certaines nuances, entre deux faits ou deux arguments souvent pour mettre en valeur l'un d'eux.	*La situation économique est inquiétante; néanmoins, les propriétaires de restaurants et de cinémas font de bonnes affaires.*
Cause	*Car, en effet, étant donné, parce que, puisque, en raison de, sous prétexte que, dans la mesure où...*	Permet d'exposer l'origine, la raison d'un fait.	*Les salariés doivent prendre des mesures financières en vue de leur retraite, puisque l'État ne peut plus leur offrir un revenu décent.*
Conséquence	*Donc, c'est pourquoi, par suite, de là, d'où, dès lors, de sorte que, si bien que, par conséquent...*	Énonce le résultat, l'aboutissement d'un fait ou d'une idée.	*De nombreuses espèces animales disparaissent chaque année; c'est pourquoi des mesures doivent être prises pour assurer la survie de celles qui sont menacées.*

D'après ETERSTEIN, Claude et Adeline LESOT,
Les Techniques littéraires au Lycée, Paris, © Hatier, 1995, p. 153.

Note: Des mots, des phrases ou des paragraphes peuvent également servir de liens logiques entre les diverses parties d'un texte. Par ailleurs, l'absence de ces éléments sera parfois compensée par l'emploi de pronoms ou d'adjectifs démonstratifs, de même que par des reprises de termes ou d'expressions marquant l'enchaînement des idées.

I. Lire des paragraphes

A. Retrouver l'idée principale d'un paragraphe, reconnaître sa construction permet de mieux comprendre la pensée de l'auteur et aide à la reformuler dans ses propres mots.

Texte 1

Chez les adultes, un nombre plus élevé de femmes que d'hommes fréquentent un établissement d'enseignement en vue d'un certificat, un diplôme ou un grade universitaire. En effet, en 1991, 227 275 femmes de 25 ans ou plus, soit 9,7 % des femmes de ce groupe d'âge, suivent des cours donnant droit à des crédits, comparativement à 168 430 hommes (7,8 % des hommes de 25 ans ou plus). C'est principalement entre 25 et 44 ans que les adultes fréquentent un établissement d'enseignement: en fait, plus de 80 % des adultes aux études se situent dans ce groupe d'âge. Notons que, si près de quatre adultes aux études sur cinq détiennent déjà un diplôme d'études secondaires, le nombre d'étudiantes sans diplôme est nettement supérieur à celui des hommes.

QUÉBEC (PROVINCE). CONSEIL DU STATUT DE LA FEMME.
Les Québécoises déchiffrées — Portrait statistique, coll. «Réalités féminines»,
Québec, Les Publications du Québec, mai 1995, p. 78.

Questions

1. Relevez les mots ou expressions qui assurent l'enchaînement des phrases dans ce texte.
2. Quelle relation logique unit la deuxième phrase à la première?
3. Cette relation est-elle la même entre la première phrase et les deux dernières?

Texte 2

Le design automobile reprend sa place sous les projecteurs après plusieurs années à l'ombre. Trop concentrés à se livrer bataille sur le sentier de la technologie et de la qualité, les fabricants d'automobiles en sont venus à reléguer le design au plan secondaire. Inévitablement, le paysage automobile est devenu pour l'œil aussi monotone qu'un jour de pluie. Maintenant que la technologie et la qualité ne permettent plus de dissocier une automobile d'une autre, le design est appelé, à nouveau, à jouer le premier rôle. «Au cours des 15 dernières années, l'industrie automobile n'a pas su créer l'émotion», admet d'entrée de jeu Mme Vandermolen. Les défis qui se posent sont nombreux, mais un problème inquiète davantage: la génération montante n'a pas un intérêt aussi marqué pour l'automobile. Elle exige seulement qu'elle l'amène du point A au point B. De plus, cette même génération est indifférente à la palette de couleurs. «Elle est très conservatrice. Sceptiques? Promenez-vous sur les campus universitaires aussi bien au Canada qu'aux États-Unis et regardez ce que les étudiants portent: du noir, du brun, du bleu, rarement des couleurs chaudes adoptées par les *boomers*.»

LEFRANÇOIS, Éric, «Des formes et des couleurs... on discute», Montréal, *Touring*, automne 1995, p. 42.

Questions

1. Quel rapport logique lie la seconde phrase à la première? la troisième à la deuxième?
2. Identifiez les expressions relatives au temps. Ces éléments jouent-ils un rôle dans la structure du paragraphe?

B. Dans un paragraphe, l'enchaînement s'établit soit par l'accumulation (addition) des idées ou des exemples, soit par le développement d'un raisonnement.

Pour chacun des paragraphes ci-dessous, suivez les consignes suivantes.

a) Retrouvez l'idée principale.

b) Dites si le paragraphe est construit:
   - par addition d'idées ou d'exemples;
   - par le développement d'un raisonnement.

Justifiez votre réponse en relevant les procédés employés: emploi de connecteurs logiques (voir le tableau, page 80), répétition d'une même expression, jeu de pronoms et d'adjectifs démonstratifs, juxtaposition des phrases.

Texte 1

En ce domaine l'Amérique montre la voie, c'est-à-dire les pièges à éviter puisque la victimologie y est en passe de devenir un fléau national. On connaît les anecdotes aussi confondantes que grotesques dont regorgent les annales judiciaires: un tueur en série doit-il répondre de ses méfaits? Il plaide la surexposition à la télévision et à son déchaînement d'images violentes. Un père tue sa fillette? Elle l'avait bien cherché: en fait c'est elle qui le tuait avec son caractère insupportable. Une femme développe-t-elle un cancer du poumon après quarante ans de tabagisme acharné? Elle assigne en procès trois compagnies de cigarettes pour manque d'informations sur les dangers du tabac. Une autre met-elle par mégarde son chien à sécher dans le four à micro-ondes? Elle poursuit les fabricants coupables à ses yeux de n'avoir pas indiqué sur la notice que l'appareil n'est pas un séchoir...

Dans chaque cas, les circonstances atténuantes, parfaitement légitimes dans un État de droit, deviennent des circonstances disculpantes qui devraient dédouaner l'inculpé avant tout examen. Partout l'industrie des droits prolifère, chacun devient le porte-parole de sa particularité, y compris l'individu, *la plus petite minorité qui soit*, et s'arroge la permission de poursuivre les autres s'ils lui font de l'ombre... Le phénomène s'amplifie dans le cas de groupes et de communautés qui, au nom de la défense de leur image, s'insurgent contre toute allusion péjorative à leur égard: ainsi les «Dieters United», association de défense des gros et des obèses, ont organisé à San Francisco des piquets de protestation devant les cinémas où se jouaient *Fantasia* de Walt Disney. Motif: la danse des hippopotames en tutu ridiculisait les gros. Toutes les causes, même les plus farfelues, deviennent plaidables, l'univers juridique se dégrade en une vaste foire où les avocats racolent le client, le persuadent de son malheur, forgent des litiges de toutes pièces et lui promettent des gains importants s'ils trouvent un tiers payeur.

BRUCKNER, Pascal, *La Tentation de l'innocence*,
Paris, Grasset, 1995, p. 116-117.

Texte 2

Je comprends alors la passion, la folie, la duperie des récits de voyage. Ils apportent l'illusion de ce qui n'existe plus et qui devrait être encore, pour que nous échappions à l'accablante évidence que vingt mille ans d'histoire sont joués. Il n'y a plus rien à faire: la civilisation n'est plus cette fleur fragile qu'on préservait, qu'on développait à grand-peine dans quelques coins abrités d'un terroir riche en espèces rustiques, menaçantes sans doute par leur vivacité, mais qui permettaient aussi de varier et de revigorer les semis. L'humanité s'installe dans la monoculture; elle s'apprête à produire la civilisation en masse, comme la betterave. Son ordinaire ne comportera plus que ce plat.

LÉVI-STRAUSS, Claude, *Tristes Tropiques*, Paris, Plon, 1955, p. 38-39.

Texte 3

Il y a trente-six mille raisons d'abandonner un roman avant la fin: le sentiment du déjà lu, une histoire qui ne nous retient pas, notre désapprobation totale des thèses de l'auteur, un style qui nous hérisse le poil, ou au contraire une absence d'écriture que ne vient compenser aucune raison d'aller plus loin... Inutile d'énumérer les 35 995 autres, parmi lesquelles il faut pourtant ranger la carie dentaire, les persécutions de notre chef de service ou un séisme du cœur qui pétrifie notre tête.

PENNAC, Daniel, *Comme un roman*, Paris, © Gallimard, 1992, p. 156.

Texte 4

Toutes les choses que nous consommons sont en effet des créations du travail humain, et même celles que nous jugeons en général les plus «naturelles» comme le blé, les pommes de terre ou les fruits. Le blé a été créé par une lente sélection de certaines graminées; il est si peu «naturel» que si nous le livrons à la concurrence des vraies plantes naturelles, il est immédiatement battu et chassé; si l'humanité disparaissait de la surface du sol, le blé disparaîtrait moins d'un quart de siècle après elle; et il en serait de même de toutes nos plantes «cultivées», de nos arbres fruitiers et de nos bêtes de boucherie: toutes ces créations de l'homme ne subsistent que parce que nous les défendons contre la nature; elles valent pour l'homme; mais elle ne valent que par l'homme.

FOURASTIÉ, Jean, *Pourquoi nous travaillons?*,
coll. «Que sais-je?», n° 818, Paris, PUF, 1970, p. 13.

Texte 5

De nombreuses études ont tenté de cerner les conséquences de ces migrations pour les pays de départ. On pourrait penser qu'elles permettent de réduire le chômage puisque ce sont surtout des citadins qui partent et que le taux de chômage est élevé dans de nombreuses villes du Tiers Monde. En effet, les citadins émigrent plus facilement que les ruraux car les bureaux d'embauche et les lieux où l'on peut se procurer passeports et visas sont en ville. Toutefois, les flux d'immigration ne concernent que 0,4 % de la population active totale. Ils n'ont donc qu'un impact limité sur le chômage, d'autant plus qu'un actif qui part ne laisse pas forcément un emploi pour un chômeur. Tout dépend de leurs compétences respectives. En effet, les systèmes d'enseignement de nombreux pays du Tiers Monde forment un nombre excessif de diplômés de haut niveau par rapport aux possibilités économiques existantes. En revanche, de nombreux autres pays ont subi de graves pertes de main-d'œuvre. Chaque année, les pays en développement perdent des milliers de spécialistes, ingénieurs, médecins, scientifiques... Frustrés par le niveau des salaires et des possibilités limitées de leurs pays d'origine, ils émigrent vers des pays riches où leurs compétences peuvent être mieux rémunérées. L'ensemble de l'Afrique a perdu entre 1985 et 1990, d'après le rapport mondial sur le développement humain de 1992, 60 000 cadres dont elle a assumé le coût de la formation. De ce fait, elle doit de plus en plus faire appel à des experts étrangers (30 000 en 1991) fort coûteux.

ROUSSELET, Micheline, *Les Tiers Mondes*, Paris, Le Monde Éditions, 1994, p. 220.

Texte 6

A. Notre vision de l'atome est désormais fort éloignée du système solaire en miniature proposé au début du siècle. Les électrons certes sont répartis sur quelques orbites. Ils ne ressemblent guère à de sages planètes. Des «paquets d'ondes», dont les longueurs d'onde sont des sous-multiples des longueurs des orbites, tournent autour du noyau. Leur mouvement de rotation est d'autant plus rapide qu'ils sont les plus proches du noyau car la force centrifuge due à la rotation doit équilibrer la force d'attraction entre les charges électriques, positive du noyau, négative de l'électron; cette force d'attraction est d'autant plus grande que ces deux charges sont plus proches, la vitesse de rotation doit donc s'accroître avec la proximité du noyau. Cette vitesse est de l'ordre du millier de kilomètres par seconde. Compte tenu de la petitesse de l'orbite, cela correspond à un million de milliards de tours par seconde. Ce tournoiement fabuleux des paquets d'ondes que nous nommons «électrons» fournit une issue au paradoxe posé par la structure essentiellement vide des atomes dont la presque totalité de la masse est rassemblée dans un infime noyau.

B. Prenez une longue et fine lanière; elle ne remplit qu'une bien faible partie de l'espace qui vous entoure. Faites-la tournoyer rapidement autour de vous; tout ce qui s'approche, giflé par la lanière, est contraint de s'éloigner. De même, un atome se comporte comme un objet dur, solide, inaltérable, car les électrons, malgré leur taille, peuvent, grâce à leur vitesse, à leur mouvement incessant, rester maîtres de tout l'espace qui leur est alloué.

JACQUARD, Albert, *Voici le temps du monde fini*, coll. «Point-Essais», Paris, © Éditions du Seuil, 1991, p. 45-46.

II. Écrire des paragraphes

A. Développez les idées principales par l'addition d'idées secondaires ou d'exemples.

Utilisez les connecteurs logiques suggérés; en ajouter lorsque vous le jugez nécessaire.

1. L'informatisation des services gouvernementaux affecte la qualité des rapports des citoyens et de l'État. *Idées secondaires:* 1) les analphabètes sont abandonnés à eux-mêmes; 2) l'informatique répugne à certaines gens; 3) le dialogue humain est quasi inexistant.
2. Depuis quelques années, les autochtones réclament leurs droits et leur identité distincte. *Exemples:* au Québec et au Canada: droits ancestraux de chasse et de pêche; revendication de territoires; respect de leur culture. *Obstacles:* réaction prudente des gouvernements; incompréhension de la majorité de la population; mésentente entre les peuples autochtones eux-mêmes.
3. Selon Statistiques Canada, le diplôme d'études secondaires suffira de moins en moins à assurer un emploi. En effet,... (+ *exemples*) ... Deux raisons expliquent cette situation nouvelle. D'une part,... d'autre part... Il est donc important...

B. Composez trois paragraphes en réponse aux questions suivantes, en employant la structure suggérée.

1. **Qu'est-ce qu'un voyage, entrepris sans obligation particulière, peut nous apporter?** On peut envisager le tourisme de diverses façons. Pour les uns, voyager... Pour les autres... Pour d'autres enfin...
2. **La ville de Québec ne sera pas l'hôtesse des prochains jeux olympiques. Doit-on le regretter?** Certes...(*avantages*). Mais... (*inconvénients*). C'est pourquoi... (*opinion personnelle*).
3. **Les sportifs et les artistes ne finissent-ils pas par poursuivre leur carrière pour des raisons essentiellement lucratives?** (*Exemples.*) Mais la situation est loin d'être généralisée (*autres exemples*).

C. Complétez le paragraphe.

L'automobile est-elle remplaçable? Difficilement, si l'on regarde la popularité des transports en commun... (fréquentation du métro, des autobus, du train). Certes l'automobile... (raisons de sa popularité). De même est-elle encore...

(élément important de l'économie). Mais la qualité de la vie et de l'environnement est, selon certains experts, menacée par l'invasion de l'automobile.... (exemples ou arguments). Aussi les gouvernements font-ils face à un dilemme:... (payer pour l'entretien des routes ou subventionner le transport public).

D. Retrouvez la première phrase des paragraphes suivants.

[____]

Tout aurait été donné gratuitement à l'homme dans le paradis terrestre, et tout serait au contraire pénible et vicié de nos jours. Jean-Jacques Rousseau a donné une couleur populaire et révolutionnaire à cette croyance, qui est restée vive au cœur de l'homme moyen: ainsi l'on entend parler de la vertu des produits «naturels» et bien des [gens] croient que la vie d'autrefois était plus «saine» qu'aujourd'hui.

FOURASTIÉ, Jean, *op. cit.*, p. 12.

[____]

À se familiariser avec d'autres temps, d'autres époques, d'autres civilisations, on prend l'habitude de se méfier des critères de son temps: ils évolueront comme d'autres ont évolué. C'est l'occasion de réviser personnellement son propre mécanisme de pensée, ses propres motifs d'action ou de réflexion par comparaison avec ceux d'autrui. Il y a là un élargissement de l'horizon familier qui peut être extrêmement bénéfique...

PERNOUD, Régine, *Pour en finir avec le Moyen Âge*, coll. «Points-Histoire», Paris, © Éditions du Seuil, 1977, p. 149.

[____]

Il a perdu en tout cas son rôle de premier producteur de films au profit de l'Inde, du Japon, de la Chine. Encore que les films indiens, japonais et chinois s'adressent presque exclusivement à la population locale ou expatriée, alors que les films américains sont projetés dans le monde entier. Il n'y a pas beaucoup de Japonais qui aient vu des films indiens et vice-versa, mais les spectateurs des deux pays connaissent et apprécient le cinéma américain.

PALMER, Jerry, «Le national et le mondial», Paris, *Le Courrier de l'Unesco*, juillet-août 1995, p. 30.

Ce qu'il faut savoir

Qu'est-ce qu'un paragraphe?

«Division d'un écrit offrant une certaine unité de pensée ou de composition» (*Le Petit Robert*), le paragraphe représente la structure intermédiaire reliant la phrase au texte dans sa totalité.

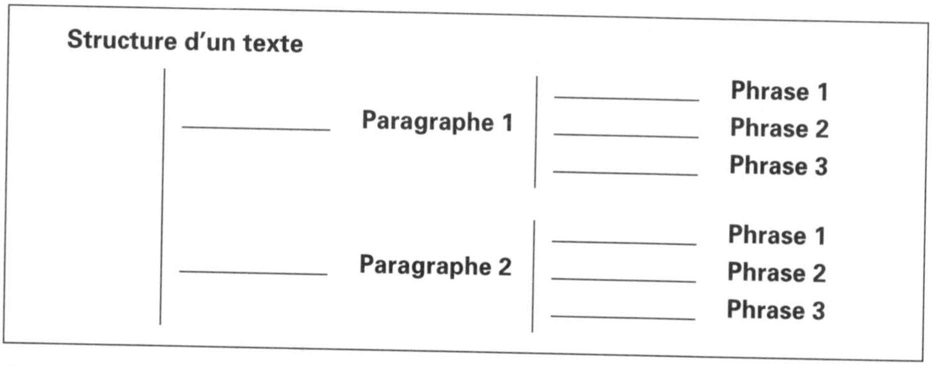

Structure d'un texte

Paragraphe 1		Phrase 1
		Phrase 2
		Phrase 3
Paragraphe 2		Phrase 1
		Phrase 2
		Phrase 3

Sur le plan de la pensée, le paragraphe contient une seule idée principale que l'auteur formule de façon explicite ou sous-entendue dans son développement.

Le développement de l'idée principale peut avoir une orientation informative ou argumentative.

- Dans une ***orientation informative***, les faits et les idées servent à *expliquer* et à détailler l'information, à l'analyser, à souligner ses divers aspects à l'aide de données et d'exemples reliés au sujet abordé. C'est la structure *simple* du paragraphe qui exige l'emploi de connecteurs logiques, tels: *en premier lieu, ensuite, enfin*, etc.
- Dans une ***orientation argumentative***, les faits et les idées retenus visent à justifier l'opinion émise (idée principale), à prouver une affirmation, à répondre à une objection, à défendre une thèse (faits, exemples et idées devenant des preuves à l'appui d'un énoncé). C'est la structure *composée* dans laquelle les rapports logiques seront le plus souvent soulignés par la présence de connecteurs logiques, tels: *certes, mais, par conséquent*, etc.

Note: Un **fait** s'oppose à une **idée** au plan du rapport à la réalité. Un fait constitue ce qui est réel, vérifiable, tandis qu'une idée renvoie à une façon particulière de voir les choses, à la réalité représentée par la pensée.

L'idée principale

L'idée principale (fait, opinion, affirmation), formulée le plus souvent *dès le début du paragraphe, et parfois reprise à la fin*, est suivie d'un développement qui lui donne sens et extension.

- **L'affirmation d'un fait** + les données circonstancielles pour l'élucider.

  À l'Assemblée nationale, le nombre de femmes élues a augmenté à chaque élection générale, de 1976 à 1989... (plus suite du paragraphe)

- **L'affirmation d'un point de vue** + les données pour le clarifier.

  Depuis au moins la fin du XVIIe siècle s'est produite une scission entre les «sciences» et les autres domaines de la connaissance... (plus suite du paragraphe)

- **La question amorce** + les informations ou explications.

  Quels sont actuellement les principaux usagers du réseau Internet? (plus la suite du paragraphe)

Les structures simples du paragraphe

Le développement peut se construire par l'addition d'idées secondaires ou d'exemples.

Par l'addition d'idées secondaires: c'est-à-dire les raisons, les causes, les conséquences, les explications (parfois accompagnées d'exemples) illustrant l'idée principale et favorisant sa compréhension.

*Même si elles sont inaccessibles au profane, les vertigineuses découvertes de la cosmologie et de l'astrophysique ont marqué la culture contemporaine **(idée principale)**, ce dont témoignent leur utilisation (parfois fantaisiste) dans la science-fiction ou le succès des émissions de vulgarisation à la télévision (en partie lié au «charisme» de certains savants comme Hubert Reeves). Mais leur rôle n'est pas tant de fortifier la culture scientifique du public que de fournir des aliments à l'imaginaire collectif qui, dans la défaillance des grandes mythologies, voit dans la cosmologie un des derniers refuges du merveilleux.*

La Culture du xxe siècle, article «Cosmologie», coll. «Les Actuels», Paris, © Bordas 1995, © Larousse-Bordas 1996, p. 117.

Par l'addition d'exemples: il s'agit d'une série de faits placés avant ou après ***l'idée principale*** de manière à la faire saisir au terme d'une *induction*. L'accumulation d'exemples tient lieu de preuve. Cette idée peut être énoncée clairement ou encore suggérée.

*À la télévision, un geste infime que saisit la caméra peut annuler subitement le contenu d'un propos; la force imprévue d'une seule image peut effacer le contenu des mille paroles censées l'accompagner; la dramaturgie accidentelle d'un «direct» de quelques secondes peut subitement allumer, dans des millions de foyers à la fois, un véritable incendie d'émotions; un silence, un simple silence, peut transmettre davantage d'informations — au sens strict du terme — qu'un discours abondant. Ce que scrute l'œil impitoyable de la caméra, c'est une authenticité indicible, une mystérieuse capacité à émouvoir ou à convaincre, une substance insaisissable **(idée principale)**. Cet aléa fondamental, ce «hasard organisateur» invite à la modestie. C'est pourquoi, sans doute, il est rarement souligné.*

GUILLEBAUD, Jean-Claude, «Le génie subversif de la télévision», Paris, *Le Courrier de l'Unesco*, octobre 1992, p. 9.

Les structures composées du paragraphe

Par le développement d'un raisonnement

La démarche est soulignée par la présence de connecteurs logiques marquant la progression et explicitant les relations entre les idées secondaires: concession; cause; conséquence; opposition; comparaison... Cet enchaînement d'idées-arguments démontre l'idée principale par le procédé de la *déduction*.

La diversification sociale accrue est l'une des causes de ce mal qu'est l'isolement. **(idée principale)** *En démassifiant la société et en accentuant les différences plutôt que les similitudes, nous poussons les gens à s'individualiser et chacun de nous peut s'affirmer davantage. **Mais** cela rend **en même temps** le contact humain plus difficile, car plus on est individualisé, plus il est malaisé de trouver un ami ou un amant, une amie ou une maîtresse qui ait exactement les mêmes centres d'intérêts, la même échelle des valeurs, les mêmes disponibilités et les mêmes goûts. Les amitiés se raréfient **aussi**. Nous sommes tous plus exigeants sur la qualité de nos relations sociales, **d'où** un grand nombre de rapports mal assortis — ou pas de rapports du tout.*

TOFFLER, Alvin, *La Troisième Vague*, Paris, Denoël/Gonthier, 1980, p. 454.

Tableau synthèse

Le paragraphe: division d'un texte écrit où l'on trouve une seule idée principale.

La structure des paragraphes

Les structures simples: l'orientation informative

- *Par addition* de faits, d'idées secondaires pour *expliquer* et détailler l'idée principale.
- *Par addition* d'exemples: faits placés *avant* ou *après* l'idée principale pour servir de preuves.

Les structures composées: l'orientation argumentative

- *Par raisonnement*: présence de connecteurs logiques soulignant le rapport entre les phrases et l'idée principale qu'elles servent à *justifier*.

Exercices bilans

Exercice 1

Reformulez l'idée principale et identifiez la structure de chacun des paragraphes suivants.

Quand le ministre de l'Éducation, Jean Garon, a proposé que l'on relie au plus vite les écoles du Québec à l'autoroute de l'information, je me suis demandé: qui donc le conseille? Est-ce que ce serait Negroponte, le prophète de «l'informatique comme mode de vie»?

Autrefois on s'empressait de démolir des quartiers entiers pour faire place à quatre voies d'asphalte. Aujourd'hui il faudrait que l'élève puisse «surfer» sur Internet avant même de savoir écrire, parler, compter, penser. Évidemment un chercheur peut utiliser le réseau pour fouiller dans une bibliothèque, mais les millions d'abonnés d'Internet sont-ils tous des chercheurs? ...

Negroponte divise le monde en deux: ceux qui savent (les jeunes) et ceux qui sont déjà morts parce qu'ils n'ont pas de lecteur de CD-ROM à la maison. Dans son discours tout se joue à propos de l'information. Les produits de l'informatique sont les marqueurs d'une nouvelle civilisation. Avant il y avait échange, temps perdu, bibliothèques pléthoriques, culture. Désormais il y a «conversations» sur réseaux agrémentés de bits légers comme l'air.

L'homme numérique doit avoir accès immédiatement à tout le savoir, peu importe où il est stocké. Vivre, c'est se documenter, sur tout et rien, tout le temps, à tout propos et, quand on sait le faire, revendre cette information. «Converser», sur le réseau électronique, c'est parler à personne en croyant parler à tout le monde. Negroponte mourra d'exhaustivité, mais dans sa maison de petits robots intelligents continueront, après son dernier souffle, à enregistrer ses appels téléphoniques, à classer ses émissions préférées, à préparer le café, à coder et décoder une mer d'informations, un océan de références inutiles, à lui préparer des voyages d'agrément par interordinateurs dans des îles virtuelles. Au siècle dernier, on allait en Italie.

GODBOUT, Jacques, «Pauvre homme numérique!», Montréal, *L'actualité*, 15 juin 1995, p. 79.

Exercice 2

Le paragraphe dans l'élaboration du texte

Si vous aviez à rediviser ce texte pour en faire ressortir les articulations à l'intérieur d'un seul paragraphe, combien de parties conserveriez-vous? Justifiez votre réponse et rédigez ce paragraphe.

Jusqu'où peut-on aller au nom de la connaissance? Peut-on la considérer comme un but en soi? Comme une fin ultime, justifiant tous les moyens? Sinon, où convient-il de mettre la barre? Quels risques, quelles imprudences sont justifiés?

La même interrogation se pose par rapport aux prouesses techniques. On appelle «folie technologique» la thèse, défendue par certains scientifiques, selon laquelle tout ce qui *peut* être fait, *doit* être fait.

La question est tout à fait à l'ordre du jour dans le domaine des *manipulations génétiques*. Sur les implications à long terme, sur les risques de jouer à l'apprenti sorcier avec les gènes humains, certains se contentent du commentaire traditionnel: «Si vous ne le faites pas, quelqu'un d'autre le fera.»

Le problème n'est pas nouveau. Lucrèce en parle à propos des animaux féroces dressés pour la guerre. Les stratèges de l'armée carthaginoise avaient imaginé de lancer dans la bataille des taureaux ou des éléphants furieux bardés de ferrailles tranchantes. Mais, surprise ô combien désagréable, dans le feu de l'action, les bêtes affolées confondent allègrement amis et ennemis... On a mis rapidement fin à cette «folie technologique». De la même façon, et pour des raisons analogues, on a arrêté l'utilisation des gaz assez tôt pendant la guerre de 1914.

Il existe aujourd'hui entre les grandes puissances de la planète un «moratoire» sur le développement des armes bactériologiques. Les représentants de ces nations ont mis au point et signé un traité où chacun s'engage à interrompre définitivement toutes recherches visant à étudier et à perfectionner ces armes redoutables.

Ces traités sont-il respectés? En gros, oui, même s'il y a des infractions. Là encore, il y va de l'intérêt mutuel de tous les participants. Pas plus que les éléphants carthaginois, les virus ne sauraient distinguer les «bons» et les «méchants».

Ces exemples donnent une première limite à la folie technologique: la survie de l'expérimentateur en tant qu'espèce. Cette dimension du problème est nouvelle.

REEVES, Hubert, *L'Heure de s'enivrer. L'univers a-t-il un sens?*, Paris, © Éditions du Seuil, 1992, p. 228-229.

Le paraverbal: la voix

La voix, véhicule du message oral, est unique à chacun de nous et fait partie de notre identité. En effet, il suffit de l'entendre prononcer trois ou quatre syllabes pour reconnaître une personne que l'on côtoie régulièrement: un simple *Allô, bonjour!* indique l'identité de son émetteur.

Outre l'identité, la voix trahit aussi l'humeur, voire l'état de santé de l'interlocuteur: «Parler c'est traduire par les variations de la voix notre vie affective[1].»

Sans aller ici jusqu'à étudier la physiologie de la voix, il est important de noter que nous pouvons avoir un certain contrôle sur la *qualité de notre voix*, «car celle-ci dépend de l'équilibre réalisé entre ce qu'on appelle les trois *résonateurs*: le pharynx, la bouche et le nez. Ainsi:

- une résonance trop pharyngée donne une voix sourde, caverneuse;
- une résonance trop buccale donne une voix rauque, autoritaire;
- une résonance trop nasale donne une voix fluette, nasillarde[2].»

Comme nous l'avons mentionné dans le chapitre précédent, la voix contribue à plus du tiers (38 %) de l'efficacité de la communication. Il est donc essentiel de *connaître* et de bien *utiliser* les différents éléments de la voix qui permettent non seulement de *communiquer clairement* le message, mais aussi de *créer des nuances* qui sous-tendent l'intention de la communication.

Les éléments de la voix comprennent tout ce que le récepteur entend: le **timbre** (hauteur), le **volume**, la **diction** (prononciation, articulation), le **débit**, l'**accentuation**, l'**intonation**.

Tout comme pour la gestuelle, si certains de ces éléments sont mal utilisés, ils peuvent créer chez le récepteur une distraction, une gêne qui nuiront à sa concentration.

L'auditeur peut être irrité par:

– un timbre (hauteur) trop élevé;
– un volume qui ne convient pas aux dimensions de la salle ou à la taille du groupe;
– une articulation peu distincte;
– un débit trop lent ou trop rapide.

1. BELLENGER, L., *L'Expression orale*, Paris, PUF, 1993, p. 43.
2. D'après CHARLES, R. et C. WILLIAME, *op. cit.*, p. 4.

Exercice 1

L'articulation

Dites d'abord lentement, puis de plus en plus rapidement les phrases suivantes.

a) Si 6 scies scient 6 saucisses
606 scies scient 606 saucisses.

b) Un chasseur sachant chasser
doit savoir chasser sans son chien.

c) Le fisc fixe exprès d'excessives taxes sur le luxe.

d) Je veux et j'exige des excuses exactes.

Exercice 2

L'accentuation

Les accents d'insistance, ou l'accentuation, peuvent changer l'importance d'un mot dans une phrase. Lisez le texte suivant en mettant les accents d'insistance sur les mots en caractères gras.

Le **tiers** des élèves de l'école secondaire Marguerite-de-Lajemmerais, dans l'est de Montréal, viennent de milieux **défavorisés**. Cela n'empêche pas cet établissement scolaire de se classer, **année après année**, parmi les **quatre** ou **cinq meilleurs** de la Commission des écoles catholiques de Montréal (CECM) aux examens du ministère de l'Éducation. **Son secret**? Il **ne** compte **que** des **filles**!

Au moment où le Québec tient des états généraux de l'éducation et où tout doit être réexaminé, il faut poser la question: la **mixité** convient-elle aux adolescents? Une chose est **sûre**, l'école telle qu'on la connaît ne réussit pas aussi bien aux **deux sexes**.

Un récent rapport du Conseil des ministres de l'Éducation du Canada révèle que **67 % des filles** de **13 ans** ont atteint un **niveau satisfaisant** en lecture, contre seulement **37 % des garçons**. Des différences notées partout en Amérique du Nord et dans l'ensemble du monde industrialisé.

Il est cependant plus **difficile** de se faire une idée de la réussite scolaire dans les **écoles pour garçons seulement**: toutes sont **privées**, **sélectionnent** leurs élèves de façon **stricte** et, de ce fait, peuvent difficilement être comparées aux écoles du secteur public. Mais est-ce le fruit du hasard si les plus **réputées** sont souvent celles, rares, qui ont **résisté à la mixité**? Collège Jean-de-Brébeuf chez les francophones de Montréal, Lower Canada College chez les anglophones... **Même phénomène dans les collèges privés réservés aux filles**: Regina Assumpta, Sainte-Marcelline et Villa-Maria à Montréal, Jésus-Marie à Sillery...

CHARTRAND, Luc, «Écoles mixtes, écoles séparées: le débat reprend», Montréal, *L'actualité*, 1er avril 1996, p. 20, 22.

Exercice 3

L'accentuation et les pauses

Lisez à haute voix les textes non ponctués qui suivent. Rétablissez oralement la ponctuation en marquant les pauses appropriées selon le sens que vous voulez donner au texte.

A. L'ordinateur permet de stocker et de permuter à l'infini des chiffres des noms des faits le cerveau élecronique peut même réaliser en nanosecondes des opérations que mon pauvre cerveau ne pourrait accomplir en plusieurs mois au bout du clavier nous avons desormais tous les textes et toutes les images du monde c'est-à-dire beaucoup plus que ce dont nous avons besoin mais l'ordinateur quoi qu'on dise n'a pas de mémoire il n'a que des tiroirs

GODBOUT, Jacques, *Le Murmure marchand*, Montréal, Éditions du Boréal, 1989, p. 145.

B. Que serait-il arrivé à la campagne de Russie si tous les soirs entre deux images de poilus et de chevaux traînant des canons Napoléon avait donné une interview si les explications de l'Empereur avaient été diffusées dans tous les foyers d'Europe parlerait-on aujourd'hui encore de Waterloo Victor Hugo aurait-il cru bon d'y ajouter un poème parler d'histoire à l'heure des «mass media» c'est contempler des kilomètres de documentaires qu'aucune télévision nationale n'a encore trouvé moyen de transformer en «archives» l'histoire est une dimension de la littérature un genre de la langue écrite elle ne pourra survivre aux millions d'images et de sons enregistrés quotidiennement

GODBOUT, Jacques, *Le Murmure marchand*, coll. «Boréal Compact», Montréal, Éditions du Boréal, 1992, p. 141.

Exercice 4

Regroupez-vous par équipes de trois ou quatre personnes.

– Faites une première lecture silencieuse du texte suivant pour en prendre connaissance.

– Lisez ensuite à voix haute pendant que le reste de l'équipe écoute et analyse votre voix à l'aide de la grille ci-après.

Éléments de la voix	**Caractéristiques**		
Volume	trop faible	bon	trop fort
Timbre (hauteur)	trop grave	normal	trop aigu
Débit	trop lent	adapté	trop rapide
Articulation	confuse	claire	trop appuyée
Intonation	monotone	variée	exagérée

D'après OTT, François et Pierre VAAST, *Le Français au bac professionnel*, Paris, © Hatier, 1991, p. 96.

Texte 1

Le 25 mars 1992, Yves Beauchemin est réveillé par un bruit continu qui vient de l'intérieur de son oreille. Un drôle de son qui ne lui laisse pas de répit. Après moult radiographies, le diagnostic tombe: une tumeur attaque le nerf auditif.

«Une tumeur bénigne qui a la forme d'une virgule, précise-t-il. Une vraie maladie d'écrivain!»

Beauchemin a alors 50 ans. Lui qui se croit indestructible n'a pas prévu ce coup bas du destin. [...]

Bouleversé à l'idée de perdre l'ouïe, il a reporté de mois en mois la délicate opération qui l'attendait. «Je suis mélomane», dit-il pour se justifier. «Je voulais profiter de mon oreille le plus longtemps possible.»

L'été dernier, il se décide à passer au bistouri. Onze heures sous anesthésie, une chirurgie compliquée (il faut percer un trou dans le crâne pour contourner l'oreille et aller rejoindre la tumeur) et une convalescence pénible: problèmes d'équilibre, irritabilité, insomnie...

«Je dormais deux heures par nuit, se souvient-il. C'est Chateaubriand qui m'a sauvé. J'ai lu les 2400 pages des *Mémoires d'outre-tombe.* Comme quoi les écrivains servent à quelque chose.»

Yves Beauchemin émerge aujourd'hui de ce long tunnel avec une ouïe réduite de 50 %. Et, après un peu de retard, son quatrième roman paraît enfin. Ce n'est pas un hasard si *Le Second Violon* (Québec-Amérique), écrit pendant ces années douloureuses, «les pires de [sa] vie», raconte la crise existentielle d'un écrivain-journaliste d'âge mûr.

Un roman dur qui, à la veille d'être soumis au jugement des lecteurs, lui donne des sueurs froides. Car, cette fois, il y a fort à parier que Beauchemin choquera. «Mon image de bon garçon va y goûter», dit-il. Et pour cause! Tourmenté par le démon du midi, son héros a pour maîtresse une jeune paumée de 18 ans. «Je montre la vie telle qu'elle est, se défend-il. La sexualité est parfois triviale.»

Yves Beauchemin sourit derrière sa moustache touffue. Il n'a pas vieilli, bien que sa tête bouclée, trop souvent comparée à celle du petit saint Jean-Baptiste (il est né un 26 juin), soit désormais parsemée de fils gris. Peut-être redoute-t-il, comme son héros, de perdre ses cheveux ou de voir apparaître l'affreux bedon qui trahirait son âge?

«Nicolas est celui de tous mes personnages qui me ressemble le plus», avoue-t-il.

Jamais, dans ses romans précédents, Beauchemin ne s'était autant trahi. C'est lui tout craché, ce Longueuillois hypocondriaque, hanté par la mort et passionné de musique classique (il raffole de Mahler). Pour lui aussi, l'humour est une seconde nature. En revanche, le romancier a puisé dans son imagination «de plus en plus baroque» le portrait décapant qu'il trace de l'écrivain raté, envieux du succès littéraire de son ami mort du cancer, et qu'il va jusqu'à comparer à Salieri, jaloux de Mozart: «L'un avait le génie, l'autre, du temps.»

LACHANCE, Micheline, «La peur bleue d'Yves Beauchemin», Montréal, *L'actualité*, 15 mars 1996, p. 65.

Texte 2

Il sortit de la douche, s'essuya en chantant à tue-tête des airs de *Carmen*, s'inonda les aisselles d'eau de Cologne, peigna soigneusement sa chevelure amincie, choisit sa plus belle chemise, s'habilla et téléphona à Géraldine.

Après quelques détours hésitants, elle lui dévoila les soupçons qu'elle entretenait sur son mari depuis quelques semaines et l'angoisse qui la torturait; puis, prenant son courage à deux mains, elle lui parla de son appel nocturne et lui affirma son intime conviction que Nicolas n'avait couché ni chez lui ni chez Lupien cette nuit-là, malgré tout ce que ce dernier avait pu lui raconter quelques heures plus tôt:

— Où a-t-il passé la nuit, Robert? Je t'en supplie, réponds-moi. Quelle femme voit-il? Depuis combien de temps? Si tu éprouves un peu d'amitié pour moi, ne me laisse pas ainsi dans le noir, je t'en supplie. Il faut que j'en aie le cœur net, vois-tu... Depuis deux jours, je ne dors plus, je vais et viens comme une automate, les enfants me regardent comme si j'étais devenue folle. Et juste à penser que cela pourrait...

Les larmes l'empêchèrent de poursuivre.

Lupien l'écoutait, profondément ému. Mais, curieusement, sa résolution de garder le secret se renforça et une sorte d'enthousiasme dans le mensonge s'empara de lui, faisant affluer les idées avec une abondance inhabituelle:

— Ma pauvre Géraldine, j'ai l'impression que tu te tortures bien inutilement. Enfin, je ne suis pas son ange gardien, bien sûr, et aucun homme n'est parfait, comme chacun sait, mais je connais tout de même Nicolas depuis quatorze ans, et ce n'est pas le genre d'homme, il me semble, à courir la galipote.

Et il s'employa à la rassurer en lui brossant l'emploi du temps de Nicolas depuis la veille avec force détails, qu'il s'efforçait de mémoriser à mesure afin de pouvoir les transmettre fidèlement à son ami.

Sur le coup, Géraldine se sentit rassurée (elle en avait un tel besoin!). Mais la loquacité inhabituelle de Lupien, d'ordinaire plutôt taciturne et d'élocution lente et malaisée, lui parut bientôt suspecte, comme celle de son mari; il décrivait l'emploi du temps de ce dernier avec tant de verve et de brio, multipliant les détails et les petites anecdotes, qu'elle devina qu'il mentait – par amitié et solidarité masculine. Elle en fut atterrée, mais essaya de le cacher, le remercia de sa patience et raccrocha.

BEAUCHEMIN, Yves, *Le Second Violon*, Montréal, © Éditions Québec/Amérique, 1996, p. 178-179.

Ce qu'il faut savoir

La voix, porteuse du message, sert à donner au contenu de la communication et à son intention toute la précision possible. Toute voix, bien qu'elle soit unique, s'appuie donc sur des éléments techniques qui, utilisés habilement, rehaussent la qualité de la communication.

On distingue deux grandes catégories parmi ces éléments techniques:

a) ceux qui contribuent à la **clarté du message**;

b) ceux qui rendent compte des **nuances dans l'intention** de l'émetteur.

La **hauteur** correspond à l'étendue de la voix dans les limites de laquelle on peut parler pendant un certain temps sans se fatiguer. Il existe plusieurs façons de trouver la hauteur de voix appropriée; la plus simple semble être la suivante:

> émettre un *do* le plus grave possible, puis monter au *fa*.

C'est votre tonalité propre.

Le **volume**: Le fait de parler très fort indispose l'auditoire et épuise l'émetteur; mais parler à voix basse finit par l'endormir. Il convient donc de bien ajuster son volume à la taille du groupe et aux dimensions de la salle.

La **diction** inclut la prononciation et l'articulation.

> La *prononciation* se rapporte à l'énonciation des sons vocaliques (les voyelles); elle varie selon les régions et les pays et elle est reliée aux accents locaux. *L'articulation* correspond à l'énonciation des sons consonantiques (les consonnes); elle varie moins d'une région à l'autre. En français, il est de règle de détacher et d'enchaîner correctement les syllabes.
>
> **Note**: Les liaisons posent un problème d'articulation en français. Il y a liaison entre les mots unis par le sens à l'intérieur d'un même groupe.
>
> *Exemples*: article + nom: *les_enfants; un_arbre.*
> adjectif + nom: *le petit_animal.*
>
> Si l'adjectif vient après le nom, il n'y a pas de liaison:
>
> *Exemple*: *un professeur / exigeant.*

Le **débit** concerne la vitesse à laquelle l'émetteur s'exprime. Il reflète *l'expérience* de l'orateur, la *présence des idées* à son esprit, sa *bonne maîtrise de la langue*. Généralement régulier, le débit ne sera modifié que par l'accentuation.

L'accentuation fait ressortir un mot ou un groupe de mots par un changement du *volume* ou du *débit*.

L'articulation sert à mettre en relief certains éléments du discours; elle participe de l'intention de l'émetteur.

Les **pauses** et les **silences** sont des arrêts volontaires plus ou moins longs, soulignant les nuances du discours. Ils facilitent la compréhension et favorisent la participation intellectuelle de l'auditoire.

Exemples: *On fera...*

- un arrêt sur un point essentiel pour en souligner l'importance;
- un arrêt après une question pour donner à l'auditoire le temps de penser à une réponse;
- une pause avant ou après une accentuation pour mettre en valeur des termes exprimés.[3]

3. D'après CHARLES, R. et C. WILLIAME, *op. cit.*, p. 4.

L'intonation consiste en un changement dans la hauteur de la voix. Elle est liée à la nature de la phrase.

- Dans une phrase interrogative, l'intonation est montante.

  Quels cours suis-tu cette session? *Tu pars en vacances?*

- Dans une phrase déclarative, l'intonation est descendante.

  Daniel travaille 20 heures par semaine.

- Dans une phrase exclamative, l'intonation peut être montante ou descendante.

  Qu'elle est belle! *C'est affreux!*

Par ailleurs, l'intonation donnera parfois un sens particulier au message. Elle peut révéler les émotions ressenties par l'émetteur: la colère, la tristesse, la joie... Le ton peut aussi être ironique, tendre, amoureux...

Tableau synthèse

La voix contribue à la qualité de la communication; elle est porteuse du message.

La *hauteur* doit être juste.

Le *volume*, nuancé selon la taille du groupe et les dimensions de la salle.

La *diction*, claire et distincte.

Le *débit*, ni trop lent, ni trop rapide.

L'accentuation permet, par le ralentissement du débit et la hausse du volume, de mettre certains mots ou groupes de mots en relief.

Les *pauses* et les *silences*, liés à l'accentuation, attirent l'attention du récepteur et contribuent à sa compréhension.

L'intonation correspond à la nature du message:

- elle est montante dans une question,
- elle est descendante dans une affirmation,
- elle est montante ou descendante dans une exclamation.

L'intonation contribue aussi à donner au message un *sens particulier* par l'intermédiaire du ton employé: triste, coléreux, tendre, amoureux, ironique, etc.

Exercice bilan

Cet exercice permettra de vérifier l'importance du paraverbal (la gestuelle et la voix) dans la communication. Six de vos camarades évalueront votre capacité de communiquer à l'aide de la grille ci-dessous. Une discussion sur leurs observations aura lieu ensuite avec le reste de la classe.

	Description	**Effet produit sur l'auditoire**
Ce que voient vos camarades		
Les **gestes positifs** qui soutiennent le discours. *Exemple*: le doigt levé pour attirer l'attention sur une phrase.		
Les **gestes négatifs** qui gênent le discours et détournent l'attention de l'auditoire. *Exemple*: ajuster ses vêtements.		
Les **mimiques**: sourires, grimaces, mouvements de tête, haussement d'épaules, etc.		
Le **regard**: fixe, fuyant, absent, direct, etc.		
Ce qu'entendent vos camarades		
La **voix**:		
le **volume**: trop faible, bon, trop fort.		
la **hauteur**: trop grave, normale, trop aiguë.		
le **débit**: trop lent, adapté, trop rapide.		
l'articulation: confuse, trop appuyée, claire.		
les **accents** d'insistance: oui / non.		
le **ton**: monotone, varié, trop animé.		
Autres remarques		

D'après OTT, François, et Pierre VAAST, *op. cit.*, p. 101.

Un texte dramatique décrit, parfois, sous forme de dialogues, certaines situations sociales.

Dans les deux textes qui suivent, se trouve la même situation de communication: un professeur exerce un pouvoir abusif auprès d'un de ses élèves. Vous remarquerez la ressemblance dans le choix et l'exploitation du thème chez les deux auteurs.

Après en avoir pris connaissance, relisez les extraits avec un ou une partenaire en y mettant le ton voulu par chaque auteur.

Texte 1

Un bourgeois du XVIIe *siècle, qui désire s'élever au rang de la noblesse, s'entoure de professeurs pour apprendre l'art de vivre en société. Molière fait ici la caricature de la naïveté et de l'ignorance du bourgeois.*

MAÎTRE DE PHILOSOPHIE [M. DE PH.]. – Que voulez-vous apprendre?

MONSIEUR JOURDAIN [M. J.]. – Tout ce que je pourrai, car j'ai toutes les envies du monde d'être savant, et j'enrage que mon père et ma mère ne m'aient pas fait bien étudier dans toutes les sciences, quand j'étais jeune.

M. DE PH. – Ce sentiment est raisonnable. *Nam sine doctrina vita est quasi mortis imago.* Vous entendez cela, et vous savez le latin sans doute?

M. J. – Oui, mais faites comme si je ne le savais pas. Expliquez-moi ce que cela veut dire.

M. DE PH. – Cela veut dire que sans la science la vie est presque une image de la mort.

M. J. – Ce latin-là a raison.

M. DE PH. – N'avez-vous point quelques principes, quelques commencements des sciences?

M. J. – Oh! oui, je sais lire et écrire.

M. DE PH. – Par où vous plaît-il que nous commencions? Voulez-vous que je vous apprenne la logique?

M. J. – Qu'est-ce que c'est que cette logique?

M. DE PH. – C'est elle qui enseigne les trois opérations de l'esprit.

M. J. – Qui sont-elles, ces trois opérations de l'esprit?

M. DE PH. – La première, la seconde et la troisième. La première est de bien concevoir par le moyen des universaux; la seconde, de bien juger par le moyen des catégories; et la troisième, de bien tirer une conséquence par le moyen des figures. *Barbara, Celarent, Darii, Ferio, Baralipton,* etc.

M. J. – Voilà des mots qui sont trop rébarbatifs. Cette logique-là ne me revient point. Apprenons autre chose qui soit plus joli.

M. DE PH. – Voulez-vous apprendre la morale?

M. J. – La morale?

M. DE PH. – Oui.

M. J. – Qu'est-ce qu'elle dit, cette morale?

M. DE PH. – Elle traite de la félicité, enseigne aux hommes à modérer leurs passions, etc.

M. J. – Non laissons cela. Je suis bilieux comme tous les diables; et, il n'y a rien morale qui tienne, je me veux mettre en colère tout mon soûl, quand il m'en prend envie.

[...]

M. DE PH. – Que voulez-vous donc que je vous apprenne?

M. J. – Apprenez-moi l'orthographe.

M. DE PH. – Très volontiers.

M. J. – Après, vous m'apprendrez l'almanach, pour savoir quand il y a de la lune et quand il n'y en a point. [...] Au reste, il faut que je vous fasse une confidence. Je suis amoureux d'une personne de grande qualité, et je souhaiterais que vous m'aidassiez à lui écrire quelque chose dans un petit billet que je veux laisser tomber à ses pieds.

M. DE PH. – Fort bien.

M. J. – Cela sera galant, oui.

M. DE PH. – Sans doute. Sont-ce des vers que vous lui voulez écrire?

M. J. – Non, non, point de vers.

M. DE PH. – Vous ne voulez que de la prose?

M. J. – Non, je ne veux ni prose ni vers.

M. DE PH. – Il faut bien que ce soit l'un ou l'autre.

M. J. – Pourquoi?

M. DE PH. – Par la raison, monsieur, qu'il n'y a pour s'exprimer que la prose ou les vers.

M. J. – Il n'y a que la prose ou les vers?

M. DE PH. – Non, monsieur: tout ce qui n'est point prose est vers; et tout ce qui n'est point vers est prose.

M. J. – Et comme l'on parle, qu'est-ce que c'est donc que cela?

M. DE PH. – De la prose.

M. J. – Quoi! Quand je dis: «Nicole, apportez-moi mes pantoufles, et me donnez mon bonnet de nuit», c'est de la prose?

M. DE PH. – Oui, monsieur.

M. J. – Par ma foi! il y a plus de quarante ans que je dis de la prose sans que j'en susse rien; et je vous suis le plus obligé du monde de m'avoir appris cela. Je voudrais donc lui mettre dans un billet: «Belle marquise, vos beaux yeux me font mourir d'amour», mais je voudrais que cela fût mis d'une manière galante, que ce fût tourné gentîment.

M. DE PH. – Mettre que les feux de ses yeux réduisent votre cœur en cendres; que vous souffrez nuit et jour pour elle les violences d'un...

M. J. – Non, non, non, je ne veux point tout cela; je ne veux que ce que je vous ai dit: «Belle marquise, vos beaux yeux me font mourir d'amour.»

M. DE PH. – Il faut bien étendre un peu la chose.

M. J. – Non, vous dis-je, je ne veux que ces seules paroles-là dans le billet, mais tournées à la mode, bien arrangées comme il faut. Je vous prie de me dire un peu, pour voir, les diverses manières dont on les peut mettre.

M. DE PH. – On les peut mettre premièrement comme vous avez dit: «Belle marquise, vos beaux yeux me font mourir d'amour.» Ou bien: «D'amour mourir me font, belle marquise, vos beaux yeux.» Ou bien: «Vos yeux beaux d'amour me font, belle marquise, mourir.» Ou bien: «Mourir vos beaux yeux, belle marquise, d'amour me font.» Ou bien: «Me font vos yeux beaux mourir, belle marquise, d'amour.»

M. J. – Mais, de toutes ces façons-là, laquelle est la meilleure?

M. DE PH. – Celle que vous avez dite: «Belle marquise, vos beaux yeux me font mourir d'amour.»

M. J. – Cependant je n'ai point étudié, et j'ai fait cela tout du premier coup. Je vous remercie de tout mon cœur, et vous prie de venir demain de bonne heure.

MOLIÈRE, *Le Bourgeois gentilhomme* (1670), acte II, scène 4.

Texte 2

Eugène Ionesco, célèbre auteur du théâtre de l'absurde, met ici en scène une élève qui désire prendre des cours privés pour mieux se préparer à obtenir «un doctorat total».

LE PROFESSEUR [LE PROF.].– Il fait beau aujourd'hui... ou plutôt pas tellement... Oh! si quand même. Enfin, il ne fait pas trop mauvais, c'est le principal... Euh... euh... Il ne pleut pas, il ne neige pas non plus.

L'ÉLÈVE. – Ce serait étonnant, car nous sommes en été.

LE PROF. – Je m'excuse, Mademoiselle, j'allais vous le dire... mais vous apprendrez que l'on peut s'attendre à tout.

L'ÉLÈVE. – Évidemment, Monsieur.

LE PROF. – Nous ne pouvons être sûrs de rien, Mademoiselle, en ce monde.

L'ÉLÈVE. – La neige tombe l'hiver. L'hiver, c'est une des quatre saisons. Les trois autres sont... euh... le prin...

LE PROF. – Oui?

L'ÉLÈVE. – ... temps, et puis l'été... et ... euh...

LE PROF. – Ça commence comme automobile, Mademoiselle.

L'ÉLÈVE. – Ah, oui, l'automne...

LE PROF. – C'est bien cela, Mademoiselle, très bien répondu, c'est parfait. Je suis convaincu que vous serez une bonne élève. Vous ferez des progrès. Vous êtes intelligente, vous me paraissez instruite, bonne mémoire.

L'ÉLÈVE. – Je connais mes saisons, n'est-ce pas, Monsieur?

LE PROF. – Mais oui, Mademoiselle... ou presque. Mais ça viendra. De toute façon, c'est déjà bien. Vous arriverez à les connaître, toutes vos saisons, les yeux fermés. Comme moi.

L'ÉLÈVE. – C'est difficile.

LE PROF. – Oh, non. Il suffit d'un petit effort, de la bonne volonté, Mademoiselle. Vous verrez. Ça viendra, soyez-en sûre.

L'ÉLÈVE. – Oh, je voudrais bien, Monsieur. J'ai une telle soif de m'instruire. Mes parents aussi désirent que j'approfondisse mes connaissances. Ils veulent que je me spécialise. Ils pensent qu'une simple culture générale, même si elle est solide, ne suffit plus, à notre époque.

LE PROF. – Vos parents, Mademoiselle, ont parfaitement raison. Vous devez pousser vos études. Je m'excuse de vous le dire, mais c'est une chose nécessaire. La vie contemporaine est devenue très complexe.

L'ÉLÈVE. – Et tellement compliquée... Mes parents sont assez fortunés, j'ai de la chance. Ils pourront m'aider à travailler, à faire des études très supérieures.

LE PROF. – Et vous voudriez vous présenter...

L'ÉLÈVE. – Le plus tôt possible, au premier concours de doctorat. C'est dans trois semaines.

LE PROF. – Vous avez déjà votre baccalauréat, si vous me permettez de vous poser la question.

L'ÉLÈVE. – Oui, Monsieur, j'ai mon bachot sciences, et mon bachot lettres.

LE PROF. – Oh, mais vous êtes très avancée, même trop avancée pour votre âge. Et quel doctorat voulez-vous passer? Sciences matérielles ou philosophie normale?

L'ÉLÈVE. – Mes parents voudraient bien, si vous croyez que cela est possible en si peu de temps, ils voudraient bien que je passe mon doctorat total.

LE PROF. – Le doctorat total?... Vous avez beaucoup de courage, Mademoiselle, je vous félicite sincèrement. Nous tâcherons, Mademoiselle, de faire de notre mieux. D'ailleurs, vous êtes déjà assez savante. À un si jeune âge.

L'ÉLÈVE. – Oh, Monsieur.

LE PROF. – Alors, si vous voulez bien me permettre, mes excuses, je vous dirais qu'il faut se mettre au travail. Nous n'avons guère de temps à perdre.

L'ÉLÈVE. – Mais au contraire, Monsieur, je le veux bien. Et même je vous en prie.

IONESCO, Eugène, *La Leçon*, coll. «Folio», Paris, © Gallimard, 1994, p. 92-95.

Les plans et l'écoute

À l'écrit
Les plans

L'analyse des textes
par leur structure
L'élaboration des plans
par addition
par comparaison
par raisonnement

À l'oral
L'écoute

Se faire écouter
Écouter
Prendre des notes

Les plans

Texte 1

L'histoire

L'histoire est un genre littéraire, au même titre que le roman, la poésie ou l'essai. Quand on enseignait cette matière, autrefois, on y incluait le théâtre. Les grands dramaturges côtoyaient les grands romanciers même si les «qualités littéraires» du texte dramatique pouvaient être *radicalement* différentes du reste de la littérature. L'on sait aujourd'hui que le théâtre est l'une des expressions d'un genre particulier: le spectacle audio-visuel. Dans ce genre on trouve le cinéma, les représentations sportives, les informations et le documentaire. Jusqu'en 1950 l'Occident était dominé par l'histoire littéraire. Ce sont des écrivains qui pensaient le monde et lui donnaient un sens, l'univers pouvait se placer, entre deux couvertures, dans une bibliothèque.

La représentation théâtrale, avec les énormes moyens de diffusion que lui procure la technologie électronique, s'est substituée à la pensée. Le monde aujourd'hui **n**'a **plus** de pérennité, il **n**'est **plus** qu'une succession de spectacles, de durées. Chaque spectacle se suffit à lui-même, il **ne** se réfère **plus** à l'idée d'histoire, **mais** à l'idée de spectacle. Ce n'est pas l'omniprésence de «l'information» qui a détruit le sens historique, puisque bien sûr les historiens utilisent cette documentation comme matériau, **mais** la disparition de la vision littéraire. La pensée dominante aujourd'hui est structurée par l'audio-visuel.

L'audio-visuel est dominé par le besoin de renouvellement. C'est un sentiment récurrent dans le domaine du spectacle. Au théâtre par exemple, il y a des époques de rideaux nus suivies de la «découverte» des décors baroques; des époques où l'accessoire est l'essentiel suivies de périodes où il est essentiel de se passer d'accessoires. C'est que, dans le domaine du spectacle, le regard et l'oreille s'interposent. La littérature s'adresse directement à l'esprit; l'intelligence, aux prises avec des concepts, pense le monde sans que la couleur des tables ou les rides des personnages aient quelque importance.

Par contre le spectacle ne peut être que superficiel, et s'il est profond ce sera justement par ses relations de surface, ses juxtapositions inattendues.

La pensée dominante étant devenue spectaculaire et non plus littéraire, les cycles de la mode s'installent. La représentation s'épuise, avant d'épuiser son sujet, comme on se fatigue d'un vêtement que l'on jette alors qu'il pourrait encore servir. Le spectacle ne se peut penser sans gaspillage, le gaspillage ne se peut pratiquer sans recyclage. Dix fois les mêmes sujets sont servis, de manière différente, dans un nouvel éclairage.

GODBOUT, Jacques, *Le Murmure marchand*, coll. «Boréal Compact», Montréal, Éditions du Boréal, 1992, p. 146-147.

Texte 2

L'industrie du film aux États-Unis

L'industrie américaine du film a imposé sa forte présence partout dans le monde, grâce à sa capacité d'amortir sur un vaste marché intérieur ses coûts de production très élevés et — chose peut-être plus importante encore — ses coûts de distribution. Entre 1980 et 1993, pour les grands (les «majors») de l'industrie américaine du film, les coûts de distribution représentaient de 38 à 47 p. 100 des coûts de production. La capacité d'amortir ces coûts sur le marché intérieur tient, en particulier, au contrôle assez serré que cette industrie exerce sur le réseau de distribution aux États-Unis et, de plus en plus, dans plusieurs autres pays dont le Canada. Tous les «majors» américains sont autant engagés dans la distribution des films que dans leur production. Cette emprise s'étend à plusieurs pays européens, où les salles ainsi contrôlées représentent une forte proportion du marché intérieur: 42 p. 100 en France, 67 p. 100 en Espagne, 68 p. 100 en Allemagne, et 86 p. 100 au Royaume-Uni. [...]

Au cinéma, les recettes au guichet (le «box office») demeurent une importante source de revenus pour les producteurs de films; mais la vente et la location de vidéos génèrent maintenant près du double. Toutefois, les producteurs accordent moins d'importance à la propriété des magasins de vidéos, étant donné que, dans ces points de vente, on ne peut pas aussi facilement diriger et orienter les choix du consommateur. La présentation massive d'un nouveau film dans des centaines de cinémas à travers le pays ou à travers le monde, soutenue par une solide campagne publicitaire, contribue à renforcer la demande dès les débuts de la carrière du film: [...] c'est là un facteur important pour les ventes subséquentes, hors salle.

Ce déploiement promotionnel entraîne d'intéressantes retombées sur d'autres marchés. Ainsi, la cérémonie des «Oscars» est devenue un événement en soi; sa transmission télévisée attire de vastes auditoires même à l'étranger et contribue à la promotion de l'ensemble du cinéma américain. Les coûts de production et de promotion des films américains étant déjà amortis sur le marché intérieur, leur distribution à l'étranger peut se faire à un faible coût marginal: véritable «dumping», puisque les ventes effectuées à l'étranger n'ont pas à supporter leur part des coûts de production et de promotion.

À l'inverse, les films produits hors des États-Unis sont presque absents du marché américain, de sorte que la balance commerciale des États-Unis accuse un énorme surplus au chapitre des locations et des redevances. La pénétration des films étrangers aux États-Unis est pratiquement limitée aux «cinémas d'art», qui représentent un créneau à portée économique presque nulle. On constate la même quasi-absence de films étrangers sur les marchés secondaires comme la câblodistribution ou la location de vidéos. La balance des paiements des États-Unis reflète bien ce déséquilibre: en 1993, les exportations des films américains totalisaient 2453 millions $, tandis que les importations de films étrangers ne représentaient que 85 millions $ — soit seulement 3,32 p. 100 des échanges cinématographiques totaux!

Pour l'industrie américaine du film, l'intégration verticale est fort rentable, mais ne laisse aucune place à la production étrangère. Est-ce le fruit d'un libre choix de la part des consommateurs? Difficile à croire!

SIROIS, Charles et Claude E. FORGET, *Le Médium et les Muses*, Montréal, Institut de recherche en politiques publiques, 1995, p. 29, 32-34.

Questions

Texte 1

1. Dans le premier paragraphe, l'auteur donne deux définitions du théâtre.
   a) Quelles sont ces définitions?
   b) Qu'est-ce qui les oppose l'une à l'autre?
2. Dans le deuxième paragraphe, on trouve deux oppositions. Identifiez-les.
3. Dans le troisième paragraphe, quel lien l'auteur fait-il entre l'audiovisuel et le théâtre d'aujourd'hui?
4. À quelles caractéristiques de la mode Godbout se réfère-t-il en comparant le théâtre-spectacle à la mode vestimentaire?
5. Par quels procédés lexicaux et grammaticaux l'opposition est-elle exprimée dans chacun des paragraphes?

Voici comment on pourrait rédiger le plan de ce premier texte.

Le plan par opposition

I. **Autrefois** le théâtre **était** considéré comme l'un des genres littéraires.
   Aujourd'hui il **appartient** au monde du spectacle.

II. Le **spectacle théâtral** s'oppose à la **pensée** tout comme la **vision littéraire** a été remplacée par la **représentation audiovisuelle**.

III. La **littérature** fait appel à la réflexion, le **spectacle** est superficiel.

IV. L'**aspect éphémère** de la mode s'impose dans le **domaine de la pensée**.

Les termes mis en relief dans le texte et dans le plan indiquent une opposition récurrente. On nomme ce type de structure un plan *par opposition.*

Texte 2

1. À partir des termes soulignés dans le premier paragraphe du texte, expliquez comment l'industrie américaine du film amortit ses coûts de production et de distribution.
2. Quelle importance la salle de cinéma garde-t-elle dans l'amortissement des frais de production des films américains? Où se trouve la réponse à cette question?
3. De quelle manière la remise des «Oscars» et la distribution de films américains à l'étranger contribuent-elles à la promotion du cinéma américain?
4. L'idée principale du quatrième paragraphe constitue l'antithèse d'une affirmation exprimée précédemment. Identifiez ces deux idées.
5. Dans le dernier paragraphe, les auteurs soulèvent une question. Laquelle? Y répondent-ils?

Ce texte est une énumération d'éléments qui contribuent à éclairer le propos des auteurs. La structure relève ici du plan *par addition.*

Le plan par addition (énumération)

I. L'industrie américaine du cinéma s'impose à travers le monde:
   a) par sa capacité d'amortir à l'intérieur ses frais de production et de distribution;
   b) par l'imposition de ses normes de distribution à l'extérieur, au Canada et en Europe.

II. La projection en salle est une importante source de revenus:
   a) elle représente le tiers des profits;
   b) elle encourage grâce à la publicité la vente et la location de vidéos.

III. Les retombées du cinéma américain sur d'autres marchés contribuent encore à sa promotion:
   a) la télédiffusion de la cérémonie des *Oscars*;
   b) le coût peu élevé de la distribution à l'étranger.

IV. Le film étranger est presque absent du marché américain:
   a) sa pénétration se limite aux cinémas d'art;
   b) il est absent du marché secondaire du film.

I. L'analyse des textes par leur structure

Exercice 1

L'art n'est pas un absolu.

«L'art est au-delà de tout calcul. Sa nature est unique et incomparable.» Ce genre d'opinion fréquemment entendue, qui revient à faire de l'art une sorte d'absolu, soulève de sérieux problèmes dans la réalité et ne peut être maintenue en pratique. C'est particulièrement évident lorsqu'il faut répondre à une demande de subventions en faveur des arts. Les sommes d'argent en cause viennent en concurrence avec d'autres dépenses publiques (par exemple pour la santé ou l'éducation) et ce qui est attribué à l'une des formes d'expression culturelle (par exemple à l'art lyrique), réduit les fonds disponibles pour les autres.

Or, en économie, la rareté nous apprend qu'une activité est exclusive d'une autre activité. Quand on utilise du travail et du capital (sous la forme, par exemple, des bâtiments et d'équipements techniques) pour une activité culturelle, ces ressources matérielles et humaines ne peuvent servir en même temps à la réalisation d'autres objectifs. Ces *coûts d'opportunité* déterminent ainsi implicitement la valeur des ressources consacrées à la culture. En dehors du travail et du capital, d'autres ressources sont également rares, comme le temps: chaque individu doit décider de la répartition du temps dont il dispose entre les activités artistiques (création ou consommation) et les autres.

Les moyens dont dispose chaque créateur ne sont pas non plus illimités. Le directeur d'un théâtre ne peut pas, par exemple, monter toutes les pièces qu'il aimerait; il doit procéder à une sélection. Un choix doit toujours être fait entre toutes les utilisations possibles des ressources, ce qui implique de les comparer et donc, au moins implicitement, de les évaluer en termes monétaires, indépendamment de toute idée de commercialisation des œuvres au sens d'achat et de vente sur le marché.

POMMEREHNE, Walter et Bruno FREY, *La Culture a-t-elle un prix?*, Paris, Plon, 1993, p. 21-22.

Questions

1. Dans le premier paragraphe, quelles raisons les auteurs invoquent-ils pour prouver que l'art n'est pas un absolu?
2. Formulez l'idée principale du deuxième et du troisième paragraphe.
3. Identifiez les arguments développés dans chacun des paragraphes. S'ajoutent-ils les uns aux autres?

Exercice 2

La ville

On ne peut imaginer New York dans la noirceur. C'est pourtant arrivé, en 1976, l'espace de quelques heures. Il s'agissait d'une vulgaire panne d'électricité, un *black-out* total qui a frappé l'imagination collective au point de faire date dans l'histoire de la ville. La panne n'était qu'une panne mais voyez ses effets. Une population captive dans ses propres ascenseurs, une circulation paralysée aux angles des feux éteints, des millions de personnes se retrouvant dans le noir, je dis bien «se retrouvant», c'est-à-dire se rapprochant les unes des autres du simple fait qu'elles se sont dans la noirceur un instant arrêtées. Cela a donné des enfants, rejetons de la panne, dont chacun sait qu'il fut conçu à cette date et à cette heure.

Manière de dire que la ville moderne est moderne par le devers de l'électricité. En pleine lumière, les gens se déplacent à l'aveuglette, ils sont absorbés. Tout marche et rien ne s'arrête dans la grande ville. Les grandes tours sont éclairées la nuit, le jour surtout.

L'urbain moderne fonctionne à l'électricité, il est comme qui dirait très très branché. Si on lui coupe le courant, il se métamorphose en s'immobilisant. Il est bien obligé d'en revenir à ses compétences primitives: se servir de sa tête, s'ouvrir un peu les yeux, remarquer la présence d'autrui. Cela conduisait autrefois à la naissance des sociétés. Voilà donc la mise au jour d'une loi sociale et historique fondamentale: les communautés prennent naissance dans les ténèbres. En revanche, elles s'étiolent et finissent par mourir par excès de clarté. Sur ce point, la ville moderne suréclairée est le Trafalgar de n'importe quelle société. L'individu s'affaire sans contrainte, il est pour lui-même un univers complet, il n'a besoin de personne ni pour survivre ni pour crever. New York accepte tout à fait le côtoiement physique de l'immensément riche et de l'immensément désespéré. Du moment que personne ne voit personne. Cependant, il a suffi de quelques heures dans l'obscurité pour que l'énergie symbolique qui fonde la société se remette à fonctionner. Il est heureux que la panne ne se soit pas prolongée au-delà d'une demi-journée. Autrement, la ville de New York aurait violemment explosé. Comme quoi il vaut mieux, dans les circonstances de la modernité, avoir un certain respect pour le pouvoir électrique. Conservons cette énergie et payons nos factures. Sans lumière dans la grande ville, nous serions bien obligés de nous envisager, ce qui bien sûr mettrait le feu aux poudres.

BOUCHARD, Serge et Bernard ARCAND, *De nouveaux lieux communs*, coll. «Papiers Collés», Montréal, Éditions du Boréal, 1994, p. 28-29.

Questions

1. Quel est l'effet de la panne sur le comportement des New-Yorkais?
2. Quelles observations les auteurs formulent-ils au sujet de l'homme moderne?
3. Relevez les termes formant des oppositions à travers le texte.

4. Formulez les idées principales contenues dans ce texte. Y a-t-il une idée principale par paragraphe? Expliquez votre réponse.
5. Énumérez les conséquences de cette panne d'électricité. Reformulez-les en une seule phrase.

Exercice 3

La littérature, instrument de culture

«On a faussé en ces derniers temps l'enseignement et l'étude de la littérature. On l'a prise pour matière de programme, qu'il faut avoir parcourue, effleurée, dévorée, tant bien que mal, le plus vite possible, pour n'être pas «collé»: quitte ensuite, comme pour tout le reste, à n'y songer de la vie. Ainsi, voulant tout enseigner et tout apprendre, absolument tout, n'admettant aucune ignorance partielle, on aboutit à un savoir littéral sans vertu littéraire. La littérature se réduit à une sèche collection de faits et de formules, propres à dégoûter les jeunes esprits des œuvres qu'elles expriment.

Cette erreur pédagogique dépend d'une autre, plus profonde et plus générale. Par une funeste superstition, dont la science elle-même et les savants ne sont pas responsables, on a voulu imposer la forme scientifique à la littérature: on est venu à n'y estimer que le savoir positif. Il me fâche d'avoir à nommer ici Renan comme un des maîtres de l'erreur que je constate: il a écrit dans l'*Avenir de la science* cette phrase où j'aimerais à ne voir qu'un enthousiasme irréfléchi de jeune homme, tout fraîchement initié aux recherches scientifiques: «L'étude de l'Histoire littéraire est destinée à remplacer en grande partie la lecture directe des œuvres de l'esprit humain.» Cette phrase est la négation même de la littérature. Elle ne la laisse subsister que comme une branche de l'histoire, histoire des mœurs, ou histoire des idées.

Mais pourtant, même alors, c'est aux œuvres mêmes, directement et immédiatement, qu'il faudrait se reporter, plutôt qu'aux résumés et aux manuels. On ne comprendrait pas que l'histoire de l'art dispensât de regarder les tableaux et les statues. Pour la littérature comme pour l'art, on ne peut éliminer l'œuvre, dépositaire et révélatrice de l'individualité. Si la lecture des textes originaux n'est pas l'illustration perpétuelle et le but dernier de l'histoire littéraire, celle-ci ne procure plus qu'une connaissance stérile et sans valeur. Sous prétexte de progrès, l'on nous ramène aux pires insuffisances de la science du Moyen Âge, quand on ne connaissait plus que les sommes et les manuels. Aller au texte, rejeter la glose et le commentaire, voilà, ne l'oublions pas par où la Renaissance fut excellente et efficace [...]

En littérature, comme en art, on ne peut perdre de vue les œuvres, infiniment et indéfiniment réceptives et dont jamais personne ne peut affirmer avoir épuisé le contenu ni fixé la formule. C'est dire que la littérature n'est pas objet de savoir: elle est exercice, goût, plaisir. On ne la *sait* pas, on ne l'*apprend* pas: on la pratique, on la cultive, on l'aime. Le mot le plus vrai qu'on ait dit sur elle, est celui de Descartes: la lecture des bons livres est comme une conversation qu'on aurait avec les plus honnêtes gens des siècles passés, et une conversation où ils ne nous livreraient que le meilleur de leurs pensées.

Les mathématiciens, comme j'en connais, que les lettres amusent, et qui vont au théâtre ou prennent un livre pour se recréer, sont plus dans le vrai que ces littérateurs, comme j'en connais aussi, qui ne *lisent* pas, mais *dépouillent*, et croient faire assez de convertir en *fiches* tout l'imprimé dont ils s'emparent. La littérature est destinée à nous fournir un plaisir, mais un plaisir intellectuel, arraché au jeu de nos facultés intellectuelles, et dont ces facultés sortent fortifiées, assouplies, enrichies. Et ainsi la littérature est un instrument de culture intérieure: voilà son véritable office.

Elle a cette excellence supérieure, qu'elle habitue à prendre plaisir aux idées. Elle fait que l'homme trouve dans un exercice de sa pensée, à la fois sa joie, son repos, son renouvellement. Elle délasse des besognes professionnelles, et elle élève l'esprit au-dessus des savoirs, des intérêts, des préjugés professionnels; elle «humanise» les spécialistes. Plus que jamais, en ces temps-ci, la trempe philosophique est nécessaire aux esprits: mais les études techniques de philosophie ne sont pas accessibles à tous. La littérature est, dans le plus noble sens du mot, une vulgarisation de la philosophie: c'est par elle que passent à travers nos sociétés tous les grands courants philosophiques, qui déterminent les progrès ou du moins les changement sociaux.

LANSON, Gustave, *Histoire de la littérature française*,
Paris, Librairie Hachette, 1894, p. VI-VII, VIII-IX.

Questions

1. Quelle est selon l'auteur l'erreur commise dans l'enseignement de la littérature?
2. Repérez les mots et expressions clés qui appuient les arguments en faveur de la lecture des œuvres littéraires.
3. Quelle idée nouvelle est introduite dans le troisième paragraphe?

Exercice 4

Le génie subversif de la télévision

Ce règne de l'image qui s'étend à la planète entière, cette hégémonie culturelle de la télévision ont ceci de troublant qu'ils échappent largement à l'intelligibilité. Cet empire-là obéit encore à des lois incomplètement maîtrisées, il met en mouvement des mécanismes émotionnels que nul ne contrôle totalement. Rarement une création fut affranchie, à ce point, de son créateur. Génie ambigu et proliférant, colporteur de symboles aléatoires, instrument explosif mais hasardeux, l'audiovisuel est à la fois tout-puissant et bien plus immature qu'on ne l'imagine. Empire planétaire, certes, mais dont l'empereur est un enfant. [...]

À la télévision, un geste infime que saisit la caméra peut annuler subitement le contenu d'un propos, la force imprévue d'une seule image peut effacer le contenu des mille paroles censées l'accompagner; la dramaturgie accidentelle d'un «direct» de quelques secondes peut subitement allumer, dans des millions de foyers à la fois, un véritable incendie d'émotions; un silence, un simple silence, peut transmettre davantage d'informations — au sens strict du terme — qu'un discours abondant. Ce que scrute l'œil impitoyable de la caméra, c'est une authenticité indicible, une mystérieuse capacité à émouvoir ou à convaincre, une substance insaisissable. Cet aléa fondamental, ce «hasard organisateur» invite à la modestie. C'est pourquoi, sans doute, il est rarement souligné.

On préfère insister d'ordinaire sur le caractère puissamment manipulateur de l'image. Pas question, bien entendu, de nier ici cette puissance. Le génie subversif de la télévision, qui désormais, saute les frontières (antennes paraboliques), rebondit sur les satellites, déjoue toutes les censures, ne fut pas pour rien, par exemple, dans l'effondrement du communisme. La guerre du Golfe et le délire télévisuel qui l'accompagna ont démontré par ailleurs que, même en démocratie, des opinions publiques pouvaient être momentanément pétrifiées, politiquement neutralisées par une surabondance (calculée) d'images.

Cette puissance manipulatrice incontestable explique que la télévision constitue, dans tous les pays du monde, un enjeu politique de première importance. Rappelons que dans cent deux pays dûment recensés, l'audiovisuel se trouve encore légalement et directement contrôlé par l'État. Mais dans tous les autres — même les plus démocratiques — le pouvoir politique n'a jamais renoncé totalement à exercer son emprise sur le petit écran. Les avatars du «paysage audiovisuel» y alimentent au contraire un débat permanent et cafouilleux.

Il y a plus encore. En réalité, l'irruption de cette «hégémonie télévisuelle» bouleverse, jusque dans ses fondements essentiels, le fonctionnement de la démocratie elle-même. La télévision ruine l'influence des corps intermédiaires et des institutions représentatives (Parlement, etc.); elle substitue partiellement au principe électif le règne fugitif et incertain du sondage d'opinion; elle privilégie l'effet d'annonce au détriment de l'action politique proprement dite; elle incite les politiques à rebondir d'un «coup médiatique» à l'autre; en médiatisant l'instruction criminelle, elle ébranle le système judiciaire lui-même, etc. On pourrait prolonger indéfiniment cette série de constats.

Ils concourent tous à démontrer la même chose. [...] La «démocratie médiatique» à laquelle ni les constitutions, ni les lois ne se sont adaptées. D'où cet interminable «malaise» qui perdure au sujet de la télévision. Un malaise qui, parions-le, ne se dissipera pas de sitôt.

On discerne bien, en tout cas, ce qui est en jeu là-dedans. Face à cet instrument inouï, surgi inopinément voici quelques dizaines d'années à peine, devant cette «chose» encore mystérieuse qui échappe largement à l'intelligibilité et au contrôle, nous en sommes tous au stade de l'apprentissage tâtonnant. Et aux deux bouts de la chaîne. À l'apprentissage de la manipulation — qui fera des progrès, n'en doutons pas — s'oppose l'apprentissage des citoyens-téléspectateurs. Ceux-ci apprennent peu à peu à déjouer les mensonges, à décrypter la fausse évidence de l'image, à résister aux «matraquages cathodiques» que, pour l'instant, ils subissent assez passivement. Entre ces deux apprentissages, une course de vitesse est engagée. La démocratie en est l'ultime enjeu.

Ainsi, par l'effet d'un étrange paradoxe, la télévision, futuriste et archaïque à la fois, en est-elle encore au stade de la pensée magique.

Il s'agit d'en sortir. Mais du bon coté.

GUILLEBAUD, Jean-Claude, «Le Génie subversif de la télévision», Paris, *Le Courrier de l'Unesco*, octobre 1992, p. 9.

Questions

1. De quel problème est-il question dans ce texte? Formulez votre réponse en une seule phrase.
2. L'auteur en donne-t-il les causes? Si oui, énumérez-les.
3. À quels dangers (ou conséquences) la télévision nous expose-t-elle? Faites-en la liste.
4. L'auteur entrevoit-il une solution? Expliquez sa conclusion en une phrase.

Exercice 5

Le pouvoir adolescent

Y a-t-il une madame Brossard de Brossard dans la salle? Si oui, qu'elle se lève et qu'elle nous donne son avis. Son opinion nous sera aussi précieuse que celle de tous les prix Nobel réunis...

C'est bien simple, quand on veut évaluer quelqu'un ou quelque chose au Québec, on se tourne toujours vers le plus petit dénominateur commun. Et ça commence tôt.

Dès le comité d'élèves de la polyvalente. Puis au cégep, où le directeur de département écoutera avec la plus grande diligence les jérémiades d'un cancre qui ne peut suivre le cours parce que son professeur parle trop vite, ou qu'il ne ressemble pas à ses autres profs.

Un peu plus tard, à l'université, on demandera aux étudiants de donner leurs recommandations concernant le plan de cours, la répartition des notes ou la fréquence des examens. Jusqu'au moment d'ultime sottise où le maître sera évalué par ses étudiants sur ses qualités démagogiques, pardon... pédagogiques.

Cette mentalité de CLSC, de travailleur syndiqué a envahi tous les secteurs de la société québécoise. Même l'entreprise privée a été contaminée. Là comme ailleurs, la compétence n'est surtout plus un critère. Étonnamment, l'évaluation des employés est devenue le dada des gestionnaires de ressources humaines. Une évaluation qui tient bien souvent peu compte des réalisations objectives, de l'apport au succès ou à la rentabilité de l'entreprise, mais se présente comme un compte rendu de la capacité de l'employé(e) à ne pas faire de vague.

Comme un bruit de fond entre le *politically correct* et la pop psycho.

C'est qu'au Québec, nous répugnons à porter des jugements de valeur. Ainsi, il n'y a ni maître, ni élève, ni novice, ni expert, ni boss, ni employé. Nous nous interdisons de nommer, de sélectionner, de départager les bons des moins bons, les incapables des excellents. Tout le monde sur le même pied. En apparence du moins. Ce qui rend justement les luttes de pouvoir si féroces et si sournoises.

En fait, nous avons le réflexe nippon de l'uniformité. Sans les résultats.

La plupart de nos moyennes et grosses entreprises sont donc constituées d'une masse de travailleurs résolument ordinaires. Les tièdes, les mous, les susceptibles. Ceux qui n'en donnent jamais plus que le client en demande, détestent le changement, méprisent l'ambition, se foutent de l'excellence et ne causent pas de troubles... Si ce n'est des mièvres doléances et des inépuisables insatisfactions qu'ils ressassent quotidiennement autour de la machine à café.

Et si d'aventure, un(e) collègue se révèle exceptionnel(le), l'excellence devra s'assortir de cette qualité révérée par le Québec tout entier: la gentillesse. Cette humilité roublarde qui n'a rien à voir avec la réelle qualité du cœur.

En fait, ce que le groupe ne veut surtout pas entendre, c'est que nous ne sommes pas tous égaux. Une évidence avec laquelle les sociétés évoluées ont appris à composer. Cela donne lieu à des bizarreries particulièrement remarquables dans les domaines de la création.

Exemple: on encourage (entendre par là: subventionne) vingt designers parce qu'on n'a pas le cœur d'en décourager quinze. Au lieu de tabler sur les meilleurs. Ceux qui, solidement appuyés financièrement, auraient une petite chance d'être compétitifs au niveau international. Mais ici, nommer les meilleurs est un sacrilège.

En fait, ce qui est interdit au Québec c'est d'exercer toute forme de pouvoir autrement que dans un fonctionnement adolescent. Va pour le chef, va pour le décideur, mais encore faut-il qu'il soit le plus populaire de la gang et le meilleur ami de tout le monde.

Pourtant, l'exercice du pouvoir est incompatible avec l'adolescence. Il exige d'avoir un sens aigu de ses responsabilités, une intelligente ferveur et une solide dose d'humanisme.

Des qualités à bien considérer en cette période pré-référendaire.

GIRAUD, Élise, rubrique «Les Grandes Gueules»,
Montréal, *Voir*, 3 août 1995.

Questions

1. Dans ce texte, l'auteure emploie par trois fois l'expression: *en fait*. Indiquez à quel moment elle introduit:
   a) une conséquence à l'échelle de la société;
   b) une conséquence à l'échelle du groupe;
   c) une comparaison.
2. Ce texte contient plusieurs paragraphes. Regroupez-les selon leurs idées principales de manière à faire apparaître les grandes divisions du texte.
3. Expliquez comment le reste du texte développe l'idée du premier paragraphe: l'opinion de madame Brossard vaut celle de tous les prix Nobel.

II. L'élaboration des plans de texte

Exercice 6

Les planètes: observations et théories

Depuis toujours, le ciel, le déplacement du Soleil pendant le jour et des étoiles pendant la nuit ont fasciné l'être humain. Bien que, grâce à des instruments plus précis, on puisse actuellement obtenir des mesures plus exactes, on fait de nos jours encore les mêmes *observations* qu'il y a 4000 ans. Leur *interprétation,* cependant, a changé de façon spectaculaire. Par exemple, vers 2000 av. J.-C., les Égyptiens croyaient que le Soleil était un bateau sur lequel naviguait leur dieu Râ.

Avec les années, on a remarqué que des changements réguliers affectaient les positions respectives des astres dans le ciel et, grâce à des dispositifs ingénieux (comme l'ensemble de menhirs de Stonehenge, en Angleterre), on a associé ces changements aux saisons. On a également constaté que 7 objets célestes semblaient se déplacer sur un fond d'«étoiles fixes». Ces objets — le Soleil, la Lune et les planètes Mercure, Vénus, Mars, Jupiter et Saturne — ont reçu le nom de «vagabonds». Les planètes semblaient se déplacer d'ouest en est, à l'exception de Mars qui, parfois, semblait ralentir et même se déplacer en sens inverse durant quelques semaines.

Eudoxe, né en 400 av. J.-C., fut le premier à tenter d'expliquer ces phénomènes. Il imagina que la Terre était fixe et que les planètes étaient situées sur un ensemble de sphères transparentes et homocentriques qui tournaient à différentes vitesses autour de la Terre. Quant aux étoiles, elles étaient fixées à la sphère la plus extérieure. Ce modèle, bien qu'il fût fort astucieux, n'expliquait pas le comportement étrange de Mars. Cinq cents ans plus tard, Ptolémée, un savant grec, élabora un système plus complexe que celui d'Eudoxe, dans lequel les planètes se déplaçaient en périphérie des sphères d'Eudoxe en décrivant des épicycles. Cette théorie permettait d'expliquer le comportement de toutes les planètes, y compris le mouvement inverse apparent de Mars.

À cause du préjugé selon lequel la Terre devait être le centre de l'Univers, le modèle de Ptolémée ne fut pas contesté durant plus de 1000 ans, ce qui, en fait, a empêché l'astronomie d'évoluer. Finalement, en 1543, un clerc polonais, Nicolas Copernic, émit l'hypothèse que la Terre était une planète qui, comme toutes les autres, gravitait autour du Soleil. Cette «rétrogradation» du statut de la Terre déclencha un violent mouvement d'opposition envers sa théorie. Les écrits de Copernic furent même «corrigés» par les autorités ecclésiastiques avant d'être remis aux savants.

La théorie de Copernic fit cependant son chemin. Finalement, Johannes Kepler lui fournit des bases mathématiques. Pour mieux rendre compte du déplacement des planètes, Kepler émit par ailleurs l'hypothèse que leur orbite n'était pas circulaire mais elliptique. Cette hypothèse fut à son tour améliorée, 36 ans après la mort de Kepler, par Isaac Newton. Selon ce dernier, c'était la force gravitationnelle qui expliquait les positions et les déplacements des planètes. Cependant, pour Albert Einstein, le modèle de Newton était incomplet; la théorie gravitationnelle de Newton n'était qu'un cas particulier d'un modèle beaucoup plus général, la théorie de la relativité.

Ainsi, pendant des milliers d'années, on a fait les mêmes observations fondamentales, mais les explications — théories ou modèles — ont beaucoup évolué: du bateau de Râ des Égyptiens, on est passé à la théorie de la relativité d'Einstein.

La leçon à tirer de cet exposé, c'est que nos théories changeront inévitablement, et qu'il faut en fait s'attendre à cela. En effet, les théories peuvent permettre d'effectuer des progrès scientifiques, mais elles peuvent tout aussi bien bloquer l'évolution de la science si on s'y attache trop. Même si les phénomènes chimiques fondamentaux demeureront les mêmes, les théories auxquelles on fera appel dans cent ans pour les expliquer seront indubitablement fort différentes de celles présentées dans ce volume.

ZUMDAHL, Steven S., *Chimie générale*, Anjou,
© Éditions du CEC inc., 1988, p. 25.

Questions

1. Ce texte est une longue explication rédigée selon le plan *par addition*. Dégagez-en le plan après avoir identifié sa structure de façon plus précise. S'agit-il:
   - d'une énumération?
   - d'une séquence chronologique?
   - de catégories (de genres, d'espèces, de familles...)?
2. Relevez les connecteurs logiques et les expressions qui vous ont permis de reconnaître la nature du plan du texte.

Exercice 7

Un article de dictionnaire: *La vulgarisation*

Depuis au moins la fin du XVIIe s'est produite une scission entre «les sciences» et les autres domaines de la connaissance. Ce hiatus s'est aggravé à mesure que le domaine scientifique s'est morcelé en disciplines autonomes et spécialisées, utilisant des concepts de plus en plus complexes; à partir de la fin du XIXe, les révolutions de la pensée scientifique aboutissant à la théorie de la relativité et à la physique quantique s'appuient sur des notions mathématiques que quelques milliers seulement de personnes dans le monde peuvent maîtriser. Le rêve de l'«honnête homme» ayant des connaissances de tout, déjà passablement mythique au XVIIIe, est désormais ruiné; l'école, qui a pourtant fait depuis les années 1960 des mathématiques et de la physique les instruments essentiels de la sélection, ne réussit pas à suivre les progrès réalisés dans les diverses disciplines. La coupure entre la science et le grand public entraîne alors un important «illettrisme scientifique».

On comprend alors l'importance de la vulgarisation scientifique, médiation entre le monde de la science et le grand public pour lui rendre accessible ce monde. Esquissée par Fontenelle et les «philosophes» du XVIIIe, développée au XIXe siècle, elle a connu un essor au XXe siècle, précisément lorsque la science devient inaccessible directement. C'est surtout après la Seconde Guerre mondiale qu'elle devient un phénomène culturel important. Plusieurs facteurs y contribuent: l'élévation du niveau moyen de formation de la population grâce à la démocratisation de l'enseignement secondaire puis supérieur; l'entrée dans un monde où la recherche est la base du développement industriel et où les retombées directes de la science sont perceptibles par tous (la bombe de Hiroshima, le lancement du premier Spoutnik et le premier voyage sur la Lune ou les récentes applications des découvertes en biologie et génétique ont contribué fortement à l'intérêt du public pour la science); la prise de conscience des inconvénients (économiques, idéologiques et politiques) que présente une population scientifiquement «inculte» dans un monde industriellement développé.

La première voie, apparue dès le XIXe siècle, fut l'organisation d'Expositions universelles proposant à l'admiration du public les merveilles de la science à l'époque où s'amorçait la seconde révolution industrielle. C'est le point de départ de la création de musées des sciences, soit par les pouvoirs publics soit par des fondations privées...

Mais la véritable vulgarisation à but didactique s'est fondée surtout sur l'écrit avant de mobiliser les différents médias. L'édition de livres écrits par des scientifiques et destinés au grand public est un phénomène coutumier dans les pays anglo-saxons (Einstein et Gamow, par exemple, ont tenté de rendre accessible la relativité ou la cosmologie); le genre ne s'est développé que tardivement en France (collection «*Science ouverte*» lancée par Le Seuil); si désormais les principaux éditeurs ont leur collection, leur diffusion reste limitée en raison du niveau généralement élevé de connaissances requises. Aussi sont apparus récemment des «digests» encyclopédiques comme l'ouvrage de E.D. Hirsch, *Cultural Literacy: What every American needs to know*, dressant la liste de 5 000 concepts essentiels. Mais la «voie royale» de la vulgarisation est celle des revues. Nées au début du XXe siècle, elles se sont multipliées depuis plus de quarante ans: à coté des revues «généralistes» (*Scientific American* est traduite en une vingtaine de langues; en France, *Science et Vie, Science et Avenir, La Recherche*, tirent à plus de 100 000 exemplaires), se sont développées d'autres revues plus «ciblées», en fonction du type de public (revues pour les jeunes) ou de thèmes particuliers (l'espace, les biotechnologies, l'informatique ou, plus récemment, la science économique). Par ailleurs, l'information scientifique a fait son apparition dans la presse d'information générale, quotidiens et hebdomadaires, au moins à travers l'information «sensationnelle». Enfin les médias audiovisuels ont pu paraître un temps les véhicules parfaits de la vulgarisation: jusqu'aux années 1980 des émissions scientifiques à la télévision ont pu, grâce au charisme de quelques scientifiques comme Hubert Reeves ou au talent de certains journalistes, intéresser le grand public aux domaines de la science les plus porteurs d'imaginaire comme la génétique ou la cosmologie; le recul de ces émissions depuis quelques années est plus dû à des (mauvaises) raisons commerciales (la dictature de l'Audimat) qu'à un désintérêt subit des auditeurs.

Produite généralement par des scientifiques ou des journalistes spécialisés s'adressant à un public non spécialiste, la vulgarisation présente des caractéristiques qui n'en font pas un simple moyen d'information.[...] La vulgarisation transmet une image de la science comme un savoir neutre et objectif, directement issu des réalités grâce aux observations faites par les scientifiques, et qui s'impose à tous puisqu'il correspond exactement à la réalité. Cela détermine deux conséquences: elle enracine l'idée que la science et les scientifiques ont un monopole sur le réel; en gommant la dimension collective de la science, elle renforce l'image individualiste du «découvreur» et donc le sentiment de distance qui sépare le grand public du «génie» scientifique (dont l'archétype est Einstein).

On saisit alors l'ambiguïté de la vulgarisation scientifique. Elle semble *a priori* le meilleur moyen de faire de la science un bien public en faisant partager aux masses un savoir; mais par là, elle renforce la conviction que les scientifiques sont bien les seuls détenteurs du vrai, légitimant ainsi leur situation de pouvoir. Finalement, tout en instruisant sur les progrès de la science, elle n'offre ni une image réaliste de la science telle qu'elle se fait ni les moyens pour le public de la contrôler.

La Culture au XXe siècle, article «Vulgarisation»,
coll. «Les Actuels», Paris, © Bordas 1995,
© Larousse-Bordas 1996, p. 408-409.

Questions

1. Ce texte obéit à une structure *par raisonnement*. De quel type de raisonnement s'agit-il?
   - Un raisonnement *analytique* (problème — cause — conséquence — solution).
   - Un raisonnement *dialectique* (thèse — antithèse — synthèse).
2. L'extrait comporte également une sous-structure. S'agit-il d'une structure
   - par comparaison?
   - par addition?
3. Rédigez le plan du texte.

Exercice 8

Don et société

L'utilitarisme est [...]un projet social fondateur de nos sociétés. C'est sur lui qu'ont fonctionné les sociétés occidentales au XIXe et XXe siècles. C'est, au fond, le projet de la modernité. Il suppose que le bonheur s'identifie à un objectif unique: la recherche de la maximisation du Produit national brut.

Or, l'essentiel de ce message est accompli. C'est une des raisons pour lesquelles les sciences sociales sont impuissantes à formuler des propositions neuves. Elles se sont fondées sur ce projet utilitariste de la croissance, du bonheur justement réparti. La société a accepté ce message. Le message des économistes, des sociologues s'est cristallisé dans les institutions du monde moderne: notamment à travers l'État et le marché.

C'est pour cela, parce qu'elles n'ont plus de possibles à annoncer, que les sciences sociales ont perdu de leur vitalité, de leur enthousiasme créateur, celui que l'on trouve chez les fondateurs comme Marx ou Durkheim, ou dans la psychanalyse. Il y avait des choses à inventer. On ne retrouve plus aujourd'hui cet enthousiasme. Je lis — par conscience professionnelle — les travaux de mes collègues, mais j'avoue m'ennuyer souvent. Cela ne me parle pas beaucoup. Il y manque le souffle de l'innovation, de la création. Les sciences sociales ne participent plus à la créativité politique [...]

Il faut aller au-delà du projet utilitariste. Le mythe de la croissance partagée par tous n'est plus tenable. Si on ne peut plus vivre sur la perspective de l'emploi à vie pour tous, il faut se reposer une question simple: celle des finalités. Il faut repenser la question de ce que les Hindous appellent les buts de l'homme. Par exemple cette question simple: «L'argent fait-il le bonheur?», qui est un des postulats de notre société. Des recherches américaines récentes apportent des réponses empiriques à ces questions qui méritent discussion. S'il est certain que le manque d'argent fait le malheur (c'est le cas pour le cinquième le plus pauvre de la population) pour les quatre autres cinquièmes, l'augmentation des revenus n'apporte aucun bonheur supplémentaire. Que vous apparteniez, selon les catégories utilisées aux États-Unis, à la classe moyenne inférieure, à la classe moyenne supérieure, à la classe supérieure inférieure ou à la classe supérieure supérieure, n'entraîne aucune différence quant à l'accès au bonheur. Toute augmentation de revenu, tout passage dans une catégorie supérieure entraîne de nouvelles structures de consommation. Le surcroît de bonheur passager est immédiatement absorbé.

Qu'est-ce qui conduit alors au bonheur? Ce qui compte le plus pour le bien-être, c'est en fait l'harmonie dans les relations de travail, dans la famille, dans les relations amicales. C'est aussi la participation à un projet personnel et social. Or, c'est de cela que nous manquons le plus.

CAILLÉ, A., «La démission des sciences sociales»,
Auxerre, *Sciences Humaines*, n° 38, avril 1994, p. 37.

Questions

Le *syllogisme* est un raisonnement qui procède par déduction logique: de deux propositions distinctes, on déduit une troisième proposition implicitement contenue dans les deux premières. En voici un exemple.

a) Les étudiants en médecine ne sont admis qu'avec une moyenne d'au moins 90 % (*majeure*).

b) Or Anne-Marie a été admise en médecine (*mineure).*

c) Donc, Anne-Marie avait obtenu une moyenne d'au moins 90 % (*conclusion*).

1. La structure de ce texte est basée sur le raisonnement *par syllogisme.* Identifiez la proposition *majeure*, la proposition *mineure* et la *conclusion.*
2. Établissez le plan du texte.

Exercice 9

L'économie mondiale de la drogue

Ces incertitudes sur la notion même de drogue rendent difficile une estimation statistique du phénomène. Derrière le drogué, on regroupe bien souvent le consommateur occasionnel de canabis comme le toxicomane dépendant de sa dose d'héroïne. Les chiffres peuvent varier du simple au décuple selon les sources. Mais il y a un constat général que traduisent les saisies de drogue, les interpellations ou les admissions en hôpital: la progression rapide des drogues en tous genres.

Les ravages du *crack* ou de l'héroïne dans nos sociétés occidentales conduisent souvent à montrer du doigt quelques pays du Tiers Monde: ces pays sont accusés de développer les cultures illicites, qui servent de matière première aux drogues consommées dans les pays industrialisés. C'est un fait que le cannabis ou la coca prospèrent sur les ruines du sous-développement. Les paysans de Bolivie ou de Thaïlande, confrontés à l'effondrement du prix des matières premières dans l'indifférence générale ont-ils vraiment une alternative? Mais se contenter de ce constat, en opposant le Nord et le Sud, c'est oublier que la drogue s'est diffusée au dix-neuvième siècle à l'instigation des grandes puissances occidentales, que l'alcool et les médicaments, drogues légales du Nord, causent des ravages considérables dans les pays du Sud.

On considère officiellement comme drogue, «toute substance, naturelle ou synthétique, inscrite sur une liste annexée à une convention internationale et soumise à une réglementation». L'alcool, le tabac, les barbituriques rentrent dans cette définition, mais malgré des conséquences sociales dramatiques, ces drogues licites ne suscitent pas dans l'opinion les mêmes inquiétudes que l'héroïne ou la cocaïne.

C'est oublier surtout que la drogue est avant tout un formidable marché, où l'offre et la demande se stimulent l'une l'autre. Elle alimente des courants d'échange où les sommes atteignent chaque année des dizaines de milliards de dollars. Entre le producteur de coca ou de pavot et le petit dealer de banlieue, de multiples filières se créent, disparaissent et réapparaissent, des organisations criminelles prospèrent. Les profits réalisés sont gigantesques et, avant de s'investir dans l'immobilier ou les valeurs boursières, ils suivent des circuits complexes où se mêlent paradis financiers, intermédiaires douteux et banques respectables.

Face à ce commerce prospère, les États paraissent désarmés, quand ils ne sont pas complaisants. Les initiatives spectaculaires, nomination d'un «tsar de la lutte anti-drogue», arrestation de Noriega ou saisies record ne modifient guère le fond du problème. Les dirigeants du cartel de Medellin continuent de défier les gouvernements, de nouveau pays d'Afrique ou de l'Est se lancent dans la drogue, de véritables microéconomies de la drogue se mettent en place dans certaines banlieues des pays industrialisés, des institutions financières complaisantes recyclent des milliards de dollars...

Les moyens mis en œuvre semblent bien faibles au regard de la puissance des trafiquants, des enjeux économiques et sociaux : le programme de lutte engagé par l'ONU représente moins de la valeur d'une valise d'héroïne. Et les divergences d'approche sont manifestes: faut-il privilégier l'aide au développement des pays producteurs, la lutte contre le trafic et l'argent sale, la répression de l'usage de stupéfiants ou la prévention de la toxicomanie? La drogue n'en finit pas d'interpeller nos sociétés.

«La drogue est devenue l'ennemi public numéro un.» Cette affirmation entendue d'un côté à l'autre de l'Atlantique, dans la bouche de responsables politiques, est largement relayée par la presse et suscite une inquiétude croissante dans l'opinion. Mais cette inquiétude progresse sur un fond d'ignorance. Qu'est-ce que la drogue? Selon le dictionnaire: «Toute substance qui, introduite dans un organisme vivant, peut modifier une ou plusieurs de ses fonctions». En fait, plus de 200 produits correspondent à cette définition, certains parfaitement licites, d'autres totalement illicites. Et c'est bien là un problème essentiel: la difficulté à cerner le phénomène de la drogue.

GRIMAL, Jean-Claude, *L'Économie mondiale de la drogue*, Paris, Le Monde Éditions, 1993, p. 11-13.

Questions

1. Dégagez l'idée principale de chacun des paragraphes de ce texte.
2. Les paragraphes ont été déplacés par rapport à leur disposition originale. Retrouvez leur enchaînement logique.
3. Donnez les indices (de nature lexicale ou grammaticale) qui vous ont permis de découvrir cet enchaînement.
4. Rédigez le plan du texte.

Ce qu'il faut savoir

Qu'est-ce qu'un plan?

Le plan reflète l'organisation d'un texte dans ses traits essentiels. Tout texte, ou fragment de texte, contient une *idée directrice* reliée au thème du texte, des *idées principales* et *secondaires* qui s'enchaînent selon une démarche ordonnée et linéaire. Les textes se divisent généralement en deux, trois ou quatre grandes parties, ou idées principales, que l'on identifiera par des chiffres romains (I, II, III, IV) dans la présentation du plan.

Trois possibilités se présentent.

1. Dans un **plan par addition**, les idées principales sont développées à l'aide d'idées secondaires ou d'exemples identifiés par des lettres (a, b, c...).
2. Dans le **plan par comparaison**, les idées principales sont présentées de façon antithétique: l'auteur compare ou oppose deux faits ou deux idées en mettant en valeur leurs particularités, leurs différences ou leurs divergences.
3. Dans le **plan par raisonnement**, les idées principales sont développées selon un enchaînement rigoureux d'affirmations, destiné à favoriser un questionnement ou une réflexion, ou à démontrer une proposition de manière convaincante.

Note: En général, un paragraphe contient une idée principale, mais il peut aussi développer des idées secondaires ou des exemples, ou encore servir de transition entre les grandes parties d'un texte.

I. Le plan par addition

1. L'enchaînement par énumération

   Ce plan équivaut à une liste de faits, à une suite d'informations ou de jugements, disposés ou non en ordre croissant, et décrivant les divers aspects d'une situation ou d'un phénomène. Il se caractérise:

   a) par la présence d'indices dans le texte, comme des numéros, des lettres hiérarchisant l'information;

   b) ou, en l'absence d'indices, par l'emploi de connecteurs logiques, tels: *d'abord, ensuite, enfin; d'une part, ... d'autre part...*

2. L'enchaînement par séquence

   Cette structure permet d'identifier les étapes d'une démarche ou de décrire une série de phénomènes qui s'enchaînent: organisation d'un récit, procédure scientifique, évolution d'un phénomène.

   a) *La séquence chronologique*: les faits sont classés en fonction du déroulement dans le temps, de leur évolution historique ou d'une procédure préétablie (biographie d'un personnage, histoire d'un procès; évolution des arts au xxe siècle...)

   b) *La séquence spatiale*: les faits sont considérés sous l'angle de leur rapport à l'espace (par exemple, l'itinéraire d'un personnage dans un récit littéraire ou filmique; la géographie d'un lieu, le plan d'une ville; la visite d'un musée, d'une usine).

3. L'enchaînement par catégories

   Dans l'enchaînement par catégories (en nombre toujours supérieur à deux), la question (ou le sujet) est traitée sous divers points de vue, ou encore les faits observés sont ordonnés par genres, espèces, familles, de manière exhaustive et rigoureuse. À titre d'exemples, voici quelques types de classements.

   - Individuel, familial, social.
   - Minéral, végétal, animal.
   - Régional, national, international.
   - Économique, social, politique.
   - Selon les secteurs primaire, secondaire, tertiaire.

II. Le plan par comparaison

Cette disposition permet d'examiner la relation qui existe entre deux idées, deux faits ou deux points de vue.

1. La *comparaison* analyse à la fois les **similitudes et les différences**.

   (*Exemples*: l'école publique/l'école privée; la poésie classique/la poésie romantique; le cinéma western/la science-fiction)

2. *L'opposition* souligne seulement les **différences**.

   - Le pour, le contre.
   - Le théorique, le pratique.
   - L'objectif, le subjectif.
   - Le qualitatif, le quantitatif.
   - Les avantages, les inconvénients.

III. Le plan par raisonnement

L'idée directrice est développée en une suite d'étapes liées logiquement.

1. Le *plan analytique*: sa structure est modulaire, c'est-à-dire qu'elle peut comporter de deux à quatre parties; elle est d'emploi fréquent en sciences humaines (par exemple, la question de la violence, de la drogue, du décrochage scolaire; le surendettement...)
   - Problème (élément de départ obligatoire).
   - Causes.
   - Conséquences.
   - Solution.
2. Le *plan dialectique* est composé de trois parties: deux propositions (la *thèse* et l'*antithèse*) que l'on rapproche pour faire d'abord ressortir le contraste avant de réaliser un certain accord entre elles dans une troisième proposition (la *synthèse*). (*Exemple*: l'éducation doit être axée sur l'utile et le pratique (**thèse**); non, l'éducation doit être libérée de tout souci utilitaire (**antithèse**); en fait, une véritable éducation doit assurer l'accès à la culture sans négliger l'acquisition d'un savoir pratique (**synthèse**).
3. Le *plan par syllogisme* comporte trois parties. La *majeure* constitue une affirmation générale, la *mineure* énonce un cas particulier, et la *conclusion* établit le rapport entre l'affirmation générale et le cas particulier.

   Exemple: la publicité sur les drogues doit demeurer interdite (**majeure**); or, la cigarette est une drogue (**mineure**); donc la publicité sur la cigarette doit demeurée interdite (**conclusion**). [Connecteurs logiques: **or**, **donc**.]

   Note: Certains textes combinent parfois plus d'une structure. Par exemple, dans un plan par ***opposition*** *chronologique* ou dans une ***addition*** *d'oppositions*, le premier des deux termes identifie alors la structure la plus évidente.

Tableau synthèse

Le plan: organisation des parties d'un texte.

1. **Le plan par addition**
   - **L'énumération:** présence d'indices (numéros, lettres) ou de connecteurs logiques (*d'abord, ensuite, enfin*).
   - **Les séquences:** chronologique, spatiale.
   - **Les catégories:** points de vue, genres, espèces, familles...
2. **Le plan par comparaison**
   - **La comparaison** présente des ressemblances et des différences.
   - **L'opposition** souligne les différences.
3. **Le plan par raisonnement**
   - **Le plan analytique**, de deux à quatre parties: problème — causes — conséquences — solution.
   - **Le plan dialectique**, trois parties: thèse — antithèse — synthèse.
   - **Le plan syllogistique**, trois parties: majeure — mineure — conclusion.

Exercices bilans

Exercice 1

Apprendre à gérer l'incertitude

Lisez le texte suivant. Le plan établi contient des erreurs. Identifiez-les et faites les corrections qui s'imposent. Justifiez vos corrections.

Ce sont les effets imprévus ou pervers du «développement», c'est-à-dire de l'application toujours plus massive de techniques industrielles, agricoles, médicales et autres dans la vie économique et sociale, qui sont à l'origine de nos multiples problèmes d'environnement. La technologie, ensemble multiforme de toutes ces techniques, est omniprésente sur toute la surface de la Terre, et sur elle repose le fonctionnement du monde moderne. Or, la technologie est fille de la science. En fait, science et technologie sont aujourd'hui enchevêtrées en des spectres continus de recherches fondamentales et appliquées, où il est devenu bien difficile de distinguer ce qui se veut spéculation désintéressée de ce qui n'a d'autre objet que le développement.

Doit-on dès lors blâmer la science d'être à la source de ces techniques imparfaites qui aboutissent à dégrader l'environnement humain tout en dilapidant les ressources de la biosphère? Certains n'hésitent pas à le faire. C'est oublier un peu vite qu'on ne revient pas en arrière. Si, par exemple, les applications de la science, notamment en hygiène et en médecine, ont conduit à une prolifération rapide de l'espèce humaine, seules d'autres applications de la science, dans l'agriculture, permettent de la nourrir. Il est, toutefois, légitime de se demander si cette science, qui constitue le fondement de notre civilisation matérielle, ne porte pas, dans sa démarche même plutôt que dans ses applications, quelque part de responsabilité dans notre façon de traiter l'environnement, et de rechercher comment, et dans quelle mesure, elle peut nous aider à sortir des ornières où nous sommes tombés.

En tant qu'effort conceptuel pour appréhender l'univers, la science est née avec les civilisations antiques. Mais la méthode scientifique, qui a assuré son prodigieux essor, n'est pas tellement ancienne. Elle se développe au 17e siècle, dans le sillage de Bacon, de Descartes ou de Galilée. Elle procède avant tout par l'analyse raisonnée, cherchant à réduire des phénomènes apparemment complexes en éléments plus simples, plus faciles à saisir et à mesurer. Cette méthode analytique, fondée sur un déterminisme confiant dans l'ordre de la nature, connaît très vite un succès éclatant pour tout ce qui relève de la mécanique, de la physique, de la chimie. Ses conquêtes inspirent l'idée de progrès et ouvrent la voie aux grands changements sociaux du siècle des Lumières en Europe et en Amérique. Elle conduit triomphalement à la révolution industrielle du 19e siècle, qui se poursuit encore sous nos yeux. Il ne saurait, bien sûr, être question d'abandonner aujourd'hui un outil aussi efficace de connaissance et d'action.

Cependant, l'outil analytique rencontre ses limites dès lors qu'il s'attaque à des phénomènes d'une complexité plus haute, où le déterminisme ne semble plus opérer, et pour lesquels le tout représente davantage que la somme des parties. Il en va singulièrement ainsi quand on aborde les problèmes de la vie et ceux des êtres vivants et des sociétés, dont les éléments constituants réagissent les uns sur les autres et avec ce qui les entoure. Si la biologie connaît aujourd'hui des succès impressionnants, c'est sans doute que la méthode scientifique commence à dépasser son approche traditionnelle, analytique et réductrice, pour s'engager dans des voies où l'on recherche la convergence des disciplines, pour tenter de saisir la complexité et l'imprévisibilité des systèmes vivants.

Précisément parce qu'ils touchent à la vie des humains et de la biosphère, les problèmes d'environnement sont par nature complexes. Parce qu'ils résultent d'effets incidents d'une technologie trop «linéaire», ils sont reliés par des interactions multiples, souvent aléatoires, entre des facteurs auxquels on n'aurait pas pensé. Parce qu'ils sont imprévus et souvent menaçants, ils paraissent réclamer des solutions urgentes. Certes, les scientifiques n'ont jamais craint de s'attaquer aux questions difficiles qu'ils avaient choisi d'explorer. Mais voilà que l'environnement leur pose, de façon très soudaine, des problèmes d'une complexité extrême, qu'ils n'avaient pas choisis, et pour lesquels leurs outils sont encore, par essence, imparfaits. Il est vrai que des progrès méthodologiques notables ont été faits dans l'étude des phénomènes complexes et de leur évolution, grâce, par exemple, à l'analyse des systèmes et à la prospective. Sur la base interdisciplinaire qui s'impose, deux grands courants de recherche scientifique sont venus se placer au cœur même des problèmes d'environnement: l'écologie, d'une part, qui étudie l'ensemble des relations des êtres vivants entre eux et avec leurs milieux de vie; la géographie d'autre part, qui dispose aujourd'hui de moyens lui permettant en principe de relier, sur un espace territorial donné, les facteurs physiques et sociaux qui s'y entrechoquent.

Est-ce à dire qu'en son état présent, la science va se trouver en mesure de fournir les réponses que l'on attend d'elle de toutes parts pour régler nos problèmes d'environnement et pour, en quelque sorte, corriger ce que certaines de ses applications incontrôlées ont engendré? La réponse n'est pas aussi simple. L'inertie des habitudes qui affecte tous les comportements humains n'épargne pas la recherche scientifique. L'approche interdisciplinaire, qui seule permet d'avancer vraiment dans la compréhension des systèmes complexes, n'est guère encore appréciée de la communauté des savants, qui n'y retrouvent pas leurs repères traditionnels et craignent d'être dupés par des travaux sans valeur dont ils ne maîtrisent pas tous les aspects. Le mariage si attendu des sciences de la nature et des sciences sociales demeure illusoire ou conflictuel, si bien que beaucoup de travaux scientifiques techniquement impeccables ne sont pas appliqués, ou conduisent à des échecs, parce qu'ils ne sont pas sociologiquement ou économiquement adaptés. Dans ces conditions, l'approfondissement obstiné des disciplines classiques, surtout quand elles risquent de déboucher sur des applications industrielles, reste le moyen le plus sûr offert aux chercheurs pour obtenir honneurs et crédits. La structure même des institutions de recherche favorise plutôt l'isolement sectoriel que le contact avec les réalités extérieures...

BATISSE, Michel, «Apprendre à gérer l'incertitude»,
Paris, *Le Courrier de l'Unesco*, mars 1991, p. 44-47.

Plan

I. L'application des technologies modernes crée les problèmes d'environnement.
   a) La science et la technologie ne font plus qu'un.
   b) La science est responsable de ces problèmes.

II. La méthode scientifique peut seule traiter de problèmes humains complexes.
   a) Les scientifiques aiment s'attaquer aux problèmes qu'ils ont choisi d'explorer.
   b) L'environnement pose des problèmes pour lesquels les scientifiques ne sont pas prêts.

III. Seule l'approche interdisciplinaire permettra de régler ces problèmes.
   a) Les savants ne retrouvent pas leurs repères habituels dans l'interdisciplinarité.
   b) La recherche conjointe des sciences de la nature et des sciences humaines est entrée dans les mœurs des uns et des autres.

Exercice 2

Notre planète devient-elle inhabitable?

Après en avoir relevé le réseau lexical dominant et les principaux connecteurs logiques, faites le plan détaillé de ce texte.

Depuis quelque 40 000 ans, l'homme s'est employé patiemment, laborieusement, constamment, à conquérir la planète, à étendre sa domination sur toutes les autres espèces et sur toutes les forces de la nature. De ce défi insensé au départ, il est sorti victorieux. Pas un mètre carré du globe n'a échappé à son exploration, pas une espèce animale ne lui a résisté. Il a maîtrisé les fleuves et même les mers. Il a défriché les forêts et cultivé les champs. Il se lance dans l'espace. Sa victoire semble totale. Trop totale pour être durable.

Brusquement au cours des dernières décennies, alors que s'épanouissait la puissance technologique d'une civilisation fondée sur les connaissances scientifiques, le danger est apparu. Sur une période très courte de sa relativement courte histoire, l'homme a si bien maîtrisé la nature qu'il est en train de la tuer. Défrichements hâtifs pour ouvrir des terres nouvelles à la production agricole, empiétements rapides pour l'extension des villes tentaculaires, des usines, des routes, des aérodromes, érosion et destruction des sols, pollution de l'air, pollution des eaux, disparition de la vie sauvage, amoncellement des déchets, enlaidissement des campagnes, empoisonnement de la planète, tels sont les résultats de la domination technologique de l'homme, de l'accroissement de la population, de la mystique de la production.

Telles sont les menaces de mort qui pèsent sur la biosphère — cette mince couche du globe terrestre, au point de rencontre du sol, de l'air et des eaux, où la vie peut exister; à laquelle l'homme lui-même appartient et dont il dépend inexorablement pour sa propre survie.

BATISSE, Michel, «Notre planète devient-elle inhabitable»,
Paris, *Le Courrier de l'Unesco*, janvier 1969, p. 4.

L'écoute

On a trop souvent tendance à associer la communication orale à la prise de parole et à minimiser l'importance de l'écoute. Cependant, c'est bien l'écoute qui aide l'enfant à s'exprimer, l'étranger à apprendre une langue seconde, l'adulte à maintenir sa place dans la communauté.

Et pourquoi d'ailleurs parlons-nous, sinon pour être écouté?

Une bonne ouïe permet d'entendre, mais l'écoute exige surtout de l'attention. D'une personne distraite, on dira: *Elle n'écoute que d'une oreille*; par contre, des expressions comme *être tout ouïe*, *écouter de toutes ses oreilles* démontrent l'importance de l'attention dans l'acte d'écoute.

En communication orale, l'écoute est donc une dimension tout aussi importante que l'expression, non seulement de la part du *récepteur*, mais aussi de celle de *l'émetteur*. En effet, celui-ci doit à son tour être attentif aux réactions de son interlocuteur ou de son auditoire pour se faire écouter. Quant au récepteur, il doit savoir écouter s'il veut que le dialogue reste actif, s'il veut tirer profit de ce qui lui est communiqué.

Exercice

Regroupés deux à deux, apprenez à vous connaître pendant 10 minutes. Chacun présentera ensuite son camarade dans les situations a) et b).

a) À la classe,
ou à un autre camarade.

b) En jeu de rôles, en imaginant
que vous vous adressez:
à vos parents,
ou à un futur employeur.

Lors des présentations, les autres élèves (les récepteurs) tiendront compte des éléments suivants.

- L'énonciation
  1re et 2e personnes du singulier ou du pluriel
  3e personne: pronom à sens indéterminé (*il*, *elle*...)
  3e personne à valeur spécifique, c'est-à-dire en utilisant le nom de l'élève qui fait l'objet de la présentation.
- Le niveau de langue
  familier
  courant
  populaire
- En remplissant la grille ci-dessous, l'importance donnée
  - aux caractéristiques physiques,
  - aux traits de caractère,
  - aux qualités intellectuelles.

	Attitudes détaillées chez l'émetteur		
	Attitude positive	Attitude neutre	Attitude négative
Caractéristiques physiques			
Traits de caractère			
Qualités intellectuelles			

Questions

1. La nature du récepteur a-t-elle joué un rôle important dans les énoncés de l'émetteur?
2. L'intention de communication a-t-elle influencé vos critères d'évaluation?

Ce qu'il faut savoir

I. Se faire écouter

L'émetteur doit écouter pour se faire écouter.

L'émetteur d'un message désire se faire écouter sans toujours se soucier de tous les éléments qui peuvent jouer dans la bonne réception de son message. Même si le contenu du message est très important, il n'en demeure pas moins que l'émetteur ne sera écouté et compris que s'il maintient l'intérêt de son auditoire. Pour ce faire, il s'appliquera à suivre la démarche suivante.

- L'émetteur doit connaître son public (qui est présent? sont-ils là par choix? quelle est leur connaissance ou leur capacité de compréhension du message?). Cette familiarité avec l'auditoire permettra, comme nous le verrons dans les chapitres sur les différents discours (chapitres 8, 9 et 10), de bien préparer un exposé, un débat, une entrevue.
- L'émetteur doit captiver son auditoire et maintenir son attention. Il lui faut donc:
  - se présenter dans un aspect extérieur qui convient au groupe et dans lequel il se sent à l'aise;
  - faire preuve d'assurance de façon à inspirer confiance;
  - présenter des idées nouvelles ou un regard original sur des idées connues[1].
- L'émetteur doit «écouter» son interlocuteur ou son public. Cette écoute ne relève pas exclusivement du sens de l'ouïe; le *regard* lui permettra de déceler:
  - un manque de compréhension d'une idée ou d'un énoncé qu'il expliquera ou simplifiera;
  - un manque d'intérêt auquel il réagira en interpellant l'auditoire, en ayant recours à une anecdote ou à son sens de l'humour.

1. D'après BRIEN, Michel, *Parler pour qu'on vous écoute*, Montréal, Le Jour Éditeur, 1982.

II. Écouter

Une attitude *a priori* négative face au sujet traité ou à sa personne risque de nuire aux efforts de l'émetteur qui cherche à captiver l'attention du récepteur. Pour savoir écouter, le *récepteur* doit le vouloir.

Il importe donc que le récepteur apprenne à développer une certaine objectivité et des habitudes d'écoute.

En situation d'entretien, il faut écouter l'autre pour ce qu'il est et ce qu'il vit. On évitera

- de se laisser distraire par l'environnement;
- de s'arrêter au langage ou à la tenue vestimentaire de l'émetteur;
- de lui couper la parole;
- de poser une question sur un point de détail sans tenir compte du message intégral;
- de regarder sa montre ou de faire les cent pas.

On s'efforcera plutôt

- de démontrer de l'intérêt pour l'émetteur;
- de pratiquer une écoute active, en reformulant l'essentiel du message de l'émetteur dans ses propres mots avant de lui poser une question;
- d'être sensible non seulement aux mots mais aussi aux émotions dont ils sont porteurs.

En situation de groupe (un émetteur face à plusieurs récepteurs), on évitera

- d'avoir une attitude fermée par rapport au sujet traité;
- de se laisser distraire par des bruits environnants ou par des voisins;
- de s'asseoir loin de l'orateur (l'expression de son visage constitue une partie du message);
- d'intervenir sans avoir compris l'essentiel du propos.

On s'efforcera

- d'adopter une attitude favorable envers l'orateur;
- de prendre le temps de réfléchir à ce qui est affirmé;
- d'accepter des idées différentes des siennes;
- de porter attention aux éléments paraverbaux de la communication;
- de demander sans hésiter des éclaircissements afin de s'assurer de sa compréhension;
- d'être prêt à prendre des notes.

III. Prendre des notes

Si une bonne écoute constitue un préalable à la prise de notes, elle n'est toutefois pas suffisante. Nous laissons aux auteurs de méthodes et techniques d'apprentissage le soin de préciser les détails de la prise de notes. Nous nous attarderons plutôt aux aspects qui permettront de s'y préparer et de développer l'attention nécessaire.

1. Se préparer à la prise de notes
   - Lire à l'avance les textes préparatoires, quand cela est possible.
   - Se présenter avec les outils nécessaires, c'est-à-dire du papier, des stylos... .
   - Écrire lisiblement.
2. Développer son attention de manière à mieux comprendre le discours de l'émetteur.

Écouter requiert, comme on l'a vu, une grande attention. Il faut donc favoriser la concentration en respectant les principes suivants.

- S'asseoir à un endroit d'où l'on peut voir le professeur ou le conférencier en étant vu de lui (la communication doit sans arrêt demeurer bilatérale).
- Dégager les points dont l'importance est marquée
  - par le paraverbal (accentuation);
  - par la répétition;
  - par des supports audiovisuels (acétates, plan ou tableau).
- Développer une méthode de prise de notes qui permette de distinguer l'accessoire de l'essentiel.

(Plusieurs ouvrages proposent diverses méthodes[2] à ce sujet. À vous de choisir celle qui vous conviendra le mieux.)

- Participer activement aux échanges en classe:
  - par des questions sur les points qui manquent de clarté pour vous;
  - par l'implication dans des discussions soulevées par le professeur ou par un élève.

2. En voici quelques titres: COEFFÉ, M., *Guide Bordas des méthodes de travail,* Paris, Bordas, 1990, 278 p. DIONNE, Bernard, *Pour réussir,* Montréal, Éditions Études Vivantes, 1993, 223 p. ELLIS, David, *La Clef du savoir*, North York (Ont.), Houghton Mifflin Company, 1992, 346 p.

Tableau synthèse

Écouter, c'est entendre avec attention, avec un esprit ouvert, sans se laisser distraire par l'environnement.

I. Se faire écouter exige que l'émetteur
- connaisse son public,
- soit à l'écoute de son auditoire,
- captive son auditeur et maintienne son attention.

II. Écouter exige que le récepteur
- ***en situation d'entretien,***
  - démontre de l'intérêt pour l'interlocuteur,
  - pratique l'écoute active,
  - soit sensible à l'ensemble du message.
- ***en situation de groupe,***
  - ait de l'intérêt pour le sujet,
  - réfléchisse à ce qui est dit,
  - accepte des idées nouvelles ou différentes des siennes,
  - s'assure de sa compréhension,
  - prenne des notes.

III. Prendre des notes exige du récepteur
- de se préparer,
- d'écrire lisiblement,
- de développer son attention.

Exercices bilans

Exercice 1

En groupes de cinq élèves, répartissez-vous les fonctions suivantes.

a) Un **narrateur**: il raconte un événement drôle ou une grande peur qu'il a vécue comme participant ou comme témoin (3 minutes).

b) Deux **répétiteurs**: chacun, à tour de rôle, relate le même événement (sans avoir pris de notes).

c) Deux **secrétaires**: ils prennent des notes et après avoir écouté leurs camarades, répondent aux questions suivantes.

1. Vos trois émetteurs (le narrateur et les deux répétiteurs) ont-ils parlé pendant la même durée?
2. Certains faits ont-ils été oubliés? Par qui? Lesquels?
3. L'un des répétiteurs a-t-il ajouté des faits? Lequel? Quels sont ces faits?
4. Le troisième émetteur a-t-il répété les erreurs faites par le deuxième? Lesquelles?
5. L'un des répétiteurs a-t-il exprimé une opinion personnelle? Lequel? Quelle opinion?
6. Le ton initial devrait avoir changé. Pourquoi? Comment?
7. Quelle est la cause de ce changement? Serait-ce:
   - l'identité de l'émetteur?
   - la répétition du texte?

Exercice 2

On réalisera les activités suivantes au cours de la projection d'un documentaire d'une durée de 10 minutes.

1. Vous êtes d'abord invités à prendre des notes.
2. Puis, en équipes de cinq, complétez vos notes, supprimez les détails inutiles et élaborez une mise en page claire (15 minutes).
3. On projette une deuxième fois le documentaire (10 minutes).
4. Vous apportez de nouvelles corrections à vos notes si cela est nécessaire (5 minutes).
5. Enfin, le professeur distribue le corrigé de l'exercice.
   - Quelles erreurs avez-vous commises?
   - Quelles en sont les causes?
     - Un manque d'attention.
     - La difficulté de voir l'image projetée.
     - L'absence d'une méthode.

7

Le résumé et le compte rendu oral

À l'écrit

Le résumé

Comment le préparer

Comment le rédiger

À l'oral

Le compte rendu oral

Comment le préparer

Comment le présenter

Le résumé

Texte 1

Les mythes universitaires

[...]Conformément au discours sur la démocratisation des études, le système d'enseignement est organisé afin que tous passent par le même système de formation, acquièrent les mêmes connaissances et accèdent au même niveau supérieur de l'enseignement, l'université.

Il en résulte que, du primaire au collégial, les manières d'enseigner sont pensées de telle sorte que les connaissances progressivement apprises n'entrent pas en conflit avec le savoir savant de la recherche universitaire. Or, s'il y a entre 8 et 20 % des jeunes qui accèdent à l'université, n'est-ce pas en partie la visée universitaire de cette transposition didactique qui rebute certains élèves du secondaire? Il ne s'agit pas que de mettre des connaissances en contexte, il s'agit de respecter d'autres fins culturelles et existentielles que l'université.

La hantise de l'échec en est la deuxième conséquence. Tout échec d'un élève est interprété comme celui du système. Il devient l'aveu de ne pas lui avoir donné toutes les chances d'accès au savoir. Ce faisant, on refuse de reconnaître que tous ne sont pas identiques et intéressés par les mêmes savoirs.

Or, personne ne s'insurge de voir qu'il n'y a que quelques athlètes qui sont sélectionnés pour accéder aux salaires de luxe des professionnels du hockey. Si la constitution d'un individu conditionne les possibilités de son entraînement physique, pourquoi ne conditionnerait-elle pas celles de son entraînement mental?

Voir l'échec comme un déni de la démocratisation conduit à la dilution des exigences. Moins d'exigences, moins d'échecs. Réduisons le rôle de l'évaluation. Elle ne sanctionnera plus l'apprentissage en désignant ceux qui ont appris assez pour monter de niveau ou pour exercer un métier.

Elle indiquera le progrès réalisé, si minime soit-il, dans un cheminement qu'aucune frustration ne peut interrompre. Mais une telle évaluation rend les élèves incapables de surmonter l'échec pour maîtriser le savoir. Ils le prennent comme une dénégation de leur moi et ce qui pourrait y conduire est une menace.

Ainsi, l'évaluation produit un paradoxe. Elle conduit les élèves et les étudiants à des stratégies de reproduction, car ne sont admises que les questions sans risque qui ne sortent pas de ce que le système leur a appris. Cela, en les laissant croire qu'ils sont autonomes et créatifs. Quelle duperie! [...]

VAN DER MAREN, Jean-Marie, «Les mythes universitaires», Montréal, *Le Devoir*, 9 et 10 décembre 1995, p. A13.

Texte 2

La lecture, un objet de partage

Pourtant, si la lecture n'est pas un acte de communication *immédiate*, elle est, *finalement*, objet de partage. Mais un partage longuement différé, et farouchement sélectif.

Si nous faisions la part des grandes lectures que nous devons à l'École, à la Critique, à toutes les formes de publicité, ou, au contraire, à l'ami, à l'amant, au camarade de classe, voire même à la famille – quand elle ne range pas les livres dans le placard de l'éducation – le résultat serait clair: ce que nous avons lu de plus beau, c'est le plus souvent à un être cher que nous le devons. Et c'est à un être cher que nous en parlerons d'abord. Peut-être, justement, parce que le propre du sentiment, comme du désir de lire, consiste à *préférer*. Aimer c'est, finalement, faire don de nos préférences à ceux que nous préférons. Et ces partages peuplent l'invisible citadelle de notre liberté. Nous sommes habités de livres et d'amis.

Quand un être cher nous donne un livre à lire, c'est lui que nous cherchons d'abord dans les lignes, ses goûts, les raisons qui l'ont poussé à nous flanquer ce bouquin entre les mains, les signes d'une fraternité. Puis, le texte nous emporte et nous oublions celui qui nous y a plongé; c'est toute la puissance d'une œuvre, justement, que de balayer aussi cette contingence!

Pourtant, les années passant, il arrive que l'évocation du texte rappelle le souvenir de l'autre; certains titres redeviennent alors des visages.

Et, pour être tout à fait juste, pas toujours le visage d'un être aimé, mais celui (oh! rarement) de tel critique, ou de tel professeur.

Ainsi de Pierre Dumayet, de son regard, de sa voix, de ses silences, qui, dans le *Lectures pour tous* de mon enfance, disaient tout son respect du lecteur que, grâce à lui, j'allais devenir. Ainsi de ce professeur, dont la passion des livres savait trouver toutes les patiences et nous donner même l'illusion de l'amour. Fallait-il qu'il nous préfère – ou qu'il nous estime – nous autres ses élèves, pour nous donner à lire ce qui lui était le plus cher.

PENNAC, Daniel, *Comme un roman*, Paris, © Gallimard, 1992, p. 86-87.

Questions

Texte 1

1. Laquelle des formules suivantes rend le mieux compte du message de l'auteur?
   a) Les échecs scolaires sont trop nombreux.
   b) Le système d'évaluation doit être modifié.
   c) Les études universitaires ne sont pas accessibles à tous.
   d) Le système d'enseignement, en privilégiant l'accès à l'université pour tous, pratique une évaluation injuste et trompeuse.
2. Établissez les champs lexicaux en complétant le tableau.
   a) **Uniformité:**
   ... tous passent... même système... mêmes connaissances... même niveau supérieur...; ... n'entrent pas en conflit...; ... toutes les chances d'accès...; ... reproduction...; ... questions sans risque...
   b) **Diversité:**

   c) **Sélection:**

3. Relevez les connecteurs logiques (ou expressions équivalentes) qui structurent le texte.
4. Identifiez la nature du plan du texte et relevez l'idée principale de chacune de ses parties.
5. Les phrases interrogatives des paragraphes 2 et 4 sont-elles des questions, des arguments ou des hypothèses?
6. Qui parle dans ce texte? Faites le relevé des pronoms-sujets et dites ce qu'ils représentent.
7. Dans un résumé de ce texte, on ne retiendrait pas l'idée de la sélection chez les athlètes professionnels. Êtes-vous d'accord avec ce choix? Expliquez votre réponse.

Texte 2

1. Qui parle dans ce texte: un professeur, un ami ou un écrivain? Expliquez votre réponse.
2. L'auteur sait nuancer ses idées. Relevez les mots qui expriment ces nuances (adverbes, temps de verbes, noms, adjectifs).
3. On distingue trois parties dans ce passage: l'affirmation d'un principe, une explication, des exemples. Ces parties sont-elles d'une égale importance?
4. Pour rédiger un résumé, il faudra remplacer les énumérations par un terme englobant. Repérez deux énumérations et choisissez un terme englobant approprié pour chacune d'entre elles.

I. La préparation du résumé

Exercice 1

Les trois écologies

En France, tradition cartésienne oblige, mais aussi dans la plupart des pays catholiques du sud de l'Europe, l'écologie n'a pas encore trouvé de théoriciens comparables à ceux du monde anglo-saxon ou germanique. Il y a là, du reste, matière à réflexion, et l'hypothèse selon laquelle il y aurait un lien entre les religions et le souci de la nature mériterait sans doute d'être approfondie. D'une manière générale, on peut observer que partout où les débats théoriques sur l'écologie ont pris forme philosophique cohérente, ils se sont structurés en trois courants bien distincts, voire tout à fait opposés dans leurs principes mêmes quant à la question directrice des rapports de l'homme et de la nature. Le premier, sans doute le plus banal, mais aussi le moins dogmatique, parce que le moins doctrinaire, part de l'idée qu'à travers la nature, c'est encore et toujours l'homme qu'il s'agit de protéger, fût-ce de lui-même, lorsqu'il joue les apprentis sorciers. L'environnement n'est pas doté ici d'une valeur intrinsèque. Simplement, la conscience s'est fait jour qu'à détruire le milieu qui l'entoure, l'homme risque bel et bien de mettre sa propre existence en danger et, à tout le moins, de se priver des conditions d'une vie bonne sur cette terre. C'est dès lors à partir d'une position qu'on peut dire «humaniste», voire *anthropocentriste*, que la nature est prise, sur un mode seulement *indirect*, en considération. Elle n'est que ce qui *environne* l'être humain, la périphérie, donc, et non le centre. À ce titre, elle ne saurait être considérée comme un sujet de droit, comme une entité possédant une valeur absolue en elle-même.

La seconde figure franchit un pas dans l'attribution d'une signification morale, à certains êtres non humains. Elle consiste à prendre au sérieux le principe «utilitariste» selon lequel il faut non seulement rechercher l'intérêt propre des hommes, mais de manière plus générale tendre à diminuer au maximum la somme des souffrances dans le monde ainsi qu'à augmenter autant que faire se peut la quantité de bien-être. Dans cette perspective, très présente dans le monde anglo-saxon où elle fonde l'immense mouvement dit de «libération animale», tous les êtres susceptibles de plaisir et de peine doivent être tenus pour des sujets de droit et traités comme tels. À cet égard, le point de vue de l'anthropocentrisme se trouve déjà battu en brèche, puisque les animaux sont désormais inclus, au même titre que les hommes, dans la sphère des préoccupations morales.

La troisième forme est celle que nous avons déjà vue à l'œuvre dans la revendication d'un droit des arbres, c'est-à-dire de la nature comme telle, y compris sous ses formes végétales et minérales. Gardons-nous de céder trop vite à l'esprit de dérision. Non seulement elle tend à devenir l'idéologie dominante des mouvements «alternatifs» en Allemagne et aux États-Unis, mais c'est elle aussi qui pose dans les termes les plus radicaux la question de la nécessaire remise en cause de l'humanisme. Elle a bien entendu trouvé ses intellectuels organiques: parmi tant d'autres, Aldo Leopold aux États-Unis, mais aussi, pour une large part de son travail, Hans Jonas en Allemagne dont le *Principe responsabilité*, paru en 1979 et diffusé à plus de cent cinquante mille exemplaires, est devenu la bible d'une certaine gauche allemande et bien au-delà; Michel Serres, encore, dont on peut cependant douter que les thèses soient comprises en France pour ce qu'elles sont: une authentique croisade à l'américaine (Serres enseigne en Californie depuis de nombreuses années et il connaît fort bien toute cette littérature) contre l'anthropocentrisme au nom des droits de la nature. Car c'est bien de cela qu'il s'agit dans cette dernière version de l'écologie où l'ancien «contrat social» des penseurs politiques est censé faire place à un «contrat naturel» au sens duquel l'univers tout entier deviendrait sujet de droit: ce n'est plus l'homme, considéré comme centre du monde, qu'il faut au premier chef protéger de lui-même, mais bien le *cosmos* comme tel, qu'on doit défendre contre les hommes. L'écosystème – la «biosphère» – est dès lors investi d'une valeur intrinsèque bien supérieure à celle de cette espèce, somme toute plutôt nuisible, qu'est l'espèce humaine.

FERRY, Luc, *Le Nouvel Ordre écologique*, Paris, Grasset & Fasquelle, 1992, p. 26-28.

Questions

1. L'auteur introduit son propos par une remarque. Reformulez-la dans vos propres mots.
2. Faites un tableau en deux colonnes: dans la première, résumez la définition de chaque courant écologique; dans la deuxième, en regard de ces définitions, faites la liste des arguments et exemples qui les accompagnent.

Exercice 2

L'attention

La télévision qui, accueillie à son heure, serait un spectacle agréable, devient une ennemie de l'attention si elle occupe toutes les soirées familiales, jadis réservées à la lecture. Elle est plus absorbante que la radio. Voltaire a remarqué que l'on dit *prêter l'oreille* et non *prêter les yeux*. Il s'explique par ceci: que l'on peut à la rigueur s'empêcher d'entendre, et travailler dans le bruit, tandis que l'on ne peut s'empêcher de voir dès que les yeux sont ouverts. Voltaire a raison; j'ai vu de bons esprits détournés de pensées sérieuses et urgentes par des joueurs de basket-ball qui se bousculaient sur l'écran. Ces images mouvantes nous fascinent.

Ainsi, la dispersion devient un état chronique. Nous nous accoutumons à projeter un faible faisceau d'attention sur tout objet qui se présente dans le champ. Nous avons, sur de trop nombreux thèmes, de vagues lueurs, aussitôt effacées. Non seulement la radio mais le journal biquotidien favorisent aujourd'hui la dislocation de la pensée. Au lieu d'articles assez longs pour traiter avec sérieux une question, la première page nous jette au visage une poignée de titres, un film d'images. L'art de la mise en pages devient celui de contraindre le lecteur à bondir de sujet en sujet, à travers les annonces.

Maux d'autant plus incurables que ceux qui en souffrent finissent par les aimer. Ils sont intoxiqués d'inattention et ivres de dispersion. Comme le morphinomane appelle la piqûre, beaucoup de nos enfants ne peuvent plus vivre si leurs yeux et leurs oreilles ne reçoivent leur aliment. Ce n'est même pas qu'ils cherchent à se fuir: c'est qu'ils n'ont plus rien à fuir. Toute vie intérieure, toute capacité d'attention ont été, en eux, tuées par ce bombardement incessant. Regardez-les, dans le métro ou le train, feuilleter un magazine. Ils n'essaient pas de lire le texte; ils tournent les pages, très vite, pour sauter d'image en image, de vedette en vedette, de drame en drame. Leur esprit devient un écran, qui porte les images sans les voir ni les conserver.

Des sociétés de plus en plus complexes ne peuvent être décemment administrées par des hommes de moins en moins attentifs. Il importe que le monde moderne fasse une cure d'attention. Est-ce possible? Je le crois. Chacun de nous peut, s'il le veut avec force, se ménager des heures de travail et de méditation, où il ne considérera qu'un seul sujet. Chacun de nous peut, à ces heures privilégiées, se refuser délibérément à la danse infernale des images et des sons. L'attention est un décret qu'il nous appartient de prendre.

Cela ne veut pas dire que nous refusons le divertissement. La concentration exige un effort qui, à la longue, aurait quelque chose de pénible; elle doit être de temps à autre, relâchée. Alors vient le moment de jouir, avec un plaisir d'autant plus vif qu'il n'est pas galvaudé, de l'infinie variété des spectacles offerts par le monde moderne. Encore importe-t-il de choisir et même d'imposer à ces spectacles, puisque nous en sommes les usagers, une certaine qualité et une certaine continuité. Un esprit qui s'est accoutumé à des pensées attentives, exigera de ses délassements eux-mêmes qu'ils méritent quelque attention.

MAUROIS, André, *La France change de visage*, © Héritiers André Maurois, Paris, Gallimard, 1956, p. 203-205.

Questions

1. Relevez les termes appartenant au réseau lexical du mot *attention* et de son contraire.
2. Quelles sont les causes du problème soulevé par l'auteur?
3. Identifiez les conséquences de ce problème ainsi que les connecteurs logiques qui les introduisent.
4. En une centaine de mots, complétez le résumé ci-dessous en employant des tournures de phrases différentes de celles de l'auteur:

Résumé

En déclassant en soirée la lecture, la télévision favorise la dispersion, l'esprit, esclave des sens, offrant moins de résistance aux images qu'au bruit.

[Causes] ....

[Conséquences] ....

[Solution] ....

Exercice 3

Culture et histoire

Qu'en est-il de la culture? Celle-ci, tout au moins, ne devrait-elle pas être le lieu où l'histoire prend un sens pour les hommes? De soi, elle est un héritage; d'elle, nous recevons des moyens d'expression et d'action, un imaginaire et des croyances où nous nous reconnaissons une identité en même temps qu'une appartenance à la commune humanité. La culture est à la fois un legs qui nous vient d'une longue histoire et un projet à reprendre; en un certain sens, elle n'est rien d'autre qu'une mémoire. Or, que constatons-nous?

Des composantes majeures de la culture donnent maintenant l'impression de se détacher des sujets historiques que nous sommes pour se former en des univers autonomes. C'est le cas de la technique qui, en se développant, a acquis une sorte d'autonomie; c'est le cas du savoir qui, par sa croissance prodigieuse et la spécialisation qu'il suppose, semble se rassembler à l'écart, ne dépendant que de sa propre cohérence. L'imaginaire n'est pas aggloméré autour des grands mythes organisateurs du passé; quand certaines factions tentent d'en fabriquer des équivalents, ceux-ci aboutissent souvent aux monstruosités de régimes totalitaires. Pour leur part, la littérature et l'art ont conquis une telle indépendance qu'ils confinent à l'expérimentation. Quant aux croyances, ces visions du monde qui cernent les limites de la certitude, on sait qu'elles sont éclatées, qu'elles se traduisent en des opinions plus ou moins fragiles, qu'elles sont livrées à une espèce de marché du *croyable.*

Pourtant, n'y a-t-il pas une compensation? Infiniment plus que nos devanciers, n'avons-nous pas à notre disposition une production surabondante de culture qui devrait nous permettre, faute d'une mémoire historique qui n'a plus d'appuis ailleurs, de nous situer quand même dans le monde et d'interpréter les situations qui sont les nôtres? Produire de la culture quotidienne, n'est-ce pas le travail des médias? Cela a commencé avec l'invasion de la presse populaire, s'est accentué avec la radio, s'est confirmé avec la télévision.

Il arrive que les téléromans transportent le téléspectateur dans le passé, mais ils procèdent à un morcellement du temps plutôt qu'à un enchaînement; dépaysement n'est pas synonyme de mémoire. Le plus souvent, le téléroman propose un dédoublement de la vie quotidienne; cette représentation de l'existence en parallèle remplace une remémoration qui permettrait de situer autrement le présent de l'existence. Le sport, qui prend une si grande place dans les médias, n'est pas si éloigné du téléroman: ne constitue-t-il pas une sorte d'analogue du conte et de la légende d'antan, mais cette fois en renouvelant sans cesse sa production? Apparemment, l'information est d'une tout autre nature: n'est-elle pas un moyen de nous situer dans le temps de l'histoire collective effectivement vécue? Cependant, dans les médias, un événement chasse l'autre. Le temps y est réduit en parcelles infimes; avec le journal télévisé, cette tendance s'est encore accentuée. Nous assistons à un émiettement du temps plutôt qu'à un remembrement qui en ferait une mémoire. Enfin, la publicité omniprésente contribue à fabriquer des modes de vie, de l'alimentation aux relations humaines, en passant par l'environnement quotidien. Elle n'y parvient qu'en rendant perpétuellement périmé ce qu'elle a auparavant rendu indispensable. Elle rejoint l'information, en consacrant la pérennité de l'éphémère.

DUMONT, Fernand, *L'Avenir de la mémoire*, Québec, Nuit Blanche Éditeur, 1995, p. 40-43.

Questions

1. Faites la liste des exemples donnés dans le deuxième paragraphe. Formulez l'idée qu'ils servent à illustrer.
2. Faites de même pour le quatrième paragraphe.
3. Donnez au texte un nouveau titre sous la forme d'une phrase nominale. Insérez également des intertitres entre les paragraphes.
4. Rédigez un texte d'environ 150 mots (un quart de la longueur du texte) en suivant le développement de la pensée de l'auteur.

Exercice 4

Où est la vérité de la science?

Venons-en au problème de la vérité scientifique, qui fut un problème central – et le reste encore aujourd'hui – parce que longtemps, et aujourd'hui encore pour beaucoup d'esprits, notre conception de la science était identifiée à la vérité. La science semblait enfin le seul lieu de certitude, de vérité certaine, par rapport au monde des mythes, des idées philosophiques, des croyances religieuses, des opinions. La vérité de la science semblait indubitable, puisqu'elle se fondait sur des vérifications, sur des confirmations, sur une multiplication d'observations, qui confirmaient toujours les mêmes données. Sur cette base, une théorie scientifique constituant une construction logique, et la cohérence logique semblant refléter la cohérence même de l'Univers, la science ne pouvait être que vérité. Pourtant, on pouvait déjà se poser la question de savoir comment il se faisait que (comme l'avait dit Whitehead) la science soit beaucoup plus changeante que la théologie.

Le problème a une première réponse extrêmement claire: la théologie, se fondant sur de l'invérifiable, peut avoir une très grande stabilité; par contre, la science fait surgir sans cesse des données nouvelles qui contredisent et rendent obsolète la théorie en place. L'apparition de données nouvelles nécessite des théories plus larges ou différentes. Ces nouvelles données surgissent de façon «non-stop», car le mouvement de la science moderne est en même temps un mouvement de perfectionnement des instruments d'observation et d'expérimentation (depuis la lunette de Galilée jusqu'au radiotélescope et aux instruments de détection à l'usage des satellites et des voyageurs de l'espace). On l'a bien vu pour l'exploration de Saturne: les observations qui avaient été relevées antérieurement n'étaient pas fausses; elles étaient totalement insuffisantes et par là induisaient des théories erronées.

Il n'y a pas simplement le problème des données qui changent les théories, mais la vision même des théories change. Karl Popper a dit que les théories ne sont pas induites des phénomènes, mais sont des constructions de l'esprit plus ou moins bien appliquées sur le réel, c'est-à-dire des systèmes déductifs. Autrement dit, une théorie n'est jamais, en tant que telle, un «reflet» du réel. Dès lors, une théorie scientifique est admise non pas parce qu'elle est vraie, mais parce qu'elle résiste à la démonstration de sa fausseté. Popper conçoit ainsi l'histoire des théories scientifiques en analogie avec la sélection naturelle: ce sont les théories les mieux adaptées à l'explication des phénomènes qui survivent, jusqu'à ce que le monde des phénomènes relevant de l'analyse s'élargisse et nécessite de nouvelles théories. Ici, Popper a renversé la problématique de la science; on croyait que la science progressait par accumulation de vérités; il a montré que la progression se fait surtout par élimination d'erreurs dans la recherche de la Vérité.

MORIN, Edgar, *Science avec conscience*, coll. «Points-Essais»,
Paris, © Éditions du Seuil, 1990, p. 136-137.

Questions

1. Dans le premier paragraphe, quelle notion l'auteur met-il en doute?
   a) La *vérité* de la science, parce qu'elle est fondée sur des vérifications confirmant les mêmes données.
   b) L'affirmation qu'une théorie scientifique...
   Complétez la deuxième phrase avant de choisir votre réponse.
2. Cet extrait conserve les marques de la langue parlée (reprise des mêmes termes, formules redondantes, implication de l'auditeur, abondance des connecteurs logiques, construction de phrases). Récrivez le texte en éliminant les marques de la langue parlée et en résumant l'information essentielle, à l'aide du schéma suivant.
   Thèse: Longtemps on a cru que ....
   et que ....
   Antithèse: Mais les théories scientifiques ....
   Synthèse: Voilà pourquoi, aujourd'hui ....

Exercice 5

Le Grand Héron

Voyez-le venir du fond de l'anse, volant presque au ras des hautes herbes, avec cette lenteur des familiers qui ont tout le temps devant eux. Il donne l'impression d'être un rentier un peu dégingandé, battant des grandes ailes bringuebalantes, le cou replié en S, portant à l'extrémité de lui-même une lance de bois verni. À l'évidence le Grand Héron sait où il va. Il a repéré depuis longtemps la mare où finalement il se pose en ramenant à la verticale les longues échasses qu'il traînait sous lui et qui lui servent, en vol, de gouvernail. Maintenant qu'il est debout, on voit tout de suite à qui l'on a affaire: à un archer patient, à un pêcheur placide, qui aime travailler seul. L'aigrette noire qui flotte sur sa nuque est l'empennage d'une flèche dont le bec est la pointe implacable. L'arc, c'est le cou allongé et mobile; c'est aussi tout le corps de ce grand oiseau au plumage bleuté.

Est-ce bien d'un oiseau qu'il s'agit? À le voir si tendu, si concentré, on songe plutôt à quelque artiste devant sa page vierge. Il a tout vu de ce qui se cachait dans cette eau peu profonde. L'air de regarder ailleurs, l'air d'être dans les nuages et de prendre plaisir à sentir ses plumes dans le vent, il a deviné ce qui se tapit entre les lignes. Avec lenteur il relève la grande patte aux ongles jaunes, la replace devant lui sans rien brouiller, il fait un autre pas, s'arrête, bande le cou vers l'arrière, il dirige son poinçon vers le lieu exact de la cible. Il attend. Il est fait pour attendre. Son être tout entier – une maigreur de muscles sous une enveloppe de plumes lâches – est constitué pour cette formidable tension. Puis, le moment venu, d'une détente fulgurante du corps, il fond sur le premier mot chargé de vie.

MORENCY, Pierre, *Lumière des oiseaux*,
Montréal, Éditions du Boréal, 1992, p. 27-28.

Résumé (au cinquième de la longueur)

Rasant les herbes et battant des ailes avec lenteur, le Grand Héron arrive et se pose dans une mare en familier des lieux; solitaire, le bec et le cou tendus comme une flèche sur un arc, le regard ailleurs, mais l'œil aux aguets, tel l'artiste devant sa page blanche, il avance lentement sans brouiller l'eau, sachant attendre, et fond soudain sur sa cible, comme l'écrivain sur les mots, proies riches de vie.

Questions

Les qualités de style propres à un texte littéraire ne peuvent être préservées dans un résumé. En revanche, il est utile de dégager les «idées» élaborées par l'auteur avant d'en faire l'analyse.

1. Quelle est l'intention de l'auteur?
   a) Étudier le comportement de l'oiseau.
   b) Évoquer une scène dont il est le témoin privilégié.
   c) Établir un parallèle entre la quête de l'écrivain et celle du Héron.
2. Relevez les qualités littéraires du texte de Pierre Morency (sonorités dominantes, rythme des phrases...) absentes du résumé.
3. Relevez les figures de style que le résumé a su conserver du texte original.
4. Dans le résumé d'un texte littéraire, quels sont les éléments à retenir?

Exercice 6

L'oppression démocratique

Je pense que l'espèce d'oppression dont les peuples démocratiques sont menacés ne ressemblera à rien de ce qui l'a précédée dans le monde; nos contemporains ne sauraient en retrouver l'image dans leurs souvenirs. Je cherche en vain moi-même une expression qui reproduise exactement l'idée que je m'en forme et la renferme; les anciens mots de *despotisme* et de *tyrannie* ne conviennent point. La chose est nouvelle, il faut donc tâcher de la définir, puisque je ne peux la nommer.

Je veux imaginer sous quels traits nouveaux le despotisme pourrait se produire dans le monde: je vois une foule innombrable d'hommes semblables et égaux qui tournent sans repos sur eux-mêmes pour se procurer de petits et vulgaires plaisirs, dont ils remplissent leur âme. Chacun d'eux, retiré à l'écart, est comme étranger à la destinée de tous les autres: ses enfants et ses amis particuliers forment pour lui toute l'espèce humaine; quant au *demeurant* de ses concitoyens, il est à côté d'eux, mais il ne les voit pas; il les touche et ne les sent point; il n'existe qu'en lui-même et pour lui seul, et, s'il lui reste encore une famille, on peut dire du moins qu'il n'a plus de patrie.

Au-dessus de ceux-là s'élève un pouvoir immense et *tutélaire*, qui se charge seul d'assurer leur *jouissance* et de veiller sur leur sort. Il est absolu, détaillé, régulier, prévoyant et doux. Il ressemblerait à la *puissance paternelle* si, comme elle, il avait pour recherche de préparer les hommes à l'âge viril; mais il ne cherche, au contraire, qu'à les fixer irrévocablement dans l'enfance; il aime que les citoyens se réjouissent, pourvu qu'ils ne songent qu'à se réjouir. Il travaille volontiers à leur bonheur; mais il veut en être l'unique agent et le seul arbitre; il pourvoit à leur sécurité, prévoit et assure leurs besoins, facilite leurs plaisirs, conduit leurs principales affaires, dirige leur *industrie*, règle leurs héritages; que ne peut-il leur ôter entièrement le trouble et la peine de vivre?

TOCQUEVILLE, Alexis de, *De la démocratie en Amérique*, Livre II, 4e partie, 1840.

Questions

1. Donnez la signification, plus rare aujourd'hui, des expressions et mots qui apparaissent en caractères italiques dans le texte.
2. Faites la liste des traits principaux de l'homme des futures démocraties.
3. Dressez également la liste des traits principaux du pouvoir qui les dirige.
4. À partir des relevés précédents, et en supprimant les expressions qui répètent la même idée, reformulez en deux phrases l'essentiel des deux derniers paragraphes.

II. La rédaction du résumé

Exercice 7

La science

Les ouvrages du XVIe siècle consacrés à la zoologie sont souvent illustrés de superbes gravures représentant les animaux qui peuplent la terre. Dans certains de ces livres on trouve une description minutieuse de chiens à tête de poisson, d'hommes à pattes de poulet ou de femmes à plusieurs têtes de serpent. La notion de monstres où se réassortissent les caractères d'espèces différentes n'est pas, en elle-même, particulièrement surprenante: chacun a imaginé ou dessiné de tels hybrides. Ce qui nous déconcerte dans ces ouvrages, c'est qu'au XVIe siècle ces créatures appartenaient, non au monde de l'imaginaire, mais à la réalité. Nombre de gens les avaient rencontrées et pouvaient en fournir un portrait détaillé. Ces monstres côtoyaient les animaux familiers de la vie de tous les jours. Ils restaient, pour ainsi dire, dans les limites du possible.

Mais ne rions pas: nous faisons la même chose, avec nos livres de science-fiction par exemple. Les abominables créatures qui chassent le pauvre astronaute perdu sur quelque planète lointaine sont toujours les produits d'une recombinaison entre organismes terrestres. Les êtres venus du fond de l'espace pour explorer notre planète ont toujours un aspect humain. On les voit le plus souvent représentés au sortir de leurs soucoupes volantes: ce sont clairement des vertébrés, des mammifères sans le moindre doute, marchant debout sur leurs pattes de derrière. Les seules variantes concernent la taille du corps et le nombre des yeux. Bien souvent, ces créatures sont dotées d'un crâne plus volumineux que le nôtre pour suggérer un plus gros cerveau; elles sont parfois munies d'antennes radio sur la tête pour évoquer des organes sensoriels particulièrement raffinés. L'étonnant, là encore, c'est ce qui est considéré comme possible. C'est, cent vingt ans après Darwin, la conviction que, si la vie survient n'importe où dans l'univers, elle est tenue de produire des animaux voisins de ceux qui vivent sur la terre; mieux encore, qu'elle doit nécessairement évoluer vers quelque chose de semblable aux êtres humains.

L'intérêt de toutes ces créatures, c'est de montrer comment une culture manie le possible et en trace les limites. Qu'il s'agisse de groupes ou d'individus, toute vie humaine fait intervenir un dialogue continu entre ce qui pourrait être et ce qui est. Un mélange subtil de croyance, de savoir et d'imagination construit devant nos yeux l'image sans cesse modifiée du possible. C'est à cette image que nous confrontons nos désirs et nos craintes. C'est sur ce possible que nous modelons notre comportement et nos actions. En un sens, beaucoup d'activités humaines, les arts, les sciences, les techniques, la politique, ne sont que des manières particulières, chacune avec ses règles propres, de jouer le jeu des possibles.

Contrairement à ce qu'on croit souvent, l'important dans la science, c'est autant l'esprit que le produit. C'est autant l'ouverture, la primauté de la critique, la soumission à l'imprévu, si contrariant soit-il, que le résultat, si nouveau soit-il. Il y a belle lurette que les scientifiques ont renoncé à l'idée d'une vérité ultime et intangible, image exacte d'une «réalité» qui attendrait au coin de la rue d'être dévoilée. Ils savent maintenant devoir se contenter du partiel et du provisoire. Une telle démarche procède souvent à l'encontre de la pente naturelle à l'esprit humain qui réclame unité et cohérence dans sa représentation du monde sous ses aspects les plus divers. De fait, ce conflit entre l'universel et le local, entre l'éternel et le provisoire, on le voit périodiquement réapparaître dans une série de polémiques opposant ceux qui refusent une vision totale et imposée du monde à ceux qui ne peuvent s'en passer. Que la vie et l'homme soient devenus objets de recherche et non plus de révélation, peu l'acceptent.

Depuis quelques années, on fait beaucoup de reproches aux scientifiques. On les accuse d'être sans cœur et sans conscience, de ne pas s'intéresser au reste de l'humanité; et même d'être des individus dangereux qui n'hésitent pas à découvrir des moyens de destruction et de cœrcition terribles et à s'en servir. C'est leur faire beaucoup d'honneur. La proportion d'imbéciles et de malfaisants est une constante qu'on retrouve dans tous les échantillons d'une population, chez les scientifiques comme chez les agents d'assurance, chez les écrivains comme chez les paysans, chez les prêtres comme chez les hommes politiques. Et malgré le Dr Frankenstein et le Dr Strangelove, les catastrophes de l'histoire sont le fait moins des scientifiques que des prêtres et des hommes politiques.

Car ce n'est pas seulement l'intérêt qui fait s'entre-tuer les hommes. C'est aussi le dogmatisme. Rien n'est aussi dangereux que la certitude d'avoir raison. Rien ne cause autant de destruction que l'obsession d'une vérité considérée comme absolue. Tous les crimes de l'histoire sont des conséquences de quelque fanatisme. Tous les massacres ont été accomplis par vertu, au nom de la religion vraie, du nationalisme légitime, de la politique idoine, de l'idéologie juste; bref au nom du combat contre la vérité de l'autre, du combat contre Satan. Cette froideur et cette objectivité qu'on reproche si souvent aux scientifiques, peut-être conviennent-elles mieux que la fièvre et la subjectivité pour traiter certaines affaires humaines. Car ce ne sont pas les idées de la science qui engendrent les passions. Ce sont les passions qui utilisent la science pour soutenir leur cause. La science ne conduit pas au racisme et à la haine. C'est la haine qui en appelle à la science pour justifier son racisme. On peut reprocher à certains scientifiques la fougue qu'ils apportent parfois à défendre leurs idées. Mais aucun génocide n'a encore été perpétré pour faire triompher une théorie scientifique. À la fin de ce XXe, il devrait être clair pour chacun qu'aucun système n'expliquera le monde dans tous ses aspects et tous ses détails. Avoir contribué à casser l'idée d'une vérité intangible et éternelle n'est peut-être pas l'un des moindres titres de gloire de la démarche scientifique.

JACOB, François, *Le Jeu des possibles*, Paris,
© Librairie Arthème Fayard, 1981, p. 9-13.

Questions

1. Établissez les termes de comparaison qui unissent le premier et le deuxième paragraphe.
2. Les trois premiers paragraphes trouvent leur unité dans un principe dont l'auteur élargit l'application à la culture scientifique. Expliquez ce principe.
3. Quelle conséquence l'auteur en tire-t-il quant au rôle des scientifiques?
4. À partir du plan proposé[1] ci-dessous, reformulez l'essentiel des idées de ce texte en un résumé au cinquième de sa longueur (environ 200 mots).

1. D'après DPECF, Clés en main, *Expression française*, Paris, Éditions Foucher, 1991, p. 149-150.

PLAN

I. Le jeu des possibles

1. *L'homme construit l'image du possible:* monstres du XVIe siècle ou extraterrestres dérivent de l'imagination et de la réalité dans les limites du possible.
   a) Monstres: morceaux d'espèces déjà existantes; ressemblance avec des animaux vivants.
   b) Extraterrestres: mammifères déformés, ressemblance avec les êtres humains.
2. Ces deux exemples prouvent que l'homme, avec sa culture faite de croyance, d'imagination et de savoir, manie le possible et en trace les limites.

   C'est donc le jeu des possibles qui modèle toutes les activités humaines, notamment la science.

II. La science comme jeu des possibles

1. Définition de l'esprit scientifique: opposition à la tendance naturelle de l'esprit humain.
   a) L'esprit scientifique: ne cherche pas une vérité absolue, mais le provisoire, le possible, le local;
   donc la vie et l'homme sont objets de recherche et non de révélation.
   b) L'esprit humain est basé sur l'idée d'une vérité éternelle et universelle;
   donc les hommes veulent une vision globale et imposée du monde.
2. Contradiction: les scientifiques sont dangereux,
   a) car ils ont la possibilité de détruire l'humanité.
   b) *Exemple*: le docteur Frankenstein.
3. Réfutation de cette thèse et objet de la science.
   a) *Réfutation*:
      - ceux qui sont dangereux, ce sont les dogmatiques, les fanatiques, ceux qui croient détenir la vérité absolue;
      - c'est la passion qui engendre le racisme, le génocide et la destruction de l'homme;
      - ceux-là se servent de la science pour soutenir leurs idées.
   b) *En réalité*:
      - les scientifiques sont froids et objectifs et non pas passionnés;
      - leur objectif est de montrer que le monde ne peut pas être expliqué par un système.

Conclusion: La démarche scientifique a contribué à détruire l'idée d'une vérité absolue; la science œuvre dans le domaine du possible.

Exercice 8

Lecture et préférences culturelles

D'un sondage à l'autre, les résultats sont constants: les activités préférées des Québécois sont nettement les activités physiques et sportives; un tel type d'activité recueille les plus hauts pourcentages dans les enquêtes disponibles; des enquêtes récentes laissent même entendre que la popularité des activités physiques se serait accrue. Viennent ensuite les activités de plein air, l'écoute des médias, les activités sociales. En regroupant toutes les activités de nature culturelle (art et artisanat, activités culturelles, lecture), nous constatons que celles-ci occupent le quatrième rang.

Quelques déplacements des préférences méritent d'être signalés: outre une plus forte faveur accordée aux sports et aux activités physiques (hausse de près de 7 points au total des mentions) ainsi qu'aux activités de plein air, les activités culturelles et la lecture sont les seules autres catégories à avoir bénéficié d'un plus grand pourcentage de choix. Une moindre préférence est maintenant accordée aux activités reliées à la maison et à l'écoute des médias.

En d'autres termes, la lecture demeure depuis une décennie l'activité culturelle préférée dans les sondages; elle est mentionnée par plus du tiers de la population adulte québécoise; cette donnée est constante. À partir d'études de vérification que nous avons menées sur une plus petite échelle, afin de valider les données très générales des sondages du ministère des Affaires culturelles, nous en concluons que ces résultats sont très valables.

PRONOVOST, Gilles, dans *Développement et rayonnement de la littérature québécoise*, Québec, Nuit Blanche Éditeur, 1994, p. 250.

Question

Ce texte comporte des répétitions de termes et d'expressions qui en alourdissent le style et en obscurcissent le message. Rédigez-en une version au quart de sa longueur (d'environ 55 à 60 mots), centrée sur l'information essentielle à retenir.

Exercice 9

Honneur et courage

Je peux encore apprendre, parce que le goût m'en est resté, et même j'ai le sentiment d'apprendre tous les jours. Un article ici, un livre là. Mais ma mémoire est devenue infidèle. C'est très embêtant, à cet égard, de vieillir.

Je suppose qu'une méditation sur la vieillesse ennuierait tous ceux qui ont lu ce livre jusqu'ici. Les plus jeunes n'ont rien à en faire, les moins jeunes ont assez à faire avec leur propre vieillissement sans qu'on vienne étaler le sien.

Au demeurant, je m'accommode assez du mien pour n'y pas penser du matin au soir. Penser à son âge est le signe même du vieillissement. À quarante ans, on ne se dit pas tous les jours: «J'ai quarante ans...» Ou trente. Ou cinquante... Quand on attrape le chiffre sept, eh!...

Mais à me retourner ainsi sur les quelques circonstances de ma vie où j'ai reçu des «leçons particulières», je vois combien grands ont été mes privilèges.

Je me suis heurtée à des salopards, j'ai travaillé avec des caractériels, j'ai supporté des imbéciles. Mais, dans l'ensemble, leur présence m'a été plutôt épargnée, aucun représentant desdites catégories ne m'a laissé plus de trace qu'une brûlure d'ortie.

En revanche, par le hasard de métiers mirobolants, j'ai été fabriquée, formée, instruite, construite par des hommes qui n'étaient pas indifférents.

Si très peu de femmes se trouvent parmi ceux qui m'ont donné des «leçons particulières», c'est sans doute parce que Douce[2] a été la figure féminine de ma vie, figure auprès de laquelle toute autre aurait été terne, sinon superflue. Elle jouait tous les rôles. Je n'ai noué des amitiés féminines que depuis sa mort.

C'est aussi que mon existence a été très tôt remplie tout entière par le travail, et qu'à ma génération, on ne rencontrait pas beaucoup de femmes dans la vie professionnelle.

Mais, aujourd'hui, bouclant la boucle, c'est de ma mère que, par-dessus les années, je reçois les ultimes leçons de vie. C'est à son image, telle qu'elle fut dans ses dernières années, que je m'identifie, j'en ai bien conscience.

Je me surprends parfois faisant un geste, réagissant à une situation, enseignant à une jeune femme une recette de famille, secouant une autre parce qu'elle se laisse aller et je me dis: c'est elle.

Je suis attentive à ne pas peser sur les miens ni par ma présence ni par mes paroles – pas de conseils, surtout pas de conseils! –, et cela me vient d'elle. Qui d'autre m'aurait enseigné que plus on vieillit, plus il faut se faire léger, léger, léger, ne jamais parler du passé sauf si l'on vous sollicite, ne jamais parler de sa santé à moins qu'elle soit alarmante, mais aussi savoir quelquefois dire crûment ce que personne n'oserait formuler. Savoureuse liberté de l'âge...

Donc, j'ai été pour une large part faite par des hommes. Comme sur de la cire, ils ont laissé leur empreinte, leur trace, le plus souvent à leur insu.

Aujourd'hui, la cire est froide et dure. Aucune trace nouvelle ne pourrait, me semble-t-il, s'y ajouter. J'ai atteint ce moment de la vie où, intellectuellement, les cartilages de conjugaison sont soudés.

Mais si je ne peux plus absorber ce qui me modifierait, peut-être puis-je encore contribuer à modeler les autres? On peut donner à tout âge, et d'abord le mauvais exemple. De ce côté-là, je fais ce que je peux. Mais comment laisse-t-on une trace sur un esprit, sur une conscience? Je ne sais pas. C'est insaisissable, ça ne peut pas être délibéré, on écrit, on dit des choses auxquelles on attache du prix, personne ne les entend, et voilà qu'une phrase improvisée creuse un sillon.

Il m'arrive souvent de rencontrer un jeune homme, une jeune femme qui me dit: «Vous ne me connaissez pas, mais je vous ai entendue ou je vous ai lue dans telle circonstance, et à cause de vous, etc.» On ne se souvient de rien, c'est troublant. [...]

On ne vit pas vieux sans avoir appris que ce ne sont pas les gens intelligents qui manquent, ce sont les gens courageux.

2. Douce est le surnom donné par l'auteure à sa sœur aînée.

La morale du courage, c'est celle que j'essaie de transmettre à mes quatre petits-fils, comme on me l'a transmise, comme ils la transmettront, je l'espère, à leurs enfants. Honneur et courage, mes garçons, n'en démordez jamais, même si, parfois, c'est dur et que le cœur vous manque.

Le reste, on peut toujours s'en arranger.

GIROUD, Françoise, *Leçons particulières*, Paris,
© Librairie Arthème Fayard, 1990, p. 215-217.

Questions

1. Sur le ton de la confidence, l'auteure livre ici une leçon de vie. Laquelle?
2. Réduisez ce texte au quart de sa longueur en préservant son système d'énonciation.

Exercice 10

Culture à la mode média

[...] En visant le grand public, en lançant sur le marché des produits *fast food*, les industries culturelles instituent dans la sphère du spectacle le primat de l'axe temporel propre à la mode: le présent. À l'instar de la *fashion*, la culture de masse est de part en part tournée vers le *présent* et ce, triplement. D'abord, parce que sa finalité explicite réside avant tout dans le loisir immédiat des particuliers; il s'agit de divertir, non d'éduquer, d'élever l'esprit, d'inculquer des valeurs supérieures. Même si des contenus idéologiques, évidemment, transparaissent, ils sont secondaires par rapport à cette visée distractive. Ensuite, parce qu'elle reconvertit toutes les attitudes, et tous les discours dans le code de la modernité. Pour la culture industrielle, le présent historique est mesure de toutes choses, elle ne craindra pas l'adaptation libre, l'anachronisme, la transplantation du passé dans le présent, le recyclage de l'ancien en termes modernes. Enfin, parce qu'elle est une culture sans trace, sans futur, sans prolongement subjectif important, elle est faite pour exister dans le présent vivant. Comme les rêves et le mot d'esprit, la culture de masse, pour l'essentiel, retentit ici et maintenant, sa temporalité dominante est celle-là même qui gouverne la mode.

On voit le fossé qui nous sépare des temps antérieurs. Pendant une grande partie du parcours de l'humanité, les œuvres supérieures de l'esprit se sont constituées sous l'autorité esthétique des anciens, elles s'édifiaient en vue de la glorification de l'au-delà, des souverains et des puissants, elles étaient tournées avant tout vers le passé et le futur. Depuis au moins la Renaissance, les œuvres ont certes suscité des engouements de modes; dans les cours et salons, différents thèmes et styles ont pu faire fureur; des auteurs et des artistes ont pu jouir d'un très grand succès. Les œuvres n'en étaient pas moins étrangères, par leur orientation temporelle, au système de la mode et à sa soif inextinguible de renouvellement. Le respect des règles du passé, l'exigence d'un sens profond, la recherche d'une beauté sublime, la prétention au chef-d'œuvre ont disqualifié, en tout cas limité la fuite en avant du changement et la vitesse de la désuétude. Lorsque l'art avait charge de louer le sacré et la hiérarchie, l'axe temporel des œuvres était bien davantage l'avenir que le présent éphémère: il fallait témoigner de la gloire éternelle de Dieu, de la grandeur d'une lignée ou d'un règne, offrir une hymne grandiose, un signe immortel de magnificence en vue de la postérité. Fidèle aux leçons du passé et tournée vers l'avenir, la culture a échappé structurellement à la production de mode et au culte du présent. L'ordre subjectif des motivations a œuvré dans le même sens: écrivains et artistes ont visé jusqu'à ces derniers temps l'éternité, l'immortalité, la gloire non éphémère. Quel que soit le succès connu et recherché, les créateurs aspiraient à former des œuvres durables au-delà de l'approbation instable des contemporains. Pétrarque soutenait que la gloire ne commençait vraiment qu'après la mort, beaucoup plus près de nous, Mallarmé, Valéry, Proust tenaient en mépris l'actualité et trouvaient naturel de rester inconnus jusqu'à un âge avancé. La mode est alors extérieure à l'agencement des œuvres; elle peut l'accompagner, elle n'en constitue pas le principe organisateur. La culture industrielle, au contraire, s'installe de plain-pied dans le périssable; elle s'épuise dans la quête forcenée du succès immédiat, son critère ultime est la courbe des ventes et la masse de l'audience. Cela n'interdit pas la réalisation d'œuvres «immortelles», mais la tendance globale est autre, elle marche à l'obsolescence intégrée, au vertige du présent sans regard pour le lendemain.

Cette primauté du présent apparaît désormais jusque dans l'architecture rythmique des produits culturels dominés de plus en plus par l'extase de la célérité et de l'immédiateté. Partout, le rythme précipité publicitaire l'emporte, la production télévisuelle, américaine en particulier, s'agence au travers du code souverain de la vitesse. Surtout pas de lenteur, de temps mort, il doit toujours se passer quelque chose sur l'écran électronique, maximum d'effets visuels, harcèlement de l'œil et de l'oreille, beaucoup d'événements, peu d'intériorité. À une culture du récit se substitue en quelque sorte une culture de mouvement, à une culture lyrique ou mélodique se substitue une culture cinématique construite sur le choc et le déluge d'images, sur la recherche de la sensation immédiate, sur l'émotion de la cadence syncopée. Culture rock et pub: depuis les années 1950, le rock a ébranlé les sucreries crooner, maintenant les séries et feuilletons américains font une chasse impitoyable aux lenteurs: dans les histoires policières, dans les drames intimes et professionnels des sagas familiales, tout s'accélère, tout se passe comme si le temps médiatique n'était plus qu'une succession d'instants en compétition les uns avec les autres. Le vidéo-clip musical ne fait qu'incarner le pointe extrême de cette culture express. Il ne s'agit plus d'évoquer un univers irréel ou d'illustrer un texte musical, il s'agit de surexciter le défilé d'images, changer pour changer de plus en plus vite avec de plus en plus d'imprévisibilité et de combinaisons arbitraires et extravagantes: on en est maintenant au taux d'I.P.M. (idées par minute) et à la séduction seconde. Dans le clip, chaque image vaut au présent, seules comptent la stimulation et la surprise qu'elle provoque, il n'y a plus qu'une accumulation disparate et précipitée d'impacts sensoriels dessinant un surréalisme *in* en technicolor. Le clip représente l'expression ultime de la création publicitaire et de son culte de la surface: la forme mode a conquis l'image et le temps médiatique, la force de frappe rythmique met fin à l'univers de la profondeur et à la rêverie éveillée, ne reste qu'une stimulation pure, sans mémoire, une réception mode.

LIPOVETSKY, Gilles, *L'Empire de l'éphémère*,
coll. «Folio-Essais», © Gallimard, 1987, p. 248-251.

Questions

1. Présentez en quelques phrases l'opinion de l'auteur.
2. Repérez dans le texte les arguments et les exemples qui appuient son opinion.
3. Mettez entre crochets les explications et les commentaires associés à chaque idée.
4. En tenant compte de la structure logique unissant les idées entre elles, réduisez le texte au quart de sa longueur.

Ce qu'il faut savoir

Qu'est-ce qu'un résumé?

Un résumé est une version abrégée d'un texte dont on n'a retenu que l'essentiel. La qualité du résumé révèle l'habileté d'un rédacteur et permet aussi d'évaluer ses capacités en tant que lecteur. Maîtriser cette technique exige de réfléchir la pensée d'un auteur *sans la déformer, la critiquer ni la juger*. Le résumé favorise l'objectivité du jugement puisqu'il exclut l'expression de toute opinion personnelle.

Pourquoi résumer?

Le résumé est moins un exercice scolaire qu'un instrument d'analyse utile autant dans le cadre d'études postsecondaires que dans certains secteurs de la vie professionnelle. C'est-à-dire, en fait, dans tous les domaines où la lecture, la compréhension et l'analyse de textes sont requises.

Comment le préparer

L'amorce

1. Lisez deux ou trois fois le texte de manière à en dégager une bonne compréhension. À ce stade, ne pas tenter d'en faire le résumé, ni souligner ou entourer de mots ou de phrases dont vous auriez du mal à vous éloigner au moment de la rédaction.

L'idée

2. Retournez le texte et reformulez dans vos propres mots ce que vous en avez compris en répondant aux questions suivantes.
   a) Quel est le sujet de ce texte?
   b) Quel est le point de vue de l'auteur?
   c) Quelle est l'origine du texte? la date de sa rédaction? le ton du texte?

La structure

3. De retour au texte, précisez le sujet au moyen du *champ lexical* principal et (parfois) du titre.
4. Repérez les *connecteurs logiques* (voir le chapitre 4) et autres expressions qui expriment de façon explicite ou implicite les rapports logiques structurant *tout*

le texte et non pas ceux reliant deux phrases ou deux propositions. Ces liens se situent le plus souvent dans les débuts ou les fins de paragraphes.

5. Identifiez la structure précise du texte: plan *par addition* ou *par raisonnement.*
6. Établissez le plan schématique des textes longs (plus de deux ou trois paragraphes): dégagez chacune des *idées principales* avec les exemples et arguments qui s'y rattachent.

La rédaction

Supprimez...

a) les adjectifs ou adverbes non essentiels au sens des phrases:

   ... ce malaise [interminable] qu'il subisse [assez passivement];

b) les énumérations, en leur substituant des termes englobants:

   ... j'ai été fabriquée, formée, instruite, construite par des hommes qui n'étaient pas indifférents (F. Giroud) fi *des hommes qui n'étaient pas indifférents m'ont profondément marquée...;*

c) les périphrases, en rétablissant le mot qu'elles remplacent:

   l'ami du genre humain fi *le philanthrope;*

d) les relatives:

   les années que j'ai passées au cégep... fi *mes années de cégep...*

Comment le rédiger

Réduisez proportionnellement chacune des *unités de sens* (et non chacun des paragraphes) en observant les règles suivantes.

1. Rédigez dans une langue neutre, de manière à rendre le texte avant tout intelligible au lecteur qui ne connaîtrait pas le texte de départ.
2. Tenez-vous-en aux idées de l'auteur sans y ajouter d'opinions personnelles.
3. Respectez l'ordre du texte et son système d'énonciation (c'est-à-dire, prenez la place de l'auteur, respectez le jeu des pronoms et les temps des verbes utilisés).
4. Éliminez les exemples, les citations, les interventions en style direct (sauf ceux servant d'argument), les répétitions, les digressions.
5. Supprimez les guillemets des citations retenues qu'il faut réduire.
6. Résumez d'abord unité de sens par unité de sens.
7. Reliez ces fragments de résumé au moyen de connecteurs logiques chaque fois que cela est nécessaire.

Quelques conseils pratiques

1. Évitez absolument :

   a) Le collage de phrases de l'auteur. Son style lui appartient: ce sont ses idées que l'on doit reformuler de façon plus concise en termes équivalents;

   b) Les présentatifs liés au *style indirect*:

      L'auteur nous dit que...
      Ensuite il affirme que...
      Dans son texte, voici ce que...

2. Pour compter les mots...

   Tout ensemble de lettres qui se suivent, même si la syllabe finale est élidée ou si le mot est relié à un autre par un trait d'union, constitue un *mot*.

Exemples:	*Qu'y a-t-il?*	5 mots
	L'homme...	2 mots

   Dans le texte original:

   - comptez le nombre de mots des trois premières lignes pleines et divisez par trois pour obtenir la *moyenne*.
   - multipliez ce nombre par le total de lignes.

Exemple:	Moyenne de mots par ligne:	12
	Nombre de lignes dans le texte:	45
	Total:	540 mots

   Dans votre résumé...

   La longueur que votre résumé doit avoir est précisée dans la consigne.

   Exemple: Résumez ce texte au quart, au cinquième de sa longueur.

   L'échelle implique toujours une marge de manœuvre de 10 % en plus ou en moins. Ainsi, un texte de 540 mots, résumé au cinquième (108 mots, plus ou moins 10 %), pourra compter entre 98 et 118 mots.

3. Pour condenser le texte...

   a) Fusionnez deux phrases en une seule:

      Toutes ses lectures étaient des cadeaux. Il ne nous demandait rien en échange. (Daniel Pennac) (13 mots) ⇒ *Ses lectures étaient un don désintéressé.* (6 mots)

   b) Transformez le passif en actif:

      La région a été envahie par des touristes. (8 mots) ⇒ *Les touristes affluent dans la région.* (6 mots)

   c) Passez de la forme négative à la forme affirmative: *Ces données ne sont pas totalement fiables.* (7 mots) ⇒ *Ces informations sont douteuses.* (4 mots)

   d) Remplacez les liens logiques par la juxtaposition:

      Le parlement russe a vu ses pouvoirs réduits par le président de sorte qu'il ne peut pas tellement s'opposer à son chef. (24 mots)

      ⇒ *Le président russe a affaibli les pouvoirs du parlement: ce dernier dispose de moyens d'action limités.* (17 mots)

Tableau synthèse

Le résumé

C'est une version abrégée d'un texte, qui *en respecte le système d'énonciation* et *l'ordre des idées*. Il *traduit* la pensée de l'auteur *sans reprendre les mots* du texte. De plus, l'auteur du résumé n'exprime *jamais* son opinion personnelle.

Préparation

1. Pour comprendre le texte...
   - lisez-le attentivement;
   - *reformulez* ce que vous avez retenu *sans le regarder*;
   - identifiez le système d'énonciation;
   - repérez les éléments de la *structure logique* du texte (connecteurs logiques, ponctuation, pronoms démonstratifs...);
   - identifiez la nature du plan du texte.

2. Avant de rédiger le résumé...
   - supprimez les adjectifs, les énumérations, les périphrases;
   - remplacez les propositions relatives par un adjectif ou par un complément de nom;
   - conservez uniquement les exemples qui jouent le rôle d'un argument ou d'une idée.

Rédaction

Respectez la *longueur du résumé* exigée et tenez compte des consignes suivantes:

- restez fidèle aux idées de l'auteur sans émettre d'opinions personnelles;
- reprenez l'énonciation et l'ordre des idées du texte;
- formulez en style indirect les citations qu'il faudra conserver et résumer;
- reliez les idées entre elles par des connecteurs logiques, quand cela est nécessaire.

Exercices bilans

Pour les deux textes ci-dessous, suivez la démarche suivante.

1. Relevez les principaux réseaux lexicaux et identifiez les thèmes.
2. Repérez les termes ou expressions soulignant les articulations logiques entre les idées.
3. Identifiez le type de plan utilisé.
4. Reformulez les idées essentielles de chaque grande partie du plan.
5. Donnez un titre représentatif du sens du texte et un intertitre à chacune des grandes divisions.
6. Rédigez le résumé au quart de la longueur du texte original.

Exercice 1

Il est de bon ton, voire banal, de dénoncer la baisse du niveau des étudiants en faisant miroiter le bon vieux temps. Pourtant, les chercheurs observent une croissance phénoménale du quotient intellectuel des moins de 20 ans depuis la dernière guerre mondiale. Malgré ce qu'en disent les parents, leurs enfants ne seraient-ils pas devenus plus intelligents qu'eux?

En Occident, le quotient intellectuel s'est accru en moyenne de 15 points en une seule génération: le pourcentage de surdoués serait en conséquence passé de 2 à 16 % de la population, ce qui évidemment en laisse plusieurs sceptiques car l'arrivée d'un tel nombre de génies aurait dû créer une véritable révolution culturelle.

Le débat fait donc rage, car que mesurent vraiment les tests d'intelligence qui sont en général composés d'une série d'épreuves minutées mesurant les connaissances, la mémoire, les capacités de déduction et d'abstraction, etc.? «Une partie de l'intelligence», répond Serge Larivée, un spécialiste de la question qui enseigne à l'Université de Montréal. Et c'est avant tout un excellent instrument de «prédiction du succès scolaire», rappelle Adrien Pinard, coauteur en 1944 du test de quotient intellectuel Barbeau et Pinard. D'ailleurs, les tests de quotient intellectuel sont très prisés par les institutions scolaires privées pour sélectionner les candidats.

Comment expliquer une telle hausse? Le professeur Larivée réfute la théorie génétique et pointe du doigt trois facteurs environnementaux: l'amélioration de la qualité de la nutrition des enfants, l'augmentation de la scolarisation de l'ensemble de la population ainsi que l'urbanisation des sociétés qui favorise l'accroissement de l'intelligence vue la complexité inhérente à la ville. «Dans une société plus complexe, l'individu est obligé de développer des stratégies pour s'y adapter», avance le chercheur. Par exemple au Japon, le passage rapide d'une grande partie de la population du milieu rural au milieu urbain avec en parallèle la diminution des mariages consanguins sont cités par les experts pour expliquer une croissance de sept points du quotient intellectuel sur une période de 23 ans.

Les spécialistes interrogés refusent toutefois de conclure que les étudiants actuels seraient plus doués que ceux de la génération précédente, même s'ils s'entendent pour dire que les enfants ont augmenté leur niveau de connaissances. «Nous ne sommes pas plus intelligents qu'il y a 30 ans», tranche le professeur Pinard. Car c'est très difficile de comparer deux époques, précise la professeure au département de psychologie de l'Université de Montréal, Monique Ben-David. Et d'ajouter: «Les chercheurs ne sont jamais arrivés à exclure l'influence de l'environnement culturel dans leurs tests d'intelligence.»

Par exemple, on peut émettre l'hypothèse que la meilleure performance des jeunes aux tests résulterait en partie d'un rapprochement entre la nature des tâches académiques et celle des épreuves des tests.

En outre, l'intelligence est un phénomène fort complexe que les chercheurs arrivent mal à circonscrire. Si, *grosso modo*, les tests de quotient intellectuel évaluent les capacités de résolution de problèmes des personnes, l'intelligence c'est aussi la capacité de raisonner, de porter des jugements, de s'adapter à la nouveauté, etc.

Malgré ces bémols, le professeur Larivée refuse de minimiser le phénomène de l'accroissement du quotient intellectuel en Occident. «On ne peut pas conclure que les élèves sont meilleurs qu'auparavant parce qu'il y a trop de variables qui entrent en jeu comme la motivation, l'estime de soi. (...) Mais les enfants ont augmenté leur potentiel.»

De l'avis du chercheur, il reste à actualiser ce nouveau potentiel des étudiants, d'où son jugement sévère sur l'école québécoise. «C'est important de stimuler les enfants», souligne-t-il.

Et l'école publique devra abandonner son discours égalitariste. «Tout le monde n'est pas égal. Moi, je m'occuperais des jeunes qui vont bien et de ceux qui sont prêts à travailler. Les enfants qui sont vraiment en difficulté devraient être pris en charge par les spécialistes. Quant aux autres, je leur dirais, à ta paresse je te réponds par la mienne.» Et aux yeux du professeur, il faut changer d'attitude vis-à-vis des plus doués. «Dans les écoles publiques au Québec, tu es un bollé: tu es niaiseux. En Europe, c'est tout le contraire», déplore-t-il.

Autre constat inquiétant: l'écart qui se creuse de plus en plus entre les mieux nantis intellectuellement et les autres. La croissance du quotient intellectuel en Occident résulte en grande partie du bond impressionnant de la minorité supérieure. Un groupe qui provient pour l'essentiel des milieux aisés. «À long terme, une telle situation peut menacer la démocratie», relève le professeur Larivée. Éventuellement, seule une minorité sera à même de saisir les enjeux de plus en plus complexes de la société.

Mais il y a malgré tout matière à réjouissance, en dépit du discours dominant sur le déclin du niveau des étudiants, à âge constant, les enfants d'aujourd'hui en savent manifestement plus que leurs aînés. Selon Serge Larivée, l'avènement de l'informatique nous permet d'avoir confiance en l'avenir. «L'ordinateur oblige l'enfant à structurer sa pensée.»

La nouvelle génération d'étudiants est en quelque sorte un diamant brut qu'il faut polir.

LAFRANCE, Louis, ________[1], Montréal,
Le Devoir, 3 octobre 1995, p. B1.

1. Le titre de ce texte et celui du deuxième exercice bilan ont été volontairement omis.

Exercice 2

L'élan du tourisme mondial est né dans les années 60. Le tiers monde pauvre a pensé qu'il y avait une occasion à saisir: vendre ses paysages, ses climats ensoleillés, ses plages de sable fin, ses cultures exotiques. Il voulait recueillir des devises pour stimuler sa machine économique. Mais, comme l'écrivait le sociologue Morris Fox, «Le tourisme est comme le feu. Il peut faire bouillir votre marmite ou incendier votre maison.» Ce propos souligne bien le dilemme. Personne ne peut dire aujourd'hui que la marmite bout bien, comme il serait exagéré d'affirmer que la maison est en feu.

Gros avions à réaction, vacances programmées, étirées, agences de voyages à tous les coins de rues, jamais le monde, même lointain, n'a été aussi accessible. Jamais on n'a autant voyagé, mais jamais aussi les égoïsmes nationaux, les malentendus et les hostilités entre les peuples différents n'ont été aussi présents et aussi cruciaux. Au début des années 70, le slogan «le tourisme facteur de paix et d'échanges, ... moyen de compréhension entre les peuples» était repris en cœur par tous, de l'UNESCO à la Conférence des Nations Unies pour le commerce et le développement, en passant par la Banque mondiale.

Malheureusement, la rencontre fut manquée, abîmée. 80 % des touristes dans le monde sont originaires des pays industrialisés. C'est un «échange» à sens unique, et le touriste, bien malgré lui, est loin d'être un personnage innocent.

Le voyage ne peut être isolé d'un certain contexte et de son environnement humain et social. Nous ne sommes plus au temps des explorateurs, missionnaires, pèlerins et autres poètes. Le voyage est devenu un produit, une affaire de marchands. Chaque année, plus de soixante millions d'Occidentaux prennent des vacances dans un pays en voie de développement. Visiter le tiers monde, certes. Mais quel tiers monde?

Rien dans les dépliants et les catalogues des organisateurs et promoteurs de ce tourisme multinational ne permet de soupçonner l'effroyable misère sévissant dans ces terres paradisiaques, ni la pauvreté absolue des hommes tenus à l'écart des grands circuits touristiques. Tout au long des pages, c'est l'exotisme caricatural et racoleur qui s'étale: couples bronzés allongés sur des plages désertes, blondes voluptueuses vous invitant à l'aventure au bord de la piscine d'un hôtel quatre étoiles, formules clichés pour vendre des terres de rêve, figeant des populations typiques, folkloriques et serviles.

Ce tourisme de masse est-il au moins créateur d'emplois? On constate que cette industrie n'occupe régulièrement que 5 % de la main-d'œuvre, 10 à 15 % en pleine saison, main-d'œuvre essentiellement semi-qualifiée et saisonnière. Il faut dire aussi que ce secteur, s'il rapporte des devises à un pays, entraîne d'énormes frais d'infrastructure pour l'État (aménagement des sites, services privilégiés...). Enfin, ce tourisme est générateur d'inflation. Il provoque des hausses de prix spectaculaires, dans des pays où souvent n'existent pas d'instruments sérieux et fiables pour mesurer cette inflation et évaluer ses conséquences sur le niveau de vie de la population.

Il est temps de réfléchir sur la forme et la pratique de ce tourisme. [...] Ce tourisme, s'il n'engendre pas la pollution, la prostitution, la petite délinquance, comme on l'affirme parfois abusivement, les influence. Les entreprises touristiques transnationales imposent leur clientèle et leurs produits. Ces «tour-operators» organisent les circuits, les séjours, les croisières... Ils lancent les nouvelles destinations, créent les formules de vacances. On estime actuellement en France à plus de 2 000 les produits touristiques vendus comme des boîtes de conserve. Les pays d'accueil se plient d'autant plus aux exigences des fabricants de voyages qu'elles leur permettent de donner une image tronquée des terribles réalités et tristes quotidiennetés qu'endurent leurs peuples. Il revient à ces pays la mission de diversifier, inventer, devenir les véritables maîtres de l'exploration et de la découverte de leur terre par les autres. Peut-être alors le malentendu entre le visiteur et son hôte pourra-t-il s'amenuiser et faire place à une rencontre véritable, où le touriste sera vu comme un invité et non comme un modèle à imiter ou un nanti à plumer devant lequel on se courbe... parce qu'on le méprise.

MESTIRI, Ezzedine, ____________________, Paris, *Le Monde*, 20 septembre 1985.

Le compte rendu oral

Les textes qui suivent sont la transcription de trois comptes rendus oraux d'une même conférence présentée à un groupe d'élèves de deuxième année de cégep dans le cadre d'un cours de français. Ces élèves ne sont pas inscrits en musique mais en sciences de la nature.

La musique romantique

Premier compte rendu (strictement objectif)

Le conférencier indique dès le départ qu'il ne pourra pas tout couvrir et qu'il a sélectionné ce qu'il juge essentiel pour que nous puissions comprendre.

Il rappelle et explique tout d'abord les cinq éléments essentiels à une bonne écoute musicale (reconnaître la mélodie, le rythme, l'harmonie, le timbre, le volume). Ensuite, il précise les grandes caractéristiques de la musique romantique. Ce n'est pas une période d'invention, mais de débordement. Il explique le coût très élevé d'une production musicale. Par exemple, pour son *Requiem*, Berlioz avait 300 musiciens et 500 chanteurs. Les grandes salles de concert datent de cette période. On apprend aussi que deux instruments sont rois à cette époque: le piano et le violon.

Enfin, le conférencier fait des liens avec le romantisme en littérature dont on retrouve certains thèmes présents dans les œuvres musicales: la nature, la mort, l'amour, l'exotisme. On apprend aussi que plusieurs compositeurs mettent en musique des œuvres littéraires: des pièces de théâtre deviennent des opéras, des poèmes allemands sont chantés et nommés *lieder*.

Pour illustrer son exposé, le conférencier a choisi de nous faire écouter quatre extraits qu'il a commentés.

Deuxième compte rendu (enrichi de l'analyse d'un élément, au dernier paragraphe)

Le conférencier indique dès le départ qu'il ne pourra pas tout couvrir et qu'il a sélectionné ce qu'il juge essentiel pour que nous puissions comprendre.

Il rappelle et explique tout d'abord les cinq éléments essentiels à une bonne écoute musicale (reconnaître la mélodie, le rythme, l'harmonie, le timbre, le volume). Ensuite, il précise les grandes caractéristiques de la musique romantique. Ce n'est pas une période d'invention, mais de débordement. Il explique le coût très élevé d'une production musicale. Par exemple, pour son *Requiem*, Berlioz avait 300 musiciens et 500 chanteurs. Les grandes salles de concert datent de cette période. On apprend aussi que deux instruments sont rois à cette époque: le piano et le violon.

Enfin, le conférencier fait des liens avec le romantisme en littérature.

Tandis que les écrivains ont créé de nouvelles formes ou ont refusé de se plier aux règles du classicisme, les compositeurs, nous dit le conférencier, ont développé une mégalomanie. (Tout devait être grandiose: les symphonies de Mozart ne duraient que 30 minutes tandis que celles de Beethoven durent plus de 60 minutes.) On découvre des liens très forts entre opéras et théâtre. Saviez-vous que Verdi, un des plus grands compositeurs d'opéras, s'était inspiré d'œuvres françaises pour composer deux de ses opéras? L'œuvre de Victor Hugo *Le Roi s'amuse* devient *Rigoletto* et la pièce de Dumas *La Dame aux Camélias* ne lui inspire rien d'autre que *La Traviata*.

Quant aux poèmes chantés, c'est uniquement en Allemagne, avec les 600 lieder de Franz Schubert, que l'on voit ce lien.

Le conférencier nous a fait écouter un lied. Mais les autres extraits qu'il a choisis pour nous ont servi à illustrer les thèmes que l'on trouve en littérature et en musique: un extrait pour illustrer l'*exotisme* était *Carmen* de Bizet. L'auteur de l'histoire est un écrivain français, Mérimée, et l'action se passe en Espagne; le rythme de la danse, le chant des femmes créent une atmosphère exotique. L'autre est un extrait de la *Pastorale* de Beethoven pour illustrer la *nature*. On pouvait entendre le tonnerre, la foudre tomber. Le conférencier a commenté les extraits, ce qui nous a permis de mieux comprendre cette concrétisation des thèmes à travers la musique.

Troisième compte rendu (complété par l'expression d'un jugement personnel)

Comprendre les liens entre la littérature et les autres formes artistiques est très enrichissant pour nous. Notre professeur a invité un excellent spécialiste d'histoire de la musique pour nous parler du courant romantique en musique.

Le conférencier indique dès le départ qu'il ne pourra pas tout couvrir et qu'il a sélectionné ce qu'il juge essentiel pour que nous puissions comprendre.

Il rappelle et explique tout d'abord les cinq éléments essentiels à une bonne écoute musicale (reconnaître la mélodie, le rythme, l'harmonie, le timbre, le volume). Ensuite, il précise les grandes caractéristiques de la musique romantique. Ce n'est pas une période d'invention, mais de débordement. Il explique le coût très élevé d'une production musicale. Par exemple, pour son *Requiem*, Berlioz avait 300 musiciens et 500 chanteurs. Les grandes salles de concert datent de cette période. On apprend aussi que deux instruments sont rois à cette époque: le piano et le violon.

Enfin, le conférencier fait des liens avec le romantisme en littérature.

Tandis que les écrivains ont créé de nouvelles formes ou ont refusé de se plier aux règles du classicisme, les compositeurs, nous dit le conférencier, ont développé une mégalomanie. (Tout devait être grandiose: les symphonies de Mozart ne duraient que 30 minutes tandis que celles de Beethoven durent plus de 60 minutes.) On découvre des liens très forts entre opéras et théâtre. Saviez-vous que Verdi, un des plus grands compositeurs d'opéras, s'était inspiré d'œuvres françaises pour composer deux de ses opéras? L'œuvre de Victor Hugo *Le Roi s'amuse* devient *Rigoletto* et la pièce de Dumas *La Dame aux Camélias* lui inspire *La Traviata*.

Quant aux poèmes chantés, c'est uniquement en Allemagne, avec les 600 lieder de Franz Schubert, que l'on voit ce lien.

Le conférencier nous a fait écouter un lied. Mais les autres extraits qu'il a choisis pour nous ont servi à illustrer les thèmes que l'on trouve en littérature et en musique: un extrait pour illustrer l'*exotisme*, c'était *Carmen* de Bizet. L'auteur de l'histoire est un écrivain français, Mérimée, et l'action se passe en Espagne; le rythme de la danse, le chant des femmes créent une atmosphère exotique. L'autre est un extrait de la *Pastorale* de Beethoven pour illustrer la *nature*. On pouvait entendre le tonnerre, la foudre tomber. Le conférencier a commenté les extraits, ce qui nous a permis de mieux comprendre cette concrétisation des thèmes à travers la musique.

J'ai beaucoup apprécié ce cours et j'ai surtout appris un tas de choses. Tout d'abord parce que ma sœur étudie le violon depuis l'âge de 7 ans et j'ignorais son importance au XIXe siècle. Aussi, j'ai surtout aimé le passage de *Carmen*. Le rythme de cette musique m'a emballée et j'ai très envie de lire la nouvelle de Mérimée et d'écouter tout l'opéra. Je dois quand même avouer que la musique demeure plus abstraite que la littérature pour moi, et c'est bien ce qu'a dit notre invité: «En général la musique est abstraite, elle n'est pas la représentation d'images.»

Les trois textes précédents relatent les mêmes faits, mais illustrent chacun une intention différente. Le premier compte rendu, purement objectif, ne donne pas plus d'importance à une partie qu'à une autre de la conférence. Le second établit et développe les liens entre la musique et la littérature. Enfin, le troisième compte rendu contient une prédisposition positive à l'écoute de la conférence renforcée par une réflexion personnelle.

Exercice 1

Les comptes rendus objectifs

1. Vous êtes allé à un cours auquel votre meilleur ami ne pouvait assister. Faites le compte rendu de ce cours. Vous pouvez vous servir de vos notes, mais vous n'avez que **trois minutes**. Sélectionnez l'essentiel.
2. Vous avez lu une pièce de théâtre et, juste avant que le cours ne commence, un camarade vous demande de lui faire le compte rendu **en moins de trois minutes**.
3. Vous êtes intrigué par l'annonce d'une manifestation (par exemple, une manifestation étudiante en plein centre de la ville). Vous vous y rendez, en tant que spectateur curieux. En rentrant chez vous, vous en faites le compte rendu à votre sœur qui n'a que **trois minutes** à vous accorder.
4. Dans un des cours de votre programme d'études, le professeur vous demande de regarder un documentaire télévisé traitant d'un aspect de la matière qu'il enseigne. Vous devez en faire le compte rendu devant la classe **en quatre minutes**.

Exercice 2

Les comptes rendus comprenant une analyse ou des commentaires

1. Vous avez **cinq minutes** pour présenter le compte rendu d'un débat télévisé que vous avez regardé et écouté avec attention. À la fin, vous devez émettre votre opinion quant à la qualité du débat et des participants.
2. Vous êtes invité à une fête d'anniversaire. Empêché d'y assister, votre ami attend votre retour. Vous lui faites un compte rendu de la soirée en développant l'élément qui vous a paru le plus agréable et en exprimant votre opinion sur cette fête; le tout **en moins de cinq minutes**.

3. Vous êtes allé voir un film dont vous devez faire un compte rendu commenté devant la classe (**10 minutes**). Vous devez:
   a) résumer l'intrigue;
   b) décrire les personnages principaux;
   c) décrire les décors, les effets spéciaux;
   d) analyser la mise en scène;
   e) donner votre opinion sur le jeu des acteurs.

Ce qu'il faut savoir

Le compte rendu oral, contrairement au résumé, varie selon l'*intention* de l'émetteur. Il peut rendre compte *objectivement* de faits lus, regardés, vécus ou entendus. Dans ce cas, le compte rendu s'apparente au résumé tout en obéissant à des règles plus souples. Mais il peut aussi comporter l'analyse d'un aspect essentiel des faits rapportés et inclure l'expression d'un jugement de la part de l'émetteur.

Ainsi, la longueur et le contenu du compte rendu dépendent, d'une part, de l'intention de l'émetteur et, d'autre part, de son public cible. Cependant, tout compte rendu doit partir d'un «document» ou d'une situation dont on rendra compte.

Un compte rendu peut avoir différentes sources.

1. La **lecture** d'une œuvre littéraire ou scientifique; d'un chapitre de manuel; d'une série d'articles.
2. Le **visionnement** d'un film, d'un documentaire, d'une émission télévisée.
3. L'**écoute** d'un cours, d'une conférence, d'un exposé, d'un bulletin de nouvelles ou de toute autre émission radiodiffusée.
4. Une **situation vécue** comme spectateur ou témoin: spectacle, célébration, accident, manifestation.

Dans chacun de ces exercices, l'émetteur peut s'adresser à différents récepteurs et peut aussi bien faire un compte rendu objectif qu'un compte rendu analytique et personnel.

Comment le préparer

- Déterminez la nature du compte rendu
  - objectif,
  - objectif - analytique,
  - objectif - personnel.
- Respectez le temps imparti.
- Utilisez un niveau de langue approprié au public cible.

1. Le compte rendu objectif

a) Reformulez ce que vous avez retenu du «document» (lu, regardé, écouté) ou de la situation (observée).

b) Structurez selon un plan par addition (voir le chapitre 6) les éléments que vous désirez rapporter.

c) Rédigez le plan en y insérant des exemples précis.

d) Démontrez un esprit de synthèse: le temps imparti détermine le degré de détails que vous pouvez rapporter. Par exemple, une minute de plus aurait permis au rapporteur du compte rendu objectif (voir le texte amorce) de nommer les compositeurs et les titres des pièces musicales qu'il a écoutées.

2. **Le compte rendu objectif – analytique**

   Il faut ajouter les éléments suivants.

   a) Le choix de l'élément qui fera l'objet de l'analyse.

   b) Les caractéristiques essentielles de cet élément.
      - Pour une œuvre littéraire: un thème, un personnage...
      - Pour un film: les effets spéciaux, le jeu des acteurs...
      - Pour une conférence: le dynamisme de l'orateur, les liens avec la matière étudiée...
      - Pour une manifestation: le comportement des participants...

3. **Le compte rendu personnalisé**

   L'émetteur donne, en conclusion, son opinion sur l'ensemble ou sur un aspect du sujet, de la situation qu'il rapporte. Il peut aussi inclure des éléments de jugement dès l'introduction.

Comment le présenter

Étant donné que le compte rendu n'est pas strictement un exercice scolaire et qu'on peut y recourir autant dans la vie privée que dans la vie sociale ou professionnelle, dans un contexte de communication bilatérale aussi bien que face à un groupe, nous ne retiendrons ici que quelques recommandations essentielles, applicables à tout compte rendu.

Les éléments du paraverbal (voir les chapitres 4 et 5) s'appliquent ici comme dans toute communication orale, mais l'émetteur doit aussi tenir compte des éléments suivants.

S'exprimer clairement

Le niveau de langue sera plus ou moins soutenu selon le public auquel on s'adresse. Il faut cependant se soucier d'utiliser la terminologie appropriée au «document» ou à la situation rapportés. Si l'on parle d'un film, par exemple, et que l'on veuille rapporter les effets de la mise en scène, le vocabulaire pertinent à ce domaine permettra une communication plus précise, plus exacte.

Suivre un plan logique pour que le récepteur garde de l'intérêt

Dans un compte rendu, il n'est pas absolument nécessaire de respecter l'ordre original des éléments. Prenons l'exemple cité en amorce: il peut sembler important que le conférencier explique en premier lieu les cinq éléments essentiels à une bonne écoute. Mais quand il parle des caractéristiques du romantisme en musique, c'est l'ordre recréé dans la mémoire du récepteur qui importe et structure la logique du compte rendu.

Par ailleurs, on ignore si les extraits musicaux commentés formaient la dernière partie de la conférence ou étaient répartis sur toute sa durée. Et cela importe peu. Ce qui compte, c'est d'en parler plus ou moins en détail, selon le temps imparti.

Maintenir l'attention du récepteur

Un compte rendu objectif de deux à trois minutes risque de ne pas être écouté si l'émetteur *lit* ou *récite* un texte rédigé. Comme nous le verrons dans le chapitre 8 sur l'exposé, il est important de *parler* au récepteur, de démontrer sa compréhension et sa maîtrise du texte ou de la situation rapportés.

Tableau synthèse

Le compte rendu oral est une activité de communication au cours de laquelle l'émetteur rapporte sous forme de synthèse, à un ou plusieurs récepteurs, l'essentiel de ce qu'il a lu, vu, entendu ou dont il a été témoin.

Un compte rendu peut être purement objectif ou inclure un jugement personnel.

Les sources du compte rendu sont:

- la lecture d'une œuvre, d'un chapitre de manuel, d'articles...
- le visionnement d'un film, d'un documentaire, d'une émission télévisée...
- l'écoute d'un cours, d'une conférence, d'un exposé, d'un bulletin de nouvelles...
- une situation vécue comme spectateur ou témoin.

Le récepteur d'un compte rendu peut être unique ou multiple.

Préparation du compte rendu

Le compte rendu objectif peut être enrichi d'éléments analytiques ou d'un jugement personnel.

Le compte rendu objectif

Reformulez le «document» rapporté.

Suivez un plan logique par addition qui peut être différent de celui du texte ou du «document».

Citez des exemples et des anecdotes seulement pour faciliter la compréhension.

Démontrez un esprit de synthèse.

+

Le compte rendu analytique

Choisissez un élément essentiel et développez-le.

+

Le compte rendu personnel

Portez un jugement personnel, émettez une opinion.

Présentation du compte rendu

- Exprimez-vous clairement.
- Gardez un contact visuel avec le récepteur.
- Suivez le plan établi.
- Maintenez l'attention du récepteur.

Exercices bilans

Exercice 1

En vous adressant à vos camarades de programme d'études, en 10 minutes,

- faites le compte rendu oral d'une conférence à laquelle vous avez assisté;
- étudiez particulièrement les qualités d'orateur du conférencier (voir les chapitres 4 et 5 sur la *gestuelle* et la *voix*: niveau de langue utilisé, maîtrise de la matière, enthousiasme face au sujet);
- émettez votre opinion, votre jugement.

Exercice 2

Après avoir présenté votre compte rendu, dites quels aspects de la préparation et de la présentation vous ont semblé les plus difficiles.

Le discours informatif

À l'écrit
Le texte informatif (explicatif)

Comment l'identifier
Comment le rédiger

À l'oral
L'exposé

Comment le préparer
Comment le présenter

Le texte informatif (explicatif)

Texte 1

Les origines de l'homme

En quelle région du globe, s'il n'en est qu'une, l'homme moderne, *homo sapiens sapiens*, est-il apparu? Les progrès de la génétique apporteront peut-être un jour la réponse. Les gènes des représentants actuels d'une espèce vivante permettent de suivre l'évolution «moléculaire» de cette espèce et, ainsi de retracer son histoire. Sous l'œil circonspect mais intéressé des paléontologues, les biologistes moléculaires sont de plus en plus nombreux à emprunter cette voie: celle d'une science qui, actuellement, se cherche encore plus qu'elle ne trouve, mais dont on sait déjà qu'elle détient des vérités d'une précision inégalée.

Ce paradoxe est parfaitement illustré par une récente et rigoureuse étude, publiée par la revue américaine *Science* (datée du 8 mars) et signée par une quinzaine de chercheurs internationaux sous la direction de l'université Yale. Ces travaux, qui tentent de retrouver les origines de l'homme moderne à travers les gènes de nos contemporains, se fondent sur l'analyse comparative d'un fragment du chromosome 12, prélevé sur 1600 personnes issues de 42 populations différentes. De cette comparaison, il ressort que cette séquence génétique présente une grande variabilité chez les populations d'Afrique subsaharienne, une moindre variabilité dans le nord-est de l'Afrique et pratiquement aucune variabilité dans le reste du monde. Comme si de petits groupes humains s'étaient progressivement séparés d'une communauté initiale, perdant du même coup leur diversité biologique...

Ici s'arrête le constat et commencent les spéculations. Celles-ci se résument en une phrase: d'après les auteurs de cette étude, l'origine de notre population mondiale se situe quelque part en Afrique subsaharienne, d'où elle aurait essaimé vers le reste du monde, il y a tout au plus 100 000 ans. Cette interprétation est toutefois loin de convaincre l'ensemble des experts car elle repose sur un certain nombre de «faiblesses» méthodologiques, qu'avaient déjà révélées – sans que l'on puisse y remédier pour autant – les précédentes études menées dans ce domaine.

VINCENT, Catherine, «Les gènes humains mènent tous au continent africain», Montréal, *Le Devoir*, 10 avril 1996, p. B4.

Texte 2

Que sont les parfums?

Produits résultant du mélange en quantités appropriées de substances odoriférantes. Le mot tire son origine de l'expression latine *per fumum* (à travers la fumée). L'art de la parfumerie semble avoir été connu des Chinois, des Hindous, des Égyptiens, des Juifs, des Carthaginois, des Arabes, des Grecs et des Romains. On trouve dans la Bible des allusions à des substances parfumantes et même des formules de parfum.

En parfumerie, les produits de base sont naturels (d'origine animale ou végétale) ou synthétiques. Les essences naturelles, obtenues à partir des plantes, sont le plus souvent extraites par entraînement à la vapeur. Certaines huiles fragiles sont extraites par solvant, procédé plus doux utilisant des dérivés du pétrole. Cette méthode sert également à extraire les cires et les huiles; on obtient ainsi une substance solide appelée essence concrète. Le traitement par une deuxième substance, habituellement l'alcool, conduit à l'huile florale concentrée, appelée extrait. Dans la méthode d'extraction par enfleurage, les pétales sont placés entre des couches de graisse animale purifiée, qui se saturent en huile qu'on extrait par l'alcool. La méthode d'extraction par expression, qui est utilisée pour récupérer les huiles des agrumes à partir des peaux de fruits, va de la méthode traditionnelle à l'éponge jusqu'à la macération mécanique. Les produits chimiques spécifiques qui sont utilisés en parfumerie peuvent être isolés à partir des huiles essentielles, habituellement par distillation; parfois, ils servent à leur tour de base en vue d'obtenir d'autres produits chimiques de parfumerie.

Certaines sécrétions animales contiennent des substances odoriférantes qui augmentent les qualités de diffusion et la persistance des parfums. De telles substances et leurs constituants agissent comme fixateurs en empêchant les composants de parfum les plus volatils de s'évaporer trop rapidement; on les emploie généralement sous la forme de solutions alcooliques. Ces produits comprennent l'ambre gris, extrait du cachalot, le castoréum, du castor, la civette, du chat musqué (civette), et le musc, du chevrotin porte-musc (*Moschus moschiferus*).

On peut obtenir, par synthèse de composés organiques aromatiques, des odeurs caractéristiques allant d'odeurs florales à des odeurs inconnues dans la nature.

Les parfums les plus délicats peuvent contenir plus de cent ingrédients. Chaque parfum est composé d'une note de tête (le *refreshing*, odeur volatile que l'on sent au premier abord), d'une note moyenne, qui donne le caractère complet, et d'une note de base (appelée aussi note finale ou basique), qui est la plus persistante.

Notice «Parfums», Thesaurus-Index, Encyclopædia Universalis.

Texte 3

Le parfum

Au XVIIIe siècle vécut en France un homme qui compta parmi les personnages les plus géniaux et les plus abominables de cette époque qui pourtant ne manqua pas de génies abominables. C'est son histoire qu'il s'agit de raconter ici. Il s'appelait Jean-Baptiste Grenouille et si son nom, à la différence de ceux d'autres scélérats de génie comme par exemple Sade, Saint-Just, Fouché, Bonaparte, etc., est aujourd'hui tombé dans l'oubli, ce n'est assurément pas que Grenouille fût moins bouffi d'orgueil, moins ennemi de l'humanité, moins immoral, en un mot moins impie que ces malfaisants plus illustres, mais c'est que son génie et son unique ambition se bornèrent à un domaine qui ne laisse point de traces dans l'histoire: au royaume évanescent des odeurs.

À l'époque dont nous parlons, il régnait dans les villes une puanteur à peine imaginable pour les modernes que nous sommes. Les rues puaient le fumier, les arrière-cours puaient l'urine, les cages d'escalier puaient le bois moisi et la crotte de rat, les cuisines le chou pourri et la graisse de mouton; les pièces d'habitation mal aérées puaient la poussière renfermée, les chambres à coucher puaient les draps graisseux, les courtepointes moites et le remugle âcre des pots de chambre. Les cheminées crachaient une puanteur de soufre, les tanneries la puanteur de leurs bains corrosifs, et les abattoirs la puanteur du sang caillé. Les gens puaient la sueur et les vêtements non lavés; leurs bouches puaient les dents gâtées, leurs estomacs puaient le jus d'oignons, et leurs corps, dès qu'ils n'étaient plus tout jeunes, puaient le vieux fromage et le lait aigre et les tumeurs éruptives. Les rivières puaient, les places puaient, les églises puaient, cela puait sous les ponts et dans les palais. Le paysan puait comme le prêtre, le compagnon tout comme l'épouse de son maître artisan, la noblesse puait du haut jusqu'en bas, et le roi lui-même puait, il puait comme un fauve, et la reine comme une vieille chèvre, été comme hiver. Car en ce XVIIIe siècle, l'activité délétère des bactéries ne rencontrait encore aucune limite, aussi n'y avait-il aucune activité humaine, qu'elle fût constructive ou destructive, aucune manifestation de la vie en germe ou bien à son déclin, qui ne fût accompagnée de puanteur.

SÜSKIND, Patrick, *Le Parfum*, Paris, © Librairie Arthème Fayard pour la traduction française, 1986, p. 9-10.

Questions

Texte 1

1. Afin de mieux comprendre le sens de ce texte, cherchez dans le dictionnaire la signification des mots soulignés.

   Certains de ces mots relèvent du domaine scientifique. Justifiez leur emploi.

2. Quel événement est à l'origine de la rédaction de ce texte?
3. La première phrase annonce le sujet du texte et l'angle sous lequel il sera traité. Relevez ces deux éléments.
4. Dans un texte informatif, les phrases sont essentiellement déclaratives. Celui-ci contient-il des phrases d'une autre nature? Justifiez-en l'emploi.
5. Dans l'article de la revue *Science,* les auteurs distinguent les données vérifiables de celles qui relèvent de l'hypothèse. Comment Catherine Vincent rapporte-t-elle cette distinction?

Texte 2

1. Ce texte répond à des questions non exprimées.
   a) À quelle question les informations contenues dans le premier paragraphe répondent-elles?
   b) À l'aide du champ lexical dominant, formulez la question à laquelle l'auteur répond au deuxième paragraphe.
   c) Quelles précisions additionnelles contiennent les trois derniers paragraphes?
2. Résumez en trois phrases le contenu informatif de cet extrait.

Texte 3

1. À quelles questions répond la première phrase du texte?
2. Dans ce texte, la succession des temps des verbes principaux est la suivante:
   - 1er paragraphe: passé simple - présent - imparfait - présent.
   - 2e paragraphe: présent - imparfait.

   À partir de quel temps le récit s'organise-t-il? Expliquez l'emploi des autres temps.
3. Bien que ce texte soit de caractère informatif, le narrateur y livre une information teintée de subjectivité. Relevez des termes, des procédés et des figures de style qui en témoignent.
4. Quelle explication le narrateur donne-t-il au phénomène des odeurs qu'il évoque?
5. Résumez en deux courtes phrases l'information structurant cet extrait.
6. Justifiez l'emploi répétitif du verbe *puer.*
7. En comparant cet extrait au précédent (Texte 2), quelle différence notez-vous quant au vocabulaire, à l'emploi des pronoms personnels et des temps verbaux?

I. Identifier un texte informatif

Exercice 1

Le DEC technique: une porte d'entrée sur le marché du travail

Bonne nouvelle pour l'ensemble de la formation technique collégiale: le taux de chômage chez les diplômés a chuté de 6 points en un an. De 16,8 % qu'il était l'année précédente, le taux de chômage chez les diplômés d'un DEC technique de 1993-1994 était de 10,9 % en mars 1995.

Cette performance est excellente si l'on compare les diplômés du secteur technique à l'ensemble des jeunes Québécois de 20 à 24 ans dont le taux de chômage était de 17,9 % au printemps 1995, soit 7 % de plus que chez les nouveaux titulaires du DEC technique.

Les employeurs sont généralement satisfaits des diplômés d'études collégiales en formation technique et valorisent généralement plus le diplôme technique collégial que la formation donnée directement en entreprise. Les employeurs expriment par ailleurs certaines réserves quant à la connaissance écrite de la langue française et la connaissance de l'anglais en général des diplômés sortant des techniques collégiales.

C'est ce qui ressort d'une enquête effectuée par le ministère de l'Éducation auprès des employeurs de diplômés en formation professionnelle, intitulée *La formation technique au collégial: les employeurs se prononcent.* Ce document accompagne un rapport sur la situation des diplômés en techniques collégiales au Québec en mars 1995 intitulé *La relance au collégial.* L'enquête a été effectuée auprès d'environ 7700 diplômés du secteur technique qui ont terminé avec succès un programme d'études collégiales sanctionné par un DEC en 1993-1994. Celle effectuée auprès des employeurs comptait pour sa part 3937 questionnaires, sur lesquels 1393 ont été remplis et retournés au ministère.

MONTPETIT, Caroline, «Le DEC technique — une porte d'entrée sur le marché du travail», Montréal, *Le Devoir*, 14 mai 1996, p. B1.

Questions

1. Justifiez le choix du titre et de la première phrase de cet article.
2. L'information donnée répond à certaines questions. Quelles sont-elles? Quelles sont les autres questions auxquelles l'article ne répond pas?
3. La présentation de l'information est-elle ici factuelle, c'est-à-dire appuyée strictement sur des faits? Expliquez votre réponse.

Exercice 2

La sphère du don entre étrangers: le bénévolat et l'entraide

Comment préciser ce lieu borné par l'État, le marché et la *sphère* domestique? Nous proposons de le définir comme la *sphère* du don entre étrangers. Pourquoi le don? Pourquoi entre étrangers?

Dans la société moderne, les choses *circulent* souvent dans un cadre utilitariste, qu'il soit marchand ou salarial: on offre quelque chose en échange d'une chose équivalente. L'argent est l'unité de mesure de cette équivalence, directement lorsqu'il représente le prix d'un bien ou indirectement quand il est versé en salaire. C'est le rapport salarial qui domine aujourd'hui le mode de dispensation des services soit au sein de l'État, soit dans le cadre du marché. Le rapport salarial constitue le principe qui gère la transaction entre celui qui reçoit et celui qui dispense le service ou vend le bien. Le principe de l'équivalence monétaire est une sorte de contrat obligeant les deux parties. Et la relation qui s'établit entre les deux partenaires est un moyen, un instrument pour obtenir quelque chose: bien ou service.

Le bénévole fait aussi *circuler* quelque chose: bien ou service. Mais il ne reçoit pas d'équivalent monétaire en échange. Il ne le fait en vertu d'aucune obligation contractuelle, mais parce qu'il le veut bien, et par bienveillance pour la personne, au sens où cette dernière n'est pas un moyen pour obtenir un équivalent monétaire. C'est d'ailleurs l'origine du mot bénévole. Inversement, aucune obligation n'est contractée par le receveur à l'égard du bénévole. Par opposition au marché et à l'État, les choses *circulent* dans cette *sphère* en dehors de l'équivalence monétaire et de l'obligation contractuelle. Cette relation libre qui caractérise le *bénévolat* repose sur le principe du don. Sa principale caractéristique est de ne pas supposer un retour équivalent. Non pas qu'il n'y ait pas de retour au sens où le geste posé serait un «sacrifice». Les retours sont au contraire multiples et souvent plus importants que dans le secteur monétaire. «Je reçois plus que je donne» est une des phrases les plus souvent entendues lorsqu'on interroge des bénévoles. Mais les retours ne sont pas voulus comme tels. Ils arrivent par surcroît, et non en vertu d'une obligation contractuelle. Et ils sont souvent de nature différente: reconnaissance, gratifications symboliques de toutes sortes.

Si le principe du don permet de distinguer le *bénévolat* et les groupes d'entraide de la *sphère* marchande et étatique, en quoi cette activité se distingue-t-elle par ailleurs de la *sphère* domestique? Les choses qui *circulent* entre les membres de la famille, entre les amis ne relèvent pas non plus de l'équivalence monétaire. Elles sont régies aussi en grande partie par le principe du don. Mais il existe une différence essentielle entre le *bénévolat* et ce qui *circule* dans cette *sphère* domestique: le *bénévolat* est un don à un étranger. Lorsqu'une femme aide les enfants de sa voisine dans le cadre d'un rapport amical, personne ne dira qu'elle fait du *bénévolat*; et encore moins lorsqu'elle aide ses propres enfants. Le *bénévolat* s'applique au don entre étrangers, hors de la *sphère* des rapports primaires de la famille et de l'amitié. Le *bénévolat* fait circuler des choses entre inconnus, mais sans y appliquer le principe habituel qui régit la circulation des choses entre étrangers dans la société moderne: la recherche de l'équivalence monétaire sous forme de prix ou de salaire. C'est pourquoi nous disons que le *bénévolat* est un don, mais un don entre étrangers. Tout se passe comme si on y appliquait une partie des règles qui régissent la circulation des choses dans la *sphère* domestique, mais en dehors de cette *sphère.*

On pourrait objecter que souvent le *bénévolat* et encore plus l'entraide sont motivés par des raisons utilitaires comme la solution d'un problème personnel, la recherche de prestige et de statut social, ou le besoin de se faire connaître ou d'acquérir une formation en vue d'obtenir ensuite un emploi rémunéré. Ces motivations sont certes présentes chez de nombreux membres de ces groupes. Mais elles n'épuisent pas le phénomène et la plupart des chercheurs constatent la réalité et l'importance fondamentale de ce qu'on appelle la motivation altruiste, en vertu de laquelle la raison d'être d'une action se trouve non pas dans ce qu'elle rapporte à son auteur mais dans ce qu'elle rapporte à la personne à qui elle s'adresse. C'est cet aspect qui définit la spécificité du phénomène par rapport à l'échange marchand, et qui est présent autant dans le *bénévolat* que dans l'entraide.

C'est une forme paradoxale de circulation des choses lorsqu'on l'envisage par référence aux principes de la rationalité utilitariste. C'est pourquoi on a tendance à la considérer comme un résidu de la société traditionnelle. C'est pourquoi aussi on peut s'étonner de son importance et de sa croissance actuelles. C'est pourquoi enfin il s'agit d'un secteur volatil, changeant. L'activité aux frontières de la *sphère* étatique y est particulièrement intense. Plusieurs organismes passent insensiblement d'une *sphère* à l'autre. Régis au départ par le *bénévolat*, ils introduisent le salariat et finissent souvent par s'intégrer tout simplement au secteur public. Ce phénomène a même été considéré par certains comme inéluctable dans la société actuelle.

GODBOUT, Jacques T., dans *Traité des problèmes sociaux*, Québec, Institut québécois de recherche sur la culture, 1994, p. 984-985.

Questions

1. Anthropologue, Jacques T. Godbout emploie un vocabulaire spécialisé qui dénote la rigueur et la clarté de sa pensée. Établissez le sens contextuel des mots suivants, souvent repris dans le texte, et indiquez les expressions qui forment leur champ lexical.

   sphère circule bénévolat

2. Le premier paragraphe comporte des phrases interrogatives qui équivalent à des phrases affirmatives. Que précise l'auteur par ce choix?
3. Les paragraphes 2, 3 et 4 constituent une explication progressive des notions d'échange, de bénévolat et de don. Formulez dans vos propres mots l'essentiel de cette explication.
4. La préoccupation de l'auteur est de donner une explication scientifique au phénomène social qu'il étudie. Dans ce contexte, l'emploi de la première

personne du pluriel (Nous) vous semble-t-il approprié (ligne 2)? Qu'indique un tel choix?

a) Un souci d'objectivité.
b) Une absence de conviction.
c) Un oubli.
Expliquez votre réponse.

Exercice 3

Montréal

La ville de Montréal est née du Saint-Laurent, et plus particulièrement des rapides de Lachine, qui interrompaient toute navigation continue entre la mer et les Grands Lacs. Dans l'évolution du site, ces deux éléments ont toujours joué un rôle déterminant: le premier en offrant un véritable réseau de voies de communication vers l'intérieur avec ses différents affluents, et le second en obligeant les voyageurs à mettre pied à terre. L'histoire de Montréal commence donc bien avant l'arrivée de Paul de Chomedey de Maisonneuve (1612-1676) en mai 1642, et même avant celle de Jacques Cartier (1491-1557) en octobre 1535. C'est à la dernière grande époque de bouleversements géologiques, à la fin du Quaternaire, lors des dernières glaciations, soit il y a environ 70 000 ans, que remontent la formation et la mise en place des particularités et des qualités du site de la ville. Les mouvements des glaciers transforment alors tout le terrain, modelant les paysages, créant les formes qui existent toujours et réorganisant le réseau de drainage. L'être humain n'apparaît sur le territoire qu'après la fonte des glaciers et l'assèchement de la mer de Champlain[1]. Le peuplement de l'Amérique a été influencé par les conditions climatiques qui ont favorisé d'abord l'installation dans les zones les plus chaudes: les premières populations, originaires d'Asie et ayant traversé il y a plusieurs millénaires le détroit de Béring alors exondé, se sont dirigées vers le sud en empruntant une trouée dans les glaciers.

L'implantation dans la partie nord du continent s'est faite progressivement, car les conditions climatiques et les ressources de la chasse et de la pêche n'ont d'abord été propices qu'aux chasseurs nomades. Les Amérindiens et leurs ancêtres, appelés Paléoindiens, occupent le territoire de la vallée du Saint-Laurent de façon continue depuis environ 6 000 à 7 000 ans. Le changement le plus significatif dans leur mode de vie est l'introduction de l'horticulture, aux environs de l'an mil. Avec cette nouvelle connaissance, l'être humain pouvait en partie s'affranchir des résultats toujours aléatoires de la chasse et de la pêche, et conserver des surplus alimentaires pour des périodes assez longues. La production agricole constituait, en outre, une base d'échanges intéressante entre nations amérindiennes, et permettait une certaine sédentarisation, attestée par l'apparition de villages. L'évolution millénaire des civilisations américaines a été sérieusement perturbée à la fin du XVe siècle et durant le XVIe siècle par l'arrivée des Européens. Les effets de ce phénomène ont cependant été moins importants dans le nord de l'Amérique que dans le sud: les contacts y furent plus pacifiques, les nouveaux venus étant moins nombreux et les

1. Formée par la fonte des glaciers il y 12 000 ans environ, elle sera remplacée à partir de l'an 10 000 par le réseau fluvial du Saint-Laurent et de ses affluents.

échanges commerciaux qui s'instauraient reposant sur une collaboration avec les Amérindiens.

ROBERT, Jean-Claude, *Atlas historique de Montréal*, Montréal, Art Global/Libre Expression, 1994, p. 14.

Questions

1. Dans ce texte, beaucoup d'informations ne relèvent pas de la mémoire humaine, mais de la science. Faites la liste des données de nature historique et de celles qui relèvent de la géologie.

   Comment l'auteur assure-t-il leur enchaînement dans le texte?
2. Le recul jusqu'à l'ère quaternaire dans un texte qui traite des fondateurs de Montréal vous semble-t-il
   a) justifié?
   b) secondaire?
   c) inutile?

   Expliquez votre réponse.
3. Un texte informatif ne contient que des affirmations vérifiables. Est-ce le cas pour la phrase de la ligne 9 commençant par: «C'est à la dernière grande époque...»? Expliquez votre réponse.
4. On pourrait modifier la structure de ce texte sans en changer le sens. Réécrivez-le en suivant l'ordre chronologique des faits.

Exercice 4

L'état d'apesanteur ou d'apressanteur

Éliminez subitement la pesanteur, et la navette spatiale qui tourne autour de la Terre s'en éloignera à jamais. Pourtant on se plaît à dire que l'astronaute de cette même navette baigne dans l'état d'apesanteur. Ce paradoxe apparent résulte de l'emploi du même mot, *pesanteur*, pour deux choses bien distinctes.

Dans le dictionnaire, vous ne trouverez pas le mot *pressanteur* (ou *apressanteur*). *Pressanteur* vient de pressant (force *pressante*, participe présent du verbe presser). Ce terme n'apparaît ici que pour mieux distinguer deux états différents (souvent liés indirectement), qu'on qualifie cependant du même nom.

La pesanteur d'une personne est donc la force gravitationnelle que la Terre exerce sur elle et qui la happe. La force gravitationnelle est telle que la personne traverserait la Terre jusqu'en son centre si le sol ne résistait pas.

Toutefois, quand le sol s'interpose à l'action de la pesanteur, une *force pressante* vers le haut est exercée par le sol sur la personne. Il s'agit alors de la *pressanteur*.

[...] La *pressanteur* a d'énormes conséquences sur le plan physiologique. Considérons, par exemple, les jambes d'un individu. Elles sont coincées entre le sol qui résiste et le reste du corps qui les presse à cause de la force gravitationnelle: elles sont prises en sandwich.

Ainsi, le pèse-personne mesure la *pressanteur* et non la pesanteur. Il est pressé de part et d'autre par le sol et la personne. Dans les conditions habituelles (pèse-personne au repos sur la Terre), la force *pressante* est égale à la pesanteur de la personne sur la Terre; le pèse-personne mesure alors indirectement la pesanteur. La chaise qui vous supporte subit la contrainte de votre poids, car votre corps, toujours à cause de la force gravitationnelle, est attiré par le cœur de la Terre. Cette chaise réussit son obstruction et supporte exactement votre poids.

D'autre part, une personne en chute libre voit le sol se rapprocher de plus en plus vite justement à cause de la pesanteur.

Cette personne et le paquet qu'elle porte vont tomber de la même façon, à la même vitesse. L'un ne viendra pas presser l'autre ou vice-versa. La personne ne porte plus le paquet, elle le voisine.

Tous les corps tombent à la même vitesse, quelle que soit leur masse. Deux masses de un kilo de beurre tombent évidemment à la même vitesse. Si vous les laissez tomber côte à côte, il en sera encore ainsi. Si vous les collez, rien ne changera non plus. Donc, un bloc de deux kilos tombe à la même vitesse qu'un bloc de un kilo.

Un individu sur un pèse-personne dans un ascenseur en chute libre (abstraction faite de l'air qui viendrait freiner l'ascenseur) ne presse pas le pèse-personne, et le contraire non plus: les deux sont en chute libre et tombent à la même vitesse. Le pèse-personne n'indique alors plus rien. La *pressanteur* est nulle. C'est l'état d'*apressanteur*, communément et abusivement appelé état d'apesanteur. Le plancher n'exerce plus de *force pressante* sur la personne. Il n'y a plus ni bas ni haut.

Une personne dans une boîte en chute libre n'est pas soumise à la *force pressante* de quoi que ce soit. Le tout tombe à la même vitesse.

Concluons par un dernier exemple. Au décollage, une navette accélère. Le plancher vient presser encore plus les passagers. La *pressanteur* habituelle est triplée. Quand les moteurs sont finalement coupés, la navette et ses passagers tombent à cause de la pesanteur. Il n'y pas plus de *force pressante* exercée entre les passagers et la navette. La *pressanteur* est nulle.

Si la navette avait conservé la trajectoire verticale qu'elle avait prise au décollage, elle retomberait à la verticale, comme l'ascenseur de notre exemple. Cependant, sa trajectoire a été modifiée à mesure qu'elle montait. Elle tombe donc tout en se déplaçant latéralement (par rapport à la verticale). Parce qu'elle est suffisamment haute et que sa vitesse latérale est suffisamment grande, elle tombe continuellement «à côté» de la Terre. Elle est en orbite. Elle est aussi essentiellement en chute libre. L'état d'*apressanteur* existe donc dans la navette.

Le passager et la navette tombent à cause de la pesanteur et, de ce fait, ils ne sont plus soumis à la *pressanteur.*

GIANCOLI, Douglas C., *Physique générale/Mécanique*, Anjou, © Éditions du CEC inc., 1993, p. 150.

Questions

1. L'auteur distingue deux notions et il s'efforce de les bien différencier.
   a) De quelle nature est cette information?
   b) Qu'est-ce qui caractérise sa présentation?
2. Relevez les exemples et précisez les affirmations qu'ils illustrent.
3. L'emploi d'exemples vous semble-t-il indispensable dans un tel contexte?
4. L'exemple de la navette spatiale, présenté en conclusion, est-il plus important que les exemples précédents? Pour quelles raisons?
5. Ce texte informatif est également *explicatif.* Relevez des passages qui illustrent ce dernier aspect.
6. À votre avis, l'auteur s'adresse-t-il à des spécialistes ou au grand public? Précisez votre réponse.

Exercice 5

Christophe Colomb

Christophe Colomb (1451-1506) est celui qui provoque le changement, plutôt qu'il ne l'illustre. De notre point de vue actuel, c'est un homme double, appartenant au passé et annonçant l'avenir. Sans doute que celui qui allait tant contribuer à la naissance du monde moderne ne pouvait pas, déjà, lui appartenir.

La pluralité des motifs qui poussent Colomb à partir en voyage illustre déjà bien l'ambivalence du personnage. La principale force qui le conduit n'a rien de moderne: il s'agit d'un projet religieux. Ce motif est quelque peu dissimulé par le retour obsédant du thème de l'or, symbole des richesses – lequel paraît aux antipodes des aspirations religieuses. Mais c'est une apparence. Colomb parle de l'or, promet d'en trouver, découvre les indices de sa présence, car c'est ce que lui demandent ses interlocuteurs – que ce soient les marins de ses bateaux, les riches armateurs qui financent les expéditions ou les rois catholiques de l'Espagne, Ferdinand et Isabelle. Et il ne se trompe pas dans son appréciation: la preuve en est que, lorsqu'il s'avère que les terres nouvellement découvertes ne recèlent pas de grandes quantités d'or, Colomb tombe en disgrâce.

Le grand motif de Colomb est tout autre: il veut répandre la religion chrétienne partout dans le monde. Il sait, pour l'avoir lu dans Marco Polo, que le Grand Khan, c'est-à-dire l'empereur de la Chine, désire se convertir au christianisme: c'est lui qu'il est parti chercher, par la «voie occidentale», pour l'aider à mettre en œuvre cette sage résolution. Au-delà de ce projet immédiat, s'en profile un autre, plus grandiose encore: Colomb rêve à la reconquête de Jérusalem et espère trouver, grâce à son voyage, les fonds nécessaires pour financer une nouvelle croisade! Il en rapporte le projet dans le Journal de son premier voyage: il espère trouver de l'or, écrit-il, «et cela en telle quantité que les Rois puissent avant trois ans préparer et entreprendre d'aller conquérir la Sainte Maison. Ce fut ainsi que j'ai témoigné à Vos Altesses le désir de voir le bénéfice de ma présente entreprise consacré à la conquête de Jérusalem, ce dont Vos Altesses rirent...». Colomb rappelle le projet au cours de ses voyages suivants, et le lègue même à ses héritiers: ils doivent utiliser l'héritage pour équiper une armée qui s'emparera du Saint-Sépulcre.

Voilà un projet bien anachronique: à la fin du quinzième siècle, personne d'autre ne pense sérieusement aux croisades; on comprend le rire des rois catholiques. [...]

Là où, en revanche, Colomb fait preuve d'un esprit moderne, c'est dans son rapport avec la nature non humaine. Ce qui frappe d'abord, c'est le véritable culte qu'il lui porte: c'est une admiration ininterrompue devant les montagnes et les ruisseaux, les prairies et les arbres, les poissons et les oiseaux. Certes, Colomb a intérêt de présenter ses découvertes sous le meilleur jour possible; mais ses superlatifs dépassent la simple convention, et son comportement s'en ressent: il interrompt le voyage à plusieurs reprises pour mieux admirer la beauté. «Ce lui fut une chose si merveilleuse de voir les arbres et la fraîcheur, l'eau si claire, les oiseaux et la douceur des lieux qu'il dit croire ne vouloir plus partir d'ici.»

Mais Colomb ne se contente pas d'admirer et d'aimer; cette même nature, il sait aussi l'interpréter. C'est ce qui explique ses succès de navigateur: il sait toujours choisir les meilleurs vents et les meilleures voiles; il inaugure la navigation d'après les étoiles et découvre la déclinaison magnétique. Il sait aussi observer les plantes et les animaux, ainsi que les corps célestes – ce qui lui assure un de ses rares succès dans la communication interhumaine. Échoué sur la côte jamaïcaine depuis huit mois, il ne parvient plus à persuader les Indiens de lui apporter gratuitement des vivres. Mais il connaît la date d'une prochaine éclipse de la lune et annonce à ses interlocuteurs qu'il volera l'astre de la nuit à moins qu'ils ne satisfassent ses demandes. Devant le début de réalisation de la menace, les caciques s'exécutent.

TODOROV, Tzvetan, «Voyageurs et indigènes», in *L'Homme de la Renaissance*, ouvrage collectif sous la direction d'Eugenio Garin, Paris, © Éditions du Seuil, 1990, p. 339-340, 342-343.

Questions

1. Relevez dans le texte les éléments d'information d'ordre strictement historique.
2. Étant donné le cadre général défini par l'auteur dans son premier paragraphe, ce texte vous semble-t-il purement informatif? Justifiez votre réponse.
3. De quelle nature sont les citations utilisées par l'auteur? S'agit-il d'exemples? de preuves? Expliquez votre réponse.

Exercice 6

La pension Vauquer

La maison où s'exploite la pension bourgeoise appartient à madame Vauquer. Elle est située dans le bas de la rue Neuve-Sainte-Geneviève, à l'endroit où le terrain s'abaisse vers la rue de l'Arbalète par une pente si brusque et si rude que les chevaux la montent ou la descendent rarement. Cette circonstance est favorable au silence qui règne dans ces rues serrées entre le dôme du Val-de-Grâce et le dôme du Panthéon, deux monuments qui changent les conditions de l'atmosphère en y jetant des tons jaunes, en y assombrissant tout par les teintes sévères que projettent leurs coupoles. Là, les pavés sont secs, les ruisseaux n'ont ni boue ni eau, l'herbe croît le long des murs. L'homme le plus insouciant s'y attriste comme tous les passants, le bruit d'une voiture y devient un événement, les maisons y sont mornes, les murailles y sentent la prison. Un Parisien égaré ne verrait là que des pensions bourgeoises ou des institutions, de la misère ou de l'ennui, de la vieillesse qui meurt, de la joyeuse jeunesse contrainte à travailler. Nul quartier de Paris n'est plus horrible, ni, disons-le, plus inconnu. La rue Neuve-Sainte-Geneviève surtout est comme un cadre de bronze, le seul qui convienne à ce récit, auquel on ne saurait trop préparer l'intelligence par des couleurs brunes, par des idées graves; ainsi que, de marche en marche, le jour diminue et le chant du conducteur se creuse, alors que le voyageur descend aux Catacombes. Comparaison vraie! Qui décidera de ce qui est plus horrible à voir, ou des cœurs desséchés, ou des crânes vides?

La façade de la pension donne sur un jardinet, en sorte que la maison tombe à angle droit sur la rue Neuve-Sainte-Geneviève, où vous la voyez coupée dans sa profondeur. Le long de cette façade, entre la maison et le jardinet, règne un cailloutis en cuvette, large d'une toise, devant lequel est une allée sablée, bordée de géraniums, de lauriers-roses et de grenadiers plantés dans de grands vases en faïence bleue et blanche. On entre dans cette allée par une porte bâtarde, surmontée d'un écriteau sur lequel est écrit: MAISON-VAUQUER, et dessous: *Pension bourgeoise des deux sexes et autres.* Pendant le jour, une porte à claire-voie, armée d'une sonnette criarde, laisse apercevoir au bout du petit pavé, sur le mur opposé à la rue, une arcade peinte en marbre vert par un artiste du quartier. Sous le renfoncement que simule cette peinture, s'élève une statue représentant l'Amour.

BALZAC, Honoré de, *Le Père Goriot* (1835), Paris, Classiques Français, 1995, p. 12-13.

Questions

Dans un roman, on trouve des passages informatifs qui décrivent un lieu, un personnage, une situation... Romancier réaliste, Balzac informe ici ses lecteurs des lieux où se déroule l'action de son roman. Une lecture rapide de cet extrait peut laisser l'impression qu'il cherche à en donner une description objective.

1. Ce texte est-il purement informatif? Comporte-t-il des explications complémentaires?
2. Comment le narrateur manifeste-t-il sa présence?
3. Relevez les phrases qui renvoient à une description objective de la pension.
4. Quelles phrases précisent la situation géographique?
5. Regroupez en catégories les informations contenues dans les autres phrases.

6. Faites la description de la pension Vauquer en ne vous servant que des informations objectives données par Balzac (situation géographique, architecture...).

II. Rédiger un texte informatif

Exercice 7

Rédigez trois textes informatifs, d'une centaine de mots chacun, à partir de trois sujets que vous choisirez parmi les thèmes suivants.

- La conquête de l'espace.
- La révolution informatique.
- La protection de la nature.
- L'égalité des sexes.
- La discrimination positive.

Exercice 8

Vous venez de terminer un ensemble de cours reliés à votre programme de cégep et vous maîtrisez mieux certaines connaissances. Expliquez dans un texte de 250 mots, en termes accessibles à tous, quelques-unes des notions que vous avez acquises. Donnez un titre à votre texte.

Exercice 9

Votre correspondant français aimerait connaître le système scolaire québécois. Il vous demande en particulier ce qu'est un cégep. Pour répondre à sa question, vous lui écrivez en situant l'ordre collégial à l'intérieur du système d'éducation du Québec. Ne rapportez que des faits, non des opinions. (300 mots)

Exercice 10

À l'aide de quelques exemples, établissez la distinction entre les conséquences de la violence physique et celles de la violence morale sur un individu. Vous rédigerez ensuite, pour le journal de votre collège, un texte de 500 mots. Donnez un titre à votre article.

Exercice 11

Rédigez un compte rendu de lecture (d'une œuvre littéraire ou non littéraire) d'un film, d'un spectacle, ou encore d'une visite d'un musée. Ce texte de 750 mots doit demeurer strictement informatif.

Ce qu'il faut savoir

Le texte *informatif* sert à transmettre des faits, des données, de l'information, à communiquer des connaissances de l'auteur sur un sujet. Il correspond chez l'émetteur à l'intention d'informer de manière rigoureuse, concise et claire, sans parti pris. Sur un plan élémentaire, ce sera l'article de presse d'un intérêt pratique et immédiat, lié à l'actualité. Sur un plan plus élaboré, ce sera le reportage, le récit comportant observations et commentaires.

Le texte *explicatif* ajoute des éléments de compréhension à l'information transmise; il correspond chez l'émetteur à l'intention de communiquer non seulement de l'information, mais aussi de fournir les moyens pour bien la comprendre. Voici quelques exemples: textes de manuels, d'encyclopédies, articles de revues spécialisées, études scientifiques ou littéraires.

I. Comment l'identifier

1. **Par l'énonciation:** la troisième personne est ici d'usage courant puisque la fonction référentielle domine (voir le schéma de Jakobson, chapitre 1). L'auteur ne signale pas sa présence, ne porte pas de jugement. En principe, les faits parlent d'eux-mêmes.

   C'est la volonté des puissances européennes de découvrir le monde et d'exploiter ses richesses qui stimule les explorations. Depuis longtemps, l'Europe connaissait les produits de l'Orient, acheminés par la longue route de la soie.

   ROBERT, J.-C., *op. cit.*, p. 14.

   L'emploi du pronom indéfini *on* est fréquent.

   Les choses circulent souvent dans un cadre utilitariste...: on offre une chose en échange d'une chose équivalente.

   GODBOUT, J. T., *op. cit.*, p. 984.

2. **Par la nature des phrases**: elle est généralement déclarative.

   L'île de Montréal est située à quelque 1 500 km de la mer et forme, avec l'île Jésus, le centre d'un archipel contenant plusieurs îles de moindres dimensions. Elle affecte la forme d'un V, ou d'un boomerang, et mesure près de 52 km de long sur 18 km dans sa partie la plus large.

   ROBERT, J.-C., *op. cit.*, p. 16.

   Mais l'emploi de la tournure interrogative permet d'attirer l'attention du lecteur-auditeur.

   Comment préciser ce lieu borné par l'État, le marché et la sphère domestique?

   GODBOUT, J. T., *op. cit.*, p. 984.

   Également, la voix passive (ou la forme pronominale) peut constituer une variante à l'emploi du pronom indéfini *on*.

   L'esprit de l'art, diffus dans des milliers d'individus «indignes» et dénués d'égards pour le moralisme esthétique, grouille d'attentes inconscientes auxquelles il ne sera pas nécessairement répondu.

   VADEBONCŒUR, Pierre, dans *Liberté*, octobre 1995, p. 110.

   On y trouve aussi des présentatifs et des introducteurs.

   Voici deux personnes qui...; c'est Einstein qui *a découvert...*

Le deuxième point, c'est qu'il faut détruire totalement cette idée naïve que la connaissance scientifique est le pur reflet du réel: c'est une activité construite avec tous les ingrédients de l'activité humaine.

MORIN, Edgar, *Science avec conscience*, Paris, © Éditions du Seuil, 1990, p. 55.

3. **Par le vocabulaire:** le sens propre domine (sens dénotatif); on remarque la présence de réseaux lexicaux, l'emploi fréquent de termes spécialisés et de leurs substituts (synonymes, termes analogiques, périphrases ou comparaisons).

Appartenant au genre comique, qui la dépasse, et n'impliquant pas nécessairement le rire, la comédie *s'est peu à peu définie depuis le* XVI*e siècle. Désignant à l'origine le théâtre en général («aller à la comédie» signifiera longtemps «aller au théâtre»), elle se différencie d'abord de la* tragédie *et de la* farce *issues de la tradition médiévale.*

GENGEMBRE, Gérard, dans *Le Misanthrope*, Paris, Classiques Larousse, 1990, p. 14.

4. **Par le temps des verbes:** le présent intemporel propre aux énoncés de portée générale ou soulignant le caractère durable d'un fait y est le plus souvent employé.

[...] Le souvenir, qui n'est qu'une des modalités de la pensée, bien que l'une des plus importantes, est sans ressource hors d'un cadre de référence préétabli, et l'esprit humain n'est qu'en de très rares occasions capable de retenir quelque chose qui n'est lié à rien.

ARENDT, Hannah, *La Crise de la culture*, traduction Patrick Lévy, coll. «Folio», Paris, Gallimard, 1972, p. 14.

5. **Par la structure du texte:** les informations sont classées. Leur hiérarchie est mise en évidence par une structure d'énumération comme l'addition et ses connecteurs logiques (voir le chapitre 6).

II. Comment le rédiger

La marche à suivre pour la rédaction d'un texte informatif correspond à celle qui permet de l'identifier.

1. **Le plan du texte**: le texte informatif est structuré selon le plan *par addition* (voir le chapitre 6).
   a) On introduit d'abord le *sujet* (le *thème*) de l'information et le *point de vue* selon lequel il sera considéré (le *propos*) de manière à susciter l'intérêt du lecteur:
      - soit directement et sans détour par une affirmation:

La note [thème] n'est pas une mesure exacte des compétences [propos].

      - soit par le recours
        – à une tournure interrogative:

En quelle région du globe, s'il n'en est qu'une, l'homme moderne, homo sapiens sapiens, est-il apparu?

VINCENT, C., *op. cit.*, p. B4.

Thème: L'origine géographique de l'humanité.
Propos: Y a-t-il une seule région d'origine?

        – à une hypothèse:

Éliminez subitement la pesanteur et la navette spatiale qui tourne autour de la Terre s'en éloignera à jamais.

Thème: La pesanteur.
Propos: Comment expliquer ce phénomène?

– à une anecdote vécue ou imaginaire:

Marcher à Tokyo, tout seul et tout petit dans la foule, c'est un peu mettre les pieds dans le prochain millénaire.

VILLEDIEU, Y.

Thème: Tokyo.
Propos: Image du futur.

b) On fait ensuite mention des principaux aspects qui seront abordés: une telle annonce des points de développement est nécessaire dans un texte informatif de caractère rigoureux.

L'école nous apparaît souvent comme une institution figée au cœur d'un univers en mouvement. Mais un certain nombre de mutations sociales semblent désormais de nature à remettre en question les systèmes *et les* fonctions *de l'éducation.*

BISAILLON, R.

Il importe de tenir compte de la situation de communication, du public cible. Par exemple, le journaliste peut se permettre dans un article une certaine spontanéité qui serait déplacée dans un travail de recherche.

Bonne nouvelle pour l'ensemble de la formation technique collégiale: le taux de chômage chez les diplômés a chuté de 6 points en un an.

MONTPETIT, C., *op. cit.*, p. B1.

2. **L'énonciation**: la tournure impersonnelle doit être privilégiée.

   Il semble certain que...

   On remarque chez les jeunes écrivains...

   Mais on pourra parfois, dans un article de presse, utiliser la première personne.

   Je me suis rendue à l'endroit désigné... écrira une journaliste.

   Cette personnalisation peut inclure le récepteur (lecteur) avec qui l'on cherchera à créer une certaine connivence par l'emploi des pronoms *nous* et *vous*.

   Nos meilleurs fonctionnaires, ceux qui ne chôment pas, vous les trouverez au bureau de la Sécurité du revenu.

   Toute citation doit être clairement accompagnée d'une référence; on aura soin de ne pas s'approprier l'idée d'un auteur, de ne pas la reprendre à son compte.

3. **La nature des phrases**: la phrase déclarative est dominante. Mais on peut également utiliser des phrases interrogatives, invitant les lecteurs à réfléchir à l'idée présentée.

   Comment préciser ce lieu borné par l'État, le marché et la sphère domestique? Nous proposons de le définir comme la sphère du don entre étrangers. Pourquoi le don? Pourquoi entre étrangers?

   GODBOUT, J. T., *op. cit.*, p. 984.

4. **Le vocabulaire**: il doit refléter le caractère neutre de l'information transmise; le sens propre (sens dénotatif) doit y dominer. Les termes spécialisés seront l'objet d'explications conformément à la nature du public cible auquel le texte s'adresse.

5. **Le temps des verbes**: le présent de l'indicatif est le temps dominant. Des fonctions variées expliquent ici son utilisation.

   Il sert avant tout à exprimer une action présente:

   Il joue avec ses amis,

   mais il traduit aussi une vérité permanente:

La Terre tourne autour du Soleil.

On l'emploie également dans un récit au passé (il s'agit alors du présent historique).

Né à Brest en 1880, Louis Hémon quitte la France après ses études, d'abord pour Londres puis pour le Canada où il meurt à l'âge de 33 ans.

6. **L'intégration** d'éléments d'information de nature documentaire doit être bien dosée; on tiendra compte du thème traité et du récepteur auquel on s'adresse.

   a) Dans un texte qui fait le point sur une question d'actualité (article de presse, reportage, compte rendu), on délimitera les éléments d'information concernant l'événement à partir de réponses à des questions simples:

      1. De quel événement s'agit-il?
      2. Où cela se passe-t-il?
      3. Quelles sont les personnes impliquées?
      4. Comment le sujet ou l'événement est-il généralement perçu?

   Le taux de chômage a diminué en un an de 16,8 % à 10,9 % chez les jeunes qui ont obtenu récemment un diplôme d'études collégiales en formation technique, révèle «La relance au collégial» (Situation au 31 mars 1995), menée par le ministère de l'Éducation. Cette enquête, dont les résultats ont été rendus publics hier, a été effectuée auprès d'environ 7 700 diplômés et diplômées... (Le Devoir, 7 mai 1996, p. A2.)

   b) Pour un type d'information plus spécialisée (c'est-à-dire proposant un éclairage particulier: politique, économique, psychologique, historique ou culturel), il convient de s'appuyer sur des sources sûres et vérifiables. Les affirmations émises doivent être inconstestables, nuancées et accompagnées d'exemples brefs, bien calibrés, qui ne dépassent pas les limites du sujet.

   L'affirmation est péremptoire: «Ce n'est pas un roman que j'écris.»

   MAJOR, Robert, *Jean Rivard ou l'art de réussir*,
   Sainte-Foy, Presses de l'Université Laval, 1991, p. 80.

   c) Enfin, dans le récit de type littéraire, on intégrera soit le discours indirect soit des témoignages ou des citations servant d'exemples ou d'illustrations.

   Le vicomte s'inclina, dit son désir ancien déjà de faire la connaissance de ces dames et se mit à causer avec aisance, en homme comme il faut, ayant vécu.

   MAUPASSANT, Guy de, *Une vie* (1883),
   Paris, Classiques Français, 1995.

   Je citai la phrase de James Joyce qui me tirait toujours d'affaires élégamment quand je ne voulais plus rien savoir: «Pour qu'ils puissent rêver leurs rêves, je draine leurs ruisseaux fangeux.»

   DUCHARME, Réjean, *Les Enfantômes*,
   Paris, Gallimard, 1976, p. 167.

Tableau synthèse

Le *texte informatif* transmet de façon *objective* des faits, des données, des connaissances.

Le texte informatif devient *explicatif* quand il contient des éléments complémentaires qui fournissent au récepteur les moyens nécessaires de bien comprendre le message.

I. On identifie un texte informatif
   - par le système *d'énonciation*: la troisième personne du singulier – le pronom indéfini *on* parfois remplacé par le recours à la voix passive;
   - par la nature des *phrases*: essentiellement déclaratives;
   - par le *vocabulaire*: le sens propre prédomine, on emploie des termes spécialisés;
   - par les temps des *verbes*: le présent de l'indicatif est usuel;
   - par le *plan*: le plan *par addition* avec preuves à l'appui (exemples, statistiques).

II. On rédige un texte informatif en utilisant les éléments nécessaires à son identification. De plus, il est essentiel:
   - de tenir compte du public cible;
   - d'utiliser un vocabulaire adapté à la nature de la communication;
   - d'éviter d'exprimer un point de vue personnel.

Exercices bilans

Exercice 1

«Un immortel chef-d'œuvre»

Établie d'après le manuscrit et accompagnée d'un relevé des principales variantes ainsi que d'un index des personnages et des lieux, la présente édition de *Maria Chapdelaine* permet enfin une lecture intégrale du célèbre récit de Louis Hémon. Après soixante-six ans d'exploitation intempestive de son œuvre, le *survenant* de Péribonka, dont on célèbre cette année le centenaire de la naissance, méritait certainement l'hommage d'être, pour la première fois, entendu suivant le texte qu'il avait vraiment écrit.

Le fait que *Maria Chapdelaine* ait été transmis *censuré* par ses premiers éditeurs serait en soi un fait banal s'il ne confirmait pas le prodigieux détournement de sens qui a longtemps transformé ce conte de neige et d'absence en allégorie triomphaliste. La gloire posthume qui s'attache au nom de Louis Hémon n'aura fait qu'entretenir une série de malentendus dont le premier concerne la lettre de son «récit du Canada français».

Depuis 1966, le manuscrit de «*Maria Chapdelaine, récit du Canada français*» et une copie au carbone sont conservés à l'Université de Montréal, collection de la Bibliothèque. Le texte est dactylographié en bleu, à double interligne, sur un papier plutôt mince dont Hémon n'utilise que le recto. L'ensemble est grossièrement relié par une ficelle qui retient les feuilles par le haut. Des corrections ont été apportées au texte par l'auteur lui-même, au cours de la rédaction et au cours de sa relecture du manuscrit. Dans ce dernier cas, les corrections sont faites à la mine sur l'original et sur la copie. Mineures et relativement rares, elles sont d'ordre stylistique ou concernent la ponctuation: choix d'un terme plus précis: remplacement d'un mot par un équivalent, le mot apparaissant déjà une fois dans le contexte; substitution d'un temps par un autre (le présent au lieu de l'imparfait): insertion de virgules, d'accents, de cédilles, de points d'exclamation.

On sait que *Maria Chapdelaine* a d'abord paru en feuilleton à Paris, du 27 janvier au 19 février 1914, dans le quotidien *Le Temps*. Louis Hémon n'était pas un inconnu des rédacteurs du journal puisque, six ans auparavant, ils avaient publié l'une de ses meilleures nouvelles londoniennes, *Lizzie Blakeston*. L'avis du premier jury de lecteurs qui a recommandé la publication de *Maria Chapdelaine* est passé à l'histoire: «Charmant récit, écrit d'une langue alerte et facile. De l'intérêt, de la grâce. L'auteur décrit avec sympathie la rude existence des paysans canadiens, leur lutte incessante avec les éléments, le froid terrible, la terre hostile, la solitude effrayante des grands bois – les simples événements de leurs vies primitives, joies et douleurs, mariages et deuils». Rien dans cette appréciation à la fois élogieuse et mesurée ne laisse pressentir la future surenchère qui fera de *Maria Chapdelaine* un «immortel chef-d'œuvre» et de Louis Hémon un Racine, un Virgile, un Homère... Mais il est sans doute réconfortant de savoir qu'au départ, dans sa forme originelle, le récit de Hémon avait su parler à ses lecteurs et s'en faire entendre.

DESCHAMPS, Nicole, dans *Maria Chapdelaine*, coll. «Boréal Compact», Montréal, Éditions du Boréal, 1988, p. VII-VIII.

Question

Relevez, en les classant, toutes les caractéristiques qui font de ce texte un texte informatif.

Exercice 2

Dans le récit romanesque, la description des lieux, les notations sur le comportement et la psychologie des personnages contribuent à donner vie et sens à l'histoire. Dans Le Survenant, *Didace Beauchemin accepte qu'un étranger, le* survenant, *habite chez lui, nourri, logé et reçoive «un tant soit peu de tabac». Didace rentre chez lui après une longue journée de labeur.*

La maison des Beauchemin

D'un pas pesant, Didace se dirige vers la maison. Un perron de cinq marches étroites et raides conduisait à la porte d'en avant; mais personne, ni des voisins, ni même de la meilleure parenté, ne l'utilisait, sauf dans les grandes circonstances: pour un baptême, une noce, la mort ou la visite pastorale du curé de Sainte-Anne-de-Sorel. Et encore, quand l'abbé Lebrun s'arrêtait au Chenal du Moine parler de chasse ou de sujets ordinaires avec le père Didace, il se serait bien gardé d'y passer. Aucune allée ne s'y rendait. Même les hautes herbes, l'été, dérobaient la première marche du perron. Tandis qu'un petit chemin de pied, avenant et tout tracé, menait à la porte d'arrière.

Depuis la mort de Mathilde, sa femme, non seulement Didace recherchait les occasions de s'éloigner de la maison, mais il la fuyait, comme si le sol lui eût brûlé les pieds, comme si les choses familières, jadis hors de prix, à ses yeux, s'y fussent ternies et n'eussent plus porté leur valeur. Sans hâte il racla ses bottes au seuil, tout en jetant un coup d'œil à l'intérieur de la maison. Il pouvait voir une bonne partie de la pièce principale, à la fois cuisine et salle. Les rideaux sans apprêt pendaient comme des loques aux fenêtres et dans les deux chambres du bas, la sienne et celle du jeune couple, les lits de plume, autrefois d'une belle apparence bombée, maintenant mollement secoués, s'affaissaient au milieu.

Faible, et d'un naturel craintif, Alphonsine, malgré sa bonne volonté, ne parvenait pas à donner à la maison cet accent de sécurité et de chaude joie, ce pli d'infaillibilité qui fait d'une demeure l'asile unique contre le reste du monde. On eût dit que, sous la main de la bru, non seulement la maison des Beauchemin ne dégageait plus l'ancienne odeur de cèdre et de propreté, mais qu'elle perdait sa vertu chaleureuse.

GUÈVREMONT, Germaine, *Le Survenant*, © 1974 Fides/Succession Germaine Guèvremont, Montréal, Bibliothèque québécoise, 1990, p. 27-28.

Questions

1. Relevez les éléments qui révèlent la subjectivité du narrateur.
2. De quelle nature (nom, adjectif, adverbe...) sont les termes qui traduisent cette subjectivité?
3. Réécrivez le texte en n'utilisant strictement que les éléments d'information objectifs.

Exercice 3

Rédigez un texte pour publication dans le dépliant publicitaire de votre collège en expliquant, à l'intention des nouveaux élèves, la nature de votre programme: les objectifs, les cours à suivre, les possibilités d'emploi au terme des études collégiales. (500 mots)

Exercice 4

1. Vous voulez participer à un échange international avec un étudiant ou une étudiante des États-Unis, de la France ou du Sénégal.

   Votre candidature doit être accompagnée d'un texte présentant votre personnalité, vos goûts culturels, vos loisirs, vos intérêts...

   Ce texte devra convaincre le jury d'accéder à votre demande et lui permettre de vous placer dans un milieu qui vous convienne. (750 mots)
2. Quelle démarche avez-vous suivie pour la rédaction de ce texte?

L'exposé

Exercice académique ou mode de communication dans le monde professionnel, l'**exposé oral** exige une élaboration soignée.

Pour l'exercice qui suit,

- on formera des équipes de 10 élèves;
- on choisira dans chacune d'entre elles un orateur.

Cette personne préparera les étapes suivantes en devoir à la maison:

1. lire plusieurs fois le texte pour se familiariser avec son contenu;
2. faire le plan (qu'elle communiquera à ses auditeurs), en notant les exemples, transitions, anecdotes...
3. lire à nouveau le texte à voix haute pour elle-même.

Ensuite, elle présentera l'exposé au groupe sans recourir au texte.

Après la présentation, les récepteurs-auditeurs répondront aux questions qui suivent le texte ci-dessous.

Exercice

Les écrivains face aux médias

Ce texte, de même que celui de Nathalie Petrowski qu'on lira plus loin, est la transcription d'un exposé présenté lors du colloque de l'Union des écrivains et écrivaines québécois (l'UNEQ) en 1994: «Développement et rayonnement de la littérature québécoise. Un défi pour l'an 2000.»

Arrêtons de nous tirer dans les pieds

À la principale question de cet atelier: «L'écrivain peut-il exprimer ce qu'il a à dire dans les médias?», la réponse est bien simple, c'est non. Non, parce que s'il fallait que les écrivains répondent à toutes les critiques négatives, justifiées ou non, à propos de leurs livres, ils ne s'en sortiraient plus. Les journalistes l'ont compris et c'est depuis belle lurette qu'un écrivain ne réagit plus aux critiques. S'il le fait, la correspondance demeure strictement personnelle alors que la critique sévère, elle, aura été imprimée à 30 000 ou 300 000 copies!

À une certaine époque, lorsqu'un écrivain s'insurgeait, souvent sous le coup naturel de l'émotion, le critique, lui, avait quelques jours pour pondre un cinglant N.D.L.R.* pour le fustiger une dernière fois. L'écrivain n'avait donc jamais le dernier mot.

Évidemment, les journalistes n'apprécient guère ceux qui se rebiffent. On les traite aisément de pisse-vinaigre, d'écorchés vifs, de créateurs susceptibles. Bref, les écrivains sont des êtres immatures qui ne supportent pas la critique. De toute façon, il faudrait se demander si les critiques négatives font autant de mal que les critiques positives font de bien aux auteurs. Les fleurs se fanent très vite, alors que le pot laisse des traces.

Maintenant que les auteurs n'ont plus de tribune, ce sont les éditeurs qui prennent les choses en main et qui, grâce à la publicité, peuvent, dans une cer-

* Note de la rédaction.

taine mesure, essayer de rétablir le rapport de force. On l'a vu récemment avec le livre de Francine Ouellette, *Les Ailes du destin*, alors que l'éditeur a investi plusieurs milliers de beaux billets pour réparer la mauvaise presse qu'il avait eue. On se souvient aussi de l'ironique «Merci Réginald!» de Plume Latraverse. Mais ces cas, où l'art se fait justice, sont rares. La plupart du temps, les éditeurs prennent leur trou comme on dit et encaissent en silence les coups bas.

Par ailleurs, pour être bête, méchant et baveux, j'ai le goût de dire que les journalistes sont une bande de paresseux, de pique-assiette, de téteux de livres, de transcriveux de communiqués, de lecteurs en diagonale et de copieurs de quatrième de couverture, mais ce serait faire de la peine à ceux, nombreux, qui ne le méritent pas. Mais rien n'empêche que j'ai lu bien des fois des recensions bâclées où l'on se contentait de résumer bien chichement, en 15 lignes, parfois moins, ce qu'un écrivain avait mis plusieurs mois à écrire.

Vous voulez des exemples? Il y en a à la tonne.

On résume *Palais d'hiver*, une brique de 446 pages, en 8 lignes et en citant la première phrase du livre: «À plat ventre sur un lit d'aiguilles d'épinette, Yatsenko surveillait silencieusement la clairière.» Très éloquent comme citation et cela donne terriblement le goût de lire le roman! Même chose pour le dernier roman de Chrystine Brouillet, 20 lignes seulement dans le magazine *Voir*. [...]

Aussitôt que Beauchemin ou Tremblay (ce ne sont que des exemples, je n'ai rien contre eux, bien au contraire) sort un livre, on en parle partout, sur le long et sur le large, en laissant peu de place à d'autres romans qui peuvent être aussi éclatants. Mais, au fond, ce n'est pas la faute de Tremblay ou de Beauchemin s'ils font la «*run* de lait» des médias. C'est tant mieux pour eux, car il faut prendre l'adulation quand elle passe, après il sera trop tard. [...]

Je sais aussi pour les connaître et les côtoyer que les journalistes sont débordés par les centaines de livres qu'ils reçoivent durant la forte saison. Mais que font-ils avec tous ces livres qu'ils reçoivent? [...] Je sais également qu'ils sont harcelés par les attachés de presse, qu'ils mangent dans la main de certains éditeurs, je sais aussi qu'ils souffrent du manque d'espace dans leur journal et que trop souvent certains textes restent debout, alors que les éditeurs, eux, manquent d'argent pour acheter de l'espace pour faire connaître les livres dont les journalistes ne parlent pas. [...]

Quant aux revues, elles jouent un beau rôle, mais les critiques paraissent six mois après la sortie de l'ouvrage et les librairies ont eu deux fois le temps de retourner les livres chez l'éditeur.

Mais qu'est-ce que l'écrivain attend des médias?

Que les critiques lisent les livres. Cela peut sembler simpliste, mais ils ne le font pas toujours. Donc, plus de professionnalisme.

Que les éditeurs de journaux, au nom de la culture (on peut rêver), *engagent plus de collaborateurs* et qu'ils accordent plus de place au livre et à la culture québécoise en particulier.

Que les critiques sortent des sentiers battus. Les vedettes, c'est bien beau, mais la relève a aussi quelque chose à dire, sans oublier ceux qui ont écrit sept ou huit livres, dont les œuvres ne méritent pas de rester dans le placard du silence sous le faux prétexte qu'il faut laisser la place à d'autres. Il faut encourager le jeune auteur et être plus féroce avec le vieux loup de la littérature. Donc, être plus vigilant et regarder ce qui se passe et en rendre compte.

Être authentique. Avoir une opinion personnelle et ne pas attendre de lire ce que telle revue ou tel journal a publié.

Cesser d'être colonisé. Arrêter de dérouler le tapis rouge et de sortir la grosse fanfare et les majorettes pour les auteurs étrangers, arrêter de placarder littéralement les premières pages de nos journaux avec leur photo. Qu'on reçoive très convenablement cette belle visite, mais qu'on ne se mette pas à quatre pattes parce que ces auteurs publient chez Galligraseuil. Ce n'est pas *France-Soir* qui va consacrer une page complète à Tremblay, même si on dirait qu'on attend seulement cela au Québec pour consacrer un écrivain.

Une émission de télévision. Nous en avons déjà eu. *Des livres et nous*, avec Roger Baulu. C'était mieux que rien. Une autre avec Claude Jasmin. Mais Bernard Pivot ne s'est pas fait en un jour. Et nous, bande d'impatients, nous n'avons pas pris le temps de donner du temps à Jasmin. Du temps, cela veut dire trois ans, quatre peut-être pour améliorer la formule. Donc, il faudrait que l'institution littéraire, comme on l'appelle si bien, mette sa susceptibilité en veilleuse et qu'elle soutienne courageusement Gaston L'Heureux, un véritable amoureux des livres. C'est sans doute notre dernière chance d'avoir une émission télévisée sur la littérature[1]. Il ne faudrait pas la rater.

En somme, le monde du livre est un monde de chialeux. Tout le monde a une bonne raison de chialer contre tout le monde. L'éditeur contre le libraire qui fait mal son travail en ne tenant pas assez d'ouvrages québécois. L'auteur contre le méchant critique. Le critique contre l'éditeur qui publie trop et pas assez souvent de bons livres. L'éditeur contre l'état subventionneur qui lui abat une taxe meurtrière en plein cœur.

C'est dommage, car tout le monde se bat pour la même cause: le livre. Mais on se tire dans les pieds au lieu de se concerter et d'aligner nos forces et nos motivations. Si la courte échelle a vendu en une seule année plus de 500 000 livres, cela signifie que tout est possible au Québec.

La littérature québécoise existe, c'est merveilleux! Aimons-la et prenons-en soin.

SOULIÈRES, Robert, «Arrêtons de nous tirer dans les pieds», dans *Développement et rayonnement de la littérature québécoise*, Québec, Nuit Blanche Éditeur, 1994, p. 155-159.

1. Malheureusement, depuis la rédaction de ce texte, l'émission *Millefeuille* n'est plus présentée à Radio-Canada.

Questions

1. Comment l'orateur entre-t-il ici en contact avec son public? Quel effet cette façon de faire a-t-elle sur l'auditoire? Pourquoi?
2. À quel public l'orateur s'adresse-t-il?
   a) Au grand public.
   b) À un public cultivé.
   c) À un public restreint de spécialistes.
   Expliquez votre réponse.
3. Qu'est-ce qui accroche le public et suscite son intérêt?

4. Quel est l'objectif de l'orateur?
   a) Donner de l'information.
   b) Donner de l'information et l'expliquer.
   c) Persuader l'auditoire.
   d) Plaire.
5. Reconstituez cet exposé dans ses grandes lignes.
6. Cet exposé vous a-t-il permis de réfléchir sur le métier d'écrivain et sur le rôle des médias de façon nouvelle?

- En vous référant aux caractéristiques de la langue parlée (voir le chapitre 2), précisez si l'exposé de Robert Soulières a été rédigé ou s'il est le produit d'une improvisation.
- L'orateur de votre groupe a-t-il été fidèle au texte original?

Ce qu'il faut savoir

L'exposé est une communication orale où un émetteur s'adresse à un public restreint (de 20 à 70 personnes) pour une durée variant de 3 à 45 minutes.

Ces deux facteurs le distinguent des autres communications du même type (discours politique, religieux, judiciaire...).

La principale caractéristique de l'exposé est essentiellement *l'intention* de l'émetteur. Présenté dans les milieux académique ou professionnel, l'exposé a pour but d'informer de manière objective, d'expliquer, parfois de persuader.

Réussir un exposé exige de prendre le temps nécessaire pour bien le *préparer*, puis de se soucier des conditions qui rendront la *présentation* stimulante et intéressante pour l'auditoire.

I. Comment le préparer

Un exposé dont le sujet n'intéresse pas l'émetteur ne peut être réussi. En premier lieu, la curiosité intellectuelle s'avère indispensable; elle permettra de développer en soi sinon de l'enthousiasme, du moins un intérêt certain pour le sujet.

Les étapes préparatoires:

a) Déterminer son objectif: *informer* ou *persuader* son auditoire.

- *L'information* écrite ou orale sert à transmettre des faits sur le sujet de manière objective. Le choix des informations, des exemples et des preuves doit se faire en fonction du temps alloué et de l'auditoire.
- *La persuasion* a elle aussi pour fonction d'informer, mais les faits et les exemples choisis conduiront le public à modifier son opinion, ou son attitude.

b) Gérer le temps alloué

Le choix de la documentation, des exemples et des illustrations doit être déterminé en fonction de la durée de l'exposé. Une séquence de film de 3 minutes, par exemple, est justifiée dans un exposé de 20 minutes, mais ne l'est pas dans un exposé de 5 minutes.

Il est aussi important de bien évaluer la durée de l'exposé. Rien n'est plus gênant que de n'avoir rien à dire avant la fin du temps imparti. La frustration sera aussi grande quand, bien préparé, l'on ne peut, faute d'avoir mal évalué son temps, livrer le meilleur de l'exposé, qu'on avait gardé pour la fin.

c) Connaître son public

Il faut absolument connaître la composition de l'auditoire pour répondre aux intérêts, aux questions de celui-ci. Savoir d'où l'on part (les connaissances du public sur le sujet) permettra de déterminer jusqu'où on peut aller. «La motivation de l'auditoire, si elle n'est pas acquise, doit se faire au tout début de l'exposé, car elle est préalable à l'énoncé de toute idée du développement.[1]»

Par conséquent, la préparation d'un exposé sur un même sujet sera fort différente selon que l'on s'adresse à un public adolescent ou à des spécialistes. Le choix des informations, du vocabulaire, des exemples et des anecdotes en dépendra.

d) Maîtriser son sujet: *«La règle d'or: Savoir beaucoup, dire peu[2].»*

La maîtrise du sujet se mesure par le choix judicieux de l'information retenue après l'étape de la recherche. Quand on n'est pas expert, on éprouve généralement des difficultés à sélectionner l'information accumulée au cours de sa recherche. Que doit-on retenir? Comment les éléments d'information retenus seront-ils ordonnés?

Deux critères sont à considérer: le *public* à qui l'on s'adresse et le *temps* alloué pour l'exposé. Ces deux facteurs permettront de déterminer la *quantité* d'information à retenir. Par ailleurs, partir de l'essentiel pour compléter ensuite par des éléments secondaires représente la méthode la plus efficace.

Le professionel, quant à lui, devra faire un plus grand effort de synthèse et de sélection. Il en sait en général trop pour son public. Pour maintenir l'intérêt de ses auditeurs, il devra constamment doser la quantité et la complexité de l'information à transmettre.

e) Établir un plan

L'élaboration d'un plan clair permettra aux récepteurs de suivre le déroulement de la pensée de l'émetteur. Ce plan comprendra une *idée maîtresse* (que l'on peut retrouver dans le titre de l'exposé), les *idées directrices* de chacune des parties du développement et les *idées secondaires*. Les transitions favorisant le passage d'une partie à l'autre de l'exposé doivent permettre de récapituler ce qui vient d'être dit et annoncer ce qui va suivre.

Pour un exposé court de moins de 10 minutes, on annoncera les grandes parties dès le début. Pour un exposé plus long, on écrira le plan au tableau ou sur acétate et on s'y référera au moment des transitions.

Les plans d'exposé les plus fréquents sont le plan linéaire et le plan construit autour d'un problème.

1. GIRARD, Francine, *Apprendre à communiquer*, Belœil, La Lignée, 1985, p. 95.
2. BRISSARD, Françoise, *Pour réussir un exposé*, Monaco, Éditions du Rocher, 1991, p. 26

PLANS D'EXPOSÉ	
Plan linéaire	**Plan construit autour d'un problème**
Le sujet *Les antibiotiques sont-ils toujours efficaces?*	**Le sujet** *L'Afrique du Sud est-elle sur le point d'exploser?*
L'introduction L'annonce du plan suit la prise de contact: *Les antibiotiques ont augmenté l'espérance de vie de 10 ans. Mais les bactéries résistent de mieux en mieux. Les laboratoires sont sans cesse obligés d'inventer.*	**L'introduction** On y expose le problème: *Les Noirs, majoritaires, acceptent de moins en moins leur situation. Les Blancs, minoritaires, maintiendront-ils leur pouvoir?*
Le développement I. La puissance de certains virus: montrer ce qu'ils provoquent.	**La solution nº 1** Les Blancs d'un côté, les Noirs de l'autre. – Le régime de l'apartheid. – La répression.
II. La compétition entre les laboratoires.	**La solution nº 2** L'affrontement violent: – des chiffres impressionnants, – les bantoustans.
III. La découverte de familles d'antibiotiques efficaces.	**La solution nº 3** Éviter la violence par le dialogue: – les modifications de la constitution, – l'influence de Mgr Desmond Tutu.
La conclusion Résumé des principaux points. Espoir.	**La conclusion** Elle récapitule et ouvre le débat.

D'après CHARLES, R. et C. WILLIAME,
La Communication orale, Paris, Nathan, 1988, p. 107.

f) Choisir le matériel audiovisuel

Les étapes qui précèdent aideront dans le choix du matériel audiovisuel, dont le rôle est de renforcer les idées en les illustrant. On le choisira de manière à ce qu'il facilite la compréhension de l'information, à ce qu'il la complète en quelque sorte. On s'assurera que la salle où se déroulera l'exposé soit pourvue de prises de courant, de rideaux, d'un écran, etc.

II. Comment le présenter

On portera une attention particulière aux points suivants.

a) Le matériel audiovisuel

Arriver une dizaine de minutes avant la présentation...

* pour s'assurer que les appareils audiovisuels requis sont sur les lieux et en état de fonctionner (projecteur, magnétophone, magnétoscope...);
* pour mettre les cassettes ou vidéocassettes à l'endroit précis qu'on voudra utiliser.

b) Le non-verbal

«Le contenu compte mais ce que voit et entend l'auditoire, c'est d'abord la personne. (...) Il faut qu'il y ait cohérence entre les propos et le comportement non-verbal[3].» Cette cohérence se crée chez l'émetteur par l'attention portée aux différents éléments de la voix et de la gestuelle (voir les chapitres 3 et 4).

3. CHARLES, R. et C. WILLIAME, op. cit., p. 108.

c) Le contact avec le public

L'aisance oratoire du locuteur dépend beaucoup de la qualité de son travail de préparation, mais aussi du contact qu'il saura créer avec le public. Ce contact ne pourra s'établir que si le locuteur «parle» du sujet. *Il ne pourra donc pas réciter ou lire l'exposé*. Cependant, à l'aide du plan, il tentera de maintenir l'intérêt chez ses auditeurs en faisant alterner les idées, les exemples ou les anecdotes.

Il faut également prévoir, pour un exposé de plus de cinq minutes, une période de questions qui sera l'occasion pour le public de mieux comprendre et pour l'émetteur de préciser ses idées.

À la fin de l'exposé, pour permettre à l'auditoire de conserver une trace de l'information présentée, un tableau ou un résumé des idées exposées pourra être distribué.

Tableau synthèse

L'exposé est une communication orale, présentée devant un public restreint. L'exposé peut être d'ordre académique ou professionnel.
La qualité de la *préparation* de l'exposé est essentielle à l'efficacité de la *présentation*. L'exposé n'est ni lu ni récité.

I. **Préparation**
   - Établir l'objectif: informer et expliquer, ou persuader et plaire.
   - Connaître le temps alloué.
   - Connaître son public.
   - Maîtriser son sujet.
   - Établir un plan approprié.
   - Choisir le matériel et l'équipement audiovisuel en fonction du sujet, du temps, du public cible et de la salle.

II. **Présentation**
   - Vérifier le bon fonctionnement de l'équipement audiovisuel.
   - Le locuteur, afin de *se faire écouter*, doit avoir:
     de l'aisance oratoire;
     de l'enthousiasme par rapport au sujet;
     une bonne clarté de voix;
     un contact visuel avec son public.
   - Pour *maintenir l'attention* de l'auditoire, il doit:
     suivre un plan clair et structuré;
     faire des transitions (qui résument l'information);
     partir du simple, du connu pour aller vers le complexe, l'inconnu;
     utiliser des exemples bien choisis.

Exercices bilans

Exercice 1

Les journalistes face aux écrivains et aux livres

Le seul critère, celui de la qualité

Je vais vous raconter un événement qui s'est passé tout récemment au Salon du livre de Québec, à *La bande des six*. Radio-Canada avait décidé de faire les choses en grand, d'envoyer toute *La bande des six* au Salon. Nous devions avoir David Lewitt (*sic*) en entrevue; le thème du salon était la littérature américaine. Nous devions avoir Daniel Pennac en mitraille (c'est quand tout le monde pose des questions). Il était de passage. Nous l'adorons et nous avons déliré sur son livre. Et nous devions faire la critique d'un livre québécois, *Nouvelle-France* de Chrystine Brouillet.

Jusqu'à ce moment-ci tout va bien, on a un Français, un Américain, un Québécois. L'équilibre est respecté, la mentalité de colonisé n'est pas trop évidente. Restait un seul point, c'était la fameuse confrontation. C'est vrai qu'on aurait pu avoir *La Lumière des oiseaux* de Pierre Morency en confrontation, encore qu'il n'y avait pas grand-chose à confronter, c'est un très beau livre. Morency est un très grand poète, que pouvait-on lui dire à part: vous aimez les oiseaux? Restait *La Tuque et le Béret* de Louis Caron, il y avait aussi *Les Ailes du destin* de Francine Ouellette et le dernier Prix Robert-Cliche dont certains disaient qu'il était bon et d'autres pas. Et tout cela finalement nous paraissait un peu terne. Je ne veux pas dire par là que le Québécois remporte la palme du terne. Je veux juste dire que certaines récoltes, certaines saisons littéraires sont moins brillantes que d'autres. Finalement nous avons opté pour Gérald Messadié, un Français, qui venait de sortir *Le Chant des poissons-lunes*, livre un peu terne d'ailleurs et qui nous intéressait plus ou moins. En fait, ce qui nous intéressait c'était l'homme, le philosophe, le gars qui a écrit *L'homme qui devint Dieu* et *Bouillon de culture*; nous voulions parler de culture. Alors, Lewitt n'est pas venu, Pennac est arrivé et Messadié aussi; nous avons eu Brouillet en entrevue, on a critiqué Lewitt. Si on fait le calcul, cela fait deux à un pour les Français par rapport aux Québécois, un à un pour les Américains et les Québécois.

Sitôt l'émission terminée, une femme s'approche de moi, attachée de presse ou éditrice, je ne sais pas, sous couvert d'anonymat, une sorte d'agent double, qui me posa la question classique: pourquoi le tapis rouge aux Français et pourquoi traiter les écrivains québécois comme des sous-tapis? À quoi je répondis que les Français étaient de passage, qu'il était normal, en tout cas dans ma famille à moi, d'être poli avec les invités, et qu'on pourrait toujours de toute façon se rattraper avec les écrivains québécois qui eux étaient de passage très souvent et qui étaient tout le temps disponibles. Sans compter qu'il m'apparaît tout à fait sain, quand on lit à longueur d'année, de sortir un peu de son jardin (on ne peut pas tous être comme Réginald Martel) pour voir ce qui se trame et s'écrit ailleurs, histoire de ne pas vivre en vase clos sur son île déserte et de ne pas participer juste aux grands débats québécois, mais aussi aux grands débats de la planète. Je répondis également à mon interlocutrice qu'à *La bande des six* nous ne faisons pas de ségrégation, ni de racisme, ni de colonisation, ni d'apartheid, que tous les bons livres québécois nous en avions parlé, et d'ailleurs parler est un mot très faible pour décrire le délire quasi apocalyptique que nous avons collectivement éprouvé pour Jean O'Neil, Christian Mistral, Louis Hamelin, Francine d'Amour, Flora Balzano, Suzanne Jacob, Anne Dandurand, Francine Noël et combien d'autres. Et il est vrai que nous avons un peu moins aimé les écrits de Denise Bombardier, que nous avons préféré nous abstenir de parler des *Ailes du destin* de Francine Ouellette, par politesse parce que nous avions descendu celle-ci pour *Sir Gaby du lac* je pense, alors pourquoi récidiver? Il est vrai aussi que nous avons négligé certains romans québécois, que nous n'en avons en fait jamais parlé et que nous n'en parlerons probablement jamais tout simplement parce qu'ils n'étaient pas bons, voire parce qu'ils étaient pourris, parce qu'ils avaient été à peine corrigés, à peine réécrits, à peine retravaillés, parce que les écrivains et ceux qui prétendent l'être refusent de remettre leur ouvrage cent fois sur le métier, parce que de toute façon ils n'ont qu'à aller dans une autre maison d'édition pour être publiés, parce que les éditeurs sont subventionnés pour les publier et que moins ils vendent, plus gros sera leur déficit et plus grosse la subvention, parce qu'ils font partie d'un fonds de commerce et d'un fonds de roulement et que, finalement, tout le monde se fout qu'ils vendent ou pas, qu'ils soient bons ou pas.

Le problème, ce ne sont pas les médias, c'est l'édition québécoise qui plus souvent qu'autrement publie n'importe quoi et surtout publie beaucoup trop de livres pour le petit pays que nous ne sommes pas encore. Il y en aura toujours pour dire que, malgré tout, le phénomène existe, qu'il n'y a donc pas assez de place pour la littérature dans les journaux, qu'il n'y a pas assez d'émissions littéraires à la radio et qu'il n'y a pas assez d'*Apostrophes* à la télévision. Il n'y a pas assez de pages dans les journaux, c'est vrai, en même temps c'est complètement faux dans la mesure où il n'y a pas que la littérature qui en souffre mais toute la culture au complet. Et si on produit une émission littéraire, il va falloir aussi produire une émission sur le cinéma, une sur la danse, une sur les arts visuels tant qu'à y être. Je ne vois pas pourquoi les littéraires devraient avoir une sorte de traitement de faveur alors que les danseurs, les peintres, les sculpteurs, les compositeurs de musique concrète, les siffleurs professionnels seraient laissés pour compte. Et j'imagine un peu que c'est ce que disent les diffuseurs – et je parle de télévision –, à moins qu'ils jugent qu'il n'y a pas au Québec suffisamment d'écrivains qui soient à la fois articulés, vivants, intéressants et télégéniques pour remplir trente-neuf semaines d'émission par année.

Tout cela pour dire qu'il n'y pas de complot médiatique contre les écrivains québécois, que lorsque ceux-ci produisent des grandes œuvres ou même des œuvres moyennes, intéressantes, nous sommes toujours là pour les applaudir, pour leur braquer un micro. Et quand de surcroît ces écrivains ont une personnalité médiatique, quand ils sont connus, quand ils ont un nom, quand ils ont fait leurs preuves, eh bien, ils vont faire ce qu'on appelle en télévision la «*run* de lait», comme Roch Voisine, même plus dans la mesure où ils seront autant à MusiquePlus qu'au FM de Radio-Canada, autant à *Midis fous* de CKOI qu'au canal communautaire.

On ne peut pas tout demander aux médias. Les médias sont une courroie de transmission, un haut-parleur, une vitrine; ils influencent la rumeur publique, mais ils sont aussi influencés par elle, ils peuvent faire vendre des livres comme ils peuvent aussi aider à les faire rester sur les tablettes. Ce sont en quelque sorte des contrôleurs de qualité. Mais si la qualité n'est pas là, ne leur demandez pas de l'inventer, ne leur demandez pas non plus de choisir entre un Prix Goncourt et le roman de Jos ou Joséphine Tremblay dont c'est le premier roman et peut-être le dernier; c'est évident qu'ils vont choisir le Goncourt. Et de la même manière, ne leur demandez pas de choisir un roman sur l'unique critère de sa nationalité, c'est-à-dire parce qu'il est québécois, parce qu'il faut qu'on encourage la littérature québécoise, parce qu'elle est menacée, parce qu'on est juste six millions, parce qu'on est né pour un petit pain et tout cela, car je trouve que ce serait faire un tort immense à la littérature québécoise, que ce serait faire preuve de mépris et de condescendance totale.

Le seul critère qui compte est la qualité. Et même si c'est un critère éminemment subjectif, il reste que la qualité existe. Il y a des écrits. Il y en a qui sont écrivains et d'autres qui ne le sont pas. Entre un bon et un mauvais roman, les médias vont choisir le bon, qu'il soit québécois, français, américain ou serbo-croate, pas parce qu'ils sont colonisés, mais parce que tant qu'à être obligé de lire, aussi bien le faire en agréable compagnie. Alors, mon conseil pour justement essayer d'enrayer cette espèce d'esprit de colonisé qui soi-disant nous anime, c'est écrivons les meilleurs romans, livres, essais, recueils au monde, et tôt ou tard tout le monde s'en rendra compte et tout le monde nous lira. Puis, on aura tout l'espace qu'on désire.

PETROWSKI, Nathalie, «Le seul critère, celui de la qualité»,
dans *Développement et rayonnement de la littérature québécoise*,
Québec, Nuit Blanche Éditeur, 1994, p. 165-168.

Questions

1. Le titre indique-t-il si l'exposé sera de type informatif ou persuasif? Expliquez votre réponse.
2. À quoi sert l'exemple de l'émission «La bande des six», au début de l'exposé?
3. Pourquoi la journaliste rapporte-t-elle l'anecdote qui a suivi l'émission?

   Quel lien y a-t-il entre le sujet et la question posée?
4. Relevez dans cet exposé des marques de la langue parlée.
5. Après avoir lu cet exposé, pouvez-vous dire quelles informations Nathalie Petrowski vous a communiquées? La journaliste a-t-elle essayé de vous persuader? Si oui, de quoi et comment?

Exercice 2

Vous devez présenter aux élèves de cinquième secondaire de l'école que vous avez fréquentée un exposé sur votre programme d'études au cégep. Votre intervention durera trois minutes.

Faites vos recherches et établissez votre plan. Présentez ensuite votre exposé en classe.

Exercice 3

Vous devez remettre à votre professeur les étapes de préparation d'un exposé de 15 minutes. Faites-le à partir de l'un des sujets suivants.

- Les adolescents et la télévision.
- Le rôle de la publicité dans notre vie quotidienne.
- L'éducation physique et la réussite scolaire.

Exercice 4

On vous demande de faire un exposé de cinq minutes sur les dangers du tabac. Votre public:

- des enfants de 10 ans;
- vos camarades de classe;
- un groupe de futures mères.

Quelles étapes devez-vous suivre dans votre préparation? Présentez deux de ces exposés.

Exercice 5

En 10 minutes, persuadez votre auditoire d'adopter l'un des comportements suivants.

- Ne jamais conduire une automobile ou tout autre véhicule après avoir consommé de l'alcool.
- Faire du bénévolat.
- Poursuivre des études universitaires.

Comment allez-vous procéder?

Vous devrez présenter cet exposé en classe.

Exercice 6

Dans la préparation et la présentation de vos exposés, quelles étapes vous ont paru les plus faciles à réaliser? Lesquelles ont suscité le plus de difficultés?

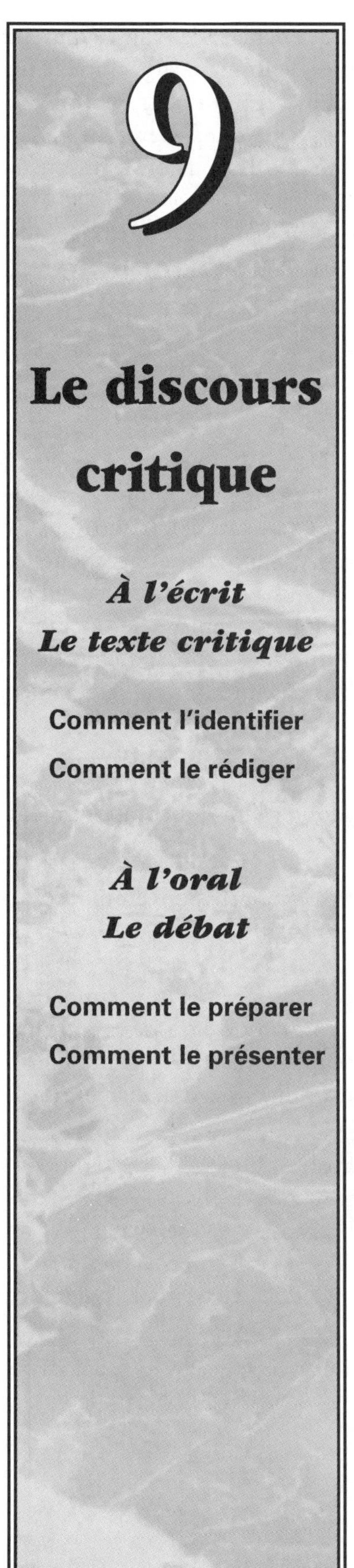

Le texte critique

Texte 1

Au seuil de ce qu'on appelle orgueilleusement «l'Ère atomique», la superstition n'est pas morte: elle est, même, plus triomphante que jamais! Déjà en 1913, Alain[1] se référant à Auguste Comte[2] soulignait «nous sommes fétichistes, et nous le serons toujours».

De nos jours, les psychologues affirment même la réelle utilité de la superstition, qui «serait en tout cas le moins coûteux des tranquillisants et le meilleur des remèdes contre nos petites peurs et angoisses». Pour le Dr François Lelord, psychiatre, «c'est vrai que la superstition donne l'illusion à l'individu de maîtriser ou de contrôler des événements sur lesquels il n'a pas de prise. C'est une sorte de tranquillisant à bon marché. Toucher du bois ou ne pas éternuer en laçant ses chaussures sont des actes pour conjurer le mauvais sort. De même qu'une patte de lapin dans la poche le rassure à peu de frais...» Toujours pour le Dr Lelord, «d'un point de vue psychiatrique, je dirais que la superstition n'est pas forcément inutile puisqu'elle permet à tout un chacun d'atténuer son anxiété. Elle a un effet placebo évident. C'est un peu l'équivalent de la «pensée magique» chez les enfants. Beaucoup d'entre eux s'inventent ainsi de multiples petits rituels pour mieux affronter le quotidien et se donner l'illusion de contrôler la réalité». Balzac n'affirmait-il pas qu'«un homme n'est pas tout à fait misérable quand il est superstitieux. Une superstition vaut une espérance.»

Sigmund Freud, qui était lui-même superstitieux et qui s'intéressa au diable, aux sorcières, aux phénomènes de possession et d'incubat – son adage favori semble avoir été: «Il y a plus de choses au ciel et sur la terre que n'en rêve votre philosophie» – assimile dans *Psychopathologie de la vie quotidienne* la croyance aux présages aux actes manqués: «C'est l'ignorance consciente et la connaissance inconsciente de la motivation des hasards psychiques qui forment une des racines psychiques de la superstition. C'est parce que le superstitieux ne sait rien de la motivation de ses propres actions accidentelles et parce que cette motivation cherche à s'imposer à sa reconnaissance qu'il est obligé de la déplacer en la situant dans un monde extérieur.» Si l'on admet cette théorie, «le Romain superstitieux qui renonce à un projet parce qu'en sortant de chez lui pour aller le réaliser il trébuche sur le seuil se montre meilleur psychologue que l'incrédule: car ce «présage», qui est un acte manqué, témoigne de son désir inconscient que ce projet n'aboutisse pas».

1. Philosophe et essayiste français (1868-1951).

2. Philosophe français (1798-1857).

MOZZANI, Éloïse, *Le Livre des Superstitions*, coll. «Bouquins», Paris, Éditions Robert Laffont, 1995, p. XX-XXI.

Texte 2

Kasparov contre quoi? Contre qui?

La victoire de Garry Kasparov sur l'ordinateur Deep Blue a été vécue par certains comme une *«grande victoire de l'esprit humain»*. L'équipe d'informaticiens qui a conçu son adversaire était-elle composée de brutes? Une vision plus sereine oppose au champion humain d'autres humains, des chercheurs en l'occurrence, qui ont tout de même sérieusement mis à contribution ce qui fait l'apanage de l'être humain pour inventer ce délicat assemblage de silicium et de logiciel qui, pour la première fois de l'histoire des échecs, a ébranlé un champion du monde en titre. Ne serait-il pas juste de présumer que si génie il y avait, celui-ci était réparti des deux côtés de l'échiquier?

Lorsque l'inéluctable arrivera, lorsqu'un fils de Deep Blue battra pour de bon, dans cinq ou vingt ans, Kasparov ou son émule, que dira-t-on? Que le génie humain est vaincu? Ce jour-là, nous sablerons le champagne. En pensant à tous ces brillants esprits qui ont fait avancer la science des machines.

D'aucuns ont cru devoir stigmatiser la manière grossière employée par Deep Blue pour choisir ses coups: *«Il calcule bêtement tous les coups possibles, par milliards, alors que Kasparov, lui, voit immédiatement les quelques séquences plausibles»*. En réalité, les logiciels de jeu d'échecs n'étudient plus depuis belle lurette tous les coups légaux, mais savent en éliminer une énorme proportion. Deep Blue en étudie des milliards, mais parce que c'est encore la manière la plus efficace que l'on connaisse pour gagner aux échecs sur une machine.

Et puis il est un peu simpliste d'opposer le caractère répétitif de la méthode Deep Blue à l'approche de l'humain capable de reconnaître d'un coup d'œil la valeur d'une situation. Dans la boîte crânienne de Garry Kasparov, que voyons-nous? Des troupeaux de neurones, organisés en de vastes réseaux géométriques. Des millions de cellules affairées collectivement à comparer la situation présente à des milliers d'échiquiers déjà vus, stockés dans les mémoires du champion. Vous avez dit répétitif?

«Kasparov contre quoi? Contre qui?», Paris, *La Recherche*, n° 286, avril 1996, p. 5.

Questions

Texte 1

1. La première phrase du texte est un énoncé qui pourrait indifféremment donner lieu à un développement informatif ou critique. Quel est le premier indice de son orientation critique?
2. Identifiez le champ lexical dominant dans le texte et relevez trois exemples qui lui sont associés.
3. La référence: «Alain se référant à Auguste Comte» (1er paragraphe) a-t-elle la même valeur que les citations du Dr Lelord, de Balzac et de Freud? Expliquez votre réponse.

Texte 2

1. Dans sa première phrase, l'auteur semble faire l'éloge du génie de Kasparov. Quel est l'élément qui vous permet de penser que ce n'est pas tout à fait le cas?
2. La deuxième phrase est-elle une véritable interrogation? Pourquoi?
3. La troisième phrase commence par l'expression: «Une vision plus sereine...» et la quatrième par «Ne serait-il pas...» À qui appartient cette vision plus sereine et plus juste, à votre avis? Qu'est-ce que ces expressions indiquent par rapport à l'énonciation?
4. Relevez la phrase du texte qui exprime l'argument rejeté par l'auteur.
5. Trouvez la phrase du texte qui indique que le succès de Deep Blue est aussi le succès de l'homme.

Exercice 1

En finir avec l'évaluation qui envahit tout, est-ce si simple?

La note n'est pas une mesure exacte des compétences et elle ne donne que très peu d'information sur les acquis réels des élèves, parce que sa principale fonction est de situer dans une hiérarchie d'excellence. Est-il encore nécessaire d'en faire la démonstration? La critique s'étend à toute forme d'évaluation comparative qui, plutôt que de cerner ce que maîtrise chacun, se demande s'il en sait plus ou moins que son voisin. Tous les mouvements pédagogiques, tous les chercheurs, tous les militants qui luttent contre l'échec scolaire, plaident pour une pédagogie différenciée fondée sur une évaluation formative (ou formatrice), qui aide l'élève à apprendre et le maître à enseigner. Pourquoi n'est-ce pas aussi simple?

D'abord parce que la fabrication de hiérarchies d'excellence est un trait de notre culture que la compétition scolaire renforce, mais n'invente pas à elle seule. Dans le domaine des arts, des sports, des loisirs, de la consommation, de la séduction, de la politique et du travail, la compétition est omniprésente. Tous ceux qui croient avoir quelques chances de figurer parmi les meilleurs ou simplement d'être honorablement classés déploient des stratégies de placement et de distinction. On voit mal comment l'école pourrait s'affranchir de ces jeux, qui participent, du moins pour les plus favorisés, du sel de la vie.

Dans son film «*L'Armée des ombres*», Melville met en scène des détenus placés dans le champ de tir des mitrailleuses allemandes et auxquels l'officier intime l'ordre de courir, suscitant chez chacun l'espoir vain, mais irrépressible, de «sauver sa peau». Le résistant incarné par Lino Ventura refuse d'abord ce jeu truqué et cruel, et reste immobile. Puis il craque et se met à son tour à courir. En moins dramatique, la compétition scolaire est assez semblable: comment ne pas courir lorsque tous les autres courent? Rester sur place, n'est-ce pas la certitude d'être perdant, alors que ceux qui courent imaginent avoir une chance de s'en sortir? Le piège scolaire se referme sur chacun. Seule une concertation de tous pourrait changer les règles du jeu. Aussi longtemps qu'elles sont ce qu'elles sont, chacun a de bonnes raisons de courir, pour que le pire ne soit pas certain. Les parents qui osent aujourd'hui refuser la course aux diplômes font preuve d'une indépendance ou d'une marginalité peu communes... Le fait que les diplômes soient de moins en moins garants de la réussite sociale ou même de l'emploi n'y change rien, car l'absence de diplôme est réputée vouer à coup sûr au chômage et à la galère. Cette course surdétermine toutes les pédagogies. Si l'école renonçait aux classements, les élèves et les parents en demanderaient, tôt ou tard. Peut-être s'en passeraient-ils durant les premières années de scolarité, mais aux approches du secondaire, lorsque les choses sérieuses s'annoncent, la pression deviendrait très forte: de l'école, on attend des **atouts** dans une compétition que l'institution scolaire ne peut abolir, qui se développe à ses portes, sur le marché du travail ou à l'entrée des universités, quand l'évaluation scolaire n'a pas déjà fabriqué de premières hiérarchies.

Ces valeurs sont partagées par une partie des enseignants et des responsables scolaires. Aux convictions idéologiques d'un certain nombre, s'ajoutent les intérêts plus pragmatiques d'une majorité de professeurs. Chevallard a montré comment un enseignant du second degré pouvait se servir de la notation comme un cavalier de ses éperons, pour obtenir un travail scolaire régulier. Lorsqu'il y a relâchement de l'effort, l'évaluation est un message de mise en garde: «*Continuez de cette façon et l'échec vous attend!*». Lorsque l'effort est suffisant, la notation se fait plus douce, jusqu'à la prochaine régulation... Plus subtilement, l'évaluation sert à maintenir les élèves sous pression. D'interrogations orales en épreuves écrites, l'année passe, sans qu'ils aient le temps de relever la tête et de se demander le sens de tout ce travail. De la sorte, le travail d'évaluation occupe facilement 30 % à 40 % du temps de classe, beaucoup trop en regard des apprentissages visés.

Pour une partie des professeurs, enfin, l'évaluation est plus qu'un instrument de régulation du travail scolaire; c'est une façon de maintenir l'ordre, de «tenir» les élèves. Lorsqu'on en est réduit à la stratégie de la carotte et du bâton, les notes sont des récompenses et des sanctions irremplaçables. Avec les menaces de retenue, de punition ou d'exclusion, la menace de notes catastrophiques (donc d'un échec, d'un redoublement, d'une orientation défavorable) fait partie de l'arsenal répressif. Les enjeux sont différents. Les parents blâment leurs enfants s'ils sont grondés, punis, «collés». Ils ne s'inquiètent vraiment que lorsque la répression fait baisser les moyennes: l'avenir paraît alors se jouer!

On reproche souvent aux élèves de «ne travailler que pour la note». Peut-être est-ce la rançon d'une pédagogie dont la note est le seul véritable moteur, faute d'avoir su instaurer un rapport désintéressé au savoir et donner du sens au travail scolaire autrement que par la réussite qu'il promet, que les bonnes notes concrétisent. En finir avec l'évaluation qui envahit tout, ce n'est pas simple, parce que cela passe par une adhésion véritable et cohérente aux pédagogies actives et coopératives, aux démarches de projets, au travail sur le sens. L'omniprésence de la notation fait partie du métier d'élève tel qu'il est classiquement défini. Changer l'évaluation, c'est changer ce métier, le contrat didactique, la relation pédagogique, la gestion de classe, donc en fin de compte le métier d'enseignant.

Actes du colloque des cinquante ans des Cahiers pédagogiques, «Des idées positives pour l'école de demain», cité dans PERRENOUD, Philippe, «En finir avec les vieux démons de l'école, est-ce si simple?», Montréal, *Pédagogie collégiale*, vol. 9, nº 3, mars 1996, p. 5-6.

Questions

1. Clairement formulée dans les deux premières phrases, l'intention de l'auteur est de critiquer le rôle de l'évaluation scolaire traditionnelle qui situe les élèves dans une hiérarchie d'excellence. L'affirmation de la quatrième phrase: «Tous les mouvements pédagogiques...» est-elle
   - un argument;
   - une preuve;
   - une généralité?
2. À quoi se résume l'argument du deuxième paragraphe?
3. Dans le contexte, l'épisode tiré du film de Melville sert-il d'illustration ou de preuve? Précisez votre réponse.
4. Quelle est la nature du plan de ce texte? Identifiez les différentes parties et précisez les termes qui les introduisent.
5. Cette critique de l'évaluation scolaire est-elle basée sur des faits vérifiés? Expliquez votre réponse.

Exercice 2

Décloisonner la science

L'humanité aura, au 21e siècle, la possibilité de réaliser une ambition aux implications autant morales que techniques: parvenir à une vision globale de notre planète. Dès à présent, les techniques de communication, de transport, d'observation par satellite rapprochent les différentes parties du globe: tout laisse à penser que l'importance qu'auront à l'avenir les isolats politiques et culturels s'en trouvera fortement réduite.

Pourtant, cette vision planétaire que permettront les progrès des sciences et des techniques soulève un problème de principe, de nature presque philosophique: si l'on n'assigne pas à la science une mission très élevée, si l'on se borne à fabriquer une science utilitaire, on ne parviendra pas à surmonter un conflit culturel majeur que l'on a vu se développer à la fin de ce siècle et qui est beaucoup plus grave qu'on ne le pense habituellement.

Les sciences et les techniques ne s'imposent plus à la communauté des hommes avec la même évidence qu'au 19e siècle. Avant les grands conflits que nous avons connus, le monde attendait de la science la solution à la plupart des problèmes humains et planétaires. La guerre a montré que la science n'avait pas fait changer les mentalités et que la barbarie était toujours sous-jacente. Actuellement, le débat sur l'écologie, ou celui sur la bioéthique, sont également significatifs d'un certain déphasage culturel entre science et société. La science s'est trouvée non seulement en porte à faux par rapport au mouvement écologique, mais elle a même été mise en accusation. Il y a donc une sorte de désenchantement. Pour en sortir, il faut dès à présent replacer la science dans un contexte culturel beaucoup plus large.

Or l'un des principaux dangers qui menacent l'enseignement des sciences réside dans l'excessive spécialisation des disciplines, laquelle est certes nécessaire pour mieux former des ingénieurs et des techniciens, mais risque d'éloigner la science du grand public, en renforçant la barrière des langages et en soulevant, de plus, un grave problème d'«acceptabilité» sociale. Il apparaît d'ores et déjà que les progrès de la recherche en biologie seront freinés par des raisons plus éthiques et culturelles qu'économiques.

L'excès de spécialisation peut également conduire à une forme d'«inculture». Les scientifiques doivent apprendre à respecter et à pratiquer d'autres formes de communication et de langage. Réciproquement, le rejet de la science, sous le prétexte de revenir à une naturalisme humanitaire, serait extrêmement dangereux. *La science est partie intégrante de la culture.* Sa pratique devrait naturellement conduire à l'idée d'une solidarité internationale et à la tolérance.

La pédagogie, aujourd'hui trop figée, est à revoir, en particulier celle des livres. On enseigne la physique dans les traités de physique et la biologie dans des traités de biologie, alors que l'enseignement des sciences devrait avoir un caractère beaucoup plus transversal. Pourquoi, lorsqu'on enseigne la biologie moléculaire, ne fait-on pas allusion aux problèmes de physique sous-jacents? Quand on parle de biologie, ne peut-on pas évoquer les questions d'éthique qui vont immédiatement se poser?

Il conviendrait donc de prendre le problème d'une façon à la fois globale et spécifique, en respectant les cultures de chaque pays et en observant la science dans sa dimension universelle. C'est le seul moyen d'éviter un morcellement des savoirs, à tous égards néfaste. Il faudra également trouver des modes de pédagogie qui intègrent la formation scientifique à des formations d'un autre ordre – littéraire, artistique, politique, ou même économique –, afin que le citoyen du 21e siècle considère, avant tout, la science comme une alliée dans ce qu'il souhaite entreprendre, pour le bien de son pays ou de la civilisation dans son ensemble.

GROS, François, «Décloisonner la science»,
Paris, *Le Courrier de l'Unesco*, avril 1996, p. 17-20.

Questions

1. L'auteur développe ici une idée en se servant des étapes d'un raisonnement analytique. Repérez les différentes étapes et rédigez en un paragraphe la thèse de l'auteur.
2. Les verbes d'opinion sont absents de ce texte, bien que l'auteur y exprime des jugements. Donnez des exemples de cette situation.
3. L'auteur propose une solution au problème qu'il soulève. Laquelle? Comment le vocabulaire permet-il de reconnaître les deux voies proposées?

Exercice 3

Dans cette lettre philosophique, Voltaire se fait le défenseur de la philosophie de Locke qu'il place bien au-dessus de celle de Descartes. En effet, ce philosophe anglais s'en tient à l'expérience et se détourne des systèmes métaphysiques. Ainsi, il infirme la théorie cartésienne des idées innées et établit «que toutes nos idées nous viennent des sens».

Le superstitieux vient à son tour, et dit qu'il faut brûler, pour le bien de leurs âmes, ceux qui soupçonnent qu'on peut penser avec la seule aide du corps. Mais que diraient-ils[3] si c'étaient eux-mêmes qui fussent coupables d'irréligion? En effet, quel est l'homme qui osera assurer, sans une impiété absurde, qu'il est impossible au Créateur de donner à la matière la pensée et le sentiment? Voyez, je vous prie, à quel embarras vous êtes réduits, vous qui bornez ainsi la puissance du Créateur! Les bêtes ont les mêmes organes que nous, les mêmes sentiments, les mêmes perceptions; elles ont de la mémoire, elles combinent quelques idées. Si Dieu n'a pas pu animer la matière et lui donner le sentiment, il faut de deux choses l'une ou que les bêtes soient de pures machines ou qu'elles aient une âme spirituelle.

Il me paraît démontré que les bêtes ne peuvent être de simples machines. Voici ma preuve: Dieu leur a fait précisément les mêmes organes de sentiment que les nôtres; donc, s'ils ne sentent point, Dieu a fait un ouvrage inutile. Or Dieu, de votre aveu même, ne fait rien en vain; donc il n'a point fabriqué tant d'organes de sentiment pour qu'il n'y eût point de sentiment; donc les bêtes ne sont point de pures machines.

Les bêtes, selon vous, ne peuvent pas avoir une âme spirituelle; donc, malgré vous, il ne reste autre chose à dire, sinon que Dieu a donné aux organes des bêtes, qui sont matière, la faculté de sentir et d'apercevoir, laquelle vous appelez instinct dans elles.

Eh! qui peut empêcher Dieu de communiquer à nos organes plus déliés cette faculté de sentir, d'apercevoir et de penser, que nous appelons raison humaine? De quelque côté que vous vous tourniez, vous êtes obligés d'avouer votre ignorance et la puissance immense du Créateur. Ne vous révoltez donc plus contre la sage et modeste philosophie de Locke; loin d'être contraire à la religion, elle lui servirait de preuve, si la religion en avait besoin; car, quelle philosophie plus religieuse que celle qui, n'affirmant que ce qu'elle conçoit clairement et sachant avouer sa faiblesse, vous dit qu'il faut recourir à Dieu dès qu'on examine les premiers principes?

3. Voltaire désigne ici les théologiens ou philosophes chrétiens.

D'ailleurs, il ne faut jamais craindre qu'aucun sentiment philosophique puisse nuire à la religion d'un pays. Nos mystères ont beau être contraires à nos démonstrations, ils n'en sont pas moins révérés par les philosophes chrétiens, qui savent que les objets de la raison et de la foi sont de différente nature. Jamais les philosophes ne feront une secte de religion. Pourquoi? c'est qu'ils n'écrivent point pour le peuple, et qu'ils sont sans enthousiasme.

Divisez le genre humain en vingt parts: il y en a dix-neuf composés de ceux qui travaillent de leurs mains, et qui ne sauront jamais s'il y a eu un Locke au monde; dans la vingtième partie qui reste, combien trouve-t-on peu d'hommes qui lisent! Et parmi ceux qui lisent, il y en a vingt qui lisent des romans, contre un qui étudie en philosophie. Le nombre de ceux qui pensent est excessivement petit, et ceux-là ne s'avisent pas de troubler le monde.

VOLTAIRE, *Lettres philosophiques* (1734), Lettre XIII, «Sur M. Locke».

Questions

1. Les champs lexicaux permettent de dégager le thème d'un texte. Par ailleurs, dans un texte critique, les mots abstraits fournissent les éléments de la démonstration et du développement.
   a) Nommez l'objet de la critique de Voltaire, c'est-à-dire le thème du texte.
   b) Relevez les termes abstraits qui lui permettent de développer sa démonstration.
2. Le ton change dans le dernier paragraphe. Relevez les termes et les formes verbales qui trahissent l'ironie de l'auteur.
3. La structure d'un texte critique repose sur le plan par raisonnement. Rédigez le plan de ce texte.

Exercice 4

Dans la scène qui suit, tirée du Misanthrope *de Molière, Alceste dénonce l'hypocrisie de ses contemporains et plaide pour la franchise du langage et la transparence des sentiments en toute occasion.*

PHILINTE. — Vous voulez un grand mal à la nature humaine!
ALCESTE. — Oui, j'ai conçu pour elle une effroyable haine.
PHILINTE. — Tous les pauvres mortels, sans nulle exception,
Seront enveloppés dans cette aversion?
Encor en est-il bien, dans le siècle où nous sommes...
ALCESTE. — Non, elle est générale, et je hais tous les hommes,
Les uns parce qu'ils sont méchants et malfaisants,
Et les autres pour être aux méchants complaisants,
Et n'avoir pas pour eux ces haines vigoureuses
Que doit donner le vice aux âmes vertueuses.
De cette complaisance on voit l'injuste excès
Pour le franc scélérat avec qui j'ai procès;
Au travers de son masque on voit à plein le traître,
Partout il est connu pour tout ce qu'il peut être,

Et ses roulements d'yeux et son ton radouci
N'imposent qu'à des gens qui ne sont point d'ici.
On sait que ce pied-plat, digne qu'on le confonde,
Par de sales emplois s'est poussé dans le monde,
Et que par eux son sort, de splendeur revêtu,
Fait gronder le mérite et rougir la vertu.
Quelques titres honteux qu'en tous lieux on lui donne,
Son misérable honneur ne voit pour lui personne:
Nommez-le fourbe, infâme et scélérat maudit,
Tout le monde en convient et nul n'y contredit.
Cependant sa grimace est partout bien venue;
On l'accueille, on lui rit, partout s'il s'insinue,
Et, s'il est, par la brigue, un rang à disputer,
Sur le plus honnête homme on le voit l'emporter.
Têtebleu! ce me sont de mortelles blessures
De voir qu'avec le vice on garde des mesures
Et parfois il me prend des mouvements soudains
De fuir dans un désert l'approche des humains.

PHILINTE. — Mon Dieu, des mœurs du temps mettons-nous moins en peine,
Et faisons un peu grâce à la nature humaine;
Ne l'examinons point dans la grande rigueur,
Et voyons ses défauts avec quelque douceur.
Il faut, parmi le monde, une vertu traitable;
À force de sagesse on peut être blâmable;
La parfaite raison fuit toute extrémité
Et veut que l'on soit sage avec sobriété.
Cette grande raideur des vertus des vieux âges
Heurte trop notre siècle et les communs usages;
Elle veut aux mortels trop de perfection:
Il faut fléchir au temps sans obstination,
Et c'est une folie à nulle autre seconde
De vouloir se mêler de corriger le monde.
J'observe, comme vous, cent choses tous les jours,
Qui pourraient mieux aller, prenant un autre cours;
Mais quoi qu'à chaque pas je puisse voir paraître,
En courroux, comme vous, on ne me voit point être;
Je prends tout doucement les hommes comme ils sont,
J'accoutume mon âme à souffrir ce qu'ils font,
Et je crois qu'à la cour, de même qu'à la ville,
Mon flegme est philosophe autant que votre bile.

ALCESTE. — Mais ce flegme, monsieur, qui raisonne si bien,
Ce flegme pourra-t-il ne s'échauffer de rien?
Et, s'il faut par hasard qu'un ami vous trahisse,

Que pour avoir vos biens on dresse un artifice,
Ou qu'on tâche à semer de méchants bruits de vous,
Verrez-vous tout cela sans vous mettre en courroux?
PHILINTE. — Oui, je vois ces défauts, dont votre âme murmure,
Comme vices unis à l'humaine nature,
Et mon esprit enfin n'est pas plus offensé
De voir un homme fourbe, injuste, intéressé,
Que de voir des vautours affamés de carnage,
Des singes malfaisants et des loups pleins de rage.
ALCESTE. — Je me verrais trahir, mettre en pièces, voler,
Sans que je sois... Morbleu! je ne veux point parler,
Tant ce raisonnement est plein d'impertinence.

MOLIÈRE, *Le Misanthrope* (1666), acte premier, scène 1.

Questions

1. Relevez dans cette scène les marques de l'énonciation. En quoi diffèrent-elles d'un locuteur à l'autre?
2. Faites le relevé des termes qui caractérisent le vocabulaire de chacun des personnages.
3. Relisez les deux tirades et comparez leurs points forts et leurs points faibles au plan
   a) de la progression des idées;
   b) de la présence d'exemples.

Exercice 5

Si le comédien était sensible, de bonne foi lui serait-il permis de jouer deux fois de suite un même rôle avec la même chaleur et le même succès? Très chaud à la première représentation, il serait épuisé et froid comme un marbre à la troisième. Au lieu qu'imitateur attentif et disciple réfléchi de la nature, la première fois qu'il se présentera sur la scène sous le nom d'Auguste, de Cinna, d'Orosmane, d'Agamemnon, de Mahomet[4], copiste rigoureux de lui-même ou de ses études, et observateur continu de nos sensations, son jeu, loin de s'affaiblir, se fortifiera des réflexions nouvelles qu'il aura recueillies; il s'exaltera ou se tempérera, et vous en serez de plus en plus satisfait. S'il est lui quand il joue, comment cessera-t-il d'être lui? S'il veut cesser d'être lui, comment saisira-t-il le point juste auquel il faut qu'il se place et s'arrête? [...]

Mais quoi? dira-t-on, ces accents si plaintifs, si douloureux, que cette mère arrache du fond de ses entrailles, et dont les miennes sont si violemment secouées, ce n'est pas le sentiment actuel qui les produit, ce n'est pas le désespoir qui les inspire? Nullement: et la preuve c'est qu'ils sont mesurés; qu'ils font partie d'un système de déclamation; que plus bas ou plus aigus de la vingtième partie d'un quart de ton, ils sont faux; qu'ils sont soumis à une loi d'unité, qu'ils sont, comme dans l'harmonie, préparés et sauvés; qu'ils ne satis-

4. Auguste et Cinna dans *Cinna* de Corneille; Agamemnon dans *Iphigénie* de Racine; Orosmane et Mahomet dans *Zaïre* et dans *Mahomet* de Voltaire.

font à toutes les conditions requises que par une longue étude; qu'ils concourent à la solution d'un problème proposé; que pour être poussés juste ils ont été répétés cent fois, et que malgré ces fréquentes répétitions, on les manque encore; c'est qu'avant de dire:

Zaïre, vous pleurez!

ou

Vous y serez ma fille[5]

l'acteur s'est longtemps écouté lui-même; c'est qu'il s'écoute au moment où il vous trouble, et que tout son talent consiste non pas à sentir, comme vous le supposez, mais à rendre si scrupuleusement les signes extérieurs du sentiment, que vous vous y trompiez. Les cris de sa douleur sont notés dans son oreille. Les gestes de son désespoir sont de mémoire, et ont été préparés devant une glace. Il sait le moment précis où il tirera son mouchoir et où les larmes couleront; attendez-les à ce mot, à cette syllabe, ni plus tôt ni plus tard. Ce tremblement de la voix, ces mots suspendus[6], ces sons étouffés ou traînés, ce frémissement des membres, ce vacillement des genoux, ces évanouissements, ces fureurs, pure imitation, leçon recordée[7] d'avance, grimace pathétique, singerie sublime dont l'acteur garde le souvenir longtemps après l'avoir étudiée, dont il avait la conscience présente au moment où il l'exécutait, qui lui laisse, heureusement pour le poète, pour le spectateur et pour lui, toute la liberté de son esprit, et qui ne lui ôte, ainsi que les autres exercices, que la force du corps. Le socque ou le cothurne[8] déposé, sa voix est éteinte, il éprouve une extrême fatigue, il va changer de linge ou se coucher; mais il ne lui reste ni trouble, ni douleur, ni mélancolie, ni affaissement d'âme. C'est vous qui remportez toutes ces impressions. L'acteur est las, et vous triste; c'est qu'il s'est démené sans rien sentir, et que vous avez senti sans vous démener. S'il en était autrement, la condition du comédien serait la plus malheureuse des conditions; mais il n'est pas le personnage, il le joue et le joue si bien que vous le prenez pour tel: l'illusion n'est que pour vous; il sait bien, lui, qu'il ne l'est pas.

DIDEROT, *Paradoxe sur le comédien*, (1773).

5. Vers de *Zaïre* (IV, 2) et d'*Iphigénie* (II, 2).
6. Dans une phrase interrompue.
7. Apprise par cœur.
8. Chaussures portées par les acteurs de l'Antiquité.

Questions

1. La première phrase de ce texte comporte une question. Quelle est sa fonction?
   a) Adoucir une demande de confirmation.
   b) Mettre en doute une affirmation.
   c) Formuler une hypothèse.
   d) Traduire l'incertitude.
2. La structure de ce texte est celle d'un plan par raisonnement. Identifiez les étapes du raisonnement. Élaborez le plan.
3. Relevez les différents éléments qui contribuent à rendre ce texte persuasif. Rédigez votre réponse en donnant des exemples ou des preuves.

Exercice 6

La relation «activité physique = santé», largement diffusée et reprise par divers groupes, fait maintenant partie des croyances populaires.

Or ce discours construit en fait une vision partielle et partiale de la réalité en matière de santé, particulièrement en matière de santé publique. Dans une dénonciation virulente, Brodeur fait la démonstration qu'il s'agit là d'une «*perspective idéologique et politique qui renforce et privilégie les causes et les solutions individuelles (...) en masquant les déterminations et les causes profondes de la production et de la reproduction de ce fait social*» qu'est la santé. Lorsqu'on élargit l'angle d'analyse et que l'on prend en compte les facteurs sociaux, il ressort que la santé relève moins de la pratique d'activités physiques que des conditions sociales d'existence.

En effet, la majorité des études épidémiologiques, tout en reconnaissant l'interaction complexe des facteurs déterminants de la santé, attestent l'importance des conditions d'existence. Les analyses de l'enquête Santé Québec de 1987 confirment ainsi que «*plus le revenu est élevé, meilleur est l'état de santé des gens*», ou encore concluent que «*les personnes défavorisées connaissent un état de santé plus détérioré que le reste de la population*», et qu'il existe des régions, des milieux et des quartiers plus vulnérables en matière de santé. À l'évidence, la pratique d'activités physiques ne pourra jamais compenser les effets néfastes d'un niveau de vie en deçà du seuil de pauvreté ou d'un environnement pollué (v.g. l'activité physique ne peut diminuer le taux de plomb dans le sang ou d'amiante dans les poumons).

En outre, l'examen des constats épidémiologiques vient atténuer l'accent mis sur la relation entre la sédentarité et les maladies cardio-vasculaires. En effet, la sédentarité ne constitue qu'un facteur de risque *secondaire*, au même titre que le fait d'être de sexe masculin, d'avoir plus de 40 ans, etc., alors que les facteurs de risque *primaire* (étroitement associés à la maladie) sont l'hypertension, l'hypercholestérolémie et le tabagisme.

Pour ce qui est de la relation entre la pratique d'activités physiques et la santé mentale ou le sentiment de bien-être, l'analyse statistique de McTeer et Curtis, fondée sur les données de l'enquête *Condition physique Canada*, révèle que l'activité physique a un impact modéré sur le sentiment de bien-être et ne diminue pas significativement l'effet négatif de facteurs tels que des conditions de travail difficiles, des conflits familiaux et de mauvaises conditions économiques.

Il ne faudrait pas croire, à la suite de ces observations, que l'activité physique n'a aucune incidence positive sur la santé. Il est indéniable que lorsque l'on vit dans des conditions aisées, la pratique d'activités physiques est susceptible d'avoir de nombreux effets positifs sur la santé physique et mentale. En fait, il s'agit d'une «plus-value» corporelle qui vient s'ajouter à une bonne qualité de vie. La relation s'établit plutôt entre l'activité physique et un état de «mieux-être», qu'entre l'activité physique et la santé. Généraliser à l'ensemble de la population cet impact limité aux groupes sociaux aisés a pour effet d'occulter les inégalités sociales qui déterminent, dès la naissance, une inégalité face au vécu corporel et à la santé.

Le discours mettant en relation la pratique d'activités physiques et la santé construit une représentation de la réalité où l'individu est responsable et éventuellement «coupable» de son état de santé. Cette «culpabilité» a d'autant plus de chance de s'appliquer aux groupes populaires que le type d'activités privilégié et recommandé pour qu'il y ait un effet positif sur la santé – les activités vigoureuses pratiquées durant au moins 45 minutes, 3 fois par semaine – a peu de correspondance avec les activités ludiques et spontanées préférées par les groupes populaires.

LABERGE, Suzanne, «Sports et activités physiques: modes d'aliénation et pratiques émancipatoires», dans *Sociologie et sociétés*, vol. XXVII, n° 1, Montréal, © Presses de l'Université de Montréal, printemps 1995, p. 63.

Questions

1. Le point de vue de l'auteure apparaît dès le deuxième paragraphe par l'emploi de certains mots, même si l'on n'y trouve aucune marque habituelle d'énonciation. Repérez ces termes.
2. L'auteure cite deux types de documents de référence pour appuyer ses idées. Nommez-les. Ont-ils la même valeur? Expliquez votre réponse.
3. À partir de la ligne 30, Suzanne Laberge fait la part des choses. Quels éléments lexicaux permettent de constater ce nouvel équilibre entre les deux aspects du problème?
4. Dans son dernier paragraphe, l'auteure dénonce la fausseté de l'équation *activité physique = santé*. Comment a-t-elle préparé ses lecteurs à cette conclusion? Expliquez votre réponse (vocabulaire, structure de texte...).

Ce qu'il faut savoir

Le *texte critique* sert à soutenir un point de vue ou à s'y opposer. L'auteur met en œuvre des moyens de convaincre un interlocuteur ou un lecteur. Il correspond chez l'émetteur à l'intention de convaincre le récepteur:

- de la justesse d'une idée, en s'adressant à sa *raison* à l'aide d'arguments et d'exemples;
- de la fausseté d'une idée, en s'opposant à un point de vue, à l'aide d'arguments et d'exemples servant à prouver la faiblesse ou la fausseté de l'idée que l'on conteste. Il pourra aussi y soutenir le point de vue opposé. Ce type d'argumentation peut prendre chez certains une tournure ironique.

I. Comment l'identifier

1. **Par l'énonciation:** Celle-ci permet d'identifier la présence de l'auteur dans le texte et de distinguer ses opinions de celles qu'il entend critiquer ou réfuter; les confondre entraînerait des contresens. Ainsi, la première et la deuxième personne dominent dans le cadre d'un débat.

   Vous** ne saurez **me** nier deux choses: l'une, qu'Alceste, dans cette pièce, est un homme droit, sincère, estimable, un véritable homme de bien; l'autre, que* *l'auteur lui donne un personnage ridicule. C'en est assez, ce* ***me *semble, pour rendre Molière inexcusable.*

ROUSSEAU, Jean-Jacques, *Lettre à d'Alembert sur les spectacles* (1758).

Dans tous les autres textes critiques, les marques d'énonciation sont généralement absentes. Elles seront remplacées

a) par des **pronoms indéfinis**, tels *on, nul, aucun...*

Toute la question est bien là, en effet. Qu'il faille, sinon limiter le déploiement de la technique, du moins le contrôler et l'orienter, ***nul*** *démocrate sérieux ne le contestera.*

FERRY, Luc, *Le Nouvel Ordre écologique*,
Paris, Grasset & Fasquelle, 1992, p. 131.

b) par des **termes évaluatifs**:

Que ce contrôle doive s'effectuer au prix de la démocratie elle-même, c'est là un pas supplémentaire que les écologistes profonds, animés qu'ils sont par la haine de l'humanisme et de la civilisation occidentale, mais aussi par la fascination ***nostalgique*** *des modèles passés (les Indiens) ou à venir (le communisme), n'hésitent presque jamais à franchir. (Ibid., p. 131.)*

c) par des **infinitifs** et des **expressions restrictives**:

Lire les phrases d'un article sans prévoir les objections du lecteur revient à ***ne*** *regarder* ***que*** *l'un des deux joueurs dans une finale de tennis. Son jeu* ***n'****apparaît* ***que*** *comme autant de postures vides.*

LATOUR, Bruno, *La Science en action*,
© 1989 La Découverte, coll. «Folio»,
Paris, Gallimard, 1995, p. 115.

Ces tournures recherchent l'adhésion du récepteur aux idées exprimées, l'intention de l'auteur étant de convaincre.

2. **Par la nature des phrases:** la phrase déclarative a souvent un accent catégorique (*jamais, toujours, absolument...*). On y trouve aussi les divers types de phrases: simples, composées, complexes. Les *questions oratoires* (rhétoriques) servent, entre autres,

a) à traduire l'incertitude:

Qu'en est-il *des indigènes, non tels que Colomb les a trouvés (cela, nous ne le saurons jamais), mais tels qu'il les a décrits? Colomb est bien meilleur observateur de la nature que des hommes. Le trait qui le frappe avant tout, c'est leur nudité. La chose est vraie; mais Colomb a des raisons supplémentaires pour insister là-dessus. Ces gens ne connaissent donc pas la honte; ne seraient-ils pas proches d'Adam d'avant la chute?*

b) à formuler une hypothèse:

Ne serait-ce pas *une raison supplémentaire pour croire que le paradis terrestre est tout proche? Et même s'il devait renoncer à cette hypothèse séduisante, Colomb est content de la nudité; elle symbolise à ses yeux l'absence de culture, et donc la facilité avec laquelle les indigènes embrasseront le christianisme.*

TODOROV, Tzvetan, «Voyageurs et indigènes»,
in *L'Homme de la Renaissance*, ouvrage collectif
sous la direction d'Eugenio Garin, Paris,
© Éditions du Seuil, 1990, p. 343.

c) à faire appel à l'interlocuteur de manière à emporter son adhésion:

- l'appel à son raisonnement: *Supposons que...*
- l'appel à son imagination: *On peut facilement prévoir...*
- l'appel à sa sensibilité: *On frémit à la pensée...*

3. **Par le vocabulaire.**

a) Les champs lexicaux et la récurrence de mots abstraits (*opposition, croyance, objectivité, processus, conditions...)* caractérisent les termes de la démonstration.

> *L'**opposition** du XIXe siècle entre les sciences de la nature et les sciences historiques, comme la **croyance** à l'**objectivité** et la précision absolues des sciences de la nature, sont aujourd'hui choses du passé. Les sciences de la nature admettent maintenant que l'expérience en mettant à l'épreuve des **processus** naturels dans des **conditions** prescrites d'avance, et l'observateur qui, en suivant l'expérience, devient l'une de ses conditions, introduisent un facteur «subjectif» à l'intérieur des processus «objectifs» de la nature.*
>
> ARENDT, Hannah, *op. cit.*, p. 67.

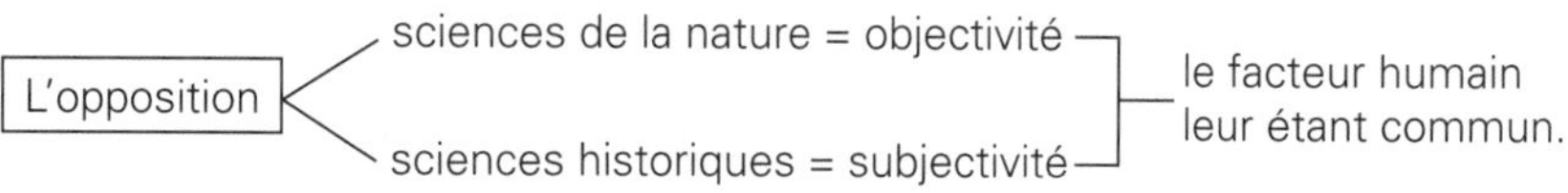

b) Les termes, qui sont souvent l'objet de définitions, supposent des jugements de valeur, des prises de position tranchées.

> *L'esprit scientifique est **incapable** de se penser lui-même tant qu'il croit que la connaissance scientifique est le reflet du réel. [...] Or le propre de la scientificité n'est pas de refléter le réel, mais de le traduire en des théories changeantes et réfutables.*
>
> MORIN, Edgar, *op. cit.*, p. 21.

c) On peut noter l'emploi de termes *dépréciatifs* (à connotation négative) pour la thèse réfutée, de termes *mélioratifs* (à connotation positive) pour la thèse soutenue.

> *Regarder l'univers comme un cachot, et tous les hommes comme des criminels qu'on va exécuter, est l'idée d'un **fanatique**. Croire que le monde est un lieu de délices où l'on ne doit avoir que du plaisir, c'est la rêverie d'un **sybarite**. Penser que la terre, les hommes et les animaux sont ce qu'ils doivent être dans l'ordre de la Providence est, je crois, d'un homme **sage**.*
>
> VOLTAIRE, *Lettres philosophiques* (1734), Lettre XXV, «Remarques sur les Pensées de Pascal».

d) La réfutation des idées peut se faire également par le recours à l'ironie.

> *J'ai reçu, monsieur, votre nouveau livre **contre le genre humain**, je vous en remercie. Vous plairez aux hommes, à qui vous dites leurs vérités, mais vous ne les corrigerez pas. [...] On n'a jamais employé tant d'esprit à vouloir nous **rendre bêtes**; il prend envie de **marcher à quatre pattes**, quand on lit votre ouvrage.*
>
> VOLTAIRE, *Lettre à Rousseau*, 1755.

e) L'emploi de verbes d'opinion (*penser, croire, estimer*...) est associé au mode d'énonciation choisi.

> *Les problèmes scientifiques sont aussi les grands problèmes philosophiques: ceux de la nature, du hasard, de la réalité, de l'inconnu. **Et moi, ce que je crois**, c'est que ces problèmes d'idées sont les problèmes classiques de la philosophie qui sont renouvelés et posés en termes tout à fait nouveaux.*
>
> MORIN, Edgar, *op. cit.*, p. 88.

f) La présence d'adverbes de modalité (*peut-être, sans doute, assurément, franchement*...) indique le degré de certitude ou de vérité attaché à l'énoncé.

*Si l'on prend la peine d'examiner de bonne foi ma comédie, on verra **sans doute** que mes intentions y sont partout innocentes, et qu'elle ne tend **nullement** à jouer les choses que l'on doit révérer...*

MOLIÈRE, *Tartuffe* (1669), préface.

4. **Par le temps des verbes**: Le présent intemporel est habituel et il confirme la validité générale de l'argument.

*Nous **formons** une civilisation d'adultes infantilisés, plus encore depuis que l'Amérique **propose**, avec la révolution électronique, le modèle du consommateur docile en remplacement du citoyen éclairé. «Tous les enfants que je **connais raisonnent** en Américains», affirmait Georges Duhamel il y a plus de 60 ans.*

GODBOUT, Jacques, «Le Syndrome de la victime», Montréal, *L'actualité*, 15 septembre 1995, p. 97.

5. **Par la structure du texte**: Tout n'est pas de nature argumentative dans les textes critiques. C'est pourquoi les structures par énumération et par raisonnement s'y trouvent souvent combinées. Mais le cadre général présente une succession constante d'arguments et d'exemples liés à l'objectif de la démonstration, que soulignent la disposition des paragraphes et la présence de liens logiques: addition, cause, conséquence, opposition. (Voir le chapitre 6, l'élaboration des plans).

L'argumentation peut inclure la réfutation d'un point de vue, c'est-à-dire le rejet d'une opinion considérée comme erronée, voire aberrante.

Le courant prônant l'hérédité de l'intelligence et l'origine génétique des différences entre «races» – notion dépourvue de fondements scientifiques – a une longue histoire, qui n'est pas étrangère à notre passé esclavagiste. Les opposants à la désagrégation, décidée par la Cour suprême en 1954, ont trouvé dans la génétique un nouveau moyen de promouvoir leurs idées.

HIRSCH, Jerry, «Défroquer les charlatans», Paris, *La Recherche*, nº 283, janvier 1996, p. 78.

II. Comment le rédiger

L'étude de divers types de textes (essais, extraits de pièces, articles de dictionnaires ou d'encyclopédies, controverses entre spécialistes...) montre aisément que les critères de classement des textes informatifs et critiques ne sont pas étanches. En effet, tout texte critique contient de l'information (preuves, exemples, statistiques...). *Seule la situation d'énonciation* indiquera si l'information constitue le contenu même de la communication (texte informatif) ou si elle y est utilisée à titre d'argument, pour convaincre un interlocuteur (texte critique).

La rédaction du texte critique comporte généralement les éléments suivants.

1. **L'énoncé de la thèse**, ou l'opinion de l'auteur sur le sujet qu'il traite: l'annonce en est faite dès le premier paragraphe.

La conquête de l'espace par l'homme a-t-elle augmenté ou diminué sa dimension? La question soulevée s'adresse au profane et non au savant; elle est inspirée par l'intérêt que l'humaniste porte à l'homme, bien distinct de celui porté par le physicien à la réalité du monde physique.

ARENDT, Hannah, *op. cit.*, p. 337.

2. **L'annonce des grandes parties** du texte (démonstration) dont le nombre est déterminé par la structure du raisonnement suivi. Voici quelques exemples.

a) Le plan par addition à visée démonstrative.

L'histoire n'est pas chronique, elle vise à plus qu'à l'énumération des faits, à l'alignement des événements le long du temps. En quoi consiste ce plus par rap-

port aux faits? Il me semble que ce plus se ramène essentiellement à quatre éléments: les faits historiques sont aussi des faits humains, des faits sociaux... ***En deuxième lieu****, les événements ne se succèdent ni à la manière régulière des saisons, ni à la manière apparemment incohérente de la pluie et du beau temps. L'historien est curieux de savoir comment les choses se sont passées...* ***En troisième lieu****, l'historien ne collectionne pas les faits, il reconstitue des ensembles...* ***En quatrième lieu****, l'historien est tenté, quand il s'est élevé à un certain ensemble temporel, non pas seulement de constater le point de départ et le point d'arrivée mais de reconstituer les étapes intermédiaires...*

ARON, Raymond, *Dimensions de la conscience historique*, coll. «10/18», Paris, Plon, 1961, p. 66-67.

b) Le plan par comparaison.

Le plus bel éloge que l'on pouvait faire ***autrefois*** *d'un romancier était de dire: «Il a de l'imagination.»* ***Aujourd'hui****, cet éloge serait presque regardé comme une critique. C'est que toutes les conditions du roman ont changé. L'imagination n'est plus la qualité maîtresse du romancier. [...] La grande affaire est de mettre debout des créatures vivantes, jouant devant les lecteurs la comédie humaine avec le plus de naturel possible. Tous les efforts de l'écrivain tendent à cacher l'imaginaire sous le réel.*

ZOLA, Émile, *Du roman*, 1880.

3. **La sélection de la documentation**: toute l'information utilisée dans un texte critique ne vise qu'à démontrer la pertinence de la thèse avancée par l'auteur. Les faits, les citations, les statistiques deviennent, dans cette optique précise, des arguments ou des preuves dont on usera sans toutefois tomber dans l'excès.

Les exemples seront, selon le cas, illustratifs, argumentatifs ou analogiques.

a) Les exemples illustratifs ne servent qu'à clarifier une notion, à mieux faire saisir une idée.

L'animal est un miroir qui réfléchit l'identité humaine. D'Ésope à Jean de La Fontaine, le renard comme la tortue permettent de lever le voile sur des zones d'ombre de la bête humaine. Plus près de nous, de nombreux films, de **La Planète des singes** *à* **Babe**, *continuent de témoigner de notre attraction-répulsion envers les bêtes.*

PICHETTE, Jean, «La bête humaine», Montréal, *Le Devoir*, 7 mai 1996, p. A1.

b) Les exemples argumentatifs pour des cas particuliers mais généralisables.

*S'inspirant de la théologie, ils (les écologistes profonds) supposent que la nature est non seulement l'Être suprême, mais aussi l'*ens perfectum, *l'entité parfaite qu'il serait sacrilège de prétendre modifier ou améliorer. Simple question: qu'en est-il alors des* ***virus****, des* ***épidémies****, des* ***tremblements de terre*** *et de tout ce qu'on nomme à juste titre «catastrophe naturelle»? Dira-t-on qu'ils sont «utiles»? Mais à qui et à quoi?*

FERRY, Luc, *op. cit.*, p. 198.

c) Les exemples analogiques sont employés pour faire comprendre un phénomène, une situation.

Prenez une longue et fine lanière*; elle ne remplit qu'une bien faible partie de l'espace qui vous entoure. Faites-la tournoyer rapidement autour de vous; tout ce qui s'approche, giflé par la lanière, est contraint de s'éloigner.* ***De même, un atome*** *se comporte comme un objet dur, solide, inaltérable, car les électrons, malgré leur taille, peuvent, grâce à leur vitesse, à leur mouvement incessant, rester maîtres de tout l'espace qui leur est alloué.*

JACQUARD, Albert, *op. cit.*, p. 46.

4. **La rédaction**
   a) On convainc en affirmant ses idées, en faisant appel à l'intelligence du destinataire tout en respectant l'opinion que l'on réfute. Il importe d'adopter un ton modéré et nuancé, d'éviter l'accumulation d'affirmations générales non fondées.
   b) Pour renforcer la structure logique et argumentative du texte, des connecteurs logiques appropriés devront souligner la relation entre les éléments de la démonstration: cause, conséquence, opposition, comparaison...

5. **L'énonciation**
   a) Les marques d'énonciation sont présentes lorsque l'émetteur s'adresse directement au destinataire. Il doit alors garder à l'esprit la nature de son public (âge, degré d'instruction...).

   *Ce que **je** veux dire maintenant pour conclure, c'est qu'il **nous** faut comprendre que les progrès de la Connaissance ne peuvent être identifiés avec l'élimination de l'ignorance. Ils doivent être liés avec un progrès de l'ignorance.*

   MORIN, Edgar, *op. cit.*, p. 98.

   b) Les marques d'énonciation sont absentes lorsque la thèse est mise en valeur et soutenue hors de tout climat de controverse.

   De tous les concepts que la psychologie a hérités de la tradition philosophique et religieuse, celui d'intelligence est sans doute le plus marqué par ses antécédents culturels.

   Notice «Intelligence», Thesaurus-Index, Encyclopædia Universalis.

Tableau synthèse

Le texte critique permet à l'émetteur de **convaincre** le récepteur
– de la justesse d'une idée, → | en faisant appel à sa raison
– de la fausseté d'une idée, → | à l'aide d'arguments et d'exemples.

I. On identifie un texte critique
- par le système *d'énonciation*: première et deuxième personne pour un débat;
  dans tous les autres cas, les pronoms indéfinis, les termes évaluatifs, les infinitifs et les expressions restrictives permettront d'imposer au récepteur les idées exprimées;
- par la *nature des phrases*: la phrase déclarative a souvent un accent catégorique, la phrase interrogative est rhétorique;
- par le *vocabulaire*: des mots abstraits, des termes comportant des jugements de valeur, des mots dépréciatifs ou mélioratifs, des verbes d'opinion et des adverbes de modalité;
- par le *temps des verbes*: le présent intemporel;
- par le *plan*: le plan par raisonnement, avec arguments et exemples.

II. On rédige un texte critique en utilisant les éléments énumérés pour son identification. De plus, il est essentiel:
- de tenir compte du public cible;
- d'exprimer clairement son point de vue.

Exercices bilans

Exercice 1

Dans le texte suivant, l'auteur cherche à convaincre le lecteur de son point de vue. Quelles caractéristiques du discours critique emploie-t-il?

Au rythme où Chrystine Brouillet publie des intrigues policières pour la jeunesse, on peut se demander où elle trouve le temps, où elle puise l'inspiration pour écrire tous ses romans, pour jeunes ou pour le public général. Il est probable qu'elle se conforme à une discipline militaire plutôt qu'aux caprices de la muse inspiratrice. Mais à ce beau travail constant, régulier, existe un envers de la médaille: l'épaisseur et la qualité des intrigues policières souffrent de cette publication en série qui dilue la saveur de chaque œuvre prise isolément. La qualité, c'est bien connu, finira par céder sous le poids de la quantité.

Un crime audacieux suit les principales règles du polar. Mme Brouillet les respecte, ces règles, ce qui démontre qu'elle a beaucoup lu et qu'elle connaît les classiques du genre: suspense bien mené et bien soutenu, présence des constituants principaux (détective(s), criminel, victime et même corps policier). Les personnages manquent peut-être d'un peu d'épaisseur, mais enfin, on a vu pire. Et surtout, la langue est belle, riche, dénotant une profondeur stylistique indéniable, ce qui n'est pas la règle chez les auteurs de romans policiers. Seulement, elle semble en train de devenir esclave de ses prédécesseurs et, encore pire peut-être, esclave d'elle-même, de son propre style, de ses romans antérieurs. J'ai trouvé dommage en effet qu'une si belle plume sombre aussi profondément dans le cliché, qu'elle ne sache guère plus surprendre le lecteur et que, surtout, elle donne désormais dans la recette éprouvée. Mais voilà, la recette ne serait-elle pas épuisée? Le citron pressé au maximum? D'aucuns me répondraient qu'ils prennent encore plaisir à voir les Colombo malgré le fait que les épisodes soient tous, des premiers jusqu'à ceux produits récemment, conformes au moule de base. Oui, mais justement, il y a longtemps, quant à moi, que je ne regarde plus les épisodes de cette série, devenus des caricatures d'eux-mêmes.

DUPUIS, Simon, «M'as-tu vu, m'as-tu lu?»,
Montréal, *Lurelu*, vol. 18, n° 2, automne 1995, p. 15-16.

Exercice 2

Les personnages et l'intrigue des films de science-fiction et des westerns illustrent une quête assez semblable. Discutez cette hypothèse dans un texte de 500 mots.

Exercice 3

En vous documentant sur le sujet, en particulier par rapport

- au coût imposé aux contribuables,
- au taux de réussite scolaire,
- à l'implication sociale,

rédigez un texte de 500 mots pour le journal de votre collège où vous discuterez la question suivante: Les écoles primaires et secondaires privées devraient-elles continuer à être subventionnées par l'État?

Exercice 4

Pour beaucoup de jeunes, le cinéma remplace la lecture. Après avoir effectué une recherche sur l'évolution du rôle du cinéma dans la société, dites si, selon vous, le 7e art constitue une expression artistique, le reflet d'une époque, ou un divertissement accessible à tous. Rédigez deux textes de 500 mots chacun, destinés

a) à des élèves du premier cycle du secondaire (12, 13 ans);

b) à un groupe d'adultes.

Exercice 5

Traditionnellement, on considère comme cultivée la personne qui a acquis de bonnes connaissances dans le domaine des arts, des lettres et de l'histoire. Par ailleurs, la société ne cesse d'évoluer grâce aux découvertes scientifiques et technologiques.

Peut-on, en ce tournant de siècle, affirmer qu'une personne est cultivée si elle n'a aucune connaissance des sciences et de la technologie moderne, c'est-à-dire aucune culture en ces domaines?

Votre texte de 700 mots, qui devrait être présenté à un comité de révision des programmes d'études collégiales, reposera sur une documentation précise.

Exercice 6

a) L'identification des caractéristiques du texte critique a-t-elle présenté certaines difficultés? Si oui, lesquelles? Quels moyens vous ont permis de les résoudre?

b) Le fait d'avoir appris à reconnaître les éléments propres au discours critique vous a-t-il aidé à mieux rédiger des textes critiques? Expliquez votre réponse.

Le débat

Le débat est une discussion organisée où des partis, d'opinion opposée, s'affrontent sur un sujet qui soulève la controverse, avec l'intention de convaincre non pas leur adversaire, mais le public, d'adopter leur point de vue. Dans sa forme la plus pure, le débat a pour objectif l'atteinte de la vérité plutôt que celle de la victoire.

C'est la presse écrite qui a, depuis plus d'un siècle, joué le rôle de transmetteur pour les débats des grandes et moins grandes questions de société. En France, à la fin du siècle dernier, tout le débat quant à la culpabilité ou à l'innocence du capitaine Dreyfus[9] s'est livré par l'intermédiaire des quotidiens, pour aboutir, disait Zola, à la vérité, seule initiatrice de son action.

Aujourd'hui nous retrouvons encore sous forme écrite des débats dans les quotidiens. *Mais c'est surtout grâce à la télévision que le débat a repris sa place sous forme orale. On y aborde des sujets variés comme la culture, les arts, la politique ou tout autre question d'intérêt public.*

9. Le capitaine Alfred Dreyfus, officier français, fut faussement accusé de trahison et condamné à la dégradation et à la déportation à vie en 1894 avant d'être réhabilité en 1906, entre autres grâce à l'intervention d'Émile Zola. Le romancier avait pris la défense de Dreyfus dans un pamphlet publié en 1898: *J'accuse*.

Texte 1

Une insulte au bon sens et au bon goût des Québécois

Madame Bissonnette,

On a attiré mon attention sur le dernier paragraphe de votre éditorial du 7 août dernier dans lequel vous affirmez que le Mouvement Desjardins a parsemé villes et villages du Québec des édifices les plus quelconques et souvent les plus hideux qui soient. Curieusement, à part quelques rares commentaires élitistes comme celui que vous avez fait, nous recevons, en très grand nombre, des éloges sur le soin que les dirigeants et dirigeantes des caisses prennent à harmoniser le siège social de leur caisse en leur milieu. En fait, il ne pourrait en être autrement puisque ce sont les gens du milieu eux-mêmes, conseillés souvent par des architectes de leur région, qui décident de l'allure du siège social de leur caisse. Et, sauf de très rares exceptions, les membres des caisses sont toujours très fiers du résultat.

En fait, votre commentaire est une insulte au «bon sens et au bon goût» des Québécois et Québécoises qui œuvrent dans les caisses. Ces constructions que vous trouvez hideuses sont pourtant pour eux une source de fierté. En fait, si je comprends votre commentaire, si des centaines de groupes, d'entreprises et de citoyens (que vous jugez pourtant incapables de le faire) ont ainsi entre les mains l'occasion de recréer des lieux meilleurs, ils réussiront dans la mesure où ils laisseront d'autres prendre les décisions!

Nous avons chez Desjardins une tout autre façon de comprendre la décentralisation et la démocratie. Nous ne cherchons pas à leur imposer ce que des «élites» ou des prétendus experts trouvent beau. Nous croyons plutôt que ces gens qui habitent un milieu savent ce qui leur convient, d'autant plus qu'ils ont toujours la sagesse de se faire conseiller et de se faire aider. Mais, finalement, ce sont eux qui prennent les décisions. Nous préférons faire confiance à nos gens pour qu'ils se construisent un milieu de vie à leur goût, un milieu qu'ils aiment et qu'ils trouvent beau. Et c'est cette confiance aux gens et le respect de leur autonomie et de leur liberté qui expliquent en grande partie «ce développement phénoménal» que vous avez eu l'amabilité de souligner.

BÉLAND, Claude, «Une insulte au bon sens et au bon goût des québécois», Montréal, *Le Devoir*, 15 août 1996, p. A7.

Texte 2

Le mauvais exemple

Puisque le président du Mouvement Desjardins semble indigné au point de me provoquer en duel, je lui propose un troc. Qu'il me fasse parvenir 20 photos de caisses populaires construites par ses membres (et non recyclées d'édifices anciens) qui se distinguent vraiment, soit par leur intégration harmonieuse au style patrimonial ou aux caractéristiques physiques d'une région, soit par un style un peu innovateur, qui correspondrait aux tendances architecturales fortes de leur époque de construction. Comme il y a plus de 1 300 caisses populaires au Québec, ce n'est pas beaucoup demander. En contrepartie, je m'engage à les publier pour que nos lecteurs en jugent, à consulter des architectes respectés, et à faire amende honorable s'ils me donnent tort.

En attendant, ce qui me désespère le plus, ce n'est pas le style des caisses, mais la défense que M. Béland en fait. Non, je n'ai pas insulté «le bon goût des Québécoises et des Québécois qui œuvrent dans les caisses». Car je me serais insultée moi-même.

Tous les étés de ma jeunesse, j'ai travaillé dans une caisse dont j'étais certainement «fière» sans jamais penser que ses agrandissements par raboudinages faisaient problème. Aujourd'hui, parce que c'est une sensibilité qui s'apprend, je ne doute pas que le grand immeuble de cette caisse se situe entre le «quelconque et le hideux», ce qui n'enlève rien au mérite de ceux qui la dirigent et en ont hérité. Advenant un glissement qui l'expédierait au fond du lac Osisko, j'espère toutefois qu'elle serait reconstruite avec plus de grâce, de recherche, de souci de son environnement, de volonté de redonner une personnalité au paysage bâti québécois. Plutôt que de ressembler par exemple à celle de Knowlton, apparue récemment aux verts abords d'un gracieux village loyaliste où son bloc de briques ceinturé d'un parking asphalté semble sortir du catalogue des insignifiances commerciales des plus plates banlieues américaines.

N'en déplaise à son président, tel est le plus souvent le modèle Desjardins d'occupation des lieux. Je n'ai nullement suggéré que le siège social du Mouvement impose des choix esthétiques; je regrette qu'il n'en ait aucun souci, qu'il ne soit pas un animateur, et encore moins un exemple. Ce ne sont pas les caisses locales, en effet, qui ont permis l'année dernière le massacre de la devanture du Complexe Desjardins en permettant à un *Music World* d'installer la protubérance criarde de son enseigne et de ses couleurs sur une façade que ses architectes avaient volontairement voulue sobre et même sévère. Sans compter que cette raison sociale, acceptée et désormais soutenue par Desjardins, détruit le symbole originel de l'immeuble inauguré en 1976, témoin du rattrapage financier et économique des Québécois de langue française. C'est cela aussi, un site déformé par l'incurie.

J'ignore qui pourrait être «fier» de cette décision certes «autonome» mais je ne crois pas qu'il soit «élitiste» d'en trouver le résultat vulgaire, offensant, et même hideux. Je souhaite simplement que les caisses locales, dont celle de La Baie, que j'évoquais avec sympathie, fassent mieux quand elles en auront l'occasion.

BISSONNETTE, Lise, «Le mauvais exemple»,
Montréal, *Le Devoir*, 15 août 1996, p. A7.

Questions

1. Quelle est la question débattue ici?
2. a) Dans le premier texte, à qui s'adresse l'auteur?
   b) Relevez les termes qui y désignent le public, soit pour le qualifier ou pour le définir.
   c) Relevez les termes employés pour qualifier la destinataire.
   d) L'auteur a-t-il recours à des exemples de références précises qui expliquent son point de vue?
3. a) Dans le deuxième texte, à qui la journaliste s'adresse-t-elle?
   b) Répond-elle spécifiquement aux accusations de Claude Béland? Expliquez votre réponse.
   c) Lise Bissonnette s'implique personnellement dans le débat en tant qu'ancienne employée d'une caisse populaire du Mouvement Desjardins. Quel effet cherche-t-elle à produire?

Ce qu'il faut savoir

Le débat est une communication orale dans laquelle deux adversaires, ou deux groupes restreints, s'opposent sur une question au plan des idées. Les participants défendent, avec conviction et preuves à l'appui, des thèses opposées dans l'intention de convaincre non pas l'adversaire, mais le public, du bien-fondé de leur point de vue. Contrairement aux exigences propres au texte critique, chacun doit, dans le débat, prendre parti et défendre de façon exclusive le pour **ou** le contre de la question à résoudre.

Comment le préparer

Le débat c'est deux chevaliers qui s'affrontent sur un pont où un seul peut passer. [...] Dans le débat, on joue ses convictions.

FRANKLAND, Michel, *La Communication orale efficace*,
Laval, Mondia, 1988, p. 106.

Comme c'est le cas pour l'exposé, la réussite d'un débat repose en grande partie sur le travail de préparation, lequel exige de la rigueur et un esprit de synthèse. La préparation du débat comporte les étapes suivantes.

a) Il faut déterminer le sujet.

Le choix d'un sujet à débattre est essentiel. En principe, il n'existe pas de sujet proscrit, ce qui ne veut pas dire que tous les sujets présentent le même intérêt. Les participants doivent maîtriser le sujet et émettre leur opinion sur la question à débattre, après avoir recueilli une bonne documentation sur le sujet. Il importe de s'assurer que le sujet retenu donne bien matière à un débat. La thèse, c'est-à-dire le point de vue personnel sur le sujet, prendra la forme d'une question claire et précise qui constituera le thème du débat.

b) Il faut choisir le type ou la structure du débat.

On peut identifier trois types de débat.

- Dans la vie professionnelle ou sociale, on débat de questions importantes, mais de façon **non structurée**. Chacun à son tour exprime son opinion en apportant, quand cela est possible, des preuves à l'appui. En général, ce type de débat a lieu lors d'une réunion et mène à une prise de décision par consensus. Il s'apparente à la discussion.
- Le **débat-dialogue** met en scène deux adversaires (équipes ou individus) qui défendent des points de vue opposés sur une question donnée. Il n'y a ni modérateur, ni arbitre. En l'absence d'autodiscipline, ce type de débat peut mener au chaos.
- Le **débat avec animateur**

  Ce type de débat est le plus fréquent en milieu scolaire. Il équivaut à un débat-dialogue **structuré** où l'animateur peut jouer divers rôles. Sa présence permet à tout le moins de maintenir l'ordre et le respect du temps alloué. Les participants doivent préalablement connaître la fonction que remplit leur animateur afin de pouvoir bien se préparer.

  - *L'animateur-président* dirige la séance et donne la parole à ceux qui la réclament en faisant respecter le droit de parole de chacun. Sa responsabilité se limite à donner en alternance un temps égal à chaque équipe. Il ne participe pas au débat.
  - *L'animateur-arbitre*, en plus de présider, arbitre les conflits. Il peut donc intervenir sur la forme des propos tenus (injures, attaques personnelles).
  - *L'animateur-maître du débat* veille à ce que l'objectif premier du débat soit respecté: le traitement du sujet, l'expression d'opinions diverses. Il peut donc intervenir sur le fond.

  Note: il est essentiel que le président soit garant de la clarté de la séance, mais lui donner trop de pouvoir risque de dénaturer le débat.[10]

c) Il faut connaître son public.

Il est important de tenir compte, lors d'un débat, des opinions de l'auditoire. L'orateur doit pouvoir démontrer aux personnes qui partagent son point de vue qu'elles ont raison, et prouver aux adeptes de l'opinion contraire qu'ils ont tort. Enfin, il lui faut convaincre les indécis par la force de sa pensée, de ses convictions. C'est donc davantage par la qualité de ses arguments que par leur quantité qu'il ralliera le plus grand nombre d'adhérents.

Il est aussi important de s'impliquer soi-même et d'inclure le public dans l'argumentation. Par exemple, dans un débat sur l'augmentation des frais de scolarité, la thèse négative pourrait être exprimée de la façon suivante.

Moi, en travaillant 12 heures par semaine, je peux poursuivre mes études et bien réussir sans imposer un fardeau financier supplémentaire à mes parents. Si l'on doublait les droits de scolarité, je ne pourrais plus étudier à temps plein et je terminerais mes études trois ou quatre ans plus tard que prévu. Vous voyez-vous

10. D'après Dominique GIOVACCHINI et Bernard VALETTE, *Français, formation fondamentale*, Paris, © Hatier, 1993, p. 137.

soit réclamer plus d'argent à vos parents ou alors être financièrement dépendant pendant encore huit ou neuf ans?

d) Il faut faire une recherche approfondie sur la question.

L'objectif de la recherche est de maîtriser le mieux possible le sujet traité. On doit non seulement trouver de la documentation précise et valable pour fournir des exemples, des preuves concrètes et des illustrations à l'appui de ses affirmations, mais aussi découvrir les arguments de l'opposition pour pouvoir les réfuter. Si l'on travaille en équipes de deux ou trois personnes (pas plus), il serait avantageux de se partager la tâche afin d'être encore mieux préparés.

La recherche permet de se convaincre davantage de la valeur de son point de vue, de développer une bonne maîtrise du sujet et de savoir comment réfuter, quand cela est possible ou devient nécessaire, l'argumentation de l'opposition.

e) Il faut apprendre à gérer son temps.

Il arrive fréquemment dans les débats que l'animateur doive couper la parole à un participant dont la présentation ou la réplique, trop longues, comportent trop d'éléments. Une fois que le président de la séance aura annoncé la structure du débat, chacun des participants doit pouvoir présenter sa thèse à l'intérieur du temps alloué.

Quant à la réplique, il faut la préparer en écoutant l'adversaire et en se servant des éléments de réfutation recueillis au cours de la recherche; ensuite, il importe d'exposer ses arguments par ordre décroissant d'importance, les plus forts en premier. En effet, la répétition d'un argument essentiel peut être plus efficace qu'une série d'arguments faibles.

Comment le présenter

1. Il est important de se rappeler, en présentant sa thèse, que c'est le public que l'on veut convaincre et non son adversaire.

   On parlera donc

   - avec clarté et assurance;
   - en maintenant un contact visuel avec le public;
   - de manière à démontrer ses convictions personnelles.

2. Pour répondre aux arguments de l'adversaire, il faut le désigner à la troisième personne, en s'adressant toujours au public. Par ailleurs, le débat doit porter sur des idées et non sur les individus. Si l'adversaire ne respecte pas cette dernière règle, il faut demeurer poli sans pour autant manifester de la faiblesse, ni perdre la maîtrise de soi: au risque de nuire à sa propre cause et de miner sa crédibilité auprès du public. Par contre, répondre calmement à une accusation de l'adversaire ne peut qu'améliorer sa position.
3. Savoir écouter est un atout indispensable pour un bon débatteur. Dans ses répliques, le participant doit répondre aux arguments avancés par l'adversaire. Il ne s'agit ni d'ignorer ses interventions ni de faire un monologue.
4. Enfin, il doit conclure en revenant sur les arguments les plus forts de sa thèse et en insistant sur le bien-fondé de son opinion.

Donner partiellement raison à l'adversaire, c'est affaiblir de façon sérieuse sa propre thèse.

Tableau synthèse

Le débat est une situation de communication orale où deux adversaires ou deux équipes adverses s'affrontent sur le plan des idées. Ils s'adressent à un public avec l'intention de le convaincre du bien-fondé de leur opinion respective sur une question précise.

Préparation

- Établir clairement le sujet à débattre.
- Faire une recherche approfondie sur le sujet débattu,
  - selon sa thèse,
  - selon la thèse de l'adversaire.
- Choisir le type de débat.
- Connaître son public:
  - s'y adapter,
  - l'impliquer dans l'argumentation.
- Gérer son temps.

Présentation

Étant donné que l'intention de l'émetteur est de convaincre le public, il doit, pour se faire écouter, démontrer les qualités suivantes.

- De l'aisance oratoire.
- Une conviction personnelle quant à l'opinion proposée.
- La maîtrise de soi.

L'émetteur doit être à l'écoute de son adversaire.

Il doit aussi:

- se servir d'exemples et de preuves personnelles ou qui impliqueront le public;
- maintenir un contact visuel avec le public;
- parler avec clarté et assurance.

Exercices bilans

Exercice 1

A. Pour vous préparer à un débat, faites une recherche sur le sujet suivant par équipes de trois.

L'école doit-elle être gratuite pour tous jusqu'au premier cycle universitaire?

Classez les arguments par ordre *décroissant* d'importance.

Par exemple, la tâche pourrait être partagée de la façon suivante.

- Un membre de chaque équipe peut se concentrer sur la gratuité collégiale et universitaire dans d'autres provinces ou pays.
- Une autre personne peut orienter sa recherche sur la signification du mot *tous* et se poser la question: «Qui fréquente les maisons d'enseignement postsecondaires dans les pays où cet enseignement est essentiellement gratuit?»
- Enfin, le troisième membre peut orienter sa recherche sur les coûts que représente pour le pays ou la province la gratuité scolaire, compte tenu du fait qu'un certain nombre d'élèves ne terminent pas leurs études.

B. Vous êtes maintenant prêts à présenter votre débat avec animateur-arbitre (trois élèves pour, trois élèves contre et le président).
   - Vous avez chacun de trois à cinq minutes pour présenter votre thèse.
   - Pour la réplique, deux minutes sont allouées à la partie adverse.

Exercice 2

En vous inspirant de la procédure de l'exercice 1, préparez et présentez l'un des sujets suivants.

- *La présence prédominante de l'informatique dans notre société nuit-elle à la communication humaine?*
- *La retraite devrait-elle être obligatoire à un âge déterminé?*
- *Les immigrants doivent-ils s'intégrer ou s'assimiler à leur société d'accueil?*

Exercice 3

Lors de la *préparation* de votre débat, avez-vous rencontré des difficultés...

- à déterminer la tâche de chaque membre de l'équipe?
- à établir les arguments et preuves pour votre thèse?
- à prévoir les principaux arguments de l'opposition?

Expliquez comment vous avez réussi à surmonter vos difficultés.

Lors de la *présentation* du débat, le peu de temps alloué pour répondre à l'adversaire représentait-il une contrainte difficile?

Qu'est-ce qui vous a aidé à bien organiser vos interventions après votre prise de parole initiale?

10

Le discours expressif

À l'écrit
Le texte expressif

Comment l'identifier
Comment le rédiger

À l'oral
L'entrevue

Comment la préparer
Comment la conduire

Le texte expressif

Texte 1

La nouvelle génération

Jusqu'à maintenant, chaque nouvelle génération voulait changer le monde. Mais ce n'est plus vrai. La décennie 80 nous a convaincus de la futilité des utopies. Même si changer le monde est une aspiration nécessaire pour qu'une génération ébranle la précédente et veuille la remplacer, nous n'osons plus. Nous voici paralysés par notre lucidité. Pourquoi réussirions-nous là où des peuples entiers, inspirés par les plus grands penseurs de notre civilisation, ont échoué? Aujourd'hui, peut-on dire avec cynisme, nous n'avons pas l'ignorance de croire en quelque chose.

Cette attitude a donné naissance à une société hétérogène où une poignée d'écolos travaille d'un bord, quelques pacifistes de l'autre. Il y a les macrobiotiques, les gais, les militants communautaires, les groupes étudiants, les indépendantistes, la corporation des musiciens d'instruments à vent, les adeptes du nouveau cinéma, les amis des lettres roumaines. Chacun voudrait que la société évolue dans la direction de ses intérêts.

Mais ces efforts épars forment une véritable rose des vents dont les forces s'annulent. Ces gens ne pensent pas à mettre en commun leurs énergies; ils se disent trop différents. Pourtant, à l'époque des mouvements de gauche, ils l'auraient fait. Et ça aurait marché.

SAUVÉ, Mathieu-Robert, *Le Québec à l'âge ingrat*, Montréal, Éditions du Boréal, 1993, p. 275.

Texte 2

Ronsard: Amours de Marie

Marie, qui voudrait votre beau nom tourner,
Il trouverait Aimer: aimez-moi donc, Marie,
Faites cela vers moi dont votre nom vous prie,
Votre amour ne se peut en meilleur lieu donner:

S'il vous plaît pour jamais un plaisir demener[1],
Aimez-moi, nous prendrons les plaisirs de la vie,
Pendus l'un l'autre au col, et jamais nulle envie
D'aimer en autre lieu ne nous pourra mener.

Si[2] faut il bien aimer au monde quelque chose:
Celui qui n'aime point, celui-là se propose
Une vie de Scythe[3], et ses jours veut passer

Sans goûter la douceur des douceurs la meilleure.
É[4], qu'est-il rien de doux sans Vénus? las! à l'heure
Que je n'aimerai point puissé-je trépasser!

RONSARD, Pierre de, *Continuation des Amours* (1555).

1. Conserver.
2. Et.
3. De barbare.
4. Eh.

Texte 3

À André Laurendeau

Je te félicite très cordialement, heureux homme, de ton grand bonheur. Je te souhaite qu'il te dure longtemps et que tu y puises des choses profondes et belles. Les grands bonheurs et les grands malheurs sont frères. Seuls ils ouvrent à l'âme des profondeurs où celles qui ne les ont pas connus ne pénètrent pas. Et le silence est l'élément où tous deux s'épanouissent...

C'est extraordinaire, la faculté qu'on a, quand on est jeune de se sentir ce qu'on veut, cette espèce de possibilité de se multiplier en autant de personnages que notre fantaisie nous porte à vouloir dire; toutes ces énergies latentes, toutes ces possibilités indéterminées que l'on pousse de tous côtés parce qu'on aime beaucoup de choses et qu'on ne peut se résigner à n'être pas toutes ces choses qu'on aime. De là ces enthousiasmes fous, ces engouements exaltés qui sont beaux, mais qui sont feux de paille, qui ne tiennent pas, à moins que quelque chose de plus solide ne prenne racine dans leurs cendres. Ce sont des abdications d'un soi qui n'est pas une personnalité, à un objet qui nous séduit. C'est qu'on se cherche et qu'on voudrait se trouver pareil à ce qu'on admire.

Ainsi, j'ai été jeune très longtemps. C'est vers la fin de l'année scolaire que je me suis déterminé. Et me voilà moi. Aux premiers temps de cette nouvelle page tournée, on est tout joyeux de son être. C'est une nouvelle indépendance et un nouvel orgueil. Mais petit à petit ces nouveautés perdent leur charme; on fait le tour de sa prison et on la trouve petite. Auparavant, c'était l'indéfini des plaines, tous les horizons ouverts; on n'allait loin d'aucun côté, mais l'espace était là. C'était toutes les possibilités de devenir; et maintenant on est presque. Plusieurs portes se sont fermées; on connaît un peu sa voie, et connaître sa voie, c'est renoncer aux autres. On connaît presque ce qu'on peut appeler son exposant. Au lieu d'être tout en possibilité, on est ce qu'on est; et ce qu'on est pourra aller jusqu'à tel point, approximativement. Et toute l'espérance qui nous reste est pour ainsi dire canalisée. Elle porte au pied le boulet du travail.

11 juillet 1931

GARNEAU, Hector de Saint-Denys, *Œuvres*, édition annotée et présentée par Jacques Brault et Benoît Lacroix, Montréal, Presses de l'Université de Montréal, 1971, p. 906-907.

Texte 4

L'amour

Dans son autobiographie, la romancière Gabrielle Roy retrace ses années de formation, depuis son enfance au Manitoba jusqu'à son retour d'Europe à la veille de la Deuxième Guerre mondiale. En voici un extrait.

Avons-nous été heureux alors? Je ne pense pas. Notre amour était trop fiévreux, agité et possessif pour nous laisser en repos, et quand il n'a pas d'îles où se poser pour des instants de calme, l'amour en vient vite à l'épuisement. Mon sentiment pour Stephen annihilait en moi presque tout de ce qui n'était pas sous sa domination. Je n'entrevoyais plus le monde qui nous entourait qu'en brèves éclaircies. De plus en plus il m'apparaissait lointain, étrange, insaisissable, alors que c'était nous, enclos dans notre passion, qui étions soustraits au reste du monde et comme seuls à jamais. Plus tard, quand je fus à même d'analyser quelque peu ce qui nous était arrivé, j'ai pensé que nous avions été, Stephen et moi, comme ces papillons, ces phalènes, ces mille créatures de l'air que des ruses de la nature, une odeur, des ondes, mènent à leur rencontre sans qu'elles y soient pour rien. Et je me demande si la foudroyante attirance que nous avons subie, de tous les malentendus, de tous les pièges de la vie, n'est pas l'un des plus cruels. À cause de lui, après que j'en fus sortie, j'ai gardé pour longtemps, peut-être pour toujours, de l'effroi envers ce que l'on appelle l'amour.

ROY, Gabrielle, *La Détresse et l'Enchantement*, coll. «Boréal Express», Montréal, Éditions du Boréal, 1984, p. 348.

Questions

Texte 1

1. Quelles sont ici les marques d'énonciation? Précisez à quelle génération s'identifie l'auteur.
2. L'énumération contenue dans la deuxième phrase du deuxième paragraphe («Il y a les macrobiotiques...») évoque l'une des idées suivantes. Laquelle?
   a) La disparité.
   b) L'homogénéité.
   c) La progression.

   Justifiez votre choix.
3. Faites le relevé des termes abstraits et dites ce qu'ils suggèrent.

Texte 2

1. Un poème est le produit de l'inspiration et de techniques d'écriture bien maîtrisées. Étudiez sous ces deux aspects la variété qu'offre ce poème au plan de la phrase (nature, formes), du verbe (modes et temps) et du vocabulaire (niveau courant, soutenu; effets expressifs).
2. L'énonciation change au cours de ce sonnet, bien que l'émetteur soit toujours le même. Relevez les changements dans les marques d'énonciation et dites ce qu'ils signifient.

Texte 3 et 4

Le choix du niveau de langue doit correspondre à la situation de communication.

1. Relevez, dans le texte 3, les éléments qui montrent que cette lettre est adressée à un ami (marques d'énonciation, vocabulaire, syntaxe).
2. Relevez, dans le texte 4, les éléments qui montrent que l'auteure destinait ce texte à la publication (marques d'énonciation, vocabulaire, syntaxe, niveau de langue, figures de style).

I. Identifier un texte expressif

Exercice 1

La littérature

Le texte suivant est extrait d'un essai sur la littérature au Canada français. En plus de son aspect informatif, il constitue un exemple d'écriture expressive.

Aucune [remarque] ne presse plus, me semble-t-il, que de rappeler que la littérature n'est pas un produit de génération spontanée. En dernière analyse, elle se réduit, au même titre que les mœurs, les institutions, à un phénomène social. Elle a son humus, ses racines. Elle est le point de rencontre, de fusion, de deux forces: l'individuel et le collectif. À la vie que l'écrivain tire de son propre fond se mêle, par un mystérieux phénomène bio-chimique, la vie qu'il respire autour de lui. Toute œuvre est une collaboration du particulier et du général, du passé et du présent. Par conséquent, que vaut l'explication d'un livre qui n'interroge que son auteur? De quoi l'aurait-il créé qu'on ne puisse y trouver aucune corrélation, aucune analogie avec le milieu dont il sort? Rien ne se fait de rien.

Étant donné son âge, son isolement, ses structures sociales, le Canada français ne possède aucun génie en lequel il puisse se reconnaître, tels les Français en Molière, les Russes en Dostoïevski. À l'exemple de tant de pays comme lui oubliés des dieux, il ne compte pas moins un grand nombre d'écrivains qui témoignent de son existence, qui le reflètent dans les plus caractéristiques de ses traits. Des anciens aux modernes, tous évoquent son long et pénible cheminement vers la maturité, tous en marquent une étape parce que tous, y compris ceux qui ont cherché à le fuir, participent, en profondeur ou en surface, de sa substance. Ils ne sont pas des étrangers dans la cité; ils sont la cité même.

Les diverses phases de notre activité intellectuelle ne sont pas, elles non plus, le fruit du hasard. Et le talent en est un. Aucune époque n'en a été complètement dépourvue mais, ici comme ailleurs, il s'en faut que toutes y aient été propices à un degré égal. Il est arrivé que le champ lui soit mesuré. Il est arrivé qu'il se soit heurté, ainsi qu'en France à maintes époques, à plus puissant que lui en se dressant contre les mœurs régnantes. Du jour, assez récent, où les contraintes arbitraires et les préjugés révolus ont perdu de leur emprise, le renouvellement de notre littérature a gagné en occasion et en facilité Il ne faudrait tout de même pas prêter aux individus seuls le mérite d'une transformation dont ils sont, en partie, tributaires à leur temps. Il était facile, par exemple, à Du Bellay de conseiller qu'on pillât les anciens puisqu'on les avait alors sous la main. Sans cet atout, pourtant, qu'en eût-il été de son manifeste et qu'en eût-il été de la Renaissance?

Au don, à savoir l'imagination, la sensibilité, la science du verbe, s'ajoute donc, tel le levain à la pâte, le temporel en ses innombrables implications. Élevé chez les Jésuites plutôt qu'à Port-Royal, Racine eût-il écrit la tragédie de la destinée? Pascal, sans les Jésuites, les *Provinciales*? Chaque entreprise a son heure, son moment, son occasion. Quelque part que l'on fasse à l'individu – la première cela va de soi – on ne la diminue pas en y relevant les empreintes qu'y a laissées le milieu. Vue de la sorte, à ras du sol et non plus improprement ou équivoquement alignée sur un horizon étranger, la littérature canadienne nous livre, ce qui a son prix, sa véritable configuration. Depuis si longtemps que nous la masque la complaisance ou le dogmatisme, nous la découvrons grandeur nature en complète harmonie avec le paysage moral, social, économique dans lequel elle s'inscrit.

BARBEAU, Victor, *La Danse autour de l'érable*, Montréal, Cahiers de l'Académie canadienne-française, 1958, p. 8-10.

Questions

1. Faites le relevé des expressions imagées contenues dans le premier paragraphe. À quel domaine appartiennent-elles? Établissez le lien entre le choix de ces expressions et l'intention de l'auteur.
2. Si vous deviez apprécier la nature expressive de ce texte au plan du vocabulaire, des phrases, du recours aux expressions imagées, diriez-vous que le niveau de langue de cet auteur est
   a) soutenu?
   b) courant?
   c) familier?

   Expliquez votre réponse à l'aide d'exemples.
3. Dans un texte expressif, la nature des phrases peut beaucoup varier. Identifiez ici la nature de chacune des phrases des premier et deuxième paragraphes. Quelle conclusion en tirez-vous?

4. Retrouvez dans les paragraphes 2, 3 et 4 quatre expressions faisant implicitement référence à l'époque où a vécu l'auteur, c'est-à-dire la première moitié du XXe siècle.

Exercice 2

Les pamphlets de Valdombre

Mon cher professeur[5]

On vous a connu si respectueux de la langue française telle qu'on la parle, non pas en province, mais à Paris; on vous sait si bon linguiste et un spécimen remarquable des humanités et de l'humanité; on vous a vu ouvrir démesurément la bouche pour prononcer les «a» à la parisienne; on juge que vous n'oseriez pas employer des vocables usés tels que «drette», «astheure», «itou», «frette» et une centaine d'autres que vous rencontrez couramment sous la plume d'écrivains vulgaires de mon espèce; dans vos ouvrages, dis-je, et dans le moindre de vos écrits, on découvre cette patience et tout le soin que vous apportez à vous exprimer dans une langue qui se rapproche le plus de la langue littéraire française d'aujourd'hui, mais vous admettrez qu'il y a de quoi arrêter le cours des astres lorsqu'on vous entend affirmer ceci, par exemple:

Nos ancêtres parlaient français. Ils parlaient le français de leur temps, de leur métier, de leur coin de terre. Ce que nous avons hérité d'eux n'est pas de la contrefaçon. Rien n'est, au contraire, plus authentique, rien n'est plus national. Les archaïsmes, les provincialismes qui émaillent notre parler sont la plus grande de nos richesses. Ce sont nos lettres de noblesse. [...]

Sublime! Il y a cinq ans, il y a dix ans, je soutenais la même idée et, comme vous voyez, vous êtes un peu en retard. Seulement, personne n'a porté attention à ce que j'écrivais à l'époque sur cette question de la langue canadienne. Pour vous, c'est différent. Vous êtes professeur, vous êtes un «officiel», un consacré. On vous prendra au sérieux. La bonne presse vous félicitera et certains faux nationalistes vous lécheront les bottes. On admet généralement que vous avez toujours été chanceux, vous. Il est vrai que vous connaissez l'art de renifler le vent et d'entendre pousser l'herbe. Il fut un temps où vous n'aviez pas assez d'un fil de l'heure pour vous moquer des écrivains canayens, pour baver dessus et les repousser d'une main gantée au beurre frais. Ironie du sort! Vous êtes aujourd'hui le président considérable et considéré d'une Société des Écrivains canayens où les écrivains véritables se comptent sur les doigts d'une seule main. Il fut un temps, mon cher Barbeau, où pas un littérateur de chez nous, employant des archaïsmes et des provincialismes, ne trouvait grâce devant vous. Vous les avez tous conspués. Vous étiez le type parfait du Canayen-França retour d'Europe. Et voici maintenant que vous chantez la gloire d'une langue qui puiserait sa noblesse et sa fraîcheur dans les provincialismes et les archaïsmes! Délicieux!

Je me réjouis de nos nouvelles positions puisque le canadianisme est à la mode. Vous comprendrez tout de même mon étonnement et vous reconnaîtrez avec le goût du sarcasme qui vous caractérise que la vie littéraire nous offre chaque jour des surprises et une source nouvelle de réflexions.

5. Victor Barbeau (1896-1994), cofondateur de l'Académie canadienne-française.

Désireux de nous rendre la vie plus amusante encore, vous publiez une liste d'archaïsmes et de provincialismes qui gardent le secret de vous plonger dans l'enthousiasme. Nous en relevons à peine deux cents de ces vocables que moi-même j'adore. C'est peu, mon cher Barbeau. Votre vocabulaire français est plus riche. Continuez donc à écrire en français. Le canadien ne vous va pas. Vous êtes dépaysé chez nous, en province, dans nos villages. La ville vous sied mieux, surtout la ville de Paris. J'aime à vous parler franchement. Je ne me fais pas à l'idée qu'un professeur de votre ton oserait dire devant une assemblée de péronnelles: «Venez donc m'abrier, j'ai frette pis d'abord achalez-moi pas. J'ai pas l'accoutumance de faire de la boucane, hein! mon trognon, mais dans le temps des maringouins, dans la grande noirceur, c'est ben commode.» [...]

Non, mon cher professeur, ce n'est pas là votre langage. Puis, tenteriez-vous un effort de ce côté, oseriez-vous parler de la sorte que tout le monde partirait à rire. On vous prendrait pour un farceur. Mes paysans, qui ne manquent ni d'esprit ni de jugeotte, se rendraient compte que ce n'est pas naturel et rentreraient à la maison en songeant que les «gens ban instruits sont ban comiques.» Ça serait de valeur pour vous, mon cher Barbeau, parce que vous êtes sérieux, vous passez pour un homme sérieux, pour un écrivain sérieux. Mais puisque vous persistez à chanter la gloire de nos provincialismes, de nos archaïsmes, je n'hésite pas à écrire que vous n'êtes qu'un massacreur officiel de la langue au pays de Québec.

GRIGNON, Claude-Henri, Sainte-Adèle,
Les Pamphlets de Valdombre, avril 1939, p. 196-199.

Questions

1. Relevez les marques d'énonciation dans le premier paragraphe. Que peut-on conclure au sujet de leur fréquence? Quel effet ce procédé employé par l'auteur produit-il sur le récepteur?
2. Relevez les termes qui trahissent l'émotion de l'auteur dans la défense de son point de vue.
3. Relevez les expressions qui révèlent l'ironie de l'auteur et expliquez-les.
4. Bien que les préoccupations de structure passent souvent au second plan dans un texte expressif, il demeure qu'un texte bien rédigé doit avoir une structure interne. Établissez le plan de ce texte.

Exercice 3

À Simone de Beauvoir

Mon charmant Castor — Le 17 septembre 1939

Ce matin une lettre de vous et cette après-midi une autre lettre. Il en manque encore, mais vous ne savez pas quel élargissement de ma vie ça me fait tout soudain, de retrouver un contact avec la vôtre. C'est comme quand, au cinéma, on projette brusquement sur grand écran. Maintenant j'ai de nouveau des attaches solides et – il faut bien le dire – un peu douloureuses avec Paris. Et surtout des liens *concrets* avec vous. J'imagine si bien votre vie. Je ne la trouve pas gaie, mon amour, elle me bouleverse de tristesse et je me rends compte que c'est moi qui ai la meilleure part, parce que – jusqu'à nouvel ordre – je ne suis pas inquiet pour vous. En ce qui me concerne vous pouvez vous rassurer *absolument*, mon amour. Je fais partie non de l'artillerie mais de l'État-Major d'artillerie. Je ne puis sans doute vous donner de détails, crainte de la Censure, sur les positions réciproques des batteries et de l'État-Major, mais en tout cas vous pouvez considérer que je suis en complète sécurité. Il y a encore d'autres raisons de sécurité que je ne peux pas du tout vous exposer ici mais qui sont décisives. Croyez-moi, mon amour. Si jamais je suis exposé, vous savez bien que je vous le dirai: vous autre, c'est moi, je ne voudrais pas courir un danger sans que vous le sachiez...

SARTRE, Jean-Paul, *Lettres au Castor et à quelques autres*, Paris, © Gallimard, 1983, p. 300-301.

Questions

1. Relevez les marques d'énonciation et les indices de l'écriture épistolaire dans le texte.
2. Au moyen des réseaux lexicaux, précisez l'objet de cette lettre.
3. Relevez les éléments de cette lettre qui indiquent qu'elle n'était pas destinée à la publication.

Exercice 4

L'écriture autobiographique

Je suis né rue Notre-Dame-des-Champs dans un appartement dont je ne garde aucun souvenir. En revanche, l'appartement du boulevard Montparnasse dans lequel mes parents déménagèrent peu de temps après ma naissance ne s'est pas entièrement effacé de ma mémoire: je vois ou j'imagine une vaste entrée-couloir qui servait, à mes frères et à moi, de patinoire et dont un panneau était tapissé par trois grandes bibliothèques, le haut rempli de livres, le bas destiné aux papiers et brochures, fermé par des portes. C'est là que, vers ma dixième année, je découvris la littérature sur l'affaire Dreyfus que mon père avait accumulée en vrac.

Nous étions trois – «les petits marrons» – presque du même âge, avril 1902, décembre 1903, mars 1905. Adrien fut à tous égards l'aîné, le plus vite échappé de la famille ou plutôt révolté contre elle, peut-être à l'origine le plus adoré par ma mère (une année avant son arrivée au monde, un premier fils était mort dans un accouchement difficile; il aurait pu vivre, disait parfois ma mère, et elle accusait le docteur). Gâté, il ne le fut guère plus que les autres, mais Adrien aurait peut-être suivi un autre chemin si mes parents, ma mère en pleurant, mon père en se justifiant à lui-même sa faiblesse, ne lui avaient donné longtemps les moyens de vivre à sa guise sans travailler, dans le confort.

Avant ma naissance, ma mère avait décrété que je serais la fille qu'elle désirait passionnément. Je fus donc le petit dernier comme Adrien avait été le premier. Elle souffrait parfois de la dureté des Grands, ceux qu'elle appelait les Aron. Elle me prenait par la main et j'aimais partager sa solitude, en une complicité de tendresse. Mon père, lui, me confia une autre mission qui pesa sur ma vie tout entière, plus encore que mon intimité à peine consciente avec ma mère au cours de mes premières années.

ARON, Raymond, *Mémoires*, Paris, Julliard, 1983, p. 9.

Questions

1. Dans le texte expressif, on note assez souvent la présence de plusieurs temps de verbes. Ainsi, dans cet extrait, l'auteur utilise le présent, l'imparfait et le passé simple. Expliquez l'emploi de chacun de ces temps.
2. Cette page est la première des *Mémoires* de Raymond Aron. Démontrez à l'aide des marques d'énonciation que l'auteur n'entend pas être l'unique sujet de son livre.
3. Identifiez le champ lexical dominant. En quoi est-il relié au domaine du discours expressif?

Exercice 5

Mère Méditerranée

Sociologue français, l'auteur aborde dans le présent texte la question du métissage des peuples dont la région de la Méditerranée, berceau de quelques-unes des principales civilisations du monde, fournit un bel exemple.

Si mes gènes, si mes chromosomes pouvaient parler, ils vous raconteraient une odyssée méditerranéenne qui partirait à peu près comme celle d'Ulysse, mais plus au sud, de la Méditerranée asiatique, ce Proche-Orient d'aujourd'hui; ils vous raconteraient leur voyage dans l'Empire romain, leur arrivée dans la péninsule Ibérique et en Provence. Ils vous diraient plus d'un millénaire d'enracinement et près de sept cents années dans une Espagne plurielle aux divers royaumes et aux trois religions, jusqu'à pour certains, 1492 et, pour d'autres, le XVIIe siècle. Mes gènes, mes chromosomes, vous diraient comment ces ancêtres *conversos* auront connu pendant deux siècles le baptême de l'Église catholique; puis ils vous narreraient leur séjour rejudaïsé dans le grand duché de Toscane, à Livourne jusqu'à la fin du XVIIIe siècle d'où, poussés par les grands courants de l'expansion économique de l'Occident, ils avaient gagné, dans l'Empire ottoman, la grande cité de Salonique, peuplée en grande majorité de séfarades qui parlaient le vieux castillan antérieur à la *jota*. Puis ils diraient le retour vers l'Occident, et enfin l'enracinement en France.

Mes gènes vous diraient que toutes ces identités méditerranéennes successives se sont unies, symbiotisées en moi, et, au cours de ce périple bimillénaire, la Méditerranée est devenue une patrie très profonde. Les papilles de ma langue sont méditerranéennes, elles appellent l'huile d'olive, elles s'exaltent d'aubergines et de poivrons grillés, elle désirent tapas ou mézés. Mes oreilles adorent le flamenco et les mélopées orientales. Et dans mon âme, il y a ce je ne sais quoi qui me met en résonnance filiale avec son ciel, ses îles, ses côtes, ses aridités, ses fertilités.

Les gènes vous confieraient aussi, qu'ils ont vécu une expérience typiquement ibérique, l'expérience marrane. Le marranisme n'est pas seulement, comme beaucoup le croient, une façon d'avoir dissous son ascendance juive dans un christianisme sincère; c'est aussi l'expérience, dans un même esprit et dans une même âme, de la rencontre de deux religions antagonistes. Ou bien cet antagonisme produit la dissolution de ce que l'une et l'autre religion ont de formel, et dégage alors une prodigieuse combustion mystique, et c'est Thérèse d'Avila. Ou bien le choc des deux religions dissout l'une et l'autre pour faire place au doute et à l'interrogation généralisée, et c'est le cas de Montaigne, lui aussi issu de *conversos.* Ou bien encore le Dieu transcendant se désintègre, et c'est la nature qui devient divine en devenant autocréatrice, et c'est Spinoza. Et moi, oui, je suis mystique certes à ma façon, je suis rationnel, je suis sceptique, et je n'aurais pas été tel sans Séfarad[6], je veux dire les Espagnes, dans sa pluralité.

6. Nom hébreu de l'Espagne.

MORIN, Edgar, «Mère Méditerranée», Paris, *Le Monde diplomatique*, août 1995, p. 12.

Questions

1. En vous référant aux modes des verbes du premier paragraphe, précisez de quelle façon l'auteur aborde son récit autobiographique.
2. Relevez les marques d'énonciation dans le texte. Expliquez celles que l'auteur emploie pour définir son identité. Parle-t-il seulement de lui?
3. Régidez le plan de ce texte après avoir identifié sa nature.

Question sur les textes des exercices 4 et 5

En comparant ces deux textes autobiographiques, on constate l'importance rattachée à la situation d'énonciation. Relevez dans chaque texte les termes qui expriment les sentiments d'appartenance à un groupe, à une famille, à une culture.

Exercice 6

Musée Stewart au Fort de l'Île Sainte-Hélène

Faites un retour dans le temps... aux siècles de la conquête du Nouveau-Monde. Venez découvrir un monde vieux de quatre siècles, à quelques minutes de Montréal en voiture, en autobus ou en métro. Partez à la découverte de ce fort historique. Admirez les fascinantes collections du Musée. Soyez témoin des exercices des soldats en costumes d'époque. Vous entendrez le rugissement des canons et le tir des mousquets alors que La Compagnie franche de la Marine exécutera les exercices d'une époque révolue. Uniformes, armes et manœuvres militaires du 18e siècle donnent un aperçu de la routine quotidienne effectuée par les troupes qui gardaient les avant-postes de la Nouvelle-France entre 1683 et 1760. Rendez-vous au Fort de l'Île Sainte-Hélène, foyer du Musée Stewart... Une journée inoubliable vous attend si près, et à la fois si loin, de la ville.

Musées de Montréal, dépliant publicitaire.

Questions

1. Ce texte est de type incitatif, c'est-à-dire qu'il veut amener le grand public à agir. Quelles sont les caractéristiques lexicales qui l'encouragent dans ce sens?
2. Le mode impératif sert à donner des ordres. Est-ce le cas ici?

II. Rédiger un texte expressif

Exercice 7

Rédigez un texte de 500 mots dans lequel vous exprimerez votre enthousiasme après avoir lu un livre, vu un film ou visité une exposition qui vous a particulièrement plu.

Exercice 8

Vous voulez partager une grande émotion, que vous avez récemment vécue, avec un ami ou une amie qui ne demeure plus dans votre région. Vous lui écrivez donc une lettre d'environ 500 mots.

Exercice 9

Un coup de cœur pour une œuvre littéraire, un concert ou un spectacle suscitent le désir d'inciter un ami ou une amie proche à vivre la même expérience que vous. Vous lui écrivez pour l'encourager à lire le livre, aller entendre le concert ou voir le spectacle que vous lui recommandez. (500 mots)

Ce qu'il faut savoir

Le discours expressif

Le texte expressif associe à la fonction de signification du langage l'évocation de sentiments et d'émotions ou leur manifestation chez le récepteur. Il résulte d'un travail de création à partir du langage, de la même façon que le peintre agence les couleurs et les volumes ou le musicien les sons. Le sens du texte est souvent indissociable de la forme. L'attention accordée par l'auteur au langage, au style, en constitue une caractéristique importante.

On retiendra principalement, dans cette catégorie de textes, les genres suivants.

a) Le poème, qui privilégie la fonction expressive du langage et l'élève au rang d'une forme d'art.

b) L'essai, qui traite d'une question (philosophie, art, science, politique, société) selon un point de vue personnel, mais sans l'épuiser.

c) Le pamphlet, qui est un court texte à caractère satirique, de ton agressif, visant un adversaire, une institution.

d) La lettre, qui peut être réelle ou fictive. Dans le cas de lettres fictives, il s'agira le plus souvent de la correspondance entre écrivains, destinée à la publication, ou de romans épistolaires.

e) L'autobiographie, qui est le récit qu'une personne fait de sa propre vie dans l'intention de le publier.

Le texte incitatif, de nature utilitaire, vise à faire agir le récepteur ou destinataire de façon plus ou moins immédiate par le recours au langage de la suggestion, de l'invitation.

En voici quelques exemples: les dépliants ou les messages publicitaires, les guides touristiques ou les modes d'emploi...

Les préoccupations expressives présidant à la production des textes de type incitatif ont toutes pour objectif la compréhension immédiate du message et son impact sur le récepteur.

Le discours incitatif est aussi d'emploi fréquent dans la langue orale, en particulier entre parents et enfants, amis, professeurs et élèves.

I. Comment l'identifier

1. **Par l'énonciation:** Le texte expressif implique généralement le récepteur. La première et la deuxième personne du singulier ou du pluriel y sont employées de façon explicite ou implicite, puisque l'auteur développe un thème ou une réflexion d'un point de vue personnel. Il l'adresse à un destinataire précis: correspondant (lettre), adversaire (pamphlet) ou lecteur (poème, essai, autobiographie, publicité).

   Si ***vous*** *pensez que* ***j****'ai tort de croire que* ***nous*** *sommes avides de béquilles qui jettent des voiles de plus en plus épais sur la réalité,* ***pensez*** *à l'astrologie, à Jojo et à tout le succès que remporte une escroquerie sans aucune base scientifique.*

   JUTRAS, Hélène, *Le Québec me tue*, Montréal, Éditions des Intouchables, 1995, p. 98.

2. **Par la nature de la phrase:** Les nombreuses ressources de la syntaxe et l'emploi d'une ponctuation expressive traduiront les nuances de sens et d'émotions recherchées par l'auteur. La succession de phrases simples, complexes, composées et la variété du rythme, du ton, en sont les marques distinctives.

   Il est là depuis des siècles, des centaines de siècles peut-être, au flanc du coteau herbu, non loin de la vieille grange. Abandonné par les glaciers en fuite devant le soleil plus chaud, l'énorme granit a gardé la pose de hasard qu'il avait avant l'histoire.

   FRÈRE MARIE-VICTORIN, *Croquis laurentiens* (1920), Montréal, Les Presses de l'Université de Montréal, 1995.

Dans le texte incitatif de nature publicitaire, les phrases brèves et de lecture facile sont privilégiées.

Découvrez le Cosmodôme, une expérience fantastique qui vous fera découvrir les grandes réalisations humaines de l'espace. Venez prendre les commandes de la navette Endeavour et vivez la vie d'astronaute.

ROY, Jean-Hugues, «Ça passe ou ça casse», Montréal, *Québec Science*, vol. 34, n° 19, juin 1996, p. 13.

3. **Par le vocabulaire:** Il se caractérise par l'emploi de termes appropriés à la nature du sujet traité et aptes à traduire les sentiments ou l'émotion que l'auteur cherche à communiquer au lecteur. C'est pourquoi les mots chargés d'une connotation, c'est-à-dire une référence à la culture, aux goûts et à la sensibilité propres à une époque, sont souvent utilisés. L'importance accordée au style, comme support du sens, est ici primordiale.

   Sur l'immobile ***écran*** *des nuages gris* [métaphore], *les moindres bruits* ***se répercutent, s'amplifient, se confondent*** [gradation], *pour se résoudre en un halètement voilé, s****c****an****d****é* ***p****ar les* ***c****as****t****agne****tt****es* ***d****'un* ***p****ic* ***m****ar****t****elant un cèdre* ***m****ort* [allitération]. *En sourdine, se croisent les appels des oiseaux inquiets;* ***notes*** *nerveuses,* ***notes*** *menues,* ***notes*** *dolentes...*[anaphore]

   FRÈRE MARIE-VICTORIN, *op. cit.*

7. De l'Hexagone: la France, dont la forme rappelle ce type de figure.
8. Ouvrez les oreilles, les amis.
9. Désigne la ville de Paris.
10. Prénom de l'écrivain français Céline.
11. L'auteure-compositeur-interprète Diane Tell, qui vit en France et dont l'accent québécois n'est plus autant perceptible.

Le caractère expressif est aussi suggéré par la variété des niveaux de langue et des tons (dramatique, spirituel, comique...), selon l'effet recherché par l'auteur.

> *Faut vraiment être gonflé!* Le Devoir *fait dans l'hexagonal*[7]*, maintenant?... Esgourdez*[8]*, les potes, y en a marre! Nos cousins de Paname*[9]*, y a qu'à voir, on sait bien qu'ils préfèrent jacter amerloque. La survie du français, ils n'en ont que dalle. Ça ne fait pas un pli. Comme exemple pour les Québécois, c'est pas de la tarte, ça! M'est avis qu'il y a un juste milieu à trouver entre les deux Céline de notre univers culturel (Dion et Louis-Ferdinand*[10]*). Rien de Tell*[11] *que la modération.*
>
> SEXTON, Louise, «Hexagonal, Le Devoir», Montréal, *Le Devoir*, 15 août 1996, p. A6.

4. **Par les modes et les temps des verbes**: On remarque l'emploi d'une grande variété de modes et de temps verbaux, liée au contexte d'énonciation, comme on peut le constater dans les exemples de textes qui suivent.

   Note: Les temps verbaux indiqués ci-dessous sont des temps du mode indicatif, à moins d'indication contraire.

Dans le pamphlet

Vos meilleurs amis ne pourront [**futur**] *pas dire que vous* êtes [**présent**] *stérile. En moins de trois ans, vous* avez publié [**passé composé**] *trois ouvrages de haute importance.* (Claude-Henri Grignon)

Dans la lettre

a) *Je te* félicite [**présent**] [...] *de ton grand bonheur. Je* souhaite [**présent**] *qu'il te* dure [**subjonctif présent**] *longtemps et que tu y* puises [**subjonctif présent**] *des choses profondes et belles.* (Hector de Saint-Denys-Garneau)

b) Retrouverais-*je* [**conditionnel présent**] *la trace de vos pas? Je vous* cherche [**présent**] *et vous* attends [**présent**]. (Marcel Dugas)

Dans l'autobiographie

De tout ce que m'a donné [**passé composé**] *le Manitoba rien sans doute ne* persiste [**présent**] *avec autant de force en moi que ses paysages. J'*ai *passablement* voyagé [**passé composé**]. *J'*ai *quelquefois* été [**passé composé**] *heureuse ailleurs, parvenue* [**participe passé**] *pour un instant à m'y* sentir [**infinitif présent**] *chez moi, par exemple... en Essex, où j'*allai [**passé simple**] *un jour.* (Gabrielle Roy)

Dans l'essai

> *Le roman* est [**présent**] *un genre qui* relève [**présent**] *de la fiction. Mais ses personnages, quoique fictifs,* sont perçus [**présent**] *comme vivants car ils* évoluent [**présent**] *dans un contexte historique et social défini.*
>
> SABBAH, Hélène, *Littérature: textes et méthode. Classe de première*, Paris, © Hatier, 1994, p. 288.

L'impératif présent se voit fréquemment dans les textes incitatifs.

> *En attendant que l'on change les lois de la gravité, utilisez [**impératif présent**] le protège-tissus Scotchgard.*

5. **Par la structure du texte**: La forme est relativement libre et indissociable du sens. C'est l'intention de l'auteur qui la définit en faisant le choix du genre littéraire et des éléments stylistiques qu'il peut renouveler pour renforcer le caractère expressif du texte.

II. Comment le rédiger

Les exigences de la rédaction du texte expressif sont étroitement liées au style. La capacité de l'auteur à exprimer sa sensibilité et sa maîtrise de la langue permet d'apprécier la qualité de ce type de texte. Celui-ci doit refléter les idées, le point de vue, les goûts, les sentiments, l'imagination, en un mot la personnalité de l'auteur. L'identité du public cible du texte expressif est moins une contrainte qu'elle ne l'est pour les textes informatif et critique. Il s'agit plutôt de privilégier l'expression personnelle tout en respectant le récepteur.

1. **L'énonciation**

La première et la deuxième personne sont les marques usuelles du texte expressif. Il faut éviter toutefois l'emploi trop fréquent de la première personne, ce qui risque de faire passer le message à l'arrière-plan. L'exemple qui suit illustre cet abus du «Je».

> ***J'****ai passé un an sur place, c'est une des plus belles expériences de* ***ma*** *vie,* ***j'****étais absolument heureux. Alors il s'est passé que* ***j'****en ai fait trop.* ***Je*** *fais un bouquin... Cette publication provoqua l'union sacrée contre* ***moi****.*
>
> MORIN, Edgar, *op. cit.*, p. 84.

2. **La nature des phrases**

Les phrases simples permettent de donner une certaine densité à l'expression de la pensée.

> *Ainsi, les premiers romans en prose française sont des romans du Graal. Ce n'est probablement pas, ou pas uniquement, un effet du hasard. Aussi bien, ce caractère en apparence accidentel était parfaitement clair aux yeux des contemporains. (Michel Zinc)*

Mais la pratique de la phrase complexe s'avère nécessaire dans l'essai et dans le pamphlet.

> *De quelque façon que les hommes veuillent me voir, ils ne sauraient changer mon être, et malgré leur puissance et malgré toutes leurs sourdes intrigues, je continuerai, quoi qu'ils fassent, d'être en dépit d'eux ce que je suis.*
>
> ROUSSEAU, Jean-Jacques, *Les Rêveries du promeneur solitaire*, 8e promenade (1782).

3. **Le vocabulaire**

La précision et la variété du vocabulaire, la présence plus fréquente d'adjectifs ou de verbes qui expriment émotions, sentiments ou sensations, distinguent le texte expressif des autres types de textes. Dans le registre des émotions, il est souhaitable de trouver un juste milieu entre l'excès et l'indigence, entre l'affectation et la banalité. Le recours au dictionnaire, fréquent, permettra de s'assurer du sens précis des mots employés et de traduire les nuances de sens et les multiples connotations des mots.

> *Le vent* ***tiède*** *qui annonçait le printemps vint battre la fenêtre, apportant quelques bruits* ***confus****: le murmure des arbres* ***serrés*** *dont les branches frémissent et se frôlent, le cri* ***lointain*** *d'un hibou. Puis le silence* ***solennel*** *régna de nouveau. (Louis Hémon)*

> *Sur la lisière de l'eau, les petits saules* ***émettent timidement*** *la soie beige de leurs chatons. À toutes les branches des aulnes, de longues chenilles végétales* ***secouent*** *dans la brise froide une abondante poussière d'or, premier festin servi par la nature aux perdrix goulues,* ***fatiguées*** *de l'amère pitance des bourgeons résineux. (Frère Marie-Victorin)*

4. **Les verbes**

Les nuances de la pensée et la variété des émotions ressenties ou à partager sont aussi mises en valeur par un emploi judicieux des modes et des temps.

a) L'indicatif présente un fait dans sa réalité.

> *La route a remplacé l'ancien «trail» des pionniers de la marche vers l'Ouest; elle est le lien mystique qui rattache l'Américain à son continent, à ses compatriotes. (Jacques Poulin)*

b) Le subjonctif permet d'interpréter les faits comme possibles, souhaités ou douteux.

Il parle d'une équipe qui soit la meilleure au monde.

c) L'infinitif, mode non personnel, se prête à l'expression d'idées générales ou abstraites.

Bien faire et laisser braire.

d) Le conditionnel à valeur modale exprime aussi bien des hypothèses, des souhaits que des faits imaginaires.

Vous croiriez entendre le bruit des vagues.

5. **La structure**

Le texte expressif s'organise moins en fonction d'une structure déterminée qu'en fonction de l'intention de l'émetteur, c'est-à-dire de l'expression d'une réflexion, d'un point de vue, d'un thème, à laquelle s'ajoute un ton particulier. Le texte se présente donc sous des formes variées.

Tableau synthèse

Le discours **expressif** permet à l'émetteur de transmettre ses idées, son point de vue, ses sentiments ou ses émotions dans une langue plus ou moins recherchée selon la forme choisie: **poème, essai, pamphlet, lettre, autobiographie.**

Le discours **incitatif** fait appel à autrui pour susciter une action immédiate: publicités, guides touristiques.

On identifie un texte expressif:

par le système d'énonciation: 1re et 2e personne du singulier ou du pluriel, employées de façon explicite ou implicite;

par la nature des phrases: très variée selon l'intention de l'auteur et la forme choisies;

par le vocabulaire: la connotation des mots oriente le choix de l'auteur, qui cherche à exprimer ses idées, son point de vue, ses sentiments ou ses émotions;

par les modes et les temps verbaux: très variés;

par le plan: très varié, lié au sens.

On rédige un texte expressif en utilisant les éléments énumérés pour son identification. De plus, il est essentiel

- d'établir la nature de ce que l'on veut exprimer,
- de choisir le genre de texte en fonction de l'effet recherché,
- d'accorder une attention particulière au langage,
- de rechercher le juste milieu dans le registre des émotions ou des sentiments,
- de donner une structure interne au texte.

Exercices bilans

Exercice 1

L'art de lire

Depuis quelque temps, les éditeurs de magazines s'intéressent à l'art de lire. Or, il semble que, pour eux, le tout soit une question de vitesse. Afin de faciliter la tâche de leur clientèle docile, ils indiquent au début des textes qu'ils publient le *reading time* approprié à chacun d'eux, c'est-à-dire le temps que l'on doit consacrer à les parcourir, lequel est aussi, je suppose, celui qu'on a mis à les rédiger.

À leur manière, je te dirai d'abord qu'il ne faut pas lire trop lentement ni vite. Ni lièvre ni tortue. Le liseur, qui dévore son roman ou son journal, arrive à la fin de l'histoire, au bas des colonnes, tout seul, comme s'il avait semé l'auteur en chemin.

Celui-là tout particulièrement gagnerait à lire à haute voix en articulant bien. D'ailleurs, les bons écrivains écrivent pour l'oreille; il y a toujours profit à les lire tout haut. On jouit alors de l'harmonie ainsi que des idées.

Et, en même temps, on lutte contre une tendance pernicieuse: l'articulation devient plus lâche à mesure que les aliments nouveaux demandent moins de mastication; ce qui influe sur la pensée, qui s'avère de plus en plus confuse.

Ainsi tu liras peu. Mais ce sera lire beaucoup plus que le liseur boulimique, puisque tu tireras meilleur parti de la lecture. Montaigne lisait peu à la fois; arrivé à la fin d'un ouvrage, il s'imposait de la résumer et de l'apprécier, quitte à relire ce qu'il avait lu mal. Relire n'est pas reprendre une lecture, mais la comprendre.

L'esprit ne peut saisir tout d'un ouvrage lu pour la première fois. Force lui est de revenir sur les détails qui lui ont échappé, oubliés ou obscurs. Sur ces derniers, rien ne sert de s'appesantir: l'attention, pour ainsi dire, ne se pose que sur un pied; bientôt elle tombe.

Aussi les ouvrages courts, qui se proportionnent à notre attention, se lisent-ils mieux que les plus longs. L'effort soutenu que les auteurs de ces derniers ont dû fournir peut sembler inutile, puisque le lecteur doit les morceler autant de fois que leur lecture exige de séances.

Je reconnais que ces auteurs ont eu beaucoup de mérite de les entreprendre et surtout de les mener à bonne fin, car il n'est rien d'aussi contraire à la paresse ordinaire des hommes que l'esprit de suite. En outre, ils y acquirent une suprême aisance pour les œuvres de moindre étendue. Après ses ennuyeuses tragédies, Voltaire griffonnait ses contes amusants.

Mais, s'il était avantageux de les écrire, il l'est sans doute peu de les lire. Pour ma part, j'aime les œuvres moins prétentieuses, comme une épître de La Fontaine, un sermon de Bossuet, certaines pages de Joubert; on en saisit l'ensemble avec les détails. Et quel message est-il si important qu'il n'y puisse tenir?

Certes, on ne lirait jamais trop si on pouvait toujours lire bien. Mais on ne laisse pas son corps à la première page comme une monture à la porte de sa maison. «L'attention, qui est facile chez une personne reposée, est impossible chez une personne intoxiquée par un excès de repos.»

Toutefois, tu prendras connaissance de tous les bons livres. Celui qui lit trop ne comprend rien; les livres l'empêchent de vivre au lieu de lui apprendre à vivre. Mais je crains l'homme d'un seul livre; c'est un ignorant.

Quels sont les bons livres? Ce sont ceux qui t'instruisent, qui t'enchantent. Les indiquer c'est le rôle des critiques. Mettons pour l'instant qu'ils s'en acquittent bien. Reste qu'ils ne les lisent pas pour toi. Il ne suffit pas de choisir un livre, il faut encore y choisir: tout n'est pas également bon. À toi de séparer l'ivraie du bon grain.

En entrant en littérature, nous faisons vœu d'obéissance. D'avance nous renonçons à nos propres impressions. Admirable est tout ce que d'autres ont jugé admirable, et mauvais ce que d'autres ont déclaré être tel. Nous lisons sans originalité, sans esprit et sans courage. Pourtant les auteurs ne sont point des autorités, au contraire, ce ne sont que des serviteurs.

Ce serait par trop restreindre le sens de la lecture que de la faire consister dans le fait de suivre la pensée de l'auteur. On peut aussi la combattre et même la dépasser, plutôt qu'en être seulement une sorte de réédition. Un texte n'est après tout qu'un prétexte à une conversation intime entre deux esprits.

BAILLARGEON, Pierre, dans *Commerce*,
Montréal, Éditions Variétés, 1947, p. 173-176.

Question

Faites l'analyse de ce texte en précisant tous les éléments du discours expressif qu'il permet d'illustrer. Cherchez des exemples ou des preuves pour appuyer vos réponses.

Exercice 2

Ça se lit... comme un roman

Vous souvenez-vous des dictées du primaire, où un livre, généralement un roman, récompensait nos efforts? C'était quelquefois un Dumas ou un Jules Verne, mais les plus chanceux s'en tiraient avec un Bob Morane ou autre Dick Gaillard, lectures marquantes de la jeunesse. Une seule question importait: le livre tiendrait-il la promesse de son auteur, du titre ou de la couverture? Tout de suite, un conseil: évitez les livres trop bien emballés, leur couverture veut vous vendre un bonheur qui n'existe peut-être pas à l'intérieur. Souvent, j'y ai gagné des coups de cœur, de pompe, de reins même quelquefois, hélas, des coups de butoir aussi (probablement un livre scellé).

Et puis le coup de foudre: *Comme un roman*. Dans un élan intempestif et dévastateur, je dévore cent quatre-vingts pauvres petites pages mais riches, belles, enivrantes. Daniel Pennac nous la promettait, la belle amour. À moi, à moi seul, et à vous aussi parce qu'il sait parler à chacun de nous. Il est un assez grand romancier pour connaître l'importance de se ménager un espace secret et vital qui préserve l'intimité nécessaire au lieu du livre; le roman est bien cette terre de liberté et *Comme un roman* en est la charte des droits.

Daniel Pennac est un merveilleux conteur et nous nous surprenons à l'écouter aussi religieusement que lorsque enfants, nous vivions l'aventure du Chat botté ou de l'Ours Winnie. Nous sommes encore des enfants quand notre amour des livres est d'abord celui d'une histoire bien racontée.

Saura-t-il vous bouleverser autant qu'il m'a chaviré? *Comme un roman* est un feu d'artifice de tous les coups de cœur qui ont pu vous prendre à travers tel ou tel livre; peu importe le genre, car si la vie n'est pas un roman, ou un essai, ou un poème ou un..., c'est qu'elle n'existe pas! Le livre est notre miroir, notre image; je vous propose ici un véritable palais des glaces. Découvrez un point de vue généreux et enthousiasmant sur l'amour de la lecture; à peine terminé, il vous en faudra d'autres. Et si ces cent quatre-vingts pages sont décidément trop courtes, visitez alors la tribu de Pennac dans sa trilogie des *Malaussène*, trois beaux romans pour assouvir (momentanément) le désir amoureux des livres.

GAGNON, Patrice, dans *Des livres et des coups de foudre*, Montréal, Lacombe/Les communications Claire Lamarche, 1994, p. 67-68.

Question

À l'aide d'exemples, identifiez les caractéristiques qui montrent que ce texte appartient au discours expressif.

Exercice 3

Un chroniqueur automobile a signé un texte assez élogieux sur une marque de voiture dont la qualité de construction vous semble douteuse et le design particulièrement raté. Vous lui répondez par écrit, en soulignant les faiblesses de son appréciation. (400 mots)

Exercice 4

À l'intérieur d'un cours, vous venez de découvrir un domaine d'étude (scientifique, culturel ou technique) qui vous passionne. Vous en faites part à un correspondant de votre choix. (400 mots)

Exercice 5

Rédigez les premières pages de votre autobiographie en évoquant les liens qui vous rattachent encore à l'endroit où vous êtes né et à vos racines culturelles. (750 mots)

Exercice 6

Vous avez appris à rédiger des textes informatifs, critiques et expressifs. Avec lesquels avez-vous eu le plus de facilité? le plus de difficultés? Dites pourquoi.

L'entrevue

> *Le mot* entrevue *est ici employé comme terme générique; il englobe l'entretien et l'interview, qui diffèrent l'un de l'autre uniquement quant à l'intention de la personne qui conduit l'entrevue: l'interviewer.*

Yves Thériault se raconte. Entretiens avec André Carpentier ou encore *Entretiens avec Jean-Paul Sartre* de Simone de Beauvoir: ces titres annoncent un échange, une communication bilatérale entre deux écrivains, l'un voulant mettre l'autre en valeur, l'aider à raconter sa vie.

Par ailleurs, nous pouvons lire dans les journaux, les revues, des interviews données à des personnalités de l'actualité politique, artistique, sportive... sur un sujet spécifique. Enfin, dans les revues spécialisées, on lira des interviews se rapportant plus spécifiquement au domaine d'expertise de la personne interviewée.

Texte 1

Dans l'introduction à ses Entretiens *avec Yves Thériault, André Carpentier écrit: «Nous avons retouché le «texte parlé» (les transcriptions) pour en faire un texte écrit; cela ne recoupe que des changements stylistiques mineurs auxquels Yves Thériault avait consenti par avance» (p. 23).*

[...]

J'aimerais que vous nous traciez un portrait d'Yves Thériault enfant. Étiez-vous turbulent, par exemple, enjoué ou renfermé? Est-ce que vous lisiez?

J'ai toujours lu. Même que j'avais certaines difficultés avec les autres enfants à cause de ça: j'ai fait du sport par excès pour ne pas avoir de problèmes. Je lisais et les enfants de mon âge me le reprochaient. Ils me traitaient un peu comme, tu sais, dans les écoles, ces petits gars qui ont de grosses lunettes, qui lisent beaucoup, et qui deviennent des souffre-douleur. Les enfants sont cruels. Mais moi j'avais un remède contre ça, car j'étais un petit gars *tough* comme on appelle, un petit gars dur, qui paradoxalement, était un liseur. C'est pourquoi j'étais obligé de m'affirmer en pratiquant des sports à outrance, et pas toujours avec grand plaisir.

Que lisiez-vous exactement à cet âge?

Tout. Tout ce que je trouvais. On avait une bibliothèque à l'école; j'ai toute lu cette bibliothèque. Même qu'après deux ou trois ans, je me retrouvais encore devant la même maudite bibliothèque que j'avais entièrement lue. [...]

Vers l'âge de douze ou treize ans, le hasard m'a fait mettre la main sur trois boîtes pleines de livres, parmi lesquelles il y avait du Pierre Louÿs, du Pierre Loti, du Balzac, du Benoit, ah! j'en oublie et j'en passe. C'est le coroner McMahon, coroner de la ville de Montréal à cette époque, qui avait décidé de faire un ménage dans sa bibliothèque. [...]

Auparavant, ma mère a téléphoné au coroner et elle lui a posé la question: «Est-ce que ce sont de bons livres?» Évidemment, elle pensait au point de vue moral. Lui a répondu: «Excellents, Madame, d'excellents auteurs.» Ça l'a rassurée. J'ai donc apporté à la maison les trois boîtes de livres. J'ai appris beaucoup de choses, en lisant ces livres, que je ne savais pas et que même le dictionnaire Larousse ne donnait pas. J'ai lu, par exemple, *Aphrodite* de Pierre Louÿs à douze ans; tu sais, à cet âge-là, il y a des choses que tu ne comprends pas, mais il y a des choses qui t'ouvrent l'esprit, si on peut dire. Alors j'ai eu ce bonheur d'être un petit gars qui, à l'âge de quinze ans à peu près, avait lu des livres que normalement même les enfants de grands bourgeois d'ici n'avaient pas lus, parce que ces livres-là étaient probablement sous clef dans la maison. À l'index. Mais moi, je les avais lus parce que ma mère avait confondu bon littérairement et bon moralement. Ce qui faisait bien mon affaire. Je n'ai pas dit un mot, je n'ai jamais dit à maman: «Ça, ce livre-là, je ne devrais pas le lire.» [...]

Parlez-moi un peu de votre mère. Quel genre de relations entreteniez-vous avec elle?

C'était une mère frustrée. C'était une femme qui avait épousé un gars à l'âge de vingt ans. Elle était déjà vieille fille. Mon père, c'était un bon gars. Il était arrivé pour travailler dans le village. Il a été employé tout de suite au gros magasin de M. Hudon. Il a fait la cour à ma mère. Ma mère, qui avait comme choix de rester vieille fille ou de se marier le plus tôt possible, s'est mariée, croyant que mon père était un fils de gros bourgeois du bas de Québec. Et pendant le voyage de noces, elle a découvert qu'il était le fils d'une famille pauvre du bas de Québec. Elle ne lui a jamais pardonné de ne pas lui avoir dit qu'il était fortement de sang indien, parce que pour elle, les Sauvages, c'était quelque chose d'assez horrible. Mon enfance et ma jeunesse ont été marquées par la frustration de ma mère qui reprochait à mon père d'être ce qu'il était. [...]

Un copain à moi me disait: «Ce que ta mère ne peut jamais oublier, c'est qu'à l'âge de dix-huit ans, elle avait son poney.» Ça lui était resté. Elle s'est installée à Notre-Dame-de-Grâce, croyant qu'il lui serait facile d'y franchir les portes de la bourgeoisie; elle a découvert, évidemment, qu'une femme de menuisier n'y avait pas tellement sa place. Là, je vous parle d'une époque... Mais je pense qu'encore aujourd'hui ce serait la même chose, dans Outremont ou Ville Mont-Royal: il faut que tu aies un certain standing pour pouvoir entrer dans ces maisons.

Elle s'est retrouvée femme de menuisier et n'avait pas accès à ces choses-là. Alors, elle est devenue amère, acariâtre. Elle a fait le vide autour d'elle, négligeant des gens qui n'étaient peut-être pas fidèles à sa philosophie, mais qui étaient de bons amis, des gens qui avaient du cœur... En tout cas, ce vide, quand elle est morte, on l'a vu dans toute sa plénitude. [...]

Ce n'était pas une vie. Par voie de conséquence, les communications avec ma mère ont été dénuées de tendresse. Je n'ai pas connu ça, la tendresse d'une mère. J'ai connu une femme calculatrice, acariâtre, peu encline aux sentiments. Je me suis débrouillé quand même. On n'en meurt pas, de ça; mais ça a été difficile.

Est-ce que les relations avec votre père étaient du même ordre?

Non. Mes relations avec mon père étaient profondément humaines. On était des amis qui pouvaient passer des heures sans se parler. Le seul fait d'être ensemble instaurait déjà une communication. C'était un homme bon et sans malice, qui avait acquis, dans son chez-soi du bas de Québec, certains principes de base qui réglaient sa vie.

Je vais te dire une chose que j'ai vu mon père faire. Un jour, il va faire une petite réparation dans une maison. Il a un sac d'outils. C'est un vendredi. Il finit de travailler vers six heures le soir. Il n'a pas d'auto. Il n'y a pas d'autobus pour aller à cet endroit-là, à peu près à dix rues de chez nous. Il arrive à la maison. Il ouvre son sac pour prendre un quelconque outil et trouve un marteau qui appartient à la dame chez qui il vient de faire la réparation. Il part à pied, n'ayant pas encore soupé. Il est six heures du soir, il fait froid, c'est l'hiver. Et il va lui reporter l'outil de peur qu'elle pense qu'il l'ait volé. C'était un homme comme ça, avec cette espèce d'honnêteté totale. Un homme admirable. C'était un saint, cet homme-là.

CARPENTIER, André, *Yves Thériault se raconte*, Montréal,
© VLB Éditeur, 1985, p. 33-35 et p. 38-40.

Questions

1. Malgré certaines corrections, André Carpentier a laissé dans sa transcription du discours de Thériault des marques de la langue parlée. Relevez-en trois.
2. Pour qu'il y ait communication, il faut un contrat entre l'émetteur et le récepteur (Voir le chapitre 1). Définissez le contrat de communication de cet entretien en répondant aux questions qui le précisent.

La situation	a) Qui parle? à qui?
	b) De quoi parle-t-il?
	c) Dans quelle situation?
L'intention	d) Dans quel but?

3. Cet extrait dévoile une certaine intimité entre Carpentier et Thériault. Relevez dans les réponses de Thériault des indices de son naturel face à Carpentier.
4. Les interlocuteurs parlent-ils pour rejoindre un public extérieur? Justifiez votre réponse.

Texte 2

Pierre Biron, pharmacologue à l'Université de Montréal et coauteur du Guide pratique des médicaments, *répond ici aux questions de la revue* L'actualité.

Tant que nous sommes en bonne santé, nous disons volontiers du mal des médicaments. Mais dès que nous tombons ou croyons tomber malades, nous réclamons la pilule miracle...

– C'est vrai que nous attendons beaucoup des médicaments. Et qu'ils nous donnent souvent beaucoup. Mais il n'y a rien de raisonnable ni même de rationnel à espérer qu'ils règlent par magie nos problèmes d'anxiété ou qu'ils nous donnent l'air jeune plus longtemps. Ce qui caractérise notre fin de siècle, c'est que le médicament ne sert plus seulement la santé du public, mais qu'on l'utilise à d'autres fins. Le personnel des centres d'accueil demande qu'on prescrive des tranquillisants aux pensionnaires. Les enseignants souhaitent qu'on traite l'hyperactivité des enfants turbulents. On veut modeler le corps, moduler l'humeur, modifier ses performances athlétiques ou sexuelles, empêcher ou favoriser la fertilité avec des médicaments.

Les médicaments coûtent cher, surtout quand ils sont nouveaux. Dans le cas du sida ou de la sclérose en plaques, la facture peut monter à plus de 10 000 dollars par an. Pourquoi?

– Les prix ne sont pas seulement fondés sur le coût de la recherche ou de la fabrication des substances actives. Ils sont aussi déterminés par le niveau de désespoir des patients (les médicaments anticancéreux sont également très chers) et, bien sûr, par leur capacité de payer ou de faire payer les assureurs, privés ou publics. La demande peut également influencer le cours de certains médicaments. Ainsi, la tristement célèbre thalidomide, encore fabriquée au Brésil et prescrite aux lépreux, pourrait être indiquée pour traiter le sida et certaines maladies auto-immunes rares; elle n'est pas autorisée au Canada, mais on peut se la procurer à certaines conditions – et son prix monte en flèche. En Grande-Bretagne, on a trouvé le moyen d'exercer un certain contrôle sur les prix: les profits des fabricants sont limités à 21 %, et les dépenses de publicité à 9 %.

N'est-il pas normal qu'un produit de pointe coûte cher?

– L'industrie pharmaceutique consacre des sommes importantes à la recherche et au développement, c'est un fait. Aux États-Unis, des statistiques de 1993 font état de dépenses annuelles de 7,1 milliards de dollars. Mais l'industrie dépense encore plus, 10 milliards, en publicité et en promotion. Les premières cibles sont les prescripteurs, les médecins, qu'elle atteint par la sollicitation directe, ou en faisant vivre des revues scientifiques ou professionnelles, ou encore en subventionnant généreusement les congrès médicaux et les activités de formation continue. On aimerait bien aussi, de plus en plus, toucher les patients eux-mêmes, par l'intermédiaire des médias grand public par exemple, même s'il n'est pas habituel au Canada de faire la publicité des médicaments d'ordonnance auprès des consommateurs.

Mais il faut bien faire connaître ses nouveaux produits...

– Sauf que les nouveaux produits en question ne sont pas souvent très innovateurs. Si vous lancez le 10e ou le 15e médicament contre l'hypertension, vous ne pouvez pas augmenter le nombre d'hypertendus, vous pouvez seulement faire la guerre aux concurrents.

La concurrence ne profite-t-elle pas au consommateur?

– Pas vraiment. Le marché du médicament est un marché captif. On ne choisit pas sa maladie. On ne choisit pas le rapport risque-bénéfice du médicament qu'on prend. Et parfois, le médecin ne peut même pas choisir le fournisseur quand il prescrit un produit unique encore protégé par un brevet. Il n'y a qu'un fabricant d'AZT (le premier médicament antisida), une molécule qui a pourtant été découverte dans des laboratoires gouvernementaux aux États-Unis, et presque «donnée» à une compagnie; quand deux autres fabricants ont voulu mettre en vente un générique de l'AZT, la compagnie les a poursuivis et a fini par gagner sa cause devant la cour suprême américaine en janvier 1996. Les lois habituelles du marché ne jouent pas dans le cas des médicaments d'ordonnance. La concurrence? Dans quelques années, une douzaine de très grandes compagnies pourraient se partager les grands marchés, l'une se chargeant du cardiovasculaire, l'autre du cancer, l'autres des antibiotiques, comme déjà deux ou trois géants se partagent les vaccins de la planète.

Au moins, l'industrie pharmaceutique finance la recherche dans les hôpitaux et les universités!

– Et, du même coup, elle l'oriente. La vraie recherche fondamentale, désintéressée, tournée vers l'acquisition de connaissances nouvelles, propulsée par la liberté de penser et de poser les vraies questions, est en déclin, d'autant plus que les gouvernements la soutiennent de moins en moins. On voit par contre augmenter la recherche en sous-traitance, bien faite, mais ciblée, privée, secrète. Cela soulève toutes sortes de problèmes d'éthique, de formation des étudiants, de pressions possibles quand vient le moment de publier les résultats. Qu'adviendra-t-il de l'esprit et de la liberté universitaires quand plus de la moitié des chercheurs trouveront leur financement uniquement auprès de commanditaires directement intéressés par les résultats de leurs recherches?

N'avons-nous pas quand même, malgré ou grâce à tout ça, de très bons médicaments?

– Nous en avons d'excellents, et beaucoup. Mais un médicament a deux vies. La première, avant sa commercialisation, est hautement scientifique. La molécule est mise au point chimiquement, biologiquement et cliniquement selon des normes très strictes. Dans les essais, tout est ordonné, structuré, les malades sont minutieusement sélectionnés, l'indication et les contre-indications sont respectées, la posologie est rigoureusement observée. Mais le médicament n'est pas encore parfaitement éprouvé. Sa deuxième vie, après l'autorisation de commercialisation, est tout autre: il est l'objet d'une cascade d'interventions des fabricants, grossistes, pharmaciens, médecins, infirmières, consommateurs sains et malades. Le nombre de patients qui le prennent connaît une véritable explosion, et tous ne correspondent pas au profil des patients étudiés lors des essais initiaux. Le nouveau produit est utilisé plus largement et de façon moins rigoureuse – comme quoi la médecine de pointe est différente de la médecine de tous les jours. [...]

Si le médicament n'est pas efficace en soi, le patient bénéficiera peut-être de l'effet placebo...

– Il n'est pas facile de savoir si une guérison, lorsque guérison il y a, vient du médicament, de la nature ou de l'effet placebo, c'est-à-dire de l'effet causé par le seul fait d'être en présence d'un médecin qui nous communique sa confiance dans le traitement auquel il nous soumet. Cela dit, comme les deux tiers des visites chez les généralistes sont liés à des problèmes un peu vagues, «fonctionnels» comme on dit, souvent associés confusément à un certain mal de vivre, il ne faudrait pas nier l'utilité de l'effet placebo, avec et – pourquoi pas – sans médicaments. Je crois d'ailleurs que le succès de ce qu'on appelle les «médecines douces» tient au fait qu'elles reposent à 100 % sur l'effet placebo. Et peut-être aussi au fait qu'on ne connaît pas les dangers qu'elles font parfois courir avec leurs «médicaments» – je pense par exemple à cette femme qui a dû subir une transplantation hépatique après avoir pris pendant plusieurs mois des extraits d'une plante vendus par un naturopathe, la germandrée, qui aurait causé chez elle une nécrose du foie.

Mais les médicaments modernes ont aussi des effets indésirables!

– Ils en ont tous et, je dirais, par nature. Un médicament efficace est une molécule étrangère à l'organisme, et ce dernier peut toujours réagir de façon étonnante, imprévue et parfois violente. On connaît très bien le cas des anti-inflammatoires utilisés contre les douleurs articulaires (un problème de plus en plus fréquent dans nos populations vieillissantes) et qui provoquent des saignements d'estomac. Dans notre *Guide pratique des médicaments*, plus de la moitié de chacune de nos fiches descriptives est consacrée aux précautions à prendre, aux effets indésirables et aux interactions entre les médicaments – un autre problème en croissance puisque de plus en plus de gens, parmi les personnes âgées notamment, prennent plus d'un médicament à la fois.

VILLEDIEU, Yanick, «Médicaments: faut-il tout avaler?», Montréal, *L'actualité*, janvier 1997, p. 40-42 et p. 44.

Questions

1. Quel est le contrat de communication dans cette interview?
2. Certains éléments linguistiques révèlent la volonté de rejoindre le grand public. Indiquez lesquels.
3. À un certain moment, le professeur Biron s'éloigne du sujet. Comment le journaliste le ramène-t-il à son propos?
4. La formulation des questions va-t-elle chercher le point de vue du pharmacologue Biron ou suggère-t-elle des réponses attendues? Expliquez votre position.
5. Comparez cette interview à l'entretien précédent entre Carpentier et Thériault. Identifiez trois différences importantes.

Ce qu'il faut savoir

L'entretien et l'interview sont deux formes de communication orale bilatérale dans lesquelles l'interviewer pose des questions à l'interviewé, mais dont *l'intention* de communication diffère.

Dans *l'entretien*, l'interviewer s'adresse à une personnalité pour mieux *la connaître*. Il pose des questions d'ordre biographique, anecdotique, personnel.

L'interview porte davantage sur le domaine d'expertise de l'interviewé. L'interviewer pose des questions précises à un spécialiste afin de *mieux éclairer un sujet d'actualité*.

Afin de réussir une entrevue, on doit d'abord définir la nature du contrat de communication: *situation* et *intention* de communication; ensuite on préparera avec soin les éléments nécessaires à un échange mené avec adresse et bienveillance.

I. Comment la préparer

1. **Déterminer l'intention du projet**

L'entretien — Il est important de savoir ce que l'on veut et ce que l'on peut aller chercher auprès d'une personnalité. Veut-on la rencontrer pour mieux la connaître ou pour publier l'entretien dans le journal du Collège? Selon la réponse à cette question, la nature de l'entretien et son protocole varieront de façon importante.

L'interview — Ici le sujet est précis et l'interviewé se présente comme expert. L'interviewer l'a choisi pour répondre à des questions qui permettront au public récepteur d'approfondir ses connaissances sur le sujet. La nature du public influencera le choix des questions.

2. **Préparer le questionnaire**

En fonction du temps

La liste des questions qui permettront de cibler les éléments essentiels que l'on veut recueillir auprès de la personne interviewée doit d'abord être établie. Il faut garder à l'esprit le temps alloué à l'entrevue; il faut s'assurer de ne pas poser des questions dont le public connaît déjà la réponse.

En fonction du public cible

Les questions doivent être choisies en fonction de l'auditoire ou des lecteurs. Par exemple, si on interviewe un chercheur sur les effets de la nicotine sur le cerveau: l'âge du public, son statut social et ses connaissances, l'usage qu'il fait du tabac détermineront le genre de questions à poser.

3. **Prendre contact**

Le protocole

a) Dites d'abord qui vous êtes.
b) Expliquez pourquoi vous avez choisi de rencontrer cette personne.
c) Établissez avec la personne le sujet de l'entrevue.
d) Informez la personne que vous désirez enregistrer l'entrevue.
e) Fixez l'heure, le jour et la durée de votre rencontre. Si une transcription ou un résumé de l'entrevue doit être communiqué à d'autres personnes, précisez lesquelles et à quel moment. Informez la personne qu'une copie du document lui sera expédiée dès sa parution.

4. **Enregistrer l'entrevue**

Afin d'assurer une communication aussi détendue et spontanée que possible, l'interviewer écrira le moins possible pendant l'entrevue. Un bon magnétophone[12] muni d'une cassette d'une durée excédant le temps alloué (60 minutes pour une entrevue de 45 minutes, par exemple) est donc essentiel. L'interviewer doit au préalable:

- vérifier le bon fonctionnement de l'appareil;
- s'assurer du bon état de la cassette;
- se munir d'une rallonge;
- vérifier qu'il y a une prise de courant dans la salle où se déroulera l'entrevue.

12. L'usage d'un magnétoscope, bien que possible, imposerait plus de contraintes: la présence d'une tierce personne risquerait d'intimider l'interviewé.

II. Comment la conduire

1. **L'attitude de l'interviewer**

   - Arrivez cinq minutes à l'avance afin de préparer l'appareil.
   - Munissez-vous du questionnaire préparé et d'un bloc pour prendre des notes[13].
   - Ayez l'esprit ouvert afin de ne pas nuire à la qualité de l'entrevue. Tout préjugé ou relent d'intolérance pourraient affecter l'interprétation des propos de la personne interviewée.
   - Soyez courtois; il faut mettre la personne à l'aise tout au long de l'entrevue.

2. **La formulation des questions**[14]

   La forme d'une question peut affecter la réponse de l'interviewé. Il faut donc poser des questions qui permettent de répondre en toute liberté, sans chercher à orienter sa réponse.

   Exemple: *Ton camarade, a-t-il écrit cette note?* [Réponse suggérée]

   As-tu vu ton camarade écrire quelque chose? [Réponse libre]

3. **L'écoute**

   Dans toute communication orale, l'écoute représente 50 % du succès; mais dans une entrevue, elle prend une importance primordiale.

   - L'interviewer pourra amener son interlocuteur, par une écoute attentive et des demandes de précisions, à fournir un maximum de renseignements, en évitant pour autant de lui couper la parole.
   - Il devrait aussi éviter de poser une question prévue s'il a déjà obtenu une réponse autrement.
   - Tout cela lui permettra de ramener son interlocuteur dans le sujet, s'il s'en écarte, plutôt que de le laisser suivre son inspiration et s'éloigner ainsi de l'objet de la rencontre.

III. Le rapport de l'entrevue

- Si l'entrevue a un objectif strictement personnel, il n'y aura pas de rapport à rédiger.
- Si l'objectif est de communiquer à un public le sommaire de l'entrevue, au moins trois solutions sont possibles, après entente avec la personne interviewée:
  - la transcription littérale de la cassette;
  - la transcription avec corrections de nature linguistique (sans toucher au contenu);
  - le résumé de l'essentiel de l'entrevue.

13. Bien que l'entrevue soit enregistrée, il importe de noter les gestes, les expressions du regard de l'interviewé; ces éléments sont parfois plus révélateurs que les mots.
14. D'après FRANKLAND, Michel, *op. cit.*, p. 98.

Tableau synthèse

I. Préparation de l'entrevue

- Déterminer l'intention du projet.
- Préparer le questionnaire
  - en fonction du temps alloué,
  - en fonction du public cible.
- Prendre contact avec la personne pour établir le protocole.
- Enregistrer l'entrevue.

II. Conduite de l'entrevue

- Une attitude positive et bienveillante de la part de l'interviewer.
- Une formulation ouverte des questions.
- Une écoute continue et attentive.

III. Rapport de l'entrevue

- Une transcription littérale.
- Une transcription corrigée.
- Un résumé de l'essentiel.

Dans tous les cas, l'approbation de la personne interviewée est indispensable.

Exercices bilans

Exercice 1

Un entretien avec le Prix Nobel de la Paix

***Le Figaro* — Comment vous définissez-vous?**

Élie Wiesel[15] — Si on me demande «Qui êtes-vous?», je réponds: «Un témoin.»

— Un sage?

— Un disciple de sage, peut-être. Je ne suis pas un directeur de conscience, je suis quelqu'un qui étudie avec quelqu'un qui pourrait être son directeur de conscience, Dieu.

— Vous pourriez définir votre foi?

— Une foi de protestation. C'est justement parce que je crois en Dieu que je proteste contre lui.

— Vous avez le sentiment d'être une grande voix morale?

— Je suis une petite voix, une toute petite voix. Avant le Nobel, on ne m'écoutait pas du tout. Maintenant, partout où je me déplace, il y a un micro pour moi, mais je répète les mêmes choses qu'avant.

15. Écrivain universitaire, journaliste, Élie Wiesel est l'auteur d'une trentaine de livres. Rescapé des camps de concentration nazis, Prix Nobel de la Paix en 1986, il vient de publier, en 1996, au Seuil, le tome II de ses *Mémoires*. Il enseigne à l'Université de Boston.

— Qui sont les grandes voix aujourd'hui?

— Il nous manque de vrais maîtres à penser, que l'on écoute lorsqu'ils parlent. Aujourd'hui, lorsqu'une voix morale se fait entendre, on ne se contente pas de la contredire, on la ridiculise. On vous renvoie à l'Église si vous êtes chrétien, à la synagogue si vous êtes juif. Nous manquons de confiance les uns envers les autres. Il y a un tel manque de foi dans nos sociétés qu'on imagine mal qu'une voix puisse se lever et parler de morale.

— Pourquoi? Parce que c'est démodé, la morale?

— Cela tient au siècle: où était la morale entre 1939 et 1945? Où est la morale aujourd'hui en Bosnie ou dans une Afrique ravagée par le sida? Je suis effaré de l'indifférence qui entoure les victimes.

— C'est pour cela que vous écrivez?

— C'est le chroniqueur qui est en moi qui me pousse, le témoin. Il faut que les paroles restent. Et puis je ne sais rien faire d'autre. Je ne sais qu'écrire. Écrire, c'est respirer. Est-ce qu'on peut vivre sans respirer?

— Et les Mémoires, c'est pour la même raison?

— Bien sûr. Et aussi parce qu'on a beaucoup écrit sur moi. Je me suis dit: «Bientôt il y aura plus de livres sur moi que de livres de moi»! [...]

— Vous restez optimiste sur l'avenir de notre société?

— Aujourd'hui, je suis assez pessimiste. Mais c'est aussi dans ces moments-là qu'il faut agir. «*Il faut tenter de vivre*», comme disait Valéry. Et puis, quand je suis optimiste, je deviens pessimiste. Et vice versa.

— La religion vous aide?

— Oui, mais je sais que je ne trouverai pas ce que je cherche. Qu'importe. La recherche elle-même devient un lieu de rencontres. C'est pour cela que la recherche est si belle, parce qu'elle permet des rencontres. Avoir trouvé, c'est la fin, on tourne la page. [...]

— Dans vos entretiens avec François Mitterand, vous aviez l'air de douter qu'une foi profonde soit compatible avec la tolérance...

— La frontière est ténue. Il est facile de basculer dans la violence au nom de la foi. Et il faut réévaluer les choses à la lumière de ce siècle, différent de ceux qui l'ont précédé. La question fondamentale est: «Où l'erreur a-t-elle été commise au cours de ce siècle?» En donnant trop d'importance au communisme? En ne comprenant pas la haine totale de Hitler? En n'agissant pas plus tôt? Il y a eu une erreur quelque part, et tous, religieux, politiques, économistes, philosophes, ont participé à cette erreur. Il a fallu une collaboration implicite de l'humanité tout entière pour [que] ce qui ne devait jamais arriver arrive. [...]

— Quels sont ceux [parmi les hommes] qui vous ont marqué?

— Ce ne sont pas des gens célèbres. Ce sont des amis [...]

— Et Mitterand...

— Jusqu'à l'affaire Bousquet, j'ai été très proche de lui. Il y avait quelque chose en lui qui m'attirait. Son goût pour la Bible, sa passion pour l'étude, pour l'histoire juive... Après, ce fut la rupture.

— C'est la fonction qui rend l'homme politique médiocre?

— Non, elle l'élève. Ce qui est médiocre, ce sont les moyens utilisés pour y arriver. Tellement d'humiliation pour un peu de gloire. C'est tellement ridicule.

— Qu'est-ce qui est ridicule, la gloire?

— Pas la gloire, le prix à payer; c'est un prix effrayant. Tout cela pour être député pendant combien de temps? Deux ans aux États-Unis. Et ensuite, il faut refaire campagne sur campagne. Pour rien au monde je ne le ferai.

— Vous n'êtes pas fasciné par le pouvoir?

— Je n'aime pas le pouvoir.

— Vous aimez le mot «gloire»?

— Non, j'aime le mot «honneur». En Yiddish, c'est la même chose. Je pense à la gloire au sens antique, c'est à dire faire honneur à Dieu.

— Et le Nobel, qu'est-ce que ça a changé à votre vie?

— Le rythme de ma vie, une certaine pression. On me demande mon avis sur tout. On pense qu'avec le Nobel on a reçu un don de sagesse, comme ça, d'un claquement de doigt, d'une nuit sur l'autre.

— On est invité aux quatre coins du monde...

— C'est une mode, les gens adorent avoir un Nobel quelque part. Une fois, c'est moi. Une autre fois, c'est un autre. Cela dit, le Nobel ouvre aussi des portes. C'est difficile de refuser de recevoir un prix Nobel.

— Pour vous, la vie doit servir à quoi?

— Pour que la vie serve à quelque chose, il faut lui conférer un sens. La vie vient de Dieu, mais c'est l'homme qui lui donne un sens.

— Et lorsque la vie n'a plus de sens?

— L'absurde a aussi un sens. Voyez Kafka, Kierkegaard. Dire que la vie n'a pas de sens, c'est déjà lui donner un sens.

— Et Dieu? Vous vous posez constamment cette question, que veut-il?

— Je l'ignore. Si je lis la Bible, ou les textes sacrés des autres religions, je constate qu'il veut que nous soyons droits et justes. Mais c'est trop simple, trop facile. Quel était vraiment le dessein de Dieu? J'ai pensé récemment à un exemple.

Dans ma religion, il est écrit que tout ce que Dieu a créé, il l'a fait pour sa gloire. En relisant un texte que je prépare sur Dieu dans la Bible, je me suis dit: peut-être a-t-on mal compris? peut-être est-ce que Dieu a créé le monde, non pas pour sa gloire, mais pour la gloire de l'homme. Pour que l'homme bâtisse et mérite cette gloire.

— Vous êtes quelqu'un d'excessivement sérieux...

— Non, non, au contraire! Il faut venir m'écouter lorsque je fais mes cours. J'adore l'humour, j'adore faire rire. Bien sûr, lorsque les gens me voient, ils se disent: «Celui-là, il ne peut pas faire rire.» Et pourtant! Je pense qu'il faut faire rire. Parce que le rire réunit les hommes. On rit ensemble, et on pleure seul.

WIESEL, Élie, «Un entretien avec le Prix Nobel de la Paix», Paris, *Le Figaro*, 15 octobre 1996, p. 9.

Questions

1. Dites pourquoi il est difficile de classer cette entrevue comme entretien ou comme interview.
2. Quel est le contrat de communication de cette entrevue?
3. Le journaliste suggère ici des réponses par la formulation même de certaines de ses questions. Relevez-en des exemples. Analysez les réactions d'Élie Wiesel.

Exercice 2

Vous devez rencontrer un spécialiste de votre domaine d'études afin de mieux connaître les débouchés professionnels ou universitaires reliés à votre programme d'études collégiales.

Après avoir suivi toutes les étapes de la préparation d'une interview, vous soumettez votre questionnaire à votre professeur qui doit l'approuver avant la rencontre.

Remettez-lui ensuite votre enregistrement de l'interview, accompagné d'un rapport comportant l'essentiel de ce que cette rencontre vous a apporté.

Exercice 3

Vous rêvez de rencontrer une personnalité du monde des arts, des sports, du journalisme ou de la politique pour mieux la connaître. Quand la personne choisie aura accepté de vous voir, suivez les étapes décrites dans l'exercice précédent afin de mener à bien cet entretien.

Exercice 4

Lors de l'exercice précédent, quelle étape de votre démarche a été la plus difficile à réaliser?

- La préparation.
- La conduite de l'entrevue.
- Le rapport de l'entrevue.

Expliquez votre réponse.

Quelle étape a été la plus agréable? Justifiez votre réponse.

Tableau récapitulatif et comparatif des caractéristiques des discours écrits et oraux

PRINCIPES

1. Bien que la langue écrite et la langue orale ne soient nullement la traduction l'une de l'autre, certains discours oraux et écrits, ayant la même **intention de communication** (informer, convaincre, exprimer des sentiments...) emploient les mêmes procédés.
2. Tout discours oral et écrit doit être produit en fonction du public-cible, qu'il faut bien connaître afin d'utiliser le niveau de langue approprié et le degré de complexité adapté.
3. L'identification et la rédaction des discours écrits font appel aux mêmes procédés.
4. Bien que nous distinguions dans le tableau ci-dessous les discours écrits selon des catégories précises, on trouve dans la plupart des textes des procédés appartenant à plus d'un discours. L'éditorial, par exemple, comprend une part d'information et un point de vue critique exprimé de façon subjective.
5. Aux trois discours oraux présentés ci-dessous s'appliquent les principes suivants:
   - respecter et bien gérer le temps alloué;
   - démontrer une aisance oratoire;
   - maintenir un contact visuel avec le récepteur;
   - être à l'écoute du récepteur.

	DÉFINITION					
	Texte informatif	**Exposé**	**Texte critique**	**Débat**	**Texte expressif**	**Entrevue**
	Transmet des idées, des faits, des connaissances, ce qui implique **objectivité**.	– Présenté par une personne devant un groupe. **Informe**, à l'aide d'exemples et de faits concrets, ce qui implique **objectivité**.	Démontre la justesse ou la fausseté d'une idée. Veut **convaincre** à l'aide d'arguments et d'exemples, ce qui implique **objectivité** et **subjectivité**.	Met en présence deux adversaires (individus ou équipes) qui veulent **convaincre** le public à l'aide d'exemples et d'arguments, ce qui implique **objectivité** et **subjectivité**.	Transmet des idées, des opinions, des sentiments, des émotions d'ordre personnel, ce qui implique **subjectivité**.	Dialogue entre deux personnes. La personne interviewée s'exprime de façon **subjective** en réponse à des questions qui révèlent l'intention de l'interviewer.
	PROCÉDÉS COMMUNS aux DISCOURS ORAUX et ÉCRITS					
PARAMÈTRE	**Texte informatif**	**Exposé**	**Texte critique**	**Débat**	**Texte expressif**	**Entrevue**
Énonciation	– 3e personne. – *On* pronom indéfini. – Voix passive.	– 3e personne. – *On* pronom indéfini. – Voix passive.	– 1re et 2e personne. – Tournures impersonnelles. – Infinitifs (pour imposer des idées).	1re et 2e personne (pour impliquer le public).	1re et 2e personne du singulier ou du pluriel (de façon explicite ou implicite).	1re et 2e personne du singulier ou du pluriel de politesse (Je – tu / Je – vous)
Nature des phrases	Déclaratives	Déclaratives.	– Déclaratives (catégoriques). – Interrogatives (rhétoriques).	– Déclaratives. – Interrogatives (rhétoriques). – Interrogatives (interpellent le public). – Exclamatives. – Impératives.	Très variées, selon l'intention et la forme ou la nature du texte choisi.	Très variées: – déclaratives; – interrogatives (pour s'accorder du temps de réflexion); – exclamatives.

Structures des phrases	Simples, composées, complexes.	Simples, composées, complexes.	Simples, composées, complexes.	1re partie: **exposé** simple, phrases composées, complexes. 2e partie: **riposte**, phrases simples.	Très variées, selon la forme ou la nature du texte choisi.	Simples (en général, mais peuvent varier selon le locuteur).
Vocabulaire	– Sens propre ou dénotatif. – Vocabulaire spécialisé.	– Sens propre ou dénotatif. – Vocabulaire spécialisé.	– Sens propre ou dénotatif. – Termes abstraits. – Verbes d'opinion. – Termes de jugements de valeur.	– Sens propre ou dénotatif. – Termes abstraits. – Verbes d'opinion. – Termes relatifs aux jugements de valeur.	– Sens figuré ou connotatif. – Termes concrets et abstraits.	– Verbes exprimant idées, sentiments et émotions. – Superlatifs.
Temps des verbes	Présent de l'indicatif prédominant.	Présent de l'indicatif.	Présent de l'indicatif intemporel.	Présent de l'indicatif.	Très variés (selon l'auteur et la nature du texte choisi).	Présent de l'indicatif prédominant.
Point de vue personnel	Absent.	En général absent. Parfois implicite.	Clairement exprimé.	Clairement exprimé.	Prédominant.	Entretien: prédominant. Interview: selon l'intention de l'interviewer.
PROCÉDÉS PARTICULIERS aux DISCOURS ÉCRITS						
Plan du texte	Par addition.		Par raisonnement.		Lié à la nature du texte.	
Nature des textes	Récits, reportages, articles d'encyclopédies, biographies, articles de revues spécialisées, manuels scolaires, résumés, analyses littéraires, dissertations explicatives.		Critiques littéraires et artistiques, éditoriaux, essais, dissertations critiques.		Poèmes, lettres, autobiographies, pamphlets, journaux intimes, essais (selon l'intention de l'auteur).	
PROCÉDÉS PARTICULIERS aux DISCOURS ORAUX						
		– Noter les grandes lignes d'un plan. – Faire varier les niveaux de langue: niveau courant ou soutenu. – Maîtriser son sujet et démontrer de l'enthousiasme par rapport à celui-ci. – Être à l'écoute du public. Utiliser du matériel audiovisuel. Redondances et répétitions. Transitions marquées.		– Noter les grandes lignes d'un plan. – Faire varier les niveaux de langue. – Maîtriser son sujet (les deux points de vue). – Démontrer une conviction personnelle. – Être à l'écoute de son adversaire. – Réfuter les arguments adverses. – S'adresser au public et non à l'adversaire. Redondances et répétitions.		– Rédiger les questions. – Faire varier les niveaux de langue. – Maîtriser son intention et suivre les questions préparées. – Être à l'écoute de son interlocuteur. – Respecter un protocole. – Se munir d'un magnétophone. – Prendre note du paraverbal de la personne interviewée pendant l'entrevue.

Préambule

Dans les deux derniers chapitres, on trouvera un complément de textes susceptibles de servir d'exercices relatifs à l'approfondissement des apprentissages spécifiques des chapitres 3 à 6.

En proposant cet ensemble de textes, notre objectif premier est de vous aider à découvrir votre capacité d'identifier seuls les différents discours par leurs caractéristiques propres et de vous inciter à en produire à votre tour. C'est pourquoi nous présentons un vaste éventail de textes afin de répondre le mieux possible à vos intérêts personnels et à votre domaine d'études. Ce, dans le but de stimuler votre réflexion et votre motivation à rédiger des textes et à préparer des activités de communication orale et écrite.

Bien que les textes n'aient été choisis ni par des experts ni pour des experts, ils sont reliés à différents programmes préuniversitaires ou techniques; mais leur utilisation ne saurait être limitée à ces seuls secteurs. Idéalement, nous souhaitons que vous puissiez y recourir quand vous aurez à produire des discours écrits ou oraux au cours de vos études postcollégiales ou de votre vie professionnelle, continuant à parfaire seuls vos connaissances (notions et habiletés) en matière de communication orale et écrite, ainsi que vos aptitudes d'autoévaluation. Ceci vous permettra de prendre conscience de vos points forts ainsi que de vos lacunes auxquelles vous pourrez dès lors remédier.

Dans le domaine primordial de la communication orale et écrite, l'objectif ultime de l'enseignement est de vous inciter à l'autonomie, en vous aidant à consolider les compétences utiles dans des situations réelles d'échange propres à vos études, à votre champ d'activités professionnelles et à votre vie personnelle.

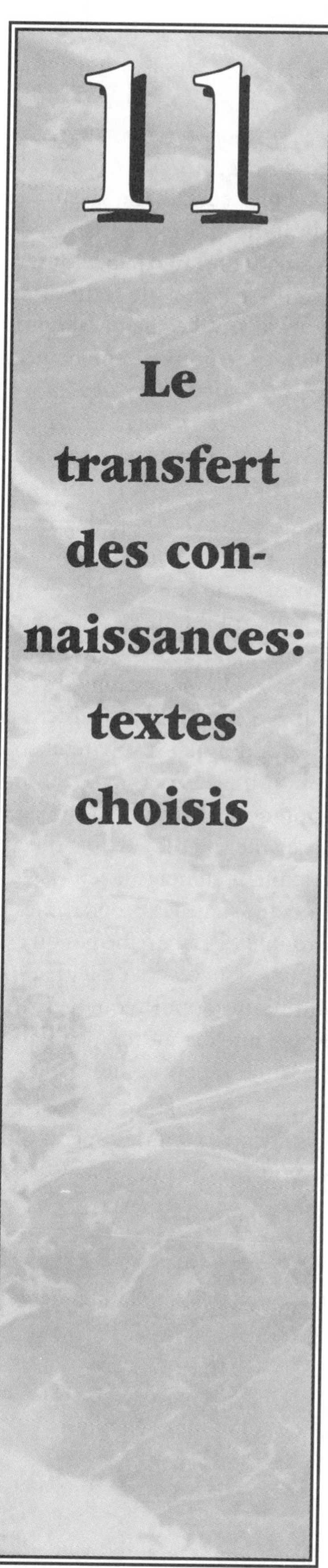

Secteur préuniversitaire

Texte 1

Le «courage» des commissaires

D'une série d'articles parus dans Le Devoir *entre le 29 octobre 1996 et le 4 janvier 1997, on pourra lire ci-dessous l'essentiel du texte déclencheur de Jean Larose, ainsi que la première réponse de Maurice Tardif. Tout le débat sur le rôle des facultés des sciences de l'éducation et de la formation des maîtres y est lancé*[1].

Plusieurs observateurs ont cru pouvoir saluer, en dépit d'une déception sur l'ensemble, le «courage» du récent rapport des États généraux sur l'Éducation aux chapitres de la déconfessionnalisation et de l'école privée. Je voudrais ici montrer que ce rapport est mauvais là-dessus comme sur presque tout le reste. [...]

Le rapport ne veut tout simplement pas regarder la réalité en face: les gens (souvent de simples travailleurs, comme le remarque un commissaire dissident) envoient leurs enfants à l'école privée parce qu'ils ne veulent pas que leurs enfants deviennent médiocres, apprennent ce français-là, soient abrutis par des pédagogies aberrantes qui font 40 % de décrocheurs. Les gens envoient leurs enfants à l'école privée parce qu'ils croient que l'école privée est la dure école et que l'école publique est gangrenée par des pédagogies de complaisance qui, pour préparer les enfants à affronter une société de loups, les élève comme des moutons. Que l'école publique s'impose à elle-même les exigences de l'école privée et après, après seulement, elle pourra en appeler contre ceux qui la fuient. Le vrai courage aurait été pour le rapport de formuler ces dures exigences, d'exiger notamment que tout professeur, pour l'être, pour le rester, ait à réussir des examens difficiles dans sa matière.

En vérité, s'il fallait que nos médecins soient formés comme nos enseignants, plus personne ne voudrait se faire soigner par eux. Le chapitre du rapport intitulé «Soutenir les principaux acteurs en vue de la réussite éducative» (*sic*) parle de formation des maîtres: on y expédie en une ligne l'exigence d'une «*excellente culture générale*» et de «*bonnes compétences dans la discipline enseignée*» (remarquer le pluriel à «compétences» et ne pas confondre avec la compétence). Puis, longuement, c'est le sermon, l'appel aux «*progrès récents dans le domaine de la psychologie cognitive*», à «*une excellente formation en psychopédagogie pour garantir la connaissance des processus cognitifs*», «*la maîtrise des stratégies de gestion de classe*». Chacun sait pourtant qu'il y a d'excellents professeurs qui ne savent rien de ces niaiseries, et de détestables qui ont un diplôme en «apprentissage des habiletés». À l'Université de Montréal, c'est un sujet constant de plaisanterie entre les professeurs que le jargon de ces soi-disant «sciences» de l'éducation, faculté dont l'incompétence en matière d'éducation n'a d'égale que la puissance de nuire à toute véritable formation. Dieu et le gouvernement nous gardent de la recommandation du rapport «*qu'une formation en psychopédagogie devrait faire partie des critères d'embauche à l'enseignement postsecondaire*»! La partie du système d'éducation qui échappe encore à ces tyrans passerait ainsi sous leur joug. [...]

L'éducation est une chose trop grave pour être laissée aux pédagogues. Ceux-ci ne sont pas majoritaires parmi les commissaires, mais leur philosophie domine tout le rapport, ce qui se remarque aussitôt à son style, ce jargon qui défigure le français comme une maladie de langue qu'il faut attraper pour entrer dans la profession d'enseignant au Québec. Le vrai courage aurait consisté à recommander l'abolition des facultés de sciences de l'éducation. Les faux savoirs qu'on y propage, la pauvreté intellectuelle érigée systématiquement en critère d'authenticité, les absurdités d'un jargon qui donne les apparences du sérieux à des conceptions loufoques, on n'en finirait plus de définir les raisons de renverser cette imposture qui a causé à la nation d'incalculables dommages. Le véritable empêchement à l'éducation, le vrai chancre est là, depuis que les pédagogues ont remplacé les prêtres. Ceux qui tiennent en otage la jeunesse, le ministère et presque toute l'université, ceux qui définissent les programmes et forment les maîtres, ceux qui président encore eux-mêmes aux réformes qu'exigent continuellement, depuis trente ans, les désastres successifs de leurs politiques ne pouvaient pas, on le comprend, produire un rapport courageux. Ils ne pouvaient, encore une fois, que dire que c'est la faute des autres, de l'Église, du privé, pour détourner l'attention de leur écrasante responsabilité.

Le Québec piétine. Il faudrait un tel courage à cette nation pour qu'elle s'attaque vraiment aux problèmes qui la paralysent qu'on en désespère. Oui, qu'ils sont nombreux autour de moi, autour de vous, ceux qui, certains jours,

---

1. On trouvera sur ce sujet dans *Le Devoir*:

   1. JULIEN, Louise et Jocelyn R. BEAUSOLEIL, *Abolir les facultés de sciences de l'éducation? Le «courage» de Jean Larose*, 6 novembre 1996, A 7.
   2. LAROSE, Jean, *L'Éteignoir des ambitions*, 23 novembre 1996, A 15.
   3. LAURIN, Suzanne, *La grande noirceur de Jean Larose*, 23 novembre 1996, A 15.
   4. JASMIN, Bernard, *Peut-on modifier les facultés de sciences de l'éducation?*, 30 novembre 1996, A 15.
   5. MARCOTTE, Gilles, *Le Refus de la substance*, 14 décembre 1996, A 13.
   6. GOULD, Jean, *Des maîtres pour le secondaire*, 14 décembre 1996, A 13.
   7. BOUDREAU, Guy, *Élémentaire, mon cher Larose...*, 14 décembre 1996, A 13
   8. TARDIF, Maurice, *La pédagogie comme culture et relation éthique à autrui*, 4 janvier 1997, A 7.

désespèrent du Québec. Cette histoire, cette situation unique, cette singularité culturelle, cet hybride des meilleures qualités anglaises et françaises, qui pourraient donner une nation américaine d'un type inédit, et au lieu de l'épanouissement ces blocages, constitutionnels, intellectuels, éducationnels, qui nous figent à la porte d'un destin souverain, que nous n'arrivons ni à franchir ni à refermer.

LAROSE, Jean, «Le "courage" des commissaires», Montréal, *Le Devoir*, 29 octobre 1996, p. A9.

Texte 2

Réplique à Jean Larose: Fermons les facultés de lettres!

Depuis 25 ans, les sciences de l'éducation sont l'une des principales vaches à lait des universités et, plus particulièrement, de certains départements, qui ont toujours trouvé dans la formation des maîtres un levier financier pour continuer à maintenir des centaines de postes superflus de professeurs en lettres ou d'ailleurs.

Il est temps que la vérité éclate! Au Québec, l'enseignement primaire et secondaire est un métier dont les rangs sont à peu près fermés depuis le début des années 70. Cela signifie qu'on n'y engage plus de nouveaux maîtres réguliers (mais les précaires y abondent!) depuis un quart de siècle! Pourtant, durant tout ce temps, les universités ont continué à maintenir largement ouvertes les portes des facultés des sciences de l'éducation, les forçant à accueillir des dizaines de milliers d'étudiants, pour les former à des emplois qui n'existaient tout simplement pas.

Mais pourquoi sacrifier ainsi tant de jeunes et beaux talents pédagogiques? Tout simplement parce que les universités sont payées par le gouvernement selon le nombre d'étudiants. Plus il y a d'étudiants, plus les universités reçoivent d'argent! À qui a profité tout cet argent? Aux facultés des sciences de l'éducation? Pas du tout! Ces facultés sont historiquement les plus jeunes et les plus faibles de l'université, et elles se sont toujours fait plumer par les facultés les plus fortes ou les plus anciennes, comme psychologie ou littérature. Les départements et les facultés disciplinaires ont toujours considéré la formation des maîtres comme un gâteau à se diviser entre eux. Avec leurs grands discours humanistes, au nom de la Culture et de la Littérature, les facultés et les départements disciplinaires ont d'abord défendu leurs intérêts bassement financiers: obtenir le maximum de crédits, d'argent, de postes pour leurs professeurs, de débouchés pour leurs étudiants...

Aussi n'est-il pas étonnant que la formation des maîtres au secondaire ait souvent, depuis 25 ans, enfanté des monstres, des diplômés à la formation hybride, sans consistance ni unité, répondant strictement aux intérêts corporatistes des facultés disciplinaires. De plus, les sciences de l'éducation ont été largement colonisées par des professeurs issus de ces mêmes facultés disciplinaires. Leurs docteurs en lettres, en sémiotique, en constructivisme ou en philosophie n'ont jamais mis les pieds dans une école. Ils ne connaissent même pas les programmes enseignés, ni les conditions de vie des enseignants, encore moins celles des jeunes. Comme le disait dans une allocution récente le recteur de l'Université Laval, Michel Gervais, trop de professeurs en éducation s'occupent de tout, sauf de la formation des maîtres. Pourtant ils méprisent haut et fort la pédagogie, mais endorment depuis 25 ans leurs propres étudiants avec les mêmes rengaines intellectuelles qu'ils ont apprises par cœur chez les Jésuites.

Bref, derrière le discours des Jean Larose, ce qui se cache aujourd'hui, c'est la peur de perdre le contrôle sur des emplois. En effet, depuis quelques années, l'enseignement redevient un métier plus prometteur pour les jeunes universitaires en sciences de l'éducation. Le gouvernement et les universités ont enfin décidé de prendre au sérieux la formation des maîtres, en acceptant de contingenter l'accès aux programmes universitaires et d'investir réellement dans la formation professionnelle avec des stages de longue durée. Pour la première fois depuis la Révolution tranquille, les sciences de l'éducation se voient confier un mandat clair et surtout honnête, sans devoir servir en même temps de bouche-trou pour les facultés disciplinaires. Voilà ce qui suscite la hargne de certains de nos confrères!

Les compressions budgétaires

Malheureusement, la récente réforme de la formation des maîtres est maintenant dangereusement menacée par des nouvelles compressions budgétaires. Par exemple, dès l'an prochain, faute d'argent, tous les étudiants en formation des maîtres du Québec risquent de perdre le soutien d'enseignants de métier qui les aident à s'intégrer à leur future profession. Le gouvernement parle de la nécessité de brancher les écoles sur Internet, mais il donne un million de dollars pour former les enseignants aux technologies de l'information, tandis qu'il consacre 30 millions à l'achat d'ordinateurs. Encore une fois, on confond la quincaillerie et la pédagogie, et les besoins des maîtres passent bien après les puissants lobbies des grandes compagnies d'informatique et de communication qui cherchent à vendre leurs produits.

Devant l'imminence de nouvelles compressions en éducation, le temps est venu de faire des choix et de couper au bon endroit. Au Québec, les besoins en formation des maîtres et des jeunes sont criants, alarmants. Pour la première fois, on commence à les prendre au sérieux. Pour la première fois, on cesse de mépriser la pédagogie et de la confondre avec le discours de certains aras rutilants de la culture littéraire québécoise.

Mais où faut-il couper? Dans le gras! Les contribuables québécois savent-ils qu'il existe au Québec des dizaines de facultés et de départements de littérature dans les collèges et les universités produisant à longueur d'année des milliers et des milliers de diplômés en lettres, dont l'unique pertinence sociale est de maintenir en place le mandarinat des professeurs de lettres?

Les contribuables savent-ils que des milliers de professeurs de lettres, herméneutes, structuralistes, sémioticiens, romanciers formalistes, linguistiques génératifs, grammairiens stériles, pamphlétaires haineux et sans idées, poètes salariés et autres astrologues de la Lettre, coûtent une véritable fortune au trésor public, alors que les écoles des petits villages doivent fermer, tandis que des écoliers du Centre-Sud de Montréal et de la basse-ville de Québec ne mangent jamais à leur faim?

Je pose la question: est-il donc si nécessaire qu'il y ait une telle nuée de professeurs de lettres au Québec, alors qu'on coupe partout en éducation? Les facultés des lettres sont des monstres boursouflés et infiniment coûteux; près de la moitié de la vie universitaire y roule et y meurt en vain. La vérité est simple: il suffirait de mettre à la porte des universités une douzaine de professeurs de littérature comme Jean Larose pour assurer la survie de la formation des maîtres dans la grande région de Montréal. Qu'est-ce que le gouvernement attend pour couper dans tout ce gras lettré?

Mes confrères de littérature trouveront mes propos odieux? Je l'espère! Qu'ils commencent par nous laisser travailler en paix et par se désolidariser de leur fou furieux, et la discussion prendra immédiatement un tour sensé.

TARDIF, Maurice, «Fermons les facultés de lettres», Montréal, *Le Devoir*, 5 décembre 1996, p. A11.

Texte 3

L'écologie et l'ignorance

Deux des problèmes les plus pressants de notre monde concernent la *natalité* et l'*environnement*. Or, les informations qui s'y rapportent sont médiocres et dangereuses. Tout est abordé sous l'angle émotionnel; entre la croyance quasiment religieuse dans les vertus du naturel et la peur que suscitent certaines images choc, il n'y a aucune place pour un jugement lucide. Les gens n'ont pas appris à se faire une idée des ordres de grandeur, à évaluer l'importance relative et absolue d'un phénomène, le coût d'une solution de rechange, etc. Il ne s'agit pas d'imposer aux écoliers des connaissances approfondies, seulement des éléments d'appréciation fondées sur le *bon sens* et sur l'acquisition de quelques données simples concernant la matière, son organisation, son comportement...

Les problèmes d'environnement sont souvent gérés par des spécialistes des «simulations», c'est-à-dire des gens dont la compétence est davantage dans l'ordinateur que dans les données scientifiques. À partir d'un gros ordinateur, on produit des prédictions qui paraissent respectables même si les données sont insuffisantes. Voilà l'une des grandes plaies de notre époque.

Le malheur, c'est que beaucoup de gens croient encore que l'ordinateur dit vrai et prédit l'inévitable (le même type de croyance a existé au XIXe siècle à l'égard du texte imprimé). Le simulateur informaticien est crédible, puisque sa machine possède une puissance et une rapidité de calcul dont aucun cerveau humain ne serait capable. Le pouvoir ronflant des chiffres plus le pouvoir de l'image: de quoi entretenir dans l'opinion une mentalité magique, prérationnelle.

Un exemple: «l'effet de serre»

Il y a actuellement réchauffement de l'atmosphère terrestre. Il se peut que l'accroissement de la concentration de gaz carbonique soit dû aux activités humaines. L'augmentation de la concentration de CO_2 «emprisonne» le rayonnement solaire dans l'atmosphère, échauffe celle-ci. Donc la surface du globe. Les glaces des pôles fondent et augmentent le volume d'eau des océans qui submergent les zones continentales de faible altitude...

En réalité, les prévisions sont difficiles. 1) Le principal effet de serre est dû à l'eau, et celui du CO_2 est un effet correctif couplé à celui de l'eau d'une façon subtile. 2) Il faudrait mieux connaître le comportement du gaz carbonique en présence de l'océan. On sait que ce dernier en contient de grandes quantités en solution mais on ne sait pas grand-chose sur la nature de l'équilibre entre le gaz et l'océan, sur la durée du cycle absorption-restitution du gaz carbonique (vingt ans, cinquante ans?). 3) En réalité, les modèles utilisés en 1994 pour prédire le climat futur ne sont même pas capables de restituer correctement le climat actuel! Les simulateurs les corrigent en *ajustant le taux des échanges* atmosphère/océan. Ces manipulations donnent une apparence de sérieux aux résultats. Mais elles peuvent, en fait, affaiblir toute la prédiction, comme le montre une étude récente du MIT (Massachusetts Institute of Technology). Comme le dit un commentateur de la grande revue *Science*: *dans la modélisation du climat, presque tout le monde triche (un peu).*

Le problème des effets de serre doit être suivi activement, mais sa solution réclame de nombreuses études supplémentaires avant toute conclusion...Or, la presse cite souvent des prophéties dramatiques sur l'effet de serre, issues de simulations hasardeuses. Ces distorsions (entre un phénomène naturel et sa modélisation hâtive), les citoyens et leurs représentants n'ont pas encore, faute d'une bonne éducation scientifique, les moyens de les discerner par eux-mêmes.

Elles ne doivent pourtant pas disqualifier l'écologie. Il faut tenir la veille écologique, tant au niveau des chercheurs que des ingénieurs et des citoyens. Mais pas en sonnant l'alarme dès qu'un soi-disant expert convoque des micros pour annoncer la fin du monde.

GENNES, Pierre-Gilles de et Jacques BADOZ,
Les Objets fragiles, Paris, Plon, 1994, p. 203-205.

Texte 4

Le grand Robert

Classé parmi les plus importants metteurs en scène actuels, à 37 ans, il [Robert Lepage] est sans contredit l'ambassadeur par excellence de la culture québécoise. Les Anglais lui ont récemment confié un Shakespeare (*Le Songe d'une nuit d'été* au Royal National Theatre de Londres) et les Suédois un Strindberg (*Le Songe* au Royal Dramatic Theatre de Stockholm). Qu'on ait pensé à lui pour mettre en scène ces grands auteurs classiques (des symboles nationaux) prouve l'estime qu'on lui porte. Qu'il ait su se les approprier avec autant de bonheur témoigne tout à fait de sa manière. Pour le créateur de *Vinci*, un artiste doit pouvoir puiser à tous les chapitres de la grande encyclopédie de l'imaginaire universel, depuis les peintres du quattrocento jusqu'aux dernières séries télévisées, en passant par Chopin, George Sand, Miles Davis et... Juliette Gréco.

Son dernier spectacle, *Les Sept Branches de la rivière Ota*, dont une ébauche a été présentée à Québec le printemps dernier, a été créé pour souligner le 50e anniversaire de la tragédie d'Hiroshima. Une première série de représentations a eu lieu à Édimbourg, en Écosse, en août, puis à Londres et à Paris à l'automne. La production devrait se rendre en Asie au cours de l'année 1995. Entre-temps, le «nobody from Quebec» (titre d'un documentaire que lui a consacré la BBC) aura lancé son premier film, *Le Confessional*, inspiré librement d'*I Confess* d'Alfred Hitchcock, tourné à Québec dans les années 50.

Le phénomène Lepage est constitué de plusieurs éléments: talent, inventivité, vision, universalité et, bien sûr, succès. Mais le metteur en scène échappe à toute définition. Un être à part qui, à la façon des surréalistes, privilégie l'intuition, le hasard et le rêve, Robert Lepage vogue dans sa propre galaxie, extrêmement sensible à la réalité qui l'entoure mais en même temps coupé du monde par une invisible paroi, une sorte de filtre dont il se sert ensuite pour bâtir son univers.

«Il faut comprendre ce qui se passe au Japon si l'on veut savoir à quoi ressemblera Montréal dans deux ans», dit-il. Il fait son affaire de l'interdépendance des cultures et voit une complémentarité là où d'autres ne perçoivent qu'oppositions et antagonismes. Ainsi, il est probablement le seul à avoir envisagé le Canada autrement que par ses clichés ronflants ou ses incessants déchirements. Car c'était cela — entre autres — le propos de *La Trilogie des Dragons*: un voyage dans l'âme errante de ce pays dont on dit qu'il n'en possède aucune.

Le metteur en scène a déjà souligné s'être inspiré de sa mère pour certains passages de sa *Trilogie*, un très long spectacle qui a été vu dans plus d'une vingtaine de villes à travers le monde et jusqu'en Australie. Germaine Lepage était dans l'armée durant la guerre. Elle avait voyagé. Tout comme le père de Robert, qui avait fait carrière dans la marine avant de devenir chauffeur de taxi à Québec. Les nombreuses migrations de la famille Lepage ont exercé une influence déterminante sur l'artiste globe-trotter qui parle couramment quatre langues (français, anglais, italien, allemand) et en étudie au moins deux autres (le russe et le japonais).

Révélé il y a 10 ans, Lepage a été très vite reconnu comme l'inventeur d'un ingénieux théâtre d'images. À partir d'un objet — une boîte à souliers, un piano —, il réussissait à évoquer des concepts aussi abstraits que la guerre ou la dérive des continents. Le procédé relevait du prodige, mais à la longue l'étiquette a fini par lui peser. Or, puisqu'une partie de son talent consiste à savoir rester libre, Lepage s'est peu à peu rapproché du texte — ses nombreux Shakespeare en font foi — pour finalement faire mentir cette réputation d'imagier sans profondeur. Son dernier spectacle solo, *Les Aiguilles et l'Opium,* partait d'une lecture de la *Lettre aux Américains* de Jean Cocteau. Le résultat (qui continue d'être présenté en tournée européenne) est du pur Lepage: brillant, avec des recoupements fulgurants et une approche qui réactualise plus que jamais la pratique théâtrale.

Il en est convaincu depuis toujours: le théâtre n'est pas un résidu poussif du 19e siècle mais possède toutes les qualités pour prendre pied dans le troisième millénaire. Or, tout «avant-gardiste» qu'il soit, Robert Lepage n'enfante pas un théâtre hermétique ou difficile. Ses spectacles sont joués au moins 250 fois chacun. Et il est un des rares hommes de scène au Québec à recevoir des lettres de jeunes admirateurs. Sollicité aussi bien par les grandes institutions — comme la Scala de Milan — que par les stars internationales (il a signé le dernier spectacle de Peter Gabriel, et l'acteur américain Al Pacino le talonne pour qu'il le dirige dans un Shakespeare), il pourrait se contenter d'une carrière itinérante à la façon de certains grands noms de la mise en scène.

Mais en créant il y a un an Ex-Machina, sa propre compagnie de production, Lepage a entrepris de revenir aux sources dans cette ville de Québec où, à partir de son univers immédiat, il a forgé ce langage universel qui est le sien. À deux pas du quartier de son enfance, avec ses collaborateurs de toujours (notamment Marie Brassard et Marie Gignac), Robert Lepage a l'intention de regrouper ses activités et d'amener dans la capitale québécoise tous ceux qui, de Londres à Tokyo, désirent travailler avec lui.

En principe, tout est en place pour le retour du prince Robert dans ses terres. La Ville de Québec a fourni une caserne désaffectée, et des demandes ont été adressées aux divers paliers de gouvernement pour financer le projet. Mais il faut encore les six millions de dollars nécessaires à la rénovation du bâtiment pour qu'Ex-Machina devienne le centre de recherche rêvé par son concepteur.

Sinon, le Québec risque de perdre l'aventurier aux semelles de vent qui lui a donné une des grandes ouvertures sur le monde de son histoire.

BILLY, Hélène de, «Le grand Robert», Montréal, *L'actualité*, vol. 20, n° 1, 1er janvier 1995, p. 28.

Texte 5

L'école à la croisée des chemins

L'école nous apparaît souvent comme une institution figée au cœur d'un univers en mouvement. Mais un certain nombre de mutations sociales semblent désormais de nature à remettre en question les systèmes et les fonctions de l'éducation.

Aujourd'hui, l'école se trouve à la croisée de deux tendances: d'une part l'État ne semble plus vouloir financer et diriger l'éducation, d'autre part les établissements scolaires et les autorités locales souhaitent exercer davantage de pouvoir en la matière.

Dans un tel contexte, le rôle et la place de l'école deviennent relatifs. Concurrencée par d'autres institutions (la famille, le monde du travail) elles-mêmes en pleine transformation, l'école ne détient plus le monopole de la diffusion du savoir. Les nouvelles technologies de l'information et de la communication mettent le rôle des enseignants à l'épreuve et bousculent leur approche de l'éducation.

Les modes d'accès à la connaissance chez les jeunes ont changé. L'acquisition des savoirs par imprégnation — processus que favorisent les médias — prend le pas sur la médiation pratiquée traditionnellement par la famille ou par l'école. Mais les médias font appel à la curiosité et à l'émotivité des jeunes de manière désordonnée; l'école éprouve ensuite les plus grandes difficultés à ordonner ces connaissances pour que l'élève puisse en tirer profit.

En outre, la notion de compétence s'est élargie. Il ne s'agit plus pour les enseignants de se contenter de transmettre aux élèves des savoirs et des savoir-faire, mais aussi de les former à y accéder et à les exploiter par eux-mêmes. La compétence véritable de ces derniers se définit désormais par leur capacité d'autonomie et d'adaptation à des formations et à des emplois différents.

On attend des enseignants qu'ils apprennent aux élèves à forger leurs propres valeurs dans une société de plus en plus marquée par le métissage des cultures et la disparition des pôles de référence.

Enfin, la pratique d'une activité rémunérée, menée par une fraction importante d'élèves parallèlement à leurs études à partir du secondaire, est un phénomène typique de l'Amérique du Nord, où la population scolaire est hétérogène et pluriethnique. Tous ces facteurs influent fortement sur la réflexion concernant les exigences scolaires et les modalités d'intégration.

Par ailleurs se posent nombre de questions de nature sociopolitique, telles que: comment concilier élitisme et démocratie sans aggraver les fractures sociales, ou comment prôner une culture universelle dans le respect des identités nationales sans encourager racisme et intolérance?

Quel doit être, dans ce contexte, le rôle de l'État par rapport à celui des établissements et des individus? Peut-être conviendrait-il de définir une «culture publique commune» englobant un ensemble de valeurs non négociables nécessaires à la bonne cohésion de nos sociétés. Cet ensemble pourrait faire office de tronc commun dans l'éducation de tous les groupes, minoritaires et majoritaires, sédentaires et nomades, sans pour autant porter atteinte aux droits fondamentaux de chacun d'eux. Il serait légitime, au nom de ces valeurs consensuelles, de récuser l'autorité d'écoles différencialistes fondées sur une base religieuse ou ethnique. D'autre part, plutôt que d'introduire de nouveaux programmes, ne vaudrait-il pas mieux réorganiser ceux qui existent déjà selon un axe transversal en favorisant la connaissance et la compréhension des autres langues et des autres cultures? L'éducation deviendrait ainsi un véritable facteur de paix.

Dans un rapport plus direct avec le monde socio-économique, il conviendrait de concilier les savoirs relevant d'une culture générale, indispensable à l'ouverture sur le monde, avec les qualifications professionnelles permettant à l'élève de s'insérer dans l'ordre économique. L'une des finalités de l'éducation n'est-elle pas de donner aux jeunes les moyens de transformer la société dans laquelle ils vivent? Pour cela, il leur faut d'abord en comprendre le fonctionnement et maîtriser les conditions de ses progrès.

En tout cela, l'enseignant demeure un acteur de premier plan. C'est pourquoi une des transformations les plus fondamentales du système concerne la profession qui est la sienne. Il convient de reconsidérer la formation initiale, en valorisant la responsabilité individuelle et collective des enseignants, c'est-à-dire en l'inscrivant dans une logique de professionnalisation. La profession exige ensuite, compte tenu de la durée de la carrière, l'existence d'un continuum organique harmonisant formation initiale, formation pratique et formation continue. Les chances de succès résident dans l'engagement responsable, à la mesure de leur rôle et de leur compétence, de celles et de ceux qui déterminent les politiques éducatives, qui dirigent les établissements scolaires et qui font de l'éducation leur affaire quotidienne.

BISAILLON, Robert, «L'école à la croisée des chemins», Paris, *Le Courrier de l'Unesco*, avril 1996, p. 24-26.

Texte 6

Le QI est-il héritable?

Le 15 décembre 1994, *The Wall Street Journal* publiait un manifeste intitulé «Mainstream science on intelligence» (Le point de vue majoritaire des scientifiques sur l'intelligence). Ce texte était signé par quarante-neuf Américains et trois Britanniques, parmi lesquels de nombreux professeurs d'universités, présentés comme «experts en intelligence et matières connexes». L'essentiel de leur message s'articule autour de deux propositions: 1) les gènes jouent un plus grand rôle que l'environnement dans le niveau intellectuel, mesuré par les tests de QI; 2) ces gènes pourraient êtres responsables des différences de QI entres Noirs et Blancs.

Selon ses auteurs, ce manifeste est destiné à corriger certaines des erreurs commises par ceux qui, dans les médias ou la presse scientifique, avaient critiqué l'ouvrage des Américains Richard J. Herrnstein, professeur de psychologie à Harvard (décédé depuis) et Charles Murray, docteur en sciences politiques: *The Bell Curve: Intelligence and Class Structure in American Life* (La courbe en cloche: intelligence et structure de classe dans la vie américaine).

Devenu un best-seller, ce livre s'attaque au problème particulièrement sensible aux États-Unis des différences entre Noirs et Blancs du double point de vue des performances intellectuelles et de la propension à la criminalité. Le moindre QI des Noirs serait à l'origine de leur plus faible réussite sociale et de leur taux de criminalité plus élevé. Or le QI aurait une base génétique.

Le manifeste entend donc, par des affirmations faisant l'objet d'un consensus dont cinquante-deux notables seraient les garants, régler l'un des points les plus chauds à l'intersection des sciences biologiques et sociales et clore le débat par un argument d'autorité.

On se plaît à penser ce qu'aurait été un tel manifeste, au milieu du XVIIe siècle, si l'on avait sélectionné cinquante-deux Diafoirus pour voter pour ou contre la découverte de la circulation sanguine par William Harvey. De qui se moque-t-on? Il suffit de fréquenter les congrès de génétique et de psychologie, ou de lire un peu la littérature consacrée au sujet, pour savoir qu'on aurait trouvé au moins autant d'éminents «professeurs-experts» pour défendre la thèse contraire, ou affirmer, plus sûrement, que ce point de vue est scientifiquement indémontrable.

Le raisonnement des auteurs du manifeste semble fonctionner en deux temps. Premier temps: l'intelligence est principalement héréditaire, donc transmise d'ascendants à descendants. Second temps: si l'intelligence est héréditaire, les différences observées entre individus témoignent d'une différence génétique. Conclusion: les Noirs sont moins performants que les Blancs aux épreuves d'intelligence pour des raisons génétiques. On doit de poser deux questions. Avons-nous des preuves de la contribution de la génétique à l'intelligence? et pouvons-nous, le cas échéant, en déduire quoi que ce soit sur la nature des différences entre Noirs et Blancs?

Nous n'aborderons pas les questions relatives à la définition de l'intelligence et à la validité des techniques construites pour la mesurer, que *La Recherche* a déjà évoquées dans le passé. Rappelons tout de même que l'intelligence reste un concept flou. Les mesures auxquelles se réfèrent les auteurs du manifeste et ceux de *The Bell Curve* sont les tests qui permettent d'établir une note de QI. Ce qu'on appelle aujourd'hui le QI désigne donc simplement les scores obtenus par un individu ou un groupe à des tests standardisés.

L'essentiel est de bien comprendre les biais que comportent les méthodes utilisées par ces auteurs pour affirmer la qualité «hautement héritable» des caractères mesurables (les traits) chez les individus.

ROUBERTOUX, Pierre L. et Michèle CARLIER, «Le QI est-il héritable?», Paris, *La Recherche*, n° 283, janvier 1996, p. 70.

Texte 7

Rober Racine

Selon Rober Racine, c'est le 29 octobre 1979 que le dictionnaire devint une présence incontournable. Présence qui se manifestera avec singularité par un déploiement complexe du dictionnaire dans l'espace et le temps. Présence qui sera façonnée par un élément de spatialisation.

Tout a commencé le 29 octobre 1979 dans le petit quartier de Saint-Martin à Laval. C'est là que l'idée d'un *Parc de la langue française* m'est venue. Un parc, un jardin, où, dans un espace ouvert permanent et extérieur, tous les mots de la langue française et leurs définitions, imprimés sur de petits panneaux seraient plantés au sol, répartis en quartiers de mots, chaque classe de mots étant identifiée par une couleur spécifique.

Pour Rober Racine, le dictionnaire dans tous les mots qu'il rassemble, devient un jeu d'espaces et ces espaces se déclinent de toutes sortes de manières: en vide, en plein, en percée, en colonne, en rangée, en allée, en plan, en clarté, en noirceur, en jour et en nuit. Face à ces espaces, l'artiste, le regardeur et le lecteur sont constamment appelés à se mouvoir, à se déplacer; à passer d'ici à là-bas. Elles exigeront de lui et de nous (en partie) un engagement total du corps: «Cette décentralisation [du dictionnaire] doit être prise au sens le plus large; elle touche les champs visuel, auditif, tactile et olfactif de la perception». [...]

Le Parc de la langue française est une configuration radicale du dictionnaire. De sa position à l'horizontale, chaque mot et sa définition sont amenés à se re-positionner à la verticale. D'un parcours essentiellement oculaire sur une surface plane bidimensionnelle, nous passons à un parcours dans un espace tridimensionnel qui contraint le corps entier à se mouvoir. La lecture n'est plus uniquement le produit d'un mouvement des yeux et d'une agitation des doigts, elle exige qu'une promenade s'effectue.

Le Parc nous présente donc le même contenu que *Le Petit Robert.* Racine a transféré chaque entrée et sa définition sans procéder à aucune modification. Les mots sont en outre placés par ordre alphabétique et chaque classe de mots est identifiée par une couleur. C'est le même dictionnaire mais il est aussi totalement autre. [...]

Le vide dans l'écart des mots devient un espace quasi tangible puisque le corps peut l'occuper et parfois être amené à le franchir. L'*entre-deux* acquiert une valeur et une présence équivalente à celle des mots. La lecture s'effectue dans l'amplititude du déploiement spatial des mots. Celle-ci s'avère ainsi beaucoup moins focalisée et ne comporte pas nécessairement un objectif précis puisqu'elle s'effectue dans un lieu ouvert qui ne possède pas les frontières étroites des pages du dictionnaire que l'on peut à tout moment refermer. La lecture revêt un caractère urbain au sein d'un «parc» qui adopte les paramètres d'une cité avec ses quartiers dans lesquels le visiteur/lecteur erre. Il appréhende les mots et leur sens dans leur présence spatiale et dans leur appartenance territoriale, à la manière des composantes d'une ville. La rencontre du mot est aussi fortuite qu'elle est déterminée.

THÉRIAULT, Michèle, «Rober Racine. Le Mot découpé et les espaces de la traduction», Montréal, *Parachute*, n° 82, avril/mai/juin 1996, p. 17-18 et 20-21.

Texte 8

En finir avec l'illettrisme scientifique

L'illettrisme scientifique, formule qui se réfère à ce que le grand public devrait savoir — et ne sait pas — sur la science, est une amère réalité, clairement identifiée par toutes les réflexions actuelles sur l'efficacité de l'éducation scientifique. Qu'est-ce que le citoyen moyen doit apprendre pour vivre autrement qu'en aveugle dans une société toujours plus complexe où la science et la technique sont prédominantes? Il y a en fait trois réponses distinctes à cette question, et trois significations différentes à ce que l'on désigne sous le terme de «culture scientifique». On peut d'abord tenter de comprendre le contenu de la science, c'est-à-dire acquérir des connaissances scientifiques. On peut aussi comprendre la façon dont sont produites ces connaissances (la «méthode» scientifique). On peut, enfin, se familiariser avec les structures sociales qui permettent cette production.

Chacune de ces approches a sa pertinence et son importance. La nécessité d'acquérir des connaissances scientifiques élémentaires est évidente, et fait l'essentiel de l'enseignement et de la vulgarisation des sciences. Les cours sont remplis de théories, de lois, de modèles, et de faits qu'il s'agit d'expliquer à partir de ces schémas interprétatifs, de sorte que les étudiants consacrent la majeure partie de leur temps à assimiler la quantité requise de savoir scientifique.[...]

En réalité, le savoir proposé est mieux à même de fabriquer des champions du *Trivial Pursuit*[2]. Les problématiques scientifiques actuelles, en effet, concernent des sciences nouvelles, ou de nouvelles applications de connais-

2. *Quelques arpents de pièges*

sances anciennes, et sont par essence incertaines et controversées par ceux qui en sont les spécialistes. Dès lors, une connaissance factuelle n'est guère utile pour comprendre ce qui se passe vraiment. L'émergence d'un nouveau savoir ne peut être pleinement saisie qu'à condition d'avoir quelques notions sur le fonctionnement de la recherche scientifique. Aussi de nombreux éducateurs cherchent-ils désormais à inclure dans leurs programmes des considérations sur la «nature» de la science. Mais en l'absence d'une définition précise de la «méthode» scientifique, cela revient souvent à transmettre une image implicite et idéalisée de la science, en mettant par exemple l'accent sur la recherche désintéressée de la vérité.

Il n'est sans doute pas un seul chercheur qui soit prêt à cautionner l'existence d'une telle attitude scientifique faite de désintéressement, d'objectivité et d'ouverture d'esprit, vision idyllique que l'implication industrielle et militaire croissante de la recherche a depuis longtemps mise à mal. Quant à la «méthode» scientifique, le biologiste et philosophe britannique sir Peter Medawar a pu prétendre qu'elle n'était qu'un mythe, recouvrant une infinie variété de «stratagèmes exploratoires» qu'il serait vain d'essayer de réduire à un procédé codifié. Il est d'ailleurs remarquable que les plus fins connaisseurs de la nature de la science soient les tenants des pseudo-sciences, particulièrement attentifs à ce que leurs travaux obéissent aux canons de la méthode scientifique...

Reste donc à considérer, au-delà de la science-connaissance et de la science-méthode, la science en tant que pratique sociale. Le fait que la science soit produite par une communauté professionnelle particulière est si évident que les éducateurs et les chercheurs eux-mêmes en viennent à l'oublier. Il est pourtant fondamental. Si l'on ignore les règles — explicites ou non — de la démarche scientifique (depuis l'écriture d'un article jusqu'à son éventuelle publication en passant par sa soumission aux *referees* — (critiques spécialisés), on ne peut pas comprendre que la science n'est pas le fait d'individus isolés, mais d'un système social hautement organisé et optimisé en vue d'accumuler le maximum de connaissances. Or, le public, aidé en cela par les médias qui connaissent les vertus de la personnalisation, a tendance à projeter les qualités du savoir scientifique sur les individus qui le produisent. Ce savoir est objectif: les chercheurs le sont. Il est sans cesse corrigé et amélioré: les chercheurs sont humbles et ouverts à la critique, etc. D'où une image de scientifique-superman qui est le pire obstacle à une saine vision de la science.

Pour comprendre quelque chose à la science qui se fait, saisir par exemple la nature des controverses suscitées dans les années quatre-vingt par la «fusion froide» ou la «mémoire de l'eau», il ne suffit donc pas d'avoir des notions de physique atomique ou de chimie organique, ni de connaître les bases de la méthode scientifique. Encore faut-il savoir que, parfois, la science progresse non à cause, mais en dépit des individus qui la font. Contrairement aux chercheurs qui ont en main toutes les cartes pour se faire une opinion sur de telles affaires, le public ne dispose que des connaissances prédigérées et «indiscutables» apprises à l'école. Comment pourrait-il se faire une opinion sur des sujets nouveaux et discutés par les experts?

Si l'on souhaite vraiment combattre l'illettrisme scientifique, il faut trouver les moyens de donner une image plus réaliste de la recherche scientifique à ceux qui n'en ont aucune expérience directe.

DURANT, John, «En finir avec l'illettrisme scientifique», dans *L'État des sciences et des techniques*, Montréal, Éditions du Boréal, 1991, p. 96-98.

Texte 9

Mythes et décisions politiques

Au cours des années 80 et 90, nombre de pays occidentaux ont adopté une législation visant à limiter, voire interdire, la publicité en faveur du tabac. Au Canada, une loi interdisant la publicité du tabac et de l'alcool sur les médias électroniques a été votée dès 1987; depuis, il a été proposé de l'étendre à tous les supports.

La décision de mettre en place ces dispositifs législatifs s'est fondée sur une certitude largement répandue: la publicité des différentes marques de cigarettes augmente la consommation globale de cigarette; par conséquent, son interdiction la réduira. Or, en est-il vraiment ainsi?

Le marché des cigarettes a suscité de nombreuses études dont certaines ont porté sur l'influence de la publicité. Les résultats les plus probants infirment les idées communément admises: la publicité en faveur des cigarettes affecte la demande pour les différentes marques et non la consommation globale. Les comparaisons internationales ont montré par ailleurs que l'impact des restrictions sur l'évolution de la consommation n'est pas systématique: les baisses de consommation interviennent tardivement (aux États-Unis), pas du tout (en France et en Espagne) ou avant (en Grande-Bretagne).

Ces résultats des recherches ont été largement diffusés et furent accessibles aussi bien aux experts rattachés au ministère de la Santé qu'aux groupes de pression ayant lutté contre le tabagisme. Pourtant, les savoirs mobilisés au sein des ministères de la Santé lors de la préparation du projet de loi d'interdiction ont consisté à étoffer le discours des effets délétères de la publicité sur la consommation de cigarettes. Les arguments avancés en faveur de l'interdiction de la publicité participent à l'évidence d'un mythe, c'est-à-dire d'une *«représentation de liens de causalité entre une action et ses effets contredits par des savoirs pertinents ou jugés tels par les scientifiques»*.

Comment expliquer cette acceptation du mythe publicitaire? Au moins trois phénomènes se sont, semble-t-il, combinés pour assurer son plein succès.

Le premier tient à ce que le mythe incorpore dans ce cas une croyance tenue pour démontrée, se faisant passer pour un savoir. Le système politique ne demande rien: il sait. Conséquemment, les coûts pour les fonctionnaires-experts de diffuser des savoirs contraires sont très élevés. Faire passer la nuance — l'impact de la publicité s'exerce sur les ventes par marque mais non sur les ventes globales de l'industrie — est déjà complexe. S'il faut en outre, pour convaincre, transmettre tout le modèle d'information du consommateur qui a mis une génération à s'imposer dans les milieux spécialisés, l'entreprise devient colossale.

En deuxième lieu, les savoirs pertinents se sont avérés ici stériles. Démontrer au ministre que la mesure proposée ne réduira pas la consommation de cigarettes ne l'avance en rien quant à son problème: faire quelque chose contre le tabagisme. Ne rien faire est coûteux: le ministre accepterait alors une tâche pédagogique ingrate, celle-là même que les experts ont refusé de tenter; il mécontenterait les lobbies antitabac qui eux, croient que l'interdiction réduira la consommation ou qui, de toute façon, ne peuvent pas admettre le contraire sans que leurs dirigeants encaissent du même coup une cuisante défaite aux yeux de ceux dont ils sont censés défendre les intérêts. La production symbolique qu'est l'interdiction apporte une solution. Cette approche épargne temps et efforts, et se révèle politiquement rentable.

Une troisième explication de l'acceptation du mythe publicitaire vient du désintérêt des autres ministères. Un économiste du ministère de la Santé n'aura généralement que de vagues souvenirs d'études sur les effets de la publicité. Quant aux spécialistes d'autres ministères qui, eux, sont forcément au courant vu leurs fonctions (par exemple dans les services sur la publicité trompeuse, sur la concurrence), ils n'ont ni intérêt ni légitimité à intervenir. Leur hiérarchie ne les autoriserait pas à le faire: les enjeux pour leur ministère sont nuls.

Le cas qui vient d'être décrit n'est pas exceptionnel. L'histoire récente fournit de multiples autres exemples de politiques publiques fondées sur des mythes malgré l'intervention d'experts et la mobilisation de savoirs pertinents.

LACASSE, François, «Mythes et décisions politiques»,
Auxerre, *Sciences Humaines*, n° 62, juin 1996, p. 10-11.

Texte 10

La compréhension de la musique

La perception de la musique est une notion que les pays anglo-saxons ont érigée au rang de discipline (*Appreciation of Music*). Au début du siècle, elle était souvent synonyme d'apprentissage de la musique. La «perception de la musique» implique non seulement le plaisir d'écouter de la musique, mais aussi le processus permettant, au-delà du plaisir, de parvenir à un certain degré de «compréhension» — terme prohibé de nos jours, car il laisse supposer que la musique est une langue dotée de significations précises. [...]

Si l'on considère que la musique apporte un certain ordre au tumulte de la vie quotidienne, elle repose nécessairement sur des moyens d'expression complexes et très élaborés. Un minimum de connaissances de ces moyens d'expression semble indispensable à l'auditeur. [...]

Il faut d'emblée dissocier les compétences indispensables dont doit faire preuve le musicien professionnel — interprète ou compositeur — et celles qui concernent l'auditeur. L'auditeur n'a pas besoin de cette formation auditive très poussée, essentielle à l'interprète et qui revient souvent à ne relever que les défauts d'exécution. Il n'a pas davantage besoin de savoir composer une partition; certains adultes ont peut-être reçu quelques leçons d'harmonie, mais l'harmonisation d'un choral à quatre voix aide-t-elle vraiment à appréhender la musique tonale? On peut en douter. De même, il n'est pas nécessaire de savoir jouer d'un instrument car, dans un premier temps, l'élève instrumentiste doit se concentrer sur la technique au détriment de la compréhension musicale; il en résulte une frustration née des limites de sa capacité d'expression et, pour cette raison, beaucoup d'élèves abandonnent la pratique d'instruments difficiles entres dix et vingt ans. Il ne faut pas en déduire qu'il est inutile d'enseigner les rudiments de la musique, mais, quel que soit leur intérêt, ils ne constituent pas une base indispensable pour le mélomane.

Que doit donc savoir ce mélomane? Tout d'abord, il doit acquérir une connaissance des formes, des grandes lignes de la sonate, du concerto ou du rondo et, pour la musique médiévale, du *cantus firmus* et de l'isorythmie: il suivra ainsi plus facilement la forme de la musique. Ensuite, il doit connaître les attitudes fondamentales, comme les relations entre le texte et la musique dans la musique vocale. Il doit enfin pouvoir se placer dans une perspective historique: comprendre ce que fait le compositeur et pourquoi il le fait aidera l'auditeur à écarter ses préjugés et lui ouvrira de nouveaux horizons musicaux.

L'auditeur doit avant tout se familiariser avec la musique qu'il pense pouvoir apprécier. Écouter une œuvre à plusieurs reprises, sur un disque ou à la radio, permet souvent de mieux la comprendre: l'auditeur reconnaît le matériel thématique et les points forts les plus marquants d'un mouvement; cette écoute lui donne également une conception de la langue. La musique moderne peut alors lui paraître moins discordante et moins rébarbative. Une fois qu'il s'est familiarisé avec la sonorité de la musique, l'auditeur devrait tenter de l'analyser, pour découvrir comment sont développés les thèmes, les méthodes de modulation et d'orchestration, le flux et le reflux qui mènent aux sommets, la façon dont le compositeur utilise les schémas formels pour créer des surprises, une tension accrue, etc. [...]

La «perception de la musique», en tant que discipline, paraîtra sans doute superficielle et dépourvue d'un minimum de rigueur scientifique. Elle joue pourtant un rôle essentiel à une époque où l'oreille est assaillie par toutes sortes de musiques qui ont vu le jour au fil des siècles. Un guide indique au voyageur les endroits où se rendre et ce qu'il doit voir: il ne peut fournir la réaction émotionnelle qui en résulte. Il faut se souvenir que les auditoires qui ont fait de Haendel et de Haydn des hommes riches et de Verdi et de Puccini les idoles de toute une nation n'avaient pas reçu une telle formation. Ils se contentaient d'une compréhension instinctive.

ARNOLD, Denis, «Perception de la musique», dans *Dictionnaire encyclopédique de la musique*, tome II, coll. «Bouquins», Paris, Éditions Robert Laffont, 1988, p. 445-447.

Texte 11

Les nouveaux pouvoirs

Morin[3]: Les conflits futurs viendront de l'incapacité à trouver les formes associatives qui nous permettraient de civiliser l'ère planétaire; de notre incapacité à contrôler le développement accéléré et aveugle de la techno-science; de notre incapacité à surmonter les crises de notre civilisation, du sous-développement mental et moral propre à notre vision économique, mercantile, technique de l'idée de développement. Dans ce contexte, ces conflits naîtront — que dis-je, naissent déjà — de la crise du futur et de la revanche du passé. Partout la promesse d'un futur nécessairement meilleur s'est effondrée. Partout la foi dans la science, la technique, l'industrie se heurte aux problèmes que posent la science, la technique, l'industrie. Quand le futur est perdu et que le présent est malade, alors il reste à se réfugier dans le passé, à retourner aux racines ethniques, nationales, religieuses. En même temps, il y a dans le monde et y compris en Europe, une résistance des identités menacées par la standardisation et l'homogénéisation qu'apporte le déferlement technique-industriel. Ainsi la perte du futur et le souci de l'identité convergent pour stimuler un peu partout les «resourcements». Dans ce sens, la formule de l'État-Nation, inventée par l'Europe occidentale, permet aux peuples subjugués dans des empires de se rattacher à leur identité, de retrouver une communauté, et de trouver dans l'État protection et sécurité..., mais aussi d'utiliser pour sa défense et son unité les techniques les plus modernes.

J'ajoute que la plus grande menace qui pèse sur la planète vient de l'alliance entre deux barbaries: l'une, qui vient du fond des âges historiques, apporte la guerre, le massacre, la déportation, le fanatisme. L'autre, qui vient de notre civilisation techno-industrielle est glacée, anonyme, ignore les individus, leurs chairs, leurs sentiments et leurs âmes. C'est pourquoi je crois que le vrai conflit de l'Histoire à venir opposera les forces de la civilisation et les forces de la barbarie, anciennes et nouvelles.

La civilisation industrielle meurt peut-être, mais sa logique interne, qui est celle de la machine artificielle, mécanique, spécialisée, chronométrée est plus vivante que jamais. Le nouveau monde ne parvient pas à naître. Mais attention: la solution n'est pas dans une unification qui homogénéise et détruit les diversités culturelles et nationales. Elle est dans l'unité qui sauvegarde les diversités. [...]

Dans un même temps, la planète s'unifie et se disloque en mille morceaux. La question est de savoir si l'État-Nation perdra son statut de souverain absolu ou s'il s'intégrera dans des associations plus vastes qui traiteraient les grands problèmes d'ordre planétaire. Faute d'associations qui les engloberaient, les États-Nations — comme les féodalités au Moyen Âge — continueraient à s'entre-combattre et nous entraîneraient vers un nouveau moyen-âge devenant planétaire.

Toffler[4]: L'État-Nation moderne s'est développé pendant la vague d'industrialisation qui a transformé les anciennes sociétés agraires. Il était fondé économiquement sur des technologies capables de produire plus que ce que les marchés nationaux pouvaient absorber. Il a contribué à la création d'un marché national et d'une économie intégrée. Il s'accompagnait d'une idéologie nationaliste et d'un romantisme patriotique se manifestant dans la musique, l'art et la littérature.

Même aujourd'hui, la plupart des peuples qui réclament l'autodétermination, la souveraineté et le statut de nation sont des peuples agraires. Ils

3. Edgar Morin, sociologue français de renommée internationale, auteur de nombreux ouvrages dont *La Rumeur d'Orléans* (1969) et *Terre-Patrie* (1993).

4. Alvin Toffler, célèbre penseur et futurologue américain. Ses œuvres, écrites conjointement avec sa femme Heidi, sont devenues des best-sellers: *Le Choc du futur* (1970), *La Troisième Vague* (1980), *Les Nouveaux Pouvoirs* (1990).

pensent que la souveraineté et le statut de nation sont nécessaires au «développement» — mot qu'ils utilisent pour parler d'industrialisation. Ces peuples croient qu'une armée, un drapeau, une monnaie, peut les projeter dans le futur industriel. L'ironie, c'est que pour d'autres, l'industrialisme appartient déjà au passé. Grâce à des technologies toujours plus avancées on peut maintenant produire plus que ce que les marchés nationaux peuvent absorber. On tente donc d'intégrer des marchés supranationaux. Dans le même temps, les pays les plus économiquement développés — le Japon et les États-Unis, par exemple — ne cessent de violer la souveraineté des autres peuples à travers la culture, l'information, les idées et les images. Et de nombreux poètes, intellectuels, écrivains et artistes donnent aujourd'hui une image romantique de la mondialisation, tout comme leurs prédécesseurs exaltaient le nationalisme.

Morin: Vous ne voyez le problème qu'en termes économiques et industriels. La «volonté de nation» obéit à des besoins mythologiques, religieux, communautaires qui excèdent la volonté d'industrialisation. Vous oubliez les passions humaines, les folies collectives de notre Histoire. Les deux guerres, le nazisme, le stalinisme ne peuvent être analysés avec le seul regard de la technologie. Il faut aussi l'autre regard, shakespearien, celui qui perçoit «le bruit et la fureur», les possibles bifurcations de l'Histoire. Croyez-vous vraiment que la troisième vague engluera l'histoire humaine dans le lait et le miel?

Toffler: Je n'oublie pas le chaos et le hasard et donc l'éventualité d'une tragédie. [...]

Mais ne parler que de danger et de tragédie serait ignorer les évolutions positives qu'entraîne la diffusion naissante d'une économie fondée sur le savoir. Tout comme la seconde vague industrielle a vu l'économie mondiale et la puissance militaire se déplacer vers l'Europe occidentale et l'Amérique du nord et la région Asie-Pacifique. Cette mutation historique pourrait, dans l'espace d'une vie, sortir un milliard de personnes de la pauvreté et de la misère. C'est une occasion inespérée de briser le problème de la pauvreté sur la planète.

Morin: C'est là un autre paradoxe. Il est aujourd'hui possible techniquement de nourrir chacun, d'assurer une vie décente à tous, de réguler l'économie, de trouver des solutions à tous les problèmes matériels. Mais pourtant, ce réalisme est utopique. Ce qui semble possible se heurte à d'autres réalités qui vont en sens contraire. Et on trouve normal que l'on détruise les excédents agricoles européens alors que l'Afrique meurt de faim.

C'est pourquoi la réforme du savoir et de la conscience est à mes yeux essentielle. Il nous faut passer de la pensée mutilée à la pensée complexe. Il faut élever une conscience de notre citoyenneté du monde, de notre situation sur la Terre. Au XIXe siècle, le citoyen du monde était l'homme sans racines. Aujourd'hui, les racines sont la Terre elle-même dont nous sommes issus. Et au-delà de leur communauté d'origine, les différents habitants du monde ont une communauté de destin: nous avons tous les mêmes problèmes de vie et de mort: la démographie, l'avenir de la démocratie, la sauvegarde de la biosphère, le fléau de la drogue, le risque nucléaire...

Si l'on ne prend pas conscience de cela, on ne peut pas dépasser l'État-Nation et créer des instances multinationales et internationales. En Europe par exemple, nous ne devons pas créer une super-nation, mais respecter les cultures, en créant des instances fédérales dédiées aux problèmes communs.

AVRIL, Béatrice de *World Media*, «Les Pouvoirs vus par Alvin Toffler et Edgar Morin», Montréal, *La Presse*, 4 juin 1994, cahier spécial, p. 8.

Texte 12

Femmes et technologie: pourquoi le malaise?

«Je dois parfois sortir de force les garçons du laboratoire: ils passent des nuits entières à l'ordinateur, négligent les autres cours et oublient presque de manger, confie Denis Paradis, professeur d'informatique au Collège Jean-de-Brébeuf. Les filles, par contre, repartent aussitôt leurs travaux terminés.»

Et ce n'est pas pour s'entraîner à résoudre des colles en mathématiques: l'an dernier, au Québec, seulement 7 filles se sont classées parmi les 50 premiers élèves aux examens provinciaux de mathématiques en quatrième et cinquième secondaires. Aux États-Unis, la psychologue Camilla Benbow a étudié les performances intellectuelles des 416 meilleurs étudiants parmi 10 000 élèves au pays. Dans son échantillon, on ne trouve qu'une fille pour 12 garçons. «Les filles s'avèrent des étudiantes solides, mais l'élève transcendant est presque toujours un garçon», observe Jean Ménard, directeur du département de mathématiques-informatique à l'Université du Québec à Montréal.

Est-ce un manque d'inclination pour les sciences plus techniques qui empêche les filles d'occuper les premiers rangs? Ou y a-t-il une raison plus profonde? «Les femmes sont plus critiques envers elles-mêmes et leur confiance en soi est facilement ébranlée», soupire l'astronaute Julie Payette. Polyglotte, triathlète, musicienne et ingénieure, choisie parmi 5000 scientifiques canadiens pour participer au programme spatial, elle avoue souffrir elle-même de cette insécurité!

Elle n'est pas la seule. Dans un sondage effectué par le Conseil consultatif sur le statut de la femme du Canada auprès de 3000 adolescents, les filles plus souvent que les garçons ont coché «non» à la case «J'ai confiance en moi». Chez les jeunes de 13 ans, l'écart est de 10 %. À la fin de l'adolescence, le fossé se creuse davantage.

De nombreux tests psychologiques le confirment: dès l'enfance, la personnalité des filles diffère de celle des garçons. Les petites filles sont déjà perfectionnistes, leurs exigences sont élevées et elles se découragent plus facilement. Confrontées à un problème de mathématiques, nombreuses sont celles qui lisent plusieurs fois la question et commencent à y répondre seulement lorsqu'elles sont certaines de savoir comment. Selon les mêmes tests, les garçons sont plus spontanés et procèdent plus naturellement par essais et erreurs. Les filles souffriraient de ce que le jargon appelle la «motivation intrinsèque»: le désir d'apprendre les stimule davantage que la compétition, qui est le moteur des garçons. [...]

Ce que les filles étudient au cégep

Présence féminine dans les différentes concentrations offertes dans les cégeps du Québec	
Lettres:	77 %
Sciences humaines:	57 %
Arts:	56 %
Sciences:	47 %
Techniques biologiques:	78 %
Techniques physiques:	17 %

(Source: ministère de l'Enseignement supérieur et de la Science, 1992)

Au cégep, le clivage apparaît. À part leur éternel penchant pour les arts et les lettres, les filles affectionnent les sciences de la vie. Les techniques physiques restent la chasse gardée des garçons.

D'où vient la différence? Depuis déjà 20 ans, les résultats obtenus en neuropsychologie montrent de légers écarts entre les performances des hommes et des femmes: si les femmes dominent pour l'ensemble des fonctions verbales, les hommes jouissent d'une meilleure capacité visuospatiale, c'est-à-dire qu'ils visualisent mieux les objets et leurs mouvements en trois dimensions. Cette capacité devient un atout en mathématiques, en physique, etc. À peu près égales chez les enfants, les performances visuospatiales des deux sexes divergent vers l'âge de 11 ans.

Il faut cependant mettre un bémol: nous parlons ici de moyennes. La plupart des femmes sont aussi performantes que la plupart des hommes. Mais il suffit de quelques exceptions pour faire pencher la balance et créer une meilleure moyenne chez l'un des sexes. [...]

Diplômes universitaires au féminin

Proportion des diplômes décernés à des femmes dans les universités du Québec

Discipline	baccalauréat	maîtrise	doctorat
Nursing	93 %	93 %	—
Psycho-éducation	82 %	58 %	—
Microbiologie	57 %	59 %	43 %
Biologie	56 %	52 %	25 %
Médecine	51 %	—	—
Biochimie	50 %	46 %	23 %
Mathématique	46 %	31 %	16 %

Informatique	27 %	24 %	13 %
Géologie	26 %	36 %	9 %
Physique	18 %	14 %	14 %
Foresterie	18 %	18 %	13 %
Génie	15 %	14 %	7 %

(*Source: ministère de l'Enseignement supérieur et de la Science, 1992*)

Infirmière, éducatrice: seules les femmes choisissent ces carrières traditionnellement féminines. Mais elles ont désormais envahi les sciences de la santé et de la vie. Pour la physique, le génie ou l'informatique, elles sont peu nombreuses à répondre à l'appel. Elles sont beaucoup moins nombreuses à poursuivre leurs études au-delà du baccalauréat. Dans la majorité des disciplines, les femmes se font plus rares à la maîtrise. Au doctorat, on compte encore peu de femmes.

(Certains) facteurs pèsent lourd dans la balance, notamment les attentes des parents. «Je donne des cours particuliers pour les *mathophobes*, ceux pour qui les maths représentent un véritable calvaire, raconte la mathématicienne Louise Lafortune. Lorsqu'un garçon éprouve des problèmes dans cette matière, ce sont ses parents inquiets qui m'appellent. J'ai vu des mères pleurer pour l'avenir de leur fils. Les filles, pour leur part, viennent me consulter d'elles-mêmes.»

Et les professeurs? Font-ils vraiment sentir aux filles qu'elles sont à leur place dans les cours de sciences? Julie Payette se souvient du paternalisme et de la condescendance de certains professeurs de l'Université McGill, où elle était l'une des rares filles inscrites en génie informatique. «Lorsqu'un professeur change de ton en te répondant — comme s'il présumait au départ que ta question allait être plus naïve, moins technique, moins intéressante —, tu te sens forcément attaquée.» [...]

«Les filles sont bonnes en sciences parce qu'elles travaillent davantage. Chez les gars, c'est un talent naturel», affirmer Karel Oliver, qui étudie au Collège Jean-de-Brébeuf. Dans le corridor, où les étudiants attendent le prochain cours, les trois filles qui l'entourent ne protestent même pas! Elles seraient elles-mêmes convaincues de leur manque d'aptitude: dans une étude menée en 1986 par la mathématicienne Roberta Mura, de l'Université Laval, 55 % des garçons attribuent leurs succès au talent, contre 19 % des filles.

Mêmes les «bollées» se sous-estiment. Selon une récente enquête française, les lycéennes se considèrent moins bonnes que leurs confrères de classe ... à résultats scolaires équivalents! Pour pallier cet écart imaginaire, elles redoublent d'efforts: notes de cours détaillées et présence assidue en classe. [...]

Encore aujourd'hui, certains conseillers en orientation découragent les filles de choisir des filières «masculines». «Pas nécessairement par sexisme, constate Marielle Dufresne, ingénieure et présidente du Comité pour les femmes en Ingénierie de l'Ordre des ingénieurs du Québec. Plutôt parce qu'ils sont conscients des difficultés qu'elles rencontreront si elles choisissent ces professions.»

Dans le milieu de travail, la discrimination se manifeste parfois dès l'entrevue de sélection. «On s'est rendu compte que les gars se faisaient poser des questions plus techniques; les filles, des questions plus personnelles ou plus sociologiques», racontait une ingénieure dans le cadre d'un sondage de l'Ordre des ingénieurs du Québec. [...]

Le milieu de la recherche est très exigeant: les absences et les ajournements sont difficilement pardonnés. Les femmes doivent se plier aux règles tacites du milieu, souvent au prix d'une gymnastique éreintante entre le travail, les grossesses, les otites des enfants, l'école et la maison. Malgré des décennies de féminisme, de nombreuses études rappellent que c'est encore surtout aux femmes que revient la responsabilité de l'éducation des enfants, du ménage, de la préparation des repas.

Difficile d'orienter les filles vers les secteurs non traditionnels dans un tel contexte! «Nous n'y arriverons pas sans travailler simultanément à valoriser les tâches parentales auprès des garçons», conclut Claire Chamberland.

OUELLET, Pascale et Anne-Marie SIMARD,
«Femmes et technologie: pourquoi le malaise?», Montréal,
Québec Science, vol. 32, n° 4, décembre 1993/janvier 1994, p. 16-24.

Texte 13

Théâtre: Lucrèce Borgia à la NCT

Dans sa préface de 1833, Victor Hugo présente on ne peut plus clairement le dessein qu'il a en tête avec ce nouvel opus: «La maternité purifiant la difformité morale, voilà Lucrèce Borgia.» Et comme toujours, tous les excès lui seront bons pour y parvenir. Il est vrai qu'il tient là un sujet de tragédie familiale qui frappe l'imagination. De fait, lors de la création à Paris, son drame en prose triomphe au Théâtre de la porte Saint-Martin.

Curieux tout de même que, 150 ans après, Claude Poissant se soit tourné vers ce drame romantique quand tant d'autres textes attendent en vain d'être montés. Mais le théâtre lui a donné raison. *Lucrèce Borgia* se révèle un choix qui sied bien au théâtre Denise-Pelletier, un lieu et une scène immenses qu'il n'est pas toujours aisé de peupler.

Il faut dire que Daniel Castonguay a créé pour l'occasion un dispositif scénique simple mais ingénieux. Un écran opaque permet de réduire à volonté l'espace visible de la scène et de jouer sur deux niveaux. Dispositif auquel s'ajoutent si nécessaire draperies, endroits isolés par l'éclairage et projections quand vient le temps de mieux définir les divers lieux du drame. Il transforme ainsi la scène en un vaste espace pictural dans lequel Claude Poissant s'amuse de temps à autre à esquisser quelques tableaux, sans pour autant sacrifier à l'action à la fois intérieure et extérieure qui caractérise le drame romantique.

Poissant a surtout su garder ses distances avec le grotesque hugolien, par des coupes judicieuses dans le texte, mais aussi en faisant alterner style de jeu décontracté, principalement dans les scènes entre jeunes, et ardeur dramatique, quand les enjeux dramatiques l'exigent. C'est-à-dire essentiellement lors des échanges entre Gennaro (Sébastien Delorme) et Lucrèce (Marie-France Lambert).

Il n'a pas non plus cherché à réinventer la roue, se concentrant essentiellement sur la quête d'identité des deux figures centrales. Lucrèce cherchant désespérément à en changer; Gennaro déterminé à trouver d'où il vient. De la sorte, ressort d'autant mieux l'aspect le plus actuel du drame, à savoir la difficulté, dans un monde d'images, de se défaire de la sienne mais surtout d'en trouver une qui soit conforme à ses aspirations.

Dans ce contexte, Marie-France Lambert, un peu jeune pour le rôle de Lucrèce, parvient quand même à en rendre diverses facettes et à lui procurer une épaisseur et une humanité certaine. Là où d'autres auraient joué carrément la démesure, elle passe plutôt par plusieurs états donnés et bien définis, dosant bien les moments de puissance et de vulnérabilité. Il faut lui dire «mission accomplie» pour ce premier rôle classique.

Sébastien Delorme aborde pour sa part avec verdeur et vigueur Gennaro. C'est un jeune premier à la mélancolie pleine de santé. David Savard qui interprète son frère d'armes, Maffio, s'en sort bien lui aussi. Composition solide également par Luc Morissette (Gubetta), et Normand d'Amour campe un Alphonse d'Este étrange, à la fois éploré, lourdaud et déterminé.

Il y a bien quelques séquences, comme celle du banquet, qui ne sont pas encore vraiment au point, mais l'ensemble demeure étonnamment digeste — pour une pièce d'Hugo, s'entend. Car c'est un auteur qui met la vraisemblance à rude épreuve. Cependant, pour peu qu'on y consente un peu d'efforts, on arrive à croire à la Lucrèce Borgia que nous réserve Claude Poissant.

Et comme, au Québec, le drame romantique et Hugo ont peu obtenu la faveur du public jusqu'ici, faute d'être monté — et bien monté peut-être —, il ne faut surtout pas rater cette tentative de lui faire passer la rampe. D'autant que c'est presque la quadrature du cercle que Claude Poissant a réussie avec cette mise en scène. Et Dieu sait que d'autres ont failli à la tâche avant lui. Premièrement, il signe là un spectacle enlevé et inspiré qui devrait plaire aux adolescents auxquels *Lucrèce Borgia* est destiné en priorité. Deuxièmement, il s'y trouve une esthétique fine et délicatement maniérée, susceptible de séduire un public adulte aux goûts parfois plus soignés. Troisièmement, sa lecture de la pièce est suffisamment limpide et évidente pour toucher le très grand public, tout en le divertissant. Que demander de plus?

GUAY, Hervé, «La quadrature du cercle», Montréal, *Le Devoir*, 3 février 1997, p. B8.

Texte 14

Aspects d'une culture de produits

La singerie du savoir demeure une caricature et une imitation non toujours conscientes du travail profond de la connaissance. Qui, en effet, aurait pu décréter froidement que la bêtise et la médiocrité devraient être les étalons de nos choix fondamentaux? Il me semble que nous sommes plutôt assujettis à une conception globale du *marketing* dans l'ensemble des *industries* culturelles.

Car le problème de la culture et de la transmission des connaissances, aujourd'hui, est évidemment d'ordre mondial. À travers leur guerre économique et culturelle ou leur stratégie des traités commerciaux, les Américains ne se battent pas pour autre chose que l'accroissement de leurs profits à l'échelle planétaire et la suprématie de leurs industries culturelles. C'est ainsi qu'à Prague, quatre-vingts pour cent des films projetés sont américains. On préconise en quelque sorte la disparition de *l'autre* sous toutes ses formes, dans les cultures multiples qui tentent de vivre en marge des notions d'industrie, de produit et de rendement. Les Américains ne visent qu'à PROPOSER DES PRODUITS UNIFORMISÉS, le plus souvent nourris de sexe et de violence. Leur musique et leur télévision ne cessent de nous violenter. Mais une technologie de pointe, un budget démesuré n'introduisent pas forcément en nous un rayon d'éternité, une fraîcheur du monde, une lumière d'enfant: autant de vie lumineuse qui ne saurait nous atteindre. Une grande partie de l'humanité, malheureusement, s'étonne au contact de ces «œuvres» fabriquées, admire béatement un *produit* qui le plus souvent nous étouffe et nous plonge dans les ténèbres.

Les médias d'aujourd'hui n'échappent pas à la contagion. Par besoin d'économie et par désir de simplification, ils tendent à massifier leur *clientèle*. Le réel solide de l'*entertainment*, d'ailleurs, essayait depuis longtemps de dominer la scène. C'est pour servir un pareil concept que l'industrie musicale des États-Unis, dans les années trente, avait tenté de pervertir un créateur de sons comme Edgard Varèse.

Voilà que notre radio publique (FM) a aussi été tentée de standardiser son auditoire, comme on le fait pour un produit, et, de l'accroître même en se référant à l'auditeur potentiel du plus bas dénominateur commun. Il est tout de même aberrant et peu ambitieux, n'est-ce pas? de maintenir une programmation pour les *initiés* (dit-on avec mépris), pour un auditeur qui pense, critique et cherche à émerger du chaos pour mieux saisir sa relation avec la vie, les humains et le monde. Peu importe, après tout, que la connaissance véritable n'ait pas d'autre visée, c'est-à-dire, qu'à chaque moment de son évolution historique l'homme cherche la nature de son enracinement dans le monde, en lui-même ou dans son rapport avec la transcendance. Il a d'ailleurs toujours compris ainsi le sens de sa quête, sa soif de connaissance, son raffinement moral et sa vie religieuse.

Mais je reviens à ma première question: Qui aurait bien pu décréter que la bêtise et la médiocrité devraient être les étalons de nos choix fondamentaux? Et pourtant, n'est-ce pas à l'abêtissement que conduit, par exemple, la notion de *capsule d'information* qui n'est nourrie par aucune réflexion ni par aucun travail intellectuel? Sur le même plan, l'obsession du *magazine*, dans une radio dite culturelle, provient sans doute de l'illusion de rejoindre ainsi un «large public». Ne risquons-nous pas alors de nous plier à la mollesse spontanée de l'esprit humain qui s'imagine penser en recevant des informations en vrac. Trop longtemps la radio culturelle de Radio-Canada, par exemple, a été une sorte d'émanation de la mauvaise conscience des politiciens et des administrateurs. Car pour les choses sérieuses, en effet, on s'en remettait au pouvoir de la télévision. Les politiciens auraient-ils pu se donner un autre devoir que la production de *divertissements et de sports*? Une vraie «clientèle» peut-elle réclamer autre chose? Il fallait avant tout donner au peuple ce qu'il désirait à travers les sondages et le marketing mis au service des spécialistes du marché. Le Service des émissions culturelles du FM, maintenant aboli, était donc, bien entendu, un service pour les *micropublics* ou les auditeurs dits «ponctuels», les prétentieux initiés, mais il n'avait droit qu'à l'os budgétaire. (Le budget annuel des émissions culturelles était inférieur à la production d'un seul épisode de la série *Scoop*, remarquait Georges Leroux. Ce qui est tout de même, sans être étonnant, symptomatique d'un choix de valeurs.) Mais c'est ainsi qu'on concevait une mission sociale et éducative. La vie commerciale exigeait tout, depuis qu'elle se prétendait la nouvelle forme d'absolu. Dans toutes les sphères d'activités, y compris dans le monde culturel, on est ainsi parvenu à confier maints postes clés à des gens qui s'accrochaient à la règle du jeu des nouveaux maîtres. [...]

Bien entendu le travail de sape et de fragilisation de la culture, en somme de tout ce qui crée et pense, n'est pas nouveau, mais il se poursuit aujourd'hui dans la perspective d'une mondialisation des grandes industries culturelles. Rien d'étonnant à ce que la menace surgisse partout, dans la plupart des sociétés dites cultivées. Il y a chez certains administrateurs un mépris à peine refoulé ou une mentalité d'*intégriste* qui s'en prend à tout ce qui veut s'extirper du commun. Tout cela, bien entendu, au nom des idéaux démocratiques (*populistes*, faudrait-il dire), de la «rectitude politique» et du bon sens. Tout cela sous la pression, parfois inconsciente, des manipulateurs de l'économie et de l'*air du temps*. Car n'est-il pas de bon ton de s'en prendre à l'hermétisme de ceux qui rêvent et pensent? Comme si les personnes intelligentes et cultivées étaient menaçantes. Certes la moquerie et le sarcasme contre «l'intellectuel» sont faciles pour qui s'en tient aux remous d'une population souvent fatiguée, exploitée, déracinée et en marge du sens et des valeurs qui ont permis à l'humanité d'avancer. Mais l'attaque contre l'intelligence, dans une société, ou sa mise en veilleuse, se paie toujours à haut prix, d'une façon ou d'une autre. Je reformule ma question: Qui a décrété que les nouveaux agents des diverses institutions culturelles n'ont pas d'autre responsabilité que de refléter le marché? Tout de même! un travail urgent s'impose à tous: dénoncer la bêtise et fustiger ceux qui font leur gagne-pain d'une industrie de l'horreur à travers l'image, d'une production du laid, d'une soumission au «produit» et d'une extinction de la profonde rêverie humaine.

OUELLETTE, Fernand, «Aspects d'une culture de "produits"», Montréal, *les écrits*, n° 85, 1995, p. 39-42 et 44-45.

Texte 15

Sport et haute performance

La couverture médiatique des exploits sportifs de haute performance entretient l'image que la pratique sportive compétitive est un moyen par excellence «d'épanouissement de soi», de «libre expression de son potentiel». Pourtant, l'homologie entre le sport et le travail, démontrée de façon convaincante par Rigauer, Brohm et Beamish, met en lumière l'actualisation des mêmes processus d'aliénation, c'est-à-dire de dépossession, de déshumanisation et de marchandisation. Ces processus découlent des conditions similaires qui les fondent. Ainsi, les deux systèmes (sport et travail) sont animés par le même principe: la compétition (la concurrence); ils partagent un but analogue: la maximisation du rendement. De fait, à partir du moment où un individu entre dans le circuit compétitif, il se trouve intégré à un système où toutes les décisions sont prises en vue de l'amélioration de la performance corporelle. C'est ainsi que le système sportif présente les conditions de possibilité d'une «dépossession» de sa pratique ludique et spontanée pour en faire une pratique rationnelle dominée par la volonté d'améliorer sans cesse ses performances. Cette dépossession se réalise de plusieurs façons. D'une part, l'amélioration de la performance n'est possible qu'au prix d'un entraînement rationnel (scientifiquement élaboré) et intensif; le sport de compétition exige de 20 à 40 heures/semaine d'entraînement planifié selon les principes de l'entraînement moderne, soit la surcharge, la répétition de séquences spécifiques du mouvement, etc. Cet entraînement, rationnellement planifié par un entraîneur, devient un élément prioritaire de son mode de vie; sa vie personnelle, sa vie familiale, sa vie sociale, sa vie professionnelle (ses études) passent au second rang. D'autre part, il doit maîtriser une technique qui lui est extérieure; toute posture ou geste spontané non conforme à la technique légitimée par l'association sportive (par exemple la technique officielle du *papillon* en natation, du *salto arrière* en gymnastique), ou non conforme au modèle reconnu comme le plus efficient par les sciences de la performance, sera l'objet d'un travail intensif de correction: «les gestes doivent obéir à la loi du meilleur rendement au moindre coût et au moindre effort» (Brohm). À ceci s'ajoute le fait que l'individu doit adapter sa pratique aux règles instituées par les associations sportives, règles qui lui sont totalement extérieures car antérieures à sa participation et indépendantes de son action. Enfin, la pratique compétitive exige la participation au circuit de rencontres établi par les différentes instances de régie du sport, les compétitions constituant les moments cruciaux de la mesure de l'amélioration de son rendement corporel.

Le rôle déterminant de l'objectivation, qui trouve son expression dans la mesure, participe du processus de réification à l'œuvre dans le sport de compétition. La compétition sportive se présente comme un univers fondé sur la mesure: on classe les corps selon le poids, la taille, l'âge, le sexe, on mesure les conditions ambiantes de la compétition (v.g. vitesse du vent, inclinaison de la pente des montagnes, dimension des terrains et des engins, etc.); tout ceci en vue d'objectiver dans un cadre quasi expérimental la performance corporelle des individus et de rendre incontestable la victoire ou leur classement. Comme le souligne Brohm, *«le premier moment du sport est donc l'objectivation des résultats, le fait brut de la victoire ou du chronomètre»*. Cette objectivation de la performance traduit également le passage du corps subjectif au corps objectif, ou du corps pour soi au *«corps pour les autres»*. L'issue du match, la mesure de la vitesse, de la hauteur, de la longueur, etc. détermine la valeur de l'individu, de l'équipe. La totalité du travail humain investi dans l'entraînement se trouve réduit au résultat de la performance telle qu'objectivée lors de la compétition. Rigauer résume bien le processus à l'œuvre: *«L'homme est réduit à une force productive mesurable»*.

L'obsession de se dépasser, de dépasser ses limites, conduit à une déshumanisation de la pratique sportive, plus ou moins accentuée selon le niveau de performance. Le développement sans précédent qu'ont connu depuis une vingtaine d'années les sciences de la performance, combiné aux progrès technologiques, a permis d'instaurer des conditions permettant aux athlètes d'aller au-delà de ce qu'on croyait être les limites humaines. Pour réduire son temps de un dixième ou un centième (et même un millième) de seconde, pour réussir un mouvement d'une complexité inégalée, on mettra tous les acquis scientifiques à contribution. L'athlète s'assujettit lui-même à un ensemble de connaissances abstraites qui vont déterminer, façonner sa pratique sportive. La déshumanisation se traduit entre autres par l'acceptation et même la recherche de la souffrance et le recours au dopage.

Enfin, cette déshumanisation doit être considérée dans la perspective des profits escomptés, ou en d'autres termes, dans sa relation avec la marchandisation croissante de la performance sportive. Rigauer rappelle que: *«Un objet devient une marchandise ou un article d'échange quand il est produit non plus pour satisfaire les besoins du producteur, mais pour être échangé sur le marché contre d'autres valeurs (argent).»* L'élimination progressive du statut d'amateur comme condition d'admissibilité aux Jeux olympiques, de même que la médiatisation et la commercialisation de plus en plus grandes des compétitions sportives ont fait en sorte que les performances peuvent maintenant représenter des valeurs d'échange dans la sphère économique. Il est actuellement courant de voir les athlètes négocier la valeur de leur performance sportive avec des commanditaires (par exemple, Bruny Surin avec *Air Canada*, Sylvie Fréchette avec la *Banque nationale*, Myriam Bédard avec *Rossignol*). L'homologie attestée entre le travail et le sport de compétition semble s'accentuer.

LABERGE, Suzanne, «Sports et activités physiques: modes d'aliénation et pratiques émancipatoires», dans *Sociologie et sociétés*, vol. XXVII, n° 1, Montréal, © Presses de l'Université de Montréal, printemps 1995, p. 58-59.

Texte 16

Avec toi

I

Je voudrais t'aimer comme tu m'aimes, d'une
seule coulée d'être ainsi qu'il serait beau
Dans cet univers à la grande promesse de Sphinx
mais voici la poésie, les camarades, la lutte
voici le système précis qui écrase les nôtres
et je ne sais plus, je ne sais plus t'aimer
comme il le faudrait ainsi qu'il serait bon
ce que je veux te dire, je dis que je t'aime
l'effroi s'emmêle à l'eau qui ourle tes yeux
le dernier cri de ta détresse vrille à ma tempe
(nous vivons loin l'un de l'autre à cause de moi
plus démuni que pauvreté d'antan) (et militant)
ceux qui s'aimeront agrandis hors de nos limites
qu'ils pensent à nous, à ceux d'avant et d'après
(mais pas de remerciements, pas de pitié, par
amour), pour l'amour, seulement de temps en temps
à l'amour et aux hommes qui en furent éloignés
ce que je veux te dire, nous sommes ensemble
la flûte de tes passages, le son de ton être
ton être ainsi que frisson d'air dans l'hiver
il est ensemble au mien comme désir et chaleur

II

Je suis un homme simple avec des mots qui peinent
et je ne sais pas écrire en poète éblouissant
je suis tué (cent fois je fus tué), un tué rebelle
et j'ahane à me traîner pour aller plus loin
déchéance est ma parabole depuis des suites de pères
je tombe et tombe et m'agrippe encore
je me relève et je sais que je t'aime
je sais que d'autres hommes forceront un peu plus
la transgression, des hommes qui nous ressemblent
qui vivront dans la vigilance notre dignité réalisée
c'est en eux l'avenir que je m'attends
que je me dresse sans qu'ils sachent, avec toi

MIRON, Gaston, *L'Homme rapaillé*,
Montréal, © TYPO, 1993, p. 70-71.

12

Le transfert des connaissances: textes choisis

Secteur technique

Texte 1

La mécanisation de l'intelligence

Au cours des années 80, des hommes politiques ont essayé, à grand renfort de financements publics et d'actions incitatrices, de remplacer les instituteurs et les professeurs par des machines. Ils espéraient démocratiser l'accès au savoir sans embaucher davantage d'enseignants. Le projet était généreux; il s'est avéré irréalisable car on ne sait pas encore comment utiliser les machines pour accélérer le lent travail d'imprégnation du savoir qui se produit, comme par osmose, à l'issue d'un contact prolongé entre maîtres et élèves.

En dépit de ces échecs, l'apparition des systèmes experts dans le monde industriel a eu des conséquences inattendues sur lesquelles il est bon de méditer. On aurait pu penser que la mise en place de ces programmes allait conduire à une déqualification des spécialistes dépositaires du savoir mis en machine. Il n'en a rien été. Bien au contraire, les spécialistes, à qui l'on a demandé de s'interroger sur leur propre pratique, ont pris conscience de la richesse du savoir qu'ils mettaient en œuvre quotidiennement dans l'exercice de leur activité professionnelle. Cela leur a ouvert des perspectives qu'ils ne soupçonnaient pas.

La notion même de système expert témoigne d'un grand respect pour le savoir et pour les détenteurs du savoir. De ce fait, les spécialistes qui ont participé à la conception d'un système expert en ont souvent profité pour faire reconnaître l'excellence de leur compétence et son incidence sur le bon fonctionnement de l'organisation à laquelle ils appartenaient. [...]

En conclusion, l'expérience accumulée au cours de ces dernières années montre que l'on ne peut pas dresser un parallèle simple entre l'automatisation du travail manuel et la mécanisation de l'intelligence. Dans le premier cas, les machines procèdent toujours par substitution à l'homme, tandis que dans le second il semble qu'elles assistent l'homme sans se substituer à lui, autrement dit qu'elles lui sont complémentaires.

L'ordinateur qui aide le médecin à faire son diagnostic n'est pas lui-même un ordinateur médecin. Au mieux, il l'aide à interpréter des résultats d'analyse et des données cliniques. Là où il y a observation attentive, palpation, écoute du patient, l'intelligence artificielle ne peut rien. Là où il y a engagement et prise de responsabilité du médecin, l'ordinateur doit s'effacer. Mettant à la disposition du médecin des éléments d'information, les ordinateurs allègent son travail pour l'aider à se concentrer sur l'observation clinique et sur la prise de responsabilité. Ainsi, loin de mécaniser la médecine, l'intelligence artificielle permet au médecin de se dégager de l'emprise de la technique pour se consacrer pleinement à sa vocation médicale. [...]

Il ne peut être question, avec l'intelligence artificielle, de recréer un être qui nous serait semblable. Même si rien ne dit qu'à l'avenir une telle éventualité ne soit pas envisageable, dans l'état actuel de la science, ce n'est là qu'une pure virtualité dénuée de tout fondement scientifique. Il n'y a donc pas lieu d'inquiéter, au nom de quelque vieux principe d'éthique, les ingénieurs qui fabriquent des machines de plus en plus en compliquées et de plus en plus autonomes. Ils ne font pas œuvre de démiurge, ils ne transgressent aucun interdit. Les visions de cauchemar auxquelles nous ont accoutumés la littérature de science fiction et le cinéma fantastique sont uniquement destinées à alimenter notre imaginaire gourmand d'émotions fortes.

GANASCIA, J.-G., *L'Intelligence artificielle*, coll. «Dominos», Paris, Flammarion, 1993, p. 102-105.

Texte 2

Les relations avec les animaux

Quand le grand passage de la chasse à l'agriculture s'est effectué, il y a environ dix mille ans, les espèces les plus importantes d'animaux de proie sont passées sous le contrôle de l'homme, ont été mises en troupeaux enfermés dans des enclos, et massacrés à volonté. L'élevage sélectionné les a modifiés peu à peu. Comme animaux comestibles, on a sélectionné leur race. D'où une réduction spectaculaire quant à la variété des espèces présentes sur nos tables. Tandis que les chasseurs préhistoriques tuaient tout ce qu'ils pouvaient attraper, et mangeaient une grande variété d'animaux, les fermiers et leurs descendants ont réduit aujourd'hui leur «proie» à relativement peu de spécimens animaux, surtout des chèvres, moutons, cochons, bétail, lapins, poulets, oies, canards. En y ajoutant le faisan, la pintade, la caille, la dinde et la carpe, voici la courte liste d'espèces domestiques comestibles.

Les animaux nuisibles se sont montrés plus résistants, mais perdent cependant régulièrement en nombre. La vermine et les parasites restent virulents, mais le contrôle de l'homme, la prévention de l'hygiène et de la médecine gagnent petit à petit du terrain. Les animaux nuisibles sont le seul groupe d'animaux qui n'ont à espérer aucune aide du Mouvement écologique de sauvegarde de la nature.

Les animaux-partenaires ou symbiotes sont mieux servis. Ils se répartissent en plusieurs catégories, dont la plus ancienne est le compagnon de chasse.

Les chiens, les faucons, les cormorans, le sont depuis toujours. Parmi eux, seul le chien est devenu véritablement un animal domestique, sélectionné pour des objectifs précis. Il est ainsi destiné à la garde du bétail (chien de berger), à suivre le gibier à la trace (chien courant), à poursuivre la proie (lévrier), à situer la proie (setter et pointer), à trouver et ramener la proie (retriever), à tuer les rats (terrier), à monter la garde (dogue). Aucune autre espèce symbiotique n'a jamais été exploitée aussi largement. Certains chiens sont même élevés pour servir de chaufferette. Les Indiens ont développé la race mexicaine à poils ras, à température très élevée, pour remplacer les bouillottes par nuits froides. Il y a bien sûr, les chiens détecteurs de mines, les chiens détecteurs de drogue, les chiens d'avalanche, les chiens policiers, les chiens d'aveugles. Malgré toutes nos réalisations techniques, le chien demeure le meilleur ami de l'homme.

Seconde catégorie symbiotique, celle des destructeurs d'animaux nuisibles. Dès les premiers jours de l'agriculture, l'homme a eu des problèmes avec les rongeurs s'attaquant à ses réserves de nourriture. Chats, furets, mangoustes ont été encouragés à tuer ces rongeurs. Les chats et les furets sont devenus de vrais animaux domestiques. Tout en servant encore utilement dans les fermes, ils n'ont jamais été exploités comme les chiens, et sont aujourd'hui rapidement remplacés par les poisons contre les rongeurs.

Troisième catégorie, celle de la bête de somme. Les chevaux, onagres, ânes, buffles d'eau, yaks, rennes, chameaux, lamas, éléphants, ont tous été mis au travail par l'homme. L'onagre, mulet sauvage d'Asie, un des premiers à être exploité ainsi, travaillait déjà il y a quatre mille ans en Mésopotamie, mais il fut très vite éclipsé par le cheval, plus maniable, qui devint la plus efficace des bêtes de somme.

Quatrième espèce, les producteurs animaux: les espèces qui donnent une part d'elles-mêmes, sans avoir à donner leur vie. Nous prenons le lait de la vache, de la chèvre, la laine du mouton et de l'alpaga, les œufs des poules et des canards, le miel des abeilles, la soie des vers à soie.

Enfin, le cas particulier du porteur de messages, le pigeon voyageur. La capacité particulière de cet oiseau à retrouver le chemin de son nid est exploitée depuis des milliers d'années, et s'est révélée si utile en temps de guerre que l'usage de contre-symbiotes s'est développé sous forme de faucons intercepteurs.

Dans tous les cas cités, l'homme offre nourriture, soin et protection, en échange des différents services rendus par ces animaux. Ils cessent d'être nos rivaux et ne sont pas exterminés comme tant d'autres, mais, bien que leur nombre augmente dans des proportions spectaculaires, ils le paient cher. Le prix à payer est la liberté d'évolution de l'espèce, car dans la plupart des cas, ils perdent leur indépendance génétique et sont soumis à nos caprices et à nos fantaisies de croisements d'espèces. Ils sont peut-être nos associés, mais, nous avons la meilleure part.

MORRIS, Desmond, *La Clé des gestes*, Paris, Éditions Bernard Grasset, 1978, p. 261-262.

Texte 3

La morale et l'argent

Les Français se montrent en général nettement moins axés sur l'argent que les Américains. Par exemple, 93 pour cent des Français de la classe moyenne-supérieure interrogés dans les enquêtes de *European values*/CARA contre 68 pour cent de leurs homologues américains pensent qu'il serait bon que les gens attachent moins d'importance à l'argent. Parmi les hommes que j'ai interviewés, 68 pour cent des Parisiens affirment que, dans leurs évaluations des autres, l'aisance matérielle est une caractéristique qui les laisse indifférents contre 57 pour cent des Clermontois[1], 51 pour cent des New yorkais et 41 pour cent des habitants d'Indianapolis.

Loin de n'avoir qu'une simple valeur d'utilité, l'argent est investi d'un grand nombre de significations. Alors que les Français entretiennent à son égard une attitude ambivalente, les Américains le considèrent comme un moyen essentiel de maîtrise et de liberté. Ce qui n'est pas sans influer sur le rôle que l'argent est amené à jouer en tant que marqueur de supériorité socio-économique dans l'un et l'autre des deux pays.

J'ai identifié quatre modèles distincts dans la façon dont mes interviewés français pensent l'argent. Un premier groupe, assez important, pense l'argent comme quelque chose de profondément impur. Le deuxième, correspondant à la bourgeoisie traditionnelle bien établie, voit dans l'argent un moyen de maintenir sa position sociale plutôt que de l'améliorer. Un troisième, plus petit et essentiellement concentré à Clermont-Ferrand, se montre beaucoup plus matérialiste dans son orientation en dépit d'un certain ascétisme. Enfin, le dernier groupe conçoit l'argent comme le symbole et la récompense de son ascension et comme un moyen d'atteindre une position sociale plus élevée. [...]

Les Américains que j'ai rencontrés ne témoignent que très rarement d'attitudes négatives envers l'argent. Lorsque c'est le cas, ils se gardent de renier entièrement l'importance de l'argent, se contentant d'insister sur la priorité qu'ils accordent à l'accomplissement de soi et aux relations interpersonnelles. [...]

L'ambivalence de beaucoup d'interviewés français par rapport à l'argent n'est pas étonnante, si l'on considère qu'un certain nombre de membres de la bourgeoisie française sont en déclin économique. S'ils maintiennent une position sociale élevée, ils le doivent en grande partie au fait que leur famille appartient à la classe moyenne-supérieure depuis plusieurs générations, qu'ils font culturellement partie de ce groupe et qu'ils ont accès à de vastes réseaux sociaux, richement dotés en ressources. [...]

L'ambivalence des attitudes françaises vis-à-vis de l'argent contraste fortement avec les attitudes positives qu'expriment le plus souvent les Américains de la classe moyenne-supérieure. Pour ces derniers, l'argent est avant tout synonyme de liberté, de maîtrise et de sécurité. Dans ces conditions, il n'est pas surprenant que l'argent en tant que tel serve plus souvent de support aux frontières socio-économiques chez les interviewés américains que chez leurs homologues français.

1. Habitants de Clermont-Ferrand (Auvergne).

Le premier de mes interviewés américains à avoir associé liberté et maîtrise a été un gérant de portefeuilles d'investissements new-yorkais, un jeune homme extrêmement actif qui gagnait environ 200 000 $ par an. [...]

Par «liberté», il faut entendre ici la possibilité de prendre régulièrement l'avion pour un week-end de ski dans le Vermont ou la possibilité d'acheter une maison luxueuse dans une banlieue chic. Pour d'autres interviewés, «liberté» peut signifier simplement la possibilité d'acquérir une maison dans un quartier paisible où les enfants pourront accéder aux bonnes écoles et seront relativement moins exposés à la drogue et aux autres maux sociaux, réels ou imaginaires, et où les valeurs des biens immobiliers ont de bonnes chances de grimper. «Liberté» peut aussi signifier être assez riche pour se retirer ou s'établir à son compte, un rêve qui s'avère beaucoup plus présent dans les définitions de la réussite données par les Américains que dans celles données par les Français.

Pour ces Américains, l'argent est vu comme ce qui procure un certain «niveau de confort», lequel devient le symbole et la récompense de la réussite professionnelle. Le «niveau de confort» se mesure à la valeur des biens que l'on peut acquérir, ce qui comprend les voitures, les maisons, les voyages, l'équipement électronique, etc. Il se mesure aussi aux classes de ballet et aux leçons de piano des enfants, à leurs stages de tennis et d'informatique ou encore au temps consacré au travail par les adultes, comparé au temps que ces mêmes adultes passent au golf ou dans d'autres activités de loisir. Et parce que le «niveau de confort» reflète le degré de réussite, beaucoup sont pris dans la spirale sans fin de la consommation. [...]

Il n'y a [...] rien d'étonnant à ce que dans l'ensemble, aux États-Unis, les frontières socio-économiques soient très fréquemment marquées par le revenu. En France, au contraire, les gens associent plus souvent un haut revenu avec une perte d'intégrité personnelle (plutôt qu'avec la liberté d'agir) et avec un déni de la valeur intrinsèque du travail (plutôt qu'avec la «réussite»).

L'importance que mes interviewés américains accordent au niveau de revenu comme marqueur de la supériorité socio-économique peut s'expliquer par le fait que l'argent joue un rôle plus décisif pour leur qualité de vie et pour celle des personnes dont ils ont la charge, les fonctions redistributives de l'État étant relativement plus sous-développées aux États-Unis qu'en France. Aux États-Unis, en effet, la qualité des études secondaires est moins uniforme qu'en France et plus exclusivement dépendante de taxes locales et, indirectement, des prix des biens immobiliers locaux. De même, les soins de santé et les soins aux enfants sont à la charge personnelle de la classe moyenne américaine. Les études universitaires étant fort coûteuses, la plupart des Américains de la classe moyenne-supérieure passent une part considérable de leur vie à économiser pour financer les études de leurs enfants. Ce facteur est d'autant plus important que l'éducation supérieure est au cœur de la reproduction de la classe moyenne-supérieure. En France, l'éducation supérieure est moins coûteuse et la qualité des études tend à être davantage uniforme par rapport aux particularismes locaux, dans la mesure où un nombre important d'écoles primaires et secondaires sont prises en charge financièrement par l'État.

Aux États-Unis, l'importance du revenu comme marqueur de la supériorité socio-économique se trouve encore renforcée par le fait que la réussite professionnelle y est davantage mesurée par le niveau de revenu que par la nomination à des positions prestigieuses. En général, les principes du marché interviennent davantage dans l'allocation des récompenses professionnelles, ce qui renforce le rôle de l'argent — plutôt que, disons, de la fonction ou du poste — comme *médium* universel d'échange.

LAMONT, Michèle, *La Morale et l'Argent*, Paris, Éditions Métailié, 1995, p. 86-92.

Texte 4

La réussite scolaire

Soutenues par leurs mères et la vague féministe, les filles ont le vent dans les voiles et se dégagent peu à peu des stéréotypes sexuels. Elles réussissent mieux à l'école, décrochent moins, poursuivent de plus en plus loin leurs études et envahissent les fiefs autrefois réservés. Remis en question par cette même vague, les garçons vivent une crise d'identité sans précédent. Embourbés dans les stéréotypes traditionnels de la masculinité, ils ont de la difficulté à naviguer dans un monde qui ne leur assure plus automatiquement et ouvertement les premières loges. Bien qu'il y ait beaucoup de vrai dans ce parallèle, la réalité est loin d'être aussi simple. L'analyse que l'on fait de la réussite scolaire des filles et de l'écart qui se creuse entre filles et garçons est souvent superficielle et débouche sur des conclusions douteuses. La réussite scolaire des filles est montée en épingle, mais avec beaucoup d'ambiguïté, comme si on leur en voulait d'avoir pris leurs affaires en main et que cela avait pour conséquence de traumatiser complètement les garçons.

Un pavé dans la mare

Le 16 février dernier, dans la *Presse* et le 2 mars, dans le journal de l'Université Laval, la vice-doyenne de la faculté des Lettres jetait un nouveau pavé dans la mare. Annette Paquot invoque «l'infériorisation des garçons dans le système scolaire» et accuse l'université de laxisme. «Y entrer n'est plus une conquête et sa rhétorique est usée. Les filles sont plus raisonnables que les garçons et s'accommodent de tout cela, mais à vingt ans, les garçons rêvent encore!» Elle dénonce le féminisme «triomphant» et «oppressif» et craint de voir apparaître «une société menée par des dames de fer dominatrices, en tailleur «BCBG», escortées de princes consorts plus rustres».

Le texte d'Annette Paquot fait écho à plusieurs autres de la même venue qui ont émaillé les médias depuis deux ou trois ans et qui, chaque fois, ont suscité de vives réactions. On reproche à leurs auteurs de suggérer, à tort, que l'échec scolaire des garçons augmente en proportion du succès des filles comme s'il s'agissait de vases communicants. On déplore leur vision tronquée de la réalité des femmes, vision qui cache l'histoire et les inégalités persistantes et qui ne tient pas compte de la fragilité de leurs acquis. Enfin, on craint que la victimisation des garçons ne provoque un ressac, d'autant plus fort que le marché du travail est en pleine mutation.

Par-delà les débats, il y a les faits et il faut s'inquiéter du déséquilibre qui s'accentue entre filles et garçons. Ce qui était hier inacceptable pour les filles l'est autant lorsque les exclus sont les garçons.

Davantage d'efforts

Pour expliquer la plus grande réussite des filles, il semble qu'il faille s'en remettre d'abord et avant tout au gros bon sens: les filles travaillent tout simplement plus fort. En 1991, le Conseil supérieur de l'éducation (CSE) a demandé à des étudiants et étudiantes de corroborer ou non l'affirmation suivante: «Je cherche à obtenir mon diplôme en ne fournissant que le minimum d'efforts.» Au collège comme à l'université, les filles ont répondu oui dans une proportion de 16,5 %. Deux fois plus de garçons du niveau collégial, soit 32,5 % l'ont fait. À l'université, les garçons ont répondu par l'affirmative une fois sur quatre. Ce qui fait dire à Robert Bisaillon, alors président du CSE et aujourd'hui coprésident des États généraux sur l'éducation, que «les garçons sont marginalisés en grande partie par leur propre faute». Manon Théorêt, professeure en psychopédagogie à l'Université de Montréal, est également d'avis «qu'ils récoltent ce qu'ils ont semé».

Les filles réussissent donc parce qu'elles fournissent davantage d'efforts: elles consacrent plus de temps au travail scolaire et à la lecture personnelle, écoutent moins la télévision, font moins de sport et d'activités parascolaires, travaillent moins à l'extérieur. Leur participation en classe est plus soutenue et plus active, elles posent des questions et consultent davantage leurs professeurs.

Pourquoi les filles sont-elles moins réfractaires à l'effort? Différents sondages montrent qu'elles nourrissent des aspirations élevées, se montrent exigeantes envers elles-mêmes et sont affectées par les mauvaises notes. Elles se disent d'ailleurs plus stressées que les garçons, même si leurs relations avec leurs professeurs sont positives et qu'elles se sentent à l'aise à l'école. Pour certains, voilà qui prouve bien que l'école est un milieu plus favorable aux filles, étant un lieu d'apprentissage de la conformité et de la docilité, deux attitudes associées à l'univers féminin.

Stéréotypes à l'œuvre

[...] Pour voir vraiment à l'œuvre les stéréotypes sexuels, c'est du côté de la non-réussite scolaire et du décrochage qu'il faut regarder. Une vaste enquête réalisée auprès de 2 200 jeunes de 3e secondaire par le Centre de recherche et d'intervention sur la réussite scolaire, auquel appartient Pierrette Bouchard, montre que le degré d'adhésion aux stéréotypes sexuels est plus élevé chez les garçons que chez les filles. Il est aussi plus élevé chez les jeunes en difficulté, garçons ou filles, des milieux défavorisés. «Les jeunes de milieux favorisés ne sont pas à l'abri des stéréotypes, mais les leurs viennent moins en contradiction avec la réussite», précise la professeure.

Et quels sont ces stéréotypes derrière les faibles résultats et l'abandon scolaire? Les filles en difficulté ou les décrocheuses rêvent de romance et d'accomplissement par la maternité (entre 10 et 20 % abandonnent parce qu'elles deviennent enceintes); elles utilisent leur pouvoir de séduction pour se donner un statut auprès de leurs pairs, garçons ou filles. Les garçons ont une confiance exagérée en eux et en leur débrouillardise, ils se font provocateurs et défient l'autorité pour avoir un statut au sein du groupe, ils rejettent les attitudes «féminines» d'assiduité, d'application, de maîtrise de soi pour développer des attributs plus «masculins» tels la compétition, l'agressivité, les exploits physiques et le sport. Garçons et filles sont en quelque sorte piégés par les stéréotypes traditionnels qui diminuent leur intérêt pour l'école et limitent leur acceptation de ses normes et valeurs. C'est particulièrement vrai des garçons. «Plus que la façon dont le système scolaire traite les garçons, conclut Pierrette Bouchard, c'est la façon dont les traite le système extra-scolaire (la famille, le milieu social, les médias, etc.) qui inquiète.»

De l'école à l'emploi

Qu'on ne s'y méprenne pas, réussite scolaire ne signifie pas nécessairement accès plus facile au marché du travail. Les jeunes le sentent très bien. [...] Il continue d'être plus facile pour les garçons que pour les filles (à parité de diplôme) de s'intégrer au marché de l'emploi. «Deux ans après l'obtention de leur baccalauréat, les hommes ont plus de chance d'être «insérés», c'est-à-dire d'occuper un emploi permanent à plein temps dans un domaine où ils envisagent de faire carrière, illustre Madeleine Gauthier. Les femmes sont plus susceptibles d'être encore en voie d'insertion professionnelle. [...]

Du côté des travailleurs sans diplôme, le marché est également plus favorable aux garçons. Cinquante pour cent des hommes ayant de 0 à 8 ans de scolarité sont actifs sur le marché du travail alors que seulement 20 % des femmes du même niveau le sont. Les décrocheuses sont donc davantage exposées à la pauvreté et lorsqu'elles deviennent mères, souvent seules, les conséquences sociales sont désastreuses.

MORAZAIN, Jeanne, «Réussite scolaire. Aurait-on forcé la note?», Montréal, *La Gazette des femmes*, sept./oct. 1995, p. 29-31.

Texte 5

Demain, des appareils bien élevés!

Le flot d'information, que distillent certaines machines, excède bien souvent les capacités des hommes. On sait, par exemple, que les personnels de surveillance des grandes installations, telles les centrales nucléaires, sont soumis à des effets soudains de stress qui réduisent leur sagacité lorsqu'un incident se produit et que tous les indicateurs lumineux clignotent simultanément — ce que les spécialistes appellent l'effet «arbre de Noël». Les surveillants surveillent, mais sont impuissants lorsque l'inattendu survient.

Les machines, conçues dans le but d'alléger la tâche des hommes et accroître leur sécurité, tendent bien souvent des pièges aux conséquences parfois tragiques.

Trois facteurs se conjuguent qui provoquent des rapports antagoniques:

- la complexité croissante des machines dont l'ensemble des ressorts ne peut plus être appréhendé dans son intégralité par un seul homme;

- la rapidité des transformations techniques qui ne laisse plus le temps d'imprégnation nécessaire à une formation complète;
- le passage d'une relation essentiellement mécanique, où l'homme percevait la machine comme une extension physique de son propre corps, à une interaction abstraite reposant uniquement sur un échange d'information.

Dans son face-à-face avec la machine, l'homme éprouve de plus en plus de difficultés à reconstituer une image mentale de celle-ci. Les informations qu'il reçoit demeurent dissociées, au point qu'il ne sait comment les réunir pour leur donner sens et agir. D'où ce curieux dilemme: soit les hommes qui pilotent les machines sont submergés si un nombre insuffisant de tâches sont automatisées, soit l'attention baisse et les compétences se dissolvent si les tâches sont trop automatisées.

Entre les hommes et les machines, une séparation de fait est-elle consommée? Il est illusoire de penser que les premiers peuvent se passer des secondes. Faut-il alors s'ingénier à laisser toute la place aux machines chaque fois que possible, comme c'est déjà le cas par exemple avec certains systèmes de métro? Pour l'heure, maints problèmes techniques ne sont pas résolus: on ne sait pas encore faire décoller et atterrir un avion de ligne sans pilote ou faire rouler une voiture en ville sans chauffeur. À supposer qu'on y parvienne, il n'est pas certain que la société accepte aisément les mutations. Nous sommes donc condamnés à vivre ensemble. Et c'est aux techniques de l'interaction homme-machine qu'il appartient de concilier les deux parties en mettant au jour les antagonismes et les moyens d'une vie commune.

GANASCIA, J.-G., «Demain, des appareils bien élevés!»,
Paris, *La Recherche*, nº 285, mars 1996, p. 106-107.

Texte 6

Le retour à la vie des condamnés du sida

Pascal a 36 ans. En mai dernier il n'était pas bien, vraiment pas bien du tout. Contaminé par VIH en 1987, trop fatigué, il se disait qu'il allait mourir. Aujourd'hui, il va beaucoup mieux et rêve de rencontrer un compagnon. Depuis plusieurs années, il a abandonné toute vie sexuelle, mais pourquoi, se demande-t-il maintenant, ne recommencerait-il pas? Il exerce la profession d'encadreur. Ce travail lui suffisait; il a désormais envie d'autres projets professionnels. Cela s'appelle l'ambition. On l'a compris, Pascal est depuis huit mois sous trithérapie. «Je ne m'étais pas rendu compte, constate-t-il avec pudeur, à quel point je m'étais désinvesti de tout.» [...]

Des médecins affirment que ce virus est retors et machiavélique. Ils n'ont sans doute pas tort. Pour l'attaquer de front, ils doivent se battre avec des armes au maniement aussi complexe. Avec persévérance et sans relâche. Les patients en savent quelque chose. Prendre chaque jour une antiprotéase et deux rétrovirus, cela leur fait au minimum huit grosses pastilles quotidiennes à ingurgiter. Certains en prennent dix ou douze. L'une de ces antiprotéases produit peu d'effets secondaires, moins lourds en tout cas que d'autres médicaments de la même gamme, mais elle doit impérativement être absorbée en dehors des repas. Toutes les huit heures, à jeun le matin et deux heures avant chaque prise de nourriture. Une règle à respecter scrupuleusement, car les graisses alimentaires qui se trouvent dans l'estomac diminuent son efficacité. [...]

Bruno, militant à Aides, vit à Poitiers et se fait soigner au petit hôpital de Niort. Il est content de son médecin, qu'il juge plus près de ses patients, plus attentif que ceux déjà rencontrés dans les grandes unités de soins. «Le traitement est trop contraignant. Je l'accepte avec seulement 70 % de rigueur. Mais j'ai grossi, je me sens bien, je veux faire des projets.» Pour lui qui, en juin dernier, ne réagissait plus à l'AZT et voyait ses défenses immunitaires s'effondrer, cette résurrection est un miracle. Il est heureux, même s'il reste inquiet: «La maladie m'a rendu combatif. J'ai découvert la France et les gens, j'ai appris à écouter les autres. Je veux poursuivre longtemps encore ce chemin.»

Dans toutes le associations de lutte contre le sida, les militants réfléchissent désormais à la meilleure manière de gérer l'espoir qui s'est levé au sein de la communauté des malades. L'idée de vivre avec le virus et non plus de mourir pose à chacun le problème de savoir comment accompagner cette nouvelle donne. Marc Nectar, le responsable d'Act Up parle, lui, du «deuil du deuil». Rendu plus difficile encore face à tous ceux qui ne réagissent pas au traitement et à ceux qui se sentent coupables de ne pouvoir s'y plier — on parle de 10 %, 20 % ou peut-être même 30 % des patients. «Ceux qui s'en sortent, constate Nectar, vivent douloureusement le fait d'être là quand leurs compagnons disparaissent.» Pourquoi lui, pourquoi eux, et pas moi?

Ceux que la maladie avait trop affaiblis et qui avaient dû abandonner leur travail bénéficient de l'allocation pour handicapés: 3 433,08 francs par mois. Parmi eux, beaucoup vont bien maintenant. La plupart souhaitent même retrouver un emploi. Mais comment, s'inquiète-t-on au sein des associations, réinsérer des gens qui, depuis plusieurs années, ont perdu tout contact avec le monde de l'entreprise? [...]

À Act Up, on craint que le sida, qui à court terme risque d'évoluer vers un statut de maladie chronique, ne démobilise les politiques, les responsables de la santé publique et les laboratoires. Moins de morts, des hospitalisations plus courtes et moins nombreuses, une contamination qui, avec 6 000 nouveaux cas annuels de sida déclarés, se stabilise depuis deux ans: comment, face à ces nouvelles encourageantes, ne pas redouter que l'industrie pharmaceutique, elle aussi, ne ralentisse des recherches extrêmement coûteuses sur de nouvelles molécules?

Sur le terrain, les 3 600 volontaires, d'Aides, répartis, dans 99 villes, tentent de mobiliser les consciences, en dispensant information et prévention. Car ce «mieux» du sida, comme on dit maintenant, relativise, chez certains, l'idée même du danger d'être contaminés. Il y a deux ans déjà, alors que l'espoir né avec l'AZT s'était éteint, on observait que nombre d'hommes et de femmes, lassés de vivre depuis dix ou quinze ans une sexualité avec préservatifs et peur, abandonnaient toute précaution pour s'en remettre au hasard et à la chance. Pour l'heure, bien qu'aucune statistique ne l'établisse, des éducateurs, des militants, des psychanalystes s'alarment d'entendre déclarer de-ci de-là que «le sida, ce n'est plus un problème; on a déjà trouvé un peu; demain, on le guérira; dans ces conditions, il n'est plus nécessaire de se protéger». Au centre Cassini de Paris, Françoise Aeberhard, qui est psychologue, reçoit en consultation des toxicomanes et des gens atteints par le VIH. Elle aussi constate chez des patients ce même et dangereux penchant à l'insouciance fuyante. Mais, depuis longtemps, elle sait, elle qui a écouté tant de gens, que derrière leurs propos se cache un mal bien plus malin et complexe. Elle sait que des jeunes gens et des jeunes filles en quête identitaire ont trouvé en contractant de façon suicidaire cette maladie-là une raison de se battre pour leur vie. «Nous devons en premier lieu aider les gens à trouver leurs racines. Beaucoup d'entre eux n'arrivent pas à savoir qui ils sont. Interrogation qui les fragilise. Les soutenir ainsi, c'est parfois donner les moyens à ceux qui refusaient les contraintes de la trithérapie de l'accepter. Ici aussi, la société doit prendre la mesure de ses vraies responsabilités.»

LEIBOWITZ, Nicole, «Nouveaux espoirs et craintes de démobilisation. Le retour à la vie des condamnés du sida», Paris, *Le Nouvel Observateur*, 23-29 janvier 1997, p. 10-11.

Texte 7

La tête de l'emploi

Désiré Daigneault connaissait toutes les machines comme s'il les avait dessinées. Sa présence dans la fonderie et l'atelier d'usinage n'avait pas de prix. Par gratitude, son patron l'a nommé directeur, à la tête d'une centaine d'employés. «C'est l'homme le plus malheureux que j'aie vu de toute ma vie», dit Claude Daigneault, son fils. Timide, son père ne savait pas comment s'y prendre pour remercier ou réprimander un employé. Heureusement, le pauvre directeur a eu le courage de demander une mutation.

Nommer «patron» son meilleur homme de terrain et assurer ainsi son malheur est classique. Pour l'entreprise, l'impact est double: perte du meilleur au poste où il excellait, et acquisition d'un mauvais gestionnaire. Cette erreur, aussi grave que répandue, vient du fait qu'on comprend encore mal que des tâches différentes exigent des compétences différentes. Un bon vendeur ne fait pas nécessairement un bon directeur des ventes. Maîtriser un savoir-faire n'a rien à voir avec la gestion d'une équipe de travail.

Mais les restructurations d'entreprises rendent les employeurs sensibles au coût faramineux d'une mauvaise embauche ou promotion. Le congédiement d'un directeur et l'embauche de son successeur représentent facilement un quart de million de dollars. Facture salée! À côté, les 1 200 à 2 500 dollars que coûte l'évaluation professionnelle des candidats paraissent peu de choses. De plus en plus de dirigeants prennent leurs précautions pour nommer la bonne personne au bon poste. Tout le monde y gagne, l'employé comme l'employeur.

Le QI retourne à sa place

On a cru longtemps qu'une forteresse de diplômes garantissait le succès. C'est plus compliqué que cela. Nous savons maintenant que le quotient intellectuel n'explique que 20 à 30 % de la réussite d'un individu. Il est temps de s'occuper du reste: l'intelligence émotionnelle. Des psychologues, comme ceux du *Centre for Creative Learning*, aux États-Unis, ont créé des tests pour en mesurer les manifestations: la capacité de s'adapter, de résoudre des conflits, de respecter les différences, de contrôler ses émotions, de défendre ses idées ou de prendre des décisions. «Plus on monte dans la hiérarchie, plus ces compétences sociales sont importantes,» dit Pierre Gauthier, vice-président de la Société Pierre Boucher. Pour les postes de cadres, 80 % de l'évaluation porte là-dessus. Il faut dire que 98 % des congédiements sont dus à des problèmes reliés aux attitudes.

Par contre, d'autres demeurent en poste même au pire moment des grands nettoyages de personnel. «Ils sont *bullet proof* parce que les gens les aiment. Ils ont une grande intelligence sociale», dit François Berthiaume, psychologue industriel associé chez Raymond, Chabot, Martin, Paré. Dans le contexte mouvant actuel, le facteur numéro un de la réussite est la capacité de s'adapter et d'apprendre dans un nouvel environnement.

Inventaires, C.V., entrevues et *feedback*

Aimeriez-vous diriger un hôpital de 500 médecins et de 3 800 professionnels, en pleine réforme du système de santé? Si oui, testez votre leadership, votre esprit visionnaire et votre esprit de partenariat. Des compétences où Khiem Dao, le nouveau directeur général de l'hôpital du Sacré-Cœur, à Montréal, a obtenu un score très élevé. «Avec la réforme, je dois tisser des liens de confiance et de coopération avec les CLSC et les centres d'accueil et d'hébergement», dit-il. En juin dernier, l'ancien directeur général adjoint de l'hôpital Ste-Justine a d'abord été choisi en pré-sélection sur la base de son curriculum vitae. Il a passé une entrevue de sélection, puis s'est prêté à un inventaire psychométrique (questionnaire) et à une auto-évaluation qui ont pris une journée complète. «Ça été très instructif, dit-il. J'ai eu des surprises agréables, comme de réaliser à quel point je suis une personne mobilisante.»

Lorsque des spécialistes en réaffectation préparent C.V. et entrevues pour les candidats, ces deux outils d'évaluation perdent une bonne part de spontanéité et deviennent dès lors moins révélateurs de la vraie nature du candidat. Dans ce cas, les inventaires psychométriques gagnent en importance. De toute façon, l'entrevue traditionnelle n'offre qu'une fiabilité de 14 % contre plus de 50 % pour les inventaires psychométriques. Attention aux curriculum vitae, car si tout s'apprend, tout se perd aussi. Celui qui a acquis une formation académique il y a 20 ans peut avoir perdu son éveil intellectuel, sa capacité d'apprendre. Il faut vérifier.

Si vous vous connaissez bien et que vous êtes transparent, les résultats de l'auto-évaluation refléteront ceux de l'inventaire psychométrique. «Chez un cadre, l'introspection est importante», dit Pierre Gauthier. Un patron qui ne se connaît pas bien ne se rendra pas compte qu'il peut faire partie du problème d'un employé.

Une bonne évaluation va encore plus loin. Le «feedback 360 degrés» va chercher l'opinion de l'entourage du candidat pour voir si ce dernier est perçu par ses pairs comme il se perçoit lui-même. L'entrevue avec le candidat permet ensuite de corroborer les résultats des tests. Les psychologues privilégient l'utilisation de plusieurs techniques. Cela donne les meilleurs taux de prédiction. [...]

Encore des bavures

Malgré tous ces outils d'évaluation, des tas de gens continuent à être nommés à des postes qui ne leur conviennent pas. C'est que souvent l'embauche se fait dans un moment de panique: l'entreprise grossit trop vite et on avait un besoin urgent d'une recrue. Les liens de parenté ou d'amitié peuvent aussi devenir des critères de sélection décisifs, bien que moins scientifiques. Parfois, des guerres politiques aveuglent: «J'ai vu un directeur d'école engagé sur la foi d'une entrevue de 15 minutes, dit Gilles Vachon. Autour de la table, 12 évaluateurs se disputaient, chacun ayant son candidat préféré.»

Dans le cas des promotions, le patron croit bien connaître son candidat parce qu'il travaille avec lui depuis dix ans. Sauf que la nouvelle tâche exige des compétences différentes. Par ailleurs, quand le patron n'a pas lui-même une grande intelligence sociale, il ne voit pas la pertinence de vérifier ces compétences chez la personne qu'il engage. Enfin, on accorde encore trop d'importance aux exigences techniques ou académiques.

QUINTY, Marie, «Avez-vous la tête de l'emploi?», Montréal, *Affaires Plus*, juin 1996, p. 16-19.

Texte 8

La police au quotidien

«C'est un bon quartier pour élever des voleurs et des bonnes polices», confie d'emblée un policier du poste 52 quand on lui demande de décrire son secteur.

De fait, le quartier Hochelaga-Maisonneuve est l'un des plus pauvres et l'un de ceux où le taux de criminalité est le plus élevé au Canada. Le quart des quelque 60 000 résidants vivent de l'aide sociale. Les piqueries fleurissent, meurent et se déplacent au gré des opérations de la police et des tribulations des toxicomanes. Des autos tournent sans cesse dans le quartier, à la recherche des prostituées qui jouent à cache-cache avec les policiers.

Comme dans tous les postes de la ville, vers 7 h, 15 h ou 23 h, le quart de travail du policier commence par le «fall in», le rassemblement qui permet aux policiers de se tenir au courant de l'actualité criminelle du secteur.

Ce jour-là, c'était la séance de cinéma. Une caméra de surveillance avait (mal) filmé un homme qui piquait une bouteille de vin dans une succursale de la SAQ et demandait aussitôt un remboursement à la caisse en prétextant s'être trompé de bouteille, quelques jours plus tôt. Même sans facture, ça marche! [...]

Dans la pièce centrale du poste, un ordinateur affiche les données relatives aux différents appels reçus dans la journée. Il est 16 h. Depuis minuit, 26 événements ont été rapportés sur le territoire du 52. Ils sont codés en fonction de leur importance et relayés aux patrouilleurs qui interviendront.

Voies de fait, violence conjugale, disparitions, cambriolages, vols d'auto, vols qualifiés, agressions sexuelles s'égrènent sur l'écran de l'ordinateur. [...]

Contrairement à la rumeur, les policiers n'ont pas vraiment le temps de siroter leur café en mangeant un beigne.

«La plupart du temps, on est comme des livreurs de poulet, explique un patrouilleur. Dès qu'on en a terminé avec un appel, on répond à un autre. C'est souvent des histoires de voisins, des histoires de crottes de chat sur le gazon de l'autre. On se sent vraiment important dans ce temps-là...»

De fait, en suivant des patrouilleurs, on est surpris de la variété des incidents, petits et grands, qui sont à la source de l'intervention de policiers.

Les agents Linda McInnis et Robert Latreille commençaient ce jour-là à 15 h. Premier appel: des jeunes ont cassé des vitres et ont allumé un feu dans un petit immeuble en construction. Les policiers n'auront eu le temps de voir que deux ou trois jeunes sortir en courant par une porte arrière. Suivra une petite visite au retraité qui a appelé la police: «Tous les jours, après l'école, c'est la même gang qui brise des vitres, dit-il. Je sais qui c'est, mais j'ai peur qu'ils me fassent du trouble s'ils savent que c'est moi qui appelle la police.»

La prostitution

La patrouille se poursuit. Sur un trottoir de la rue Ontario, les deux agents croisent Claudia, une habituée du secteur. Il y a un mois, un juge lui a interdit d'arpenter les trottoirs d'un petit secteur du quartier, mais il n'y a pas de mandat d'arrestation contre elle. Aujourd'hui, elle «travaillera» en restant scrupuleusement à l'extérieur du quadrilatère interdit.

De temps à autre, le GIL (Groupe d'intervention locale) du 52 organise une opération anti-clients. Des policières se déguisent en putes et arpentent les trottoirs du quartier. Dès qu'un client approche sa voiture d'une fausse belle de nuit, elle lui donne un dépliant intitulé «La sollicitation à la prostitution... c'est un acte criminel!!».

«On n'a jamais arrêté un client qui avait déjà reçu le dépliant, indique un policier. Ça refroidit assez le bonhomme qu'il ne revient plus!» [...]

Les querelles conjugales

Plus tard dans la nuit, c'est l'heure des chicanes de couple.

Un homme appelle pour dire que sa femme lui a donné un coup de ciseaux dans la cuisse. Les agents René Tapp et Serge Voyer arrivent au domicile du couple, qui est de toute évidence dans un état d'ébriété avancée.

Explications confuses, monsieur accuse madame, madame accuse monsieur. Le ton monte parce que monsieur prétend que l'agent Tapp l'a traité de crétin (c'était le contraire). Les agents demandent finalement si l'un des deux locataires veut porter plainte contre l'autre ou passer la nuit ailleurs. L'homme et la femme refusent, l'incident est clos. [...]

Rue Sainte-Catherine. Serge Voyer et René Tapp patrouillent. Un homme donne une violente gifle à une femme à la sortie d'un bar. Les deux policiers sortent de leur auto à la vitesse de l'éclair et maîtrisent l'homme. La femme se jette sur eux et commence à les frapper. Ils amènent l'homme à l'écart pour le calmer, puis le relâchent.

«C'est ça, la police n'arrête jamais les batteurs de femme», dit un citoyen qui a observé la scène.

«Le problème, c'est que les femmes portent rarement plainte, indiquera plus tard l'agent Voyer. Et si nous portons plainte à leur place, elles témoignent presque toujours en faveur de l'homme. On ne peut pas faire grand-chose...»

PINEAU, Yann, «La police au quotidien. La plupart du temps, on est comme des livreurs...», Montréal, *La Presse*, 23 novembre 1996, p. B5.

Texte 9

Comment l'ordinateur joue-t-il aux échecs?

En battant le super-calculateur *Deep Blue*, en février dernier, le champion du monde Boris Kasparov a réussi à prouver que l'homme — enfin, au moins l'un d'entre eux... — pouvait encore être meilleur que l'ordinateur au jeu d'échecs. Cela démontre-t-il que l'homme restera toujours supérieur à la machine parce que sa pensée est d'une autre nature que celle de l'ordinateur? Une telle conclusion est loin d'être évidente quand on compare les manières de jouer de l'homme et de la machine. Contrairement à l'opinion courante, l'ordinateur n'est pas un stupide calculateur; quant aux très bons joueurs, une part notable de leur mode de pensée relève de stratégies assez «machinales» parfaitement modélisables.

L'ordinateur ne joue pas, comme on le croit souvent, grâce à sa seule puissance de calcul qui lui permettrait de prévoir tous les coups à l'avance. On sait depuis longtemps qu'aux échecs, la simulation de tous les coups possibles n'est pas matériellement envisageable. Bien que *Deep Blue* possède une puissance de calcul prodigieuse — il peut évaluer 200 millions de positions à la seconde — cette «force brute» ne lui permet cependant d'anticiper de façon exhaustive que... sept coups à l'avance dans le temps normal d'un échange.

Il faut donc, en plus de sa mémoire et de ses capacités de calcul, qu'il soit doté d'aptitude à élaborer des stratégies. C'est donc sur un mariage entre puissance de calcul et capacité stratégique que repose la compétence de l'ordinateur. Comment s'y prennent les ingénieurs pour apprendre à la machine à jouer intelligemment? En interrogeant les grands maîtres du jeu d'échecs, en essayant de comprendre leur mode de résolution de problèmes, on a construit la plupart des programmes informatiques.

Les trois temps d'une partie

La partie d'échecs est divisée en trois étapes: l'ouverture, le «milieu de jeu» et la «fin de jeu». En ouverture, *Deep Blue* procède comme l'expert humain: il reproduit des «ouvertures classiques» (partie Russe, défense Grunfeld...) recensées dans les traités d'échecs. Il existe de très nombreuses variantes de chaque ouverture, mais les grands maîtres connaissent par cœur des centaines d'entre elles et rejouent très souvent celles qui leur sont favorites. L'ordinateur, lui, possède une base de données qui lui permet de stocker des milliers de combinaisons déjà explorées dans le passé. Ici, l'imagination tient peu de place, chez l'homme comme dans la machine. Tout se joue donc souvent en milieu de partie. À cette étape, le répertoire des séries de coups connus est épuisé. On entre dans l'inconnu car les positions ne se répètent presque jamais. À partir de là, le joueur élabore un «plan», c'est-à-dire une séquence de coups structurée autour d'une «idée» centrale. Par exemple, il s'agit d'obliger l'adversaire à jouer certains coups, ou de lui prendre une pièce majeure, etc.

Calcul ou stratégie?

Ici, le jeu de l'homme, comme celui de la machine, résulte d'un mariage entre l'anticipation de quelques coups à venir et la mise en œuvre «d'heuristiques». Le principe de l'heuristique est dû à l'économiste H. Simon. Selon lui, face à un problème de décision stratégique, l'homme ne possède pas les capacités mentales pour explorer toutes les situations possibles. Il ne choisit donc pas la solution optimale parmi toutes les solutions envisageables, mais explore seulement quelques voies «ciblées». Pour cela, il faut se donner des buts intermédiaires. Par exemple, aux échecs, on raisonne à l'aide d'heuristiques suivantes: «*Ne pas séparer les pions pour garder des lignes de défense continues*», «*chercher à occuper les cases centrales*»...

La machine procède de même. Elle choisit entre différents scénarios en utilisant des heuristiques (ensemble de conseil et de tactique) sur lesquelles elle opère une «fonction d'évaluation» qui lui permet de pondérer la valeur relative de tel ou tel coup. Ainsi, la machine sait que le roi exposé en ouverture est une faiblesse, qu'il faut libérer les tours pour la fin de partie; elle attribue à chaque pièce une valeur particulière (9 pour la dame, 5 pour la tour, etc.). La liste des heuristiques n'est pas exhaustive et il en existe une grande diversité. Si l'homme s'avère supérieur à l'ordinateur, c'est parce qu'il sait mieux les combiner et se révèle plus ingénieux dans leur utilisation. Une fois le plan tactique adopté, il faut imaginer les réactions possibles de l'adversaire et anticiper la séquence des coups à venir. Cette capacité d'exploration repose sur des modalités différentes chez l'homme et la machine. Alors que l'ordinateur calcule systématiquement (sur un nombre limité de «coups») les conséquences d'un déplacement donné, l'homme procède différemment.

Les grands joueurs anticipent en utilisant des «schémas mentaux» assez automatiques qui lui font «voir» les positions ultérieures de son coup sans avoir à calculer toutes les phases intermédiaires ou à contrôler systématiquement les risques de découvrir une pièce... Cette exploration mentale repose sur un apprentissage de «configurations familières» intégrées sous forme d'images mentales schématiques. Cette compétence fait l'objet des recherches actuelles en psychologie cognitive, et d'ores et déjà plusieurs «schémas implicites» ont été mis au jour. La recherche autour de «l'expertise échiquéenne» n'a certes pas permis de percer tous les secrets de la pensée du joueur, mais elle a considérablement fait avancer l'élucidation de ses stratégies mentales. Les capacités heuristiques sont ensuite enseignées — autant que faire se peut — à l'ordinateur. C'est peut-être là qu'apparaissent les limites de la machine.

Les limites de la machine... et de l'homme

Il n'y a pas de différence dans la méthode de jeu entre l'homme et l'ordinateur: tous deux allient calcul et démarche heuristique, mais il le fait dans des proportions différentes. Pour pouvoir construire un ordinateur systématiquement plus puissant que l'homme, il faudrait lui enseigner des heuristiques supérieures à celles qu'utilisent les hommes eux-mêmes... Ce qui serait paradoxal car il faudrait auparavant les inventer... Cela fait dire à Jacques Pitrat, spécialiste en IA, *qu'«en théorie, il peut exister des systèmes plus intelligents que nous. Mais, sans aide, l'homme ne les réalisera jamais parce qu'il n'est pas assez intelligent pour y arriver»*.

WEINBERG, Achille, «Comment l'ordinateur joue-t-il aux échecs?», Auxerre, *Sciences Humaines*, juin 1996, p. 26.

Texte 10

Les infirmières au tournant

[...] Les compressions dans le domaine de la santé affectent durement la tâche des infirmières, en plus d'agir sur leur moral. «Les compressions budgétaires ont une incidence sur la cadence et la qualité, explique Jennie Skene, présidente de la Fédération des infirmières et infirmiers du Québec. Les infirmières se plaignent souvent de ne plus pouvoir donner des soins de qualité. Elles doivent sacrifier toute la partie de leur travail qui consiste à donner du support psychique et physique, alors que c'était pour elles la portion la plus satisfaisante de leur travail. L'infirmière n'a pas le temps d'expliquer à une mère comment s'occuper de son nouveau-né. C'est pourtant nécessaire, car de moins en moins de femmes ont vécu dans des familles nombreuses et n'ont donc pas eu à s'occuper de petits frères et de petites sœurs.»

Les infirmières courent après leur temps et les patients parfois en souffrent, de même que leurs familles. «Nous pensons que les aidants naturels vont être davantage sollicités, dit la présidente de l'Ordre. Les infirmières sont sur la corde raide pour compenser les problèmes d'ajustement et il y a des listes d'attente partout. La population émet des inquiétudes, car tout va tellement vite. Mais nous n'avons pas d'évidence à l'effet que le public puisse être en danger, même si on peut constater que c'est plus dur qu'avant.»

Les patients retournent à la maison, mais n'y trouvent souvent que la solitude. «Il y a moins de support familial qu'avant, dit Jennie Skene. Ce n'est pas pris en considération, quand les personnes sortent 24 heures après une chirurgie et qu'il n'y a personne à la maison pour s'occuper d'eux.»

«Ça laisse les infirmières amères, dit-elle. Il y a un sentiment d'impuissance et d'insatisfaction généralisé. Je ne peux non plus cacher que nous sommes inquiètes parce qu'on annonce encore des compressions. Si on coupe encore, les infirmières n'auront peut-être plus le temps de faire le travail minimal requis.»

Les mutations et les réaffectations rendent elles aussi les infirmières très insécures. «Les plus grandes difficultés rencontrées sont les règles de redéploiement des infirmières dans le cadre des restructurations. Des infirmières se retrouvent dans des domaines où elles n'avaient jamais travaillé, dit Mme Desrosiers. Elles peuvent avoir œuvré pendant vingt ans en obstétrique pour se retrouver en chirurgie d'un jour. Elles s'adaptent, mais c'est tout un défi.» Et comme les spécialités ne sont pas reconnues chez les infirmières, elles se font muter d'un endroit à l'autre. «Ça va prendre un certain temps à la profession pour se remettre du fait que, dans les règles de redéploiement des effectifs, les spécialités ne soient pas reconnues», dit Mme Desrosiers.

L'Ordre des infirmières et infirmiers du Québec voudrait amener les différents intervenants — collèges, universités et professionnels de la santé — à reconnaître des spécialités aux infirmières. «Nous voulons présenter un dossier de formation sous un nouvel angle. Le milieu hospitalier se spécialise. Pourquoi pas la formation? demande Mme Desrosiers. Les médecins parlent de reconnaître des urgentologues, mais les infirmières travaillent elles aussi à l'urgence. Elles doivent être prêtes à relever ces nouveaux défis.»

La dernière année a été celle des remises en question pour les infirmières. Elles ont tenu des états généraux sous le thème «Les infirmières à la croisée des chemins», pour tenter de discuter de leur profession et de son avenir. «Nous cherchions à créer un nouveau momentum, dit Mme Desrosiers. C'était une réflexion concertée, quelques mois après une crise dans la formation.» Un plan d'action sera soumis d'ici peu à l'assemblée générale.

Le plan devrait entre autres souligner l'importance, pour les infirmières, de prendre la parole dans les dossiers de santé publique. C'est ainsi qu'elles vont mettre sur pied, dès cet automne, des programmes de dépistage du cancer du sein et de santé dans les écoles. «Quand 67 000 infirmières s'attaquent à un problème de santé publique, c'est susceptible d'avoir un impact», soutient Mme Desrosiers.

La formation des infirmières pose problème. Il n'y a plus de place pour la relève. Les infirmières diplômées, qu'elles soient titulaires d'un diplôme d'enseignement collégial ou bachelières, se retrouvent systématiquement au chômage. «La relève est dans un cul-de-sac, indique la présidente de l'Ordre des infirmières et infirmiers du Québec. Il y a 7 000 non-détentrices de postes.» Il existe aussi des problèmes quant à l'harmonisation de la formation dispensée au cégep et à l'université. Actuellement, une infirmière bachelière effectue les mêmes tâches qu'une infirmière qui a un diplôme de niveau collégial.

L'Ordre des infirmières, au cours de la dernière année, a publié un nouveau programme de surveillance de l'exercice. Il aura fallu deux ans et la validation dans trente établissements avant que le document ne soit distribué. L'inspection professionnelle est largement modifiée. «Maintenant, on met l'accent sur les résultats-clientèle, dit Mme Desrosiers. Ça favorise une pratique de meilleure qualité.»

DUCLOS, Rachel, «Les infirmières au tournant»,
Montréal, *Le Devoir*, 5 octobre 1996, p. E3.

Texte 11

Le progrès détruit-il les emplois?

Oui

Jeremy Rifkin, consultant indépendant à Washington

«Nos économistes les plus éminents ne voient pas ce que l'Américain ou le Français moyens perçoivent intuitivement: nous entrons dans une ère nouvelle, celle de l'information, et les lois économiques anciennes n'ont plus cours en matière d'emploi. Une économie peut parfaitement connaître à la fois des progrès techniques rapides et un fort développement du chômage. Dans l'optique optimiste des économistes orthodoxes, le chômage ne peut être que le résultat passager de certaines adaptations: qualification médiocre, mobilité insuffisante, etc. Mais la donne a changé et un chômage massif et permanent devient la règle. Simplement parce que la révolution informatique et la mondialisation de l'économie, avec leurs conséquences managériales («downsizing», «reengineering»...), détruisent plus d'emplois qu'elles n'en créent.

Certains m'objectent: «Votre analyse vaut à la rigueur pour l'Europe, mais pas pour les États-Unis, qui n'ont que 5,3 % de chômeurs». Désolé, mais ce taux, je n'y crois pas. Beaucoup d'Américains découragés ne cherchent même plus de travail. C'est le cas d'au moins 5 à 6 millions de personnes. Ajoutez-y les cadres «downsizés» qui travaillent maintenant à temps partiel. Pour moi, le vrai chiffre du chômage américain est plus près de 14 %. Mais, par-dessus tout, l'insécurité du travail gagne tous les secteurs, tous les métiers.

La révolution de l'emploi que nous vivons n'est pas une simple restructuration. Elle remet en cause notre façon de travailler et le nombre de *jobs* dont nous avons besoin. Dans les années 60, l'industrie occupait le tiers des salariés. Maintenant, 17 %. Peter Drucker estime qu'il ne restera que 12 % d'ouvriers dans dix ans et qu'en 2020, on assistera à l'élimination quasi totale des cols bleus. Ces emplois n'iront pas tous — loin de là — en Inde ou au Pakistan: l'électronique et le textile s'automatisent de plus en plus, même dans ces pays, avec les conséquences sur l'emploi qu'on imagine...

Créons-nous pour autant des *jobs* dans les services? Certes. Mais ils «downsizent» à leur tour, comme le font les banques, l'assurance, la distribution. Les emplois créés dans les services ou dans l'informatique ne seront jamais assez nombreux. En outre, la plupart des *jobs* créés sont temporaires, à temps partiel... Prenez les biotechnologies, symbole de ces nouvelles activités qui devraient, nous dit-on, nous sortir de la crise. Malgré les subventions qui se sont déversées sur lui, ce secteur n'a créé que 92 000 *jobs* aux États-Unis en une décennie. Ce sont les microbes qui travaillent, pas les hommes! Conséquence de cette évolution: une société très polarisée. Les 20 % les mieux payés du pays s'en tireront bien, auront des *jobs* intéressants. Ils seront partie prenante du «village global». Pour les autres: «downsizing», petits boulots, chômage.

Pour éviter l'explosion sociale, il faut faire en sorte que, d'un mal, sorte un bien. Cette évolution va libérer des millions de gens de l'esclavage du travail. À nous de nous débrouiller pour que cela soit perçu comme «plus de loisirs» et non «plus de chômage». Et que la redistribution des gains de productivité s'opère équitablement. Il faut pour cela négocier un nouveau contrat social. Certaines de mes idées me viennent de France. Imposons la semaine de 30 heures. Sous peine que tout le monde — riches et pauvres — y perde.»

Non
Olivier Blanchard, économiste et professeur au Massachusetts Institute of Technology

«Monsieur Rifkin est un charlatan! C'est un consultant qui a eu le flair d'enfourcher au bon moment les grandes peurs collectives de notre fin de siècle: les risques liés au progrès technologique et le chômage. Ses thèses ne peuvent même pas être qualifiées de «malthusiennes», parce qu'aucun économiste sérieux, fût-il malthusien, n'a jamais raisonné ainsi. Affirmer que l'emploi disparaît inéluctablement et que la seule solution consiste à se répartir la pénurie, en ne travaillant plus que quelques heures par jour, relève d'un raisonnement de café du commerce, pas d'une observation rigoureuse des faits.

Ainsi, le monde a connu depuis 200 ans des progrès technologiques énormes, et pourtant, l'emploi est bien plus élevé aujourd'hui qu'en 1800. La croissance de la productivité permet soit de produire la même quantité de biens avec moins de salariés, soit d'en produire plus avec le même nombre de travailleurs. Mais dans le même temps, d'autres entreprises se créent et offrent de nouveaux emplois.

Rifkin prétend aussi que les *jobs* sacrifiés sur l'autel du progrès technologique ne sont pas remplacés, que les nouveaux secteurs qui apparaissent (métiers de l'information, biotechnologies, etc.) créent peu d'emplois ou des emplois peu valorisants et mal payés. Si c'était vrai, on constaterait des progrès très rapides dans la productivité des entreprises, puisqu'on continuerait à produire de plus en plus avec de moins en moins de salariés. Or, ce n'est pas ce que l'on observe: la productivité de nos économies progresse bien, mais lentement.

À chaque accélération du progrès, ce spectre du «chômage technologique» resurgit régulièrement: on disait la même chose en 1830, avec l'arrivée de la machine à vapeur, ou vers 1900, quand l'électricité est entrée dans nos usines. Mais ce fantasme ne recouvre aucune réalité. Prétendre que l'«ère de l'information» où nous entrons constitue une phase radicalement nouvelle, que les lois économiques vérifiées lors des précédentes révolutions industrielles ne s'appliquent plus de nos jours, relève du postulat pur et simple, qui ne repose sur aucune étude objective.

Aux États-Unis, nous constatons au contraire que l'informatique, notamment, crée des centaines de milliers de *jobs*. Loin d'être des «petits boulots», ils sont hautement qualifiés, considérés et bien payés. Le rapprochement de deux chiffres suffit à le prouver: les emplois qualifiés représentent actuellement 40 % de l'emploi total aux États-Unis, mais ils constituent 70 % des emplois créés depuis quatre ans. Conclusion évidente: les nouveaux emplois n'ont rien de misérable, ce ne sont pas, majoritairement, des «petits boulots». Nous ne finirons pas tous livreurs de pizzas ou serveurs chez McDo!

Ce qui explique cette perception catastrophique du progrès technologique auprès du grand public, c'est le déclin des industries traditionnelles à gros effectifs, dans lesquelles le salaire ouvrier était élevé. Jusqu'à présent, l'automobile, la mécanique ou le secteur minier offraient beaucoup d'emplois à la fois peu qualifiés et relativement bien payés. Or, ce type de *jobs* est en train de disparaître, au moins en Occident. L'angoisse de l'ouvrier qui était payé 30 dollars de l'heure chez General Motors et qui se croit voué à pointer chez McDonald à 3,50 dollars est évidemment facile à concevoir. D'autant que, lorsque GM ou ATT licencient, on le ressent dans toute une région; plusieurs milliers de salariés se retrouvent aussitôt à la rue. Mais cela ne doit pas nous condamner à la myopie: des emplois se créent, et en grand nombre, par ailleurs. Dans les services essentiellement. Mais ce ne sont pas forcément des «petits boulots».

ROUGE, Jean-François, «Le progrès détruit-il les emplois?», Montréal, *Affaires Plus*, janvier 1997, p. 42-43.

Texte 12

Comprendre les jeunes de la rue

«Ma job à moi, c'est de garder les jeunes en vie, parce qu'il y a seulement quand on est en vie qu'on peut changer les choses.» Voilà le leitmotiv que Norman Senez s'est donné afin d'aider les jeunes de la rue à survivre et à cheminer dans l'univers underground du *no future*.

Ce survivant de la rue, âgé de 46 ans, cet artiste qui se qualifie lui-même «de marginal qui a à cœur la marginalité» lancera son *Guide de rue*, le 3 septembre, à Québec; le lancement à Montréal aura lieu à la fin septembre. Ce guide se veut un «outil de réflexion pouvant mener à une discussion sérieuse afin de mieux comprendre les gens de la rue».

Son guide s'adresse particulièrement aux parents souvent démunis face aux comportements marginaux de leurs enfants. «Aux parents qui souffrent dans le coin et qui n'osent pas demander de l'aide parce qu'ils sont fonctionnaires ou attachés politiques, par exemple.»

Intervenant de première ligne, Norman Senez dérange par son franc-parler et par les alternatives qu'il propose pour venir en aide aux jeunes toxicomanes de la rue.

Parti en croisade contre le PCP (phencyclidine), aussi appelée «mess» ou «mescaline», qu'il considère comme la drogue la plus dangereuse que l'histoire de la toxicomanie ait connue, «la poudre à mongol», il fonde en avril 1995, en compagnie de Nancy Saint-Hilaire, l'organisme Artoxico, dont le principal mandat est de créer des outils novateurs en prévention et intervention des toxicomanies. «Par son travail en art visuel, Nancy donne toute la dimension artistique que s'est donnée entre autres comme mandat Artoxico afin de canaliser l'énergie et la créativité des jeunes de la rue», explique Norman Senez. [...]

Le nombre de jeunes hospitalisés à la suite d'une surdose de PCP augmente de plus en plus au Québec. Ceux qui adoptent la philosophie du *no future* sont particulièrement touchés par ce problème. À l'origine, cette drogue était administrée comme anesthésique par voie intraveineuse, mais elle n'est plus utilisée pour soigner les êtres humains. Les vétérinaires s'en servent en guise de tranquillisant pour les animaux de grande taille, quoique ce soit de plus en plus rare.

Les effets du PCP sur les êtres humains sont dévastateurs car il agit sur le système nerveux central, plus particulièrement sur les neurotransmetteurs. Le PCP ne crée pas de dépendance physiologique mais psychologique.

«Il faut se réveiller, ce sont nos enfants qui jouent à la mort de cette façon.»

Gestion des substances

L'approche de Normand Senez concernant la consommation de drogues est dérangeante car elle va à l'encontre du message véhiculé dans l'ensemble de la société. Il préconise la gestion et l'apprivoisement des substances. «Si un jeune veut consommer, rien ne l'empêchera de le faire, c'est son mode de vie. À tout le moins, montrons-lui comment le faire sans trop prendre de risques.»

Norman Senez fait valoir que la drogue n'est pas une découverte du XXe siècle. Plusieurs ignorent qu'au sein de nombreuses sociétés (africaines, précolombiennes, asiatiques), et de tout temps, il y avait un individu, généralement reconnu dans son milieu pour sa sagesse, qui avait le rôle d'initiateur. [...]

Norman Senez apprend également aux jeunes à négocier des dettes de drogues plutôt que de tenter de prendre la fuite et de se cacher. «C'est très petit, le monde, et ceux qui prennent la fuite sont toujours retrouvés très rapidement et en subissent les conséquences. Je suggère plutôt au jeune de se trouver un emploi, de prendre une entente avec la personne à qui il doit de l'argent, et de lui donner 25 $ de temps en temps, au lieu de voler un dépanneur par exemple.»

N'échappe pas qui veut aux dures lois de la rue, que plusieurs voient comme un endroit où règne le chaos. Mais c'est un endroit qui bouille, fait remarquer Norman Senez: «Beaucoup d'artistes émergent de cette microsociété qui gravite autour de la nôtre. [...] La souffrance est synonyme de créativité et ces jeunes de la rue souffrent...» En écrivant son *Guide de rue*, Norman Senez a voulu éveiller la conscience des gens qui ont encore beaucoup de préjugés envers cette marginalité. Il décrit ce qu'est la rue pour qu'on en vienne entre autres à ne plus appeler ces jeunes qui traversent le tunnel sombre «les christ de drogués» mais plutôt «des êtres humains qui souffrent».

NORMAND, François, «Comprendre les jeunes de la rue», Montréal, *Le Devoir*, 31 août 1996, p. A4.

Texte 13

La prison, solution ou problème social?

Pour concevoir que le système pénal en général et la prison en particulier constituent un problème social, il faut opérer une certaine rupture avec les conceptions traditionnelles du crime et de la prison selon lesquelles cette dernière est une «conséquence naturelle» de celui-là. Il faut faire une nette distinction entre coûts ou conséquences du crime et conséquences du système pénal et de la prison. Les conséquences négatives de notre manière d'intervenir ne se justifient pas par l'existence préalable de certains problèmes (ceux que nous appelons «crime») dans notre société.

Cette analyse critique du fonctionnement du pénal et de la prison repose sur une remise en question de l'idéologie juridico-pénale, et de conceptions qui étaient jusqu'à tout récemment généralement tenues pour acquises ou vues comme plus ou moins «intouchables». Nous remettons en cause les postulats selon lesquels: la principale fonction du système pénal est la protection de la société, le système pénal est le seul moyen de «lutter» contre le «crime», le système pénal est juste, impartial ou «égal pour tous», la prison est un moyen indispensable à «l'administration de la justice».

Ces questionnements ont émergé de façon importante et sont devenus «légitimes» depuis quelques décennies lorsque des organismes officiels ont reconnu que les effets négatifs du système pénal ne sont pas que de malheureuses erreurs bien «humaines». Ainsi, par exemple, dans un document de travail du Secrétariat des Nations unies présenté au Congrès de Genève en 1976, on constatait que:

«Compte tenu du fait que, presque partout dans le monde, les groupes faibles et particulièrement vulnérables sont surreprésentés parmi les délinquants pris dans le système pénal, *les conséquences sociales négatives* que subissent ces groupes sont tout à fait disproportionnées par rapport aux différences objectives de comportement social que l'on constate entre les divers groupes de l'ensemble de la population. Cela signifie que les groupes sociaux les plus pauvres et les défavorisés supportent aussi une part disproportionnée des coûts socio-économiques du système[2].»

La prison est en soi un problème social parce qu'elle engendre des conséquences négatives pour les personnes ou les groupes, conséquences qui pourraient être atténuées ou évitées si l'on avait recours à d'autres moyens pour gérer les problèmes sociaux ou contrôler les comportements. Plusieurs de ces conséquences sont des conséquences du fonctionnement du système pénal ou d'une condamnation mais, en règle générale, la prison, par sa visibilité et la place centrale qu'elle occupe dans l'idéologie pénale, les polarise ou les exacerbe. [...]

À un autre niveau d'analyse, on peut parler des effets sociopolitiques engendrés par l'existence ou le fonctionnement du système pénal et de son archétype, la prison. Il y a tout d'abord l'*effet sélectif* du système pénal. Cet effet désigne le caractère sélectif et discriminatoire des prises de décision concernant les «sans-pouvoir», tant au niveau législatif qu'à celui du renvoi des affaires au système pénal, de la sélection dans le système et de la disparité des sentences. Ces pratiques sélectives ont un effet cumulatif et font en sorte que les prisons sont peuplées de démunis, de membres de groupes ethniques minoritaires, d'autochtones, de jeunes hommes de groupes défavorisés. Le système pénal et la prison accroissent ainsi les inégalités et les injustices sociales.

Le système pénal et la prison exercent aussi un *effet de diversion* en détournant l'attention de certains problèmes, en mettant l'accent sur certaines

2. Nations unies, *Législation criminelle, procédures judiciaires et autres formes de contrôle social dans la prévention du crime,* document de travail préparé par le Secrétariat, 5e Congrès des Nations unies sur la prévention du crime et le traitement des délinquants, Genève 1976, 1975, p. 17.

questions ou certaines conduites illégales et en en occultant d'autres. Une autre dimension de cet effet de diversion est de laisser croire que l'incarcération est le principal, sinon le seul moyen efficace pour solutionner un problème. Une législation très punitive ou l'incarcération de quelques boucs émissaires donnent l'impression que l'on fait tout pour solutionner le problème, elles satisfont l'opinion publique et évitent d'apporter des solutions plus complexes et plus coûteuses. Les pratiques et les discours concernant les délinquants dits dangereux, les agressions sexuelles et la violence familiale en sont des exemples.

LANDREVILLE, Pierre et Danielle LABERGE, «La prison, solution ou problème social?», dans *Traité des problèmes sociaux*, Québec, Institut québécois de recherche sur la culture, 1994, p. 1075-1076 et 1078.

Ouvrages consultés

BARIL, Denis et Jean GUILLET, *Techniques de l'expression écrite et orale*, tomes 1 et 2, Paris, Éditions Sirey, 1975, 280 p. et 286 p.

BELLENGER, Lionel, *L'Expression orale*, coll. «Que sais-je?», n° 1785, Paris, PUF, 1993, 128 p.

BESSON, Robert, *Français, examens professionnels — comment traiter un sujet de français*, coll. «Guides Bordas», Paris, Bordas, 1980, 160 p.

____________, *Guide pratique de la communication écrite*, Paris, Éditions Casteilla, 1987, 192 p.

BRIEN, Michel, *Parler pour qu'on vous écoute*, Montréal, Le Jour Éditeur, 1982, 168 p.

BRISSARD, Françoise, *Pour réussir un exposé*, Monte Carlo/Paris, Éditions du Rocher/GER Éducation, 1991, 46 p.

CAJOLET-LAGANIÈRE, Hélène et Pierre MARTEL, *La Qualité de la langue au Québec*, Québec, Institut québécois de recherche sur la culture, 1995, 168 p.

CHARLES, R. et C. WILLIAME, *La Communication orale*, coll. «Repères pratiques», Paris, Nathan, 1988, 160 p.

COEFFÉ, Michel, *Guide Bordas des méthodes de travail*, Paris, Bordas, 1990, 280 p.

CORRAZE, Jacques, *La Communication non verbale*, coll. «Que sais-je?», Paris, PUF, 1980, 192 p.

CRÉPIN, F., M. LORIDON et E. POUZALGUES-DAMON, *Français, méthodes et techniques*, Paris, Nathan, 1992, 256 p.

EHNINGER, Douglas et Wayne BROCKRIEDE, *Decision by Debate*, New York, Dodd Mead and Co., 1968, 420 p.

ETERSTEIN, Claude et Adeline LESOT, *Les Techniques littéraires au lycée*, Paris, Hatier, 1995, 288 p.

FRANKLAND, Michel, *La Communication orale efficace*, Laval, Mondia, 1988, 244 p.

GAILLARD, Pol et Claude LAUNAY, *Le Résumé du texte*, coll. «Profil Formation», 303/304, Paris, Hatier, 1975, 160 p.

GIOVACCHINI, Dominique et Bernard VALLETTE, *Français, formation fondamentale*, Paris, Hatier, 1993, 416 p.

GIRARD, Francine, *Apprendre à communiquer*, Belœil, La Lignée, 1985, 280 p.

Guide d'expression orale, Référence Larousse, 1995, 408 p.

LECLERC, Jacques, *Qu'est-ce que la langue?*, 2e édition, Laval, Mondia, 1989, 460 p.

LOPEZ, Felix, *Personnel Interviewing*, New York, McGraw-Hill, 1965, 328 p.

MILLER, Clyde, *The Process of Persuasion*, New York, Crown, 1946, 240 p.

MOFFET, Jean-Denis, *Je pense, donc j'écris*, Montréal, Éditions du renouveau pédagogique, 1993, 136 p.

NEVEU, Franck et Denis LEMAÎTRE, *Vers la maîtrise du texte. Classe de Seconde*, Paris, Hachette Éducation, 1993, 280 p.

OTT, François et Pierre VAAST, *Le Français au bac professionnel*, Paris, Hatier, 1991, 288 p.

PAUZÉ, Élaine, *Techniques d'entretien et d'entrevue*, Ville Mont-Royal, Modulo, 1984, 240 p.

PROFIT, Jean, *Réussir le résumé de texte et la note de synthèse*, Lyon, Chronique sociale, 1989, 120 p.

Résumé I, Resumé II, coll. «Les Méthodiques», Paris, Hatier, 1991, 96 p. et 96 p.

Sciences Humaines, no 51, juin 1995.

SENGER, Jules, *L'Art oratoire*, coll. «Que sais-je?», no 544, Paris, PUF, 1967, 128 p.

SIMONET, René et Jean, *La Prise de notes intelligente*, Paris, Éditions d'Organisation, 1988, 136 p.

SOUFFLET, Edmond et Maryvonne LOISEAU, *Le Résumé et la Contraction de texte*, Paris, Vuibert, 1971, 188 p.

Réimpression achevée d'imprimer en janvier 2007
sur les presses de l'Imprimerie Lebonfon
à Val d'Or, Québec